Learn Sicilian

Mparamu lu sicilianu

Library of Congress Cataloging-in-Publication Data

Cipolla, Gaetano, 1937-
Learn Sicilian = Mparamu lu sicilianu : a comprehensive, interactive course / Gaetano Cipolla.
pages cm
ISBN 1-881901-89-0 (pbk.)
1. Italian language--Dialects--Italy--Sicily--Grammar. 2. Italian language--Dialects--Italy--Sicily--Textbooks for foreign speakers--English. I. Title. II. Title: Mparamu lu sicilianu.
PC1801.C57 2013
457'.9458--dc23
2012046580

Printed in Canada

Acknowledgements

The publisher is grateful to Arba Sicula, an international organization that promotes the language and culture of Sicily, for a generous grant that in part made the publication of this book possible.

I am grateful to Arthur Dieli who provided much needed assistance with proofreading, as well as technical expertise with the Audio DVD that accompanies this book; to Josephine Maietta and Carmela Calia who recorded some of the dialogues. I am especially grateful to Professor Salvatore Riolo from the University of Catania, Professor Giovanni Ruffino from the University of Palermo, to Kirk Bonner, and Marco Scalabrino, for their invaluable advice and expertise. I also thank Mario Gallo and Gaetano Consalvo for their encouragement and advice.

On the cover: a view of the Taormina Public Gardens taken by the author.

For information and for orders,write to:

Legas
P.O. Box 149
Mineola, New York
11501 USA

3 Wood Aster Bay
Ottawa, Ontario
K2R 1D3 Canada

legaspublishing.com

Gaetano Cipolla

Learn Sicilian
Mparamu lu sicilianu

A Comprehensive, Interactive Course

Legas

Sicilian Studies

Volume XXV

Series Editor: Gaetano Cipolla

Other Volumes Published in this Series:

1. Giuseppe Quatriglio, *A Thousand Years in Sicily: from the Arabs to the Bourbons*, transl. by Justin Vitiello, 1992, 1997;
2. Henry Barbera, *Medieval Sicily: the First Absolute State*, 1994, 2000;
3. Connie Mandracchia DeCaro, *Sicily, the Trampled Paradise, Revisited*, 1998; 2008;
4. Justin Vitiello, *Labyrinths and Volcanoes: Windings Through Sicily*, 1999;
5. Ben Morreale, *Sicily: The Hallowed Land*, 2000;
6. Joseph Privitera, *The Sicilians*, 2001;
7. Franco Nicastro and Romolo Menighetti, *History of Autonomous Sicily*, transl. by Gaetano Cipolla, 2002;
8. Maria Rosa Cutrufelli, *The Woman Outlaw,* transl. by Angela M. Jeannet, 2004;
9. Enzo Lauretta, *The Narrow Beach*, transl. by Giuliana Sanguinetti Katz and Anne Urbancic, 2004;
10. Venera Fazio and Delia De Santis, ed. *Sweet Lemons: Writings with a Sicilian Accent*, 2004;
11. *The Story of Sicily*, 2005. (Never printed);
12. Gaetano Cipolla, *Siciliana: Studies on the Sicilian Ethos*, 2005;
13. Paolo Fiorentino, *Sicily Through Symbolism and Myth*, 2006;
14. Giacomo Pilati, *Sicilian Women*, transl. by Anthony Fragola, 2008;
15. *Prayers and Devotional Songs of Sicily*, ed. & transl. by Peppino Ruggeri. 2009.
16. Giovanna Summerfield & John Shelly Summerfield, Jr., *Remembering Sicily*, 2009.
17. Joseph Cacibauda, *After Laughing Comes Crying: Sicilian Immigrants on Louisiana Plantations*, 2009;
18. Domenico Tempio, *Poems and Fables*, transl by G. Summerfield, 2010.
19. *Sweet Lemons 2: International Writings with a Sicilian Accent*, ed. by V. Fazio and D. DeSantis, 2010.
20. Giuseppe Quatriglio, *Sicily: Island of Myths*, transl. by Florence Russo and Gaetano Cipolla, 2011.
21. *First to Last Picking: Sicilians in America: Yesterday, Today, Tomorrow*, by Sebastiano Santostefano, 2011.
22. *La Terra di Babele, Saggi sul plurilinguismo nella cultura italiana*, a cura di D. Brancato e M. Ruccolo, 2011.
23. Giuseppe Pitrè, *The King of Love and Other Fairy Tales,* transl. by Marina Cocuzza and Lorna Watson, 2011.
24. Angelo Coniglio, *The Lady of the Wheel*, 2012.

Table of Contents

Chapter 8

Chapter 9

Chapter 10

Chapter 11

Chapter 12

Chapter 13

Chapter 14

Chapter 15

Chapter 16

Chapter 17

Chapter 18

Appendix

The Sounds of Sicilian

Sicilian was the first of the regional languages of Italy to gain acceptance as a medium for poetic expression. It flourished under the reign of Frederick II in the first half of the thirteenth century. The poets who belonged to the Sicilian School, some of whom were not native of Sicily, wrote in the language spoken at the imperial court. Sicilian was the language used to record the actions of the Sicilian Parliament until the middle of the sixteenth century when Florentine replaced it in official documents. Until the first half of the twentieth century, Sicilian continued to be the only language of most inhabitants of the island. Italian was learned in school and even though official business was conducted in Italian, the majority of Sicilians used their language in their daily lives and they still do so today. Although linguists announced its imminent disappearance 60 years ago, Sicilian has proven to be resilient. Though its range has been restricted to use within the family, among friends and relatives, Sicilian is still spoken and understood by most people on the island. Although Sicilian political institutions have not done enough to preserve it, interest in it as the language of poetry and the performing arts has been growing. Many people in Sicily and in the United States are interested in seeing the language preserved. In the United States, Arba Sicula has devoted all its energies to the study, preservation and dissemination of Sicilian for the past 33 years. The present undertaking, long in coming, answers a need often expressed by our members and by those who want to make a connection with the language of their ancestors.

The pronunciation of Sicilian should not present insurmountable difficulties for anyone. It will be especially easy for those who are familiar with romance languages like Italian, Spanish, French, Portuguese and Rumanian. The sounds of Sicilian are basically similar to those of the other romance languages and, needless to say, they are closest to Italian, even though Sicilian has a few sounds that are not present in Italian, such as the retroflex sound that linguists transcribe with "dd" and sometimes with dots under the *dd* as in *beddu* (beautiful), and the sound of *çiu* in *çiuri* that linguists have represented in various ways for centuries without ever reaching agreement. Though not unique to Sicilian, these two sounds represent one of the distinguishing features of the language. If you are not a native Sicilian, people say, you will have difficulty producing them, especially the *dd* sound. We are confident, however, that with practice you will be able to master them. We will see how these sounds can be produced later.

The Sicilian Alphabet

There are 23 letters in the Sicilian alphabet. The letters "k," "y", "x," and "w" are not used, except in words of foreign origin. There have been some attempts to revive some of these letters to return to the spelling Sicilians used centuries ago, but today those who write in Sicilian often do not abide by generally accepted rules of spelling.

This has resulted in a less than uniform system of writing. The 23 letters of the Sicilian alphabet are:

Letter	Name of Letter	English Pronunciation
A	a	ah
B	bi	bee
C	ci	tchee
D	di	dee
Dd	ddi	ddhee
E	e	eh
F	effi	ehffee
G	gi	jee
H	acca	ahkha
I	i	ee
J	i longa	eeh longah
L	elli	ehllie
M	emmi	ehmmie
N	enni	ehnnie
O	o	oh
P	pi	ppee
Q	cu	ckoo
R	erri	ehrrie
S	essi	ehssie
T	ti	ttee
U	u	ooh
V	vi or vu	vvee, vvooh
Z	zeta	dzetah

The Sicilian Vowel System

Let us begin with the vowel sounds. Unlike Italian, Sicilian has only five vowel sounds and they are:

a e i o u

Italian recognizes seven vowel sounds because the "e" and the "o" can be pronounced as an open or closed sound. Sicilian pronounces the "e" and the "o" as open sounds as in such English words "bet" "let" and "not" "more". Sicilian vowels, unlike English vowels, are always pronounced in one way, no matter where they occur.

Thus the *a* of *casa*, and *pani*, is like the *a* in "father";
the *e* of *genti, meti* is like the *e* of "let";
the *o* of *mori, robba* is like the *o* of "gorge";
the *i* of *Pippinu, minnali*, is like the *i* of "machine";
the *u* of *sùbbitu, omu* is like the *oo* of "stoop"

Sometimes, however, Sicilian vowels, because they are in unstressed positions, tend to be pronounced as a blend of two vowels. This occurs usually in the third person plural of the present or imperfect tenses and in some words. For example, the present and imperfect tenses of verbs like *purtari* (to bring) can be heard as *portanu,* or *portunu; purtavanu* or *purtavunu*; *sèntinu* or *sèntunu*; words like *subbitu* (right away) can be heard as *subbutu.* These vowels are called uncertain because the speaker does not stress the vowel in question and its pronunciation can be heard as either "a" or "u".

The Sounds of Sicilian Consonants

Sicilian consonants for the most part are pronounced almost exactly as the Italian counterparts. There are, however, a few exceptions, as we will see. English speakers will not find it very difficult to pronounce Sicilian sounds.

B

B has the same sound as the *b* in "bed". This letter presents a peculiarity that is true of other Sicilian letters such as the *d, r,* and the *z*. In initial and also in medial position, the *b* is pronounced double. Words normally written with one *b* are pronounced double as in the following: *bonu, beddu, bastuni* and *babbu* (good, beautiful, stick and dumb). Even if the *b* occurs in the middle of the word the sound is pronounced as though it were a double consonant. This does not mean you pronounce the letter twice, it simply means that the vowel that precedes the double sound is shorter than normal. This will take some practice because English does not make much use of the double consonant sound. It does occur in compound words such as "bookkeeping" or "good day". We have added a special exercise in the appendix contrasting the single against the double consonant sounds. The sound is made primarily by pausing slightly after the vowel that precedes the double consonant. Try pausing in pronouncing the following words: *à bbitu, sà bbatu, sù bbitu.* We are exaggerating the pause, of course, for your sake. Here are the words at nomal speed: *àbbitu, sàbbatu and sùbbitu* (suit, Saturday and right away). The pause will help you to pronounce double consonants which occur frequently and affect most sounds, except the *sci, gli,* and *gn* sounds. In some reference books, such as the five-volume *Vocabolario Siciliano*, by Giorgio Piccitto, published by the Centro di Studi Filologici e Linguistici Siciliani, words beginning with *b* are written with two *bbs*. I have chosen to write them with one b, at least when the *b* is in initial position.

C

C has either a hard sound (k) as in *cani* (dog) or a soft sound (ch) as in *celu* (sky). If the *c* is followed by the vowels *a, o, u* or the letter *h*, it has a hard sound as in the English consonant k. If the *c* is followed by the vowels *e* and *i,* then the sound is pronounced as the English words check and chin. Thus, if we add the five vowel sounds of Sicilian *a, e, i, o, u,* to the *c* we will get the following sounds *ca, che, chi, co, cu.* Note how in order to obtain the sounds of *che* and *chi* we placed an *h* between the *c* and the two vowels. If the h were absent, the two sounds would be pronounced *ce* and *ci*. Repeat the following words: *cani, chiesa, china, cori, cuda* (dog, church, full, heart, tail). The *h*, of course, was used to write the words *chiesa* and *china*. The English "ch" is made by placing an *e* or *i* after the *c*.

If other vowels follow the *e* or *i* sometimes you will pronounce both of them as one sound, as in *cia, ciu*, or as separate vowels as in *ceusa or farmacìa*. Repeat the following words: *cessu, cinima, Ciullu, ciaula* (toilet, movie, Ciullu, crow).

The *c* in initial position is usually single, while in medial position it is usually double: for example: *chiavi, chiovu*, but *occhiu, specchiu* (key, nail, and eye, mirror). A peculiarity of the *parrata*, that is, the subdialect of Ragusa in the southeastern part of Sicily is that these same words are pronounced with a soft *c* as chavee, chovoo, occhoo, spehcchoo.

The letter *c* has also been used to reproduce a special sound of certain Sicilian words that are derived from Latin, words beginning with *fl*, such as *flumen* (river) or *florem* (flower), which in Sicilian became *ciumi* and *ciuri*. Specialists on the Sicilian language have been arguing for centuries on how to write this sound. Today you may see it written as *ciu, sciu*, or *çiu*. Without going into the technical explanation of how the sound is made, you can come very close to it if you say "shoe" keeping your tongue well inside your mouth, instead of holding it between the teeth. A puff of air should come out of your mouth in pronouncing *çiumi, çiuri*. If the stress falls on the succeeding syllable, however, as in *çiusciàri*, the initial sound is made further back in the mouth and no air should escape. Repeat the following words: *çiocca, çiauru, çiariari, çiumara* (hen, smell, to smell, riverbed). In this grammar we will write the sound with the ç.

D

D is slightly different from the English *d*. The d of "dog" or "dig" is more explosive than the Sicilian "d" of *dumani* or *doppu* where the *d* is pronounced with the tongue completely inside the mouth rather than between the teeth. This letter, depending on where you are in Sicily will be pronounced as an *r*, as in the words *duminica/ruminica, dota/rota, nidu/niru, dici/rici* (Sunday, dowery, nest, says), and as a "t" in and around Messina in initial and in unstressed positions, as in *denti/tenti, diavulu/tiavulu* and *tebbidu/tebbitu*, (tooth, devil, tepid). When the *d* is followed by a vowel in unstressed position such as in *vidu, cridu* (I see, I believe), it changes to a *y* sound. In Sicilian the *y* sound is written with a *j*. Thus *vidu, cridu* change to *viju, criju*.

Unlike Italian, the *d* can be pronounced as a double consonant even in initial positions, as in *ddimoniu, ddibbulizza, ddebbitu* (demon, weakness, debt), as well as in medial position as in *addumannari, addurmirisi, addunarisi* (to ask, to fall asleep, to notice). This double *dd* sound is not to be confused with the retroflex sound of *beddu, Turiddu* (beautiful and *Turiddu*) that we will describe shortly. In the first examples, *addumannari*, the double *dd* is made by shortening the preceding vowel and striking the bottom of your upper teeth with the tip of your tongue protruding slightly beyond them. Remember to pause after the initial vowel. In the following examples the double *dd* is pronounced as above: *addinucchiari, addisiari, addivintari, arridduciri* (to kneel, to yearn for, to become, to reduce). This is the same as the Italian sound *addormentarsi* (to fall asleep).

The *d* and the *t* followed by an *r* have a distinctive Sicilian sound, different from Italian. Such words as *ddrittu, draddraia* (straight, witch) and *trenu, tronu* (train, thunder) are pronounced with the tongue inside your mouth rather than between the teeth, as in the English "dry" and "train". The double *dd* of *Turiddu* is described in the next section.

Dd

Dd. The "dd" sound is made almost exactly as in such American English words as "caddy," daddy" "batty". Pronounce the following words and observe how the tongue curls a bit and then strikes the upper part of the palate: *beddu*, (beautiful) *liveddu* (level), *cuteddu* (knife), *purceddu* (pig), *agneddu* (lamb), *capiddi* (hair), *munzedda* (mounds), *Mungibbeddu* (Mt. Etna), *jaddina* (chicken), *jaddu* (rooster), *madduni* (brick, tile), *cavaddu* (horse), *nuddu* (no one). In certain parts of Sicily, primarily in the western part, the *dd* sound above is made by adding a slight trill to it, so that when the sounds are written they add an *r*. In Trapani, for example, the words above will be pronounced *beddru, liveddru, cuteddru, purceddru, agneddru, capiddri, munzeddra, Mungibbeddru, jaddrina*, etc...

F

F. The *f* sound presents no difficulty whatsover. It is the same as the English f as in fame, film. Pronounce the following: *fami* (hunger), *filu* (thread), *feli* (bile), *fulinia* (cobweb), *fogghia* (leaf), *chiffari* (things to do), *affettu* (affection), *fuddittu* (sprite).

G

G. The *g* sound presents the same difficulties as the *c*. G has either a hard sound (go) as in *gamma* or a soft sound (jet) as in *genti*. If the *g* is followed by the vowels *a, o, u,* or the letter *h*, it has a hard sound as in "go". Repeat the following: *gattu, gamma, gaddu, gaggia, ghiommaru* (cat, leg, rooster, cage, ball of thread). If the *g* is followed by the vowels e and *i*, then the sound is pronounced as the English *j* as in the following words: *raggiuni, giovani, gilusia, gebbia* (reason, young person, jealousy, water tank). In some *parrati* of central Sicily the initial hard *g* drops off and the five words above will be pronounced as *àttu, àmma, àddu, àggia, òmmaru*. The same words, however, will be pronounced as *jattu, jàmma, jaddu, jommaru* in eastern Sicily (Messina, Catania). The combination *g* plus *r* in such words as *granni, grossu, grutta* (big, large, cave) in many parts of Sicily will also lose th*e g* and will be pronounced *ranni, rossu, rutta*.

The *gn* combination is similar to its Italian counterpart and to the Spanish *ñ* sound. It is equivalent to the sound of canyon or onion. Pronounce the following words: *castagna, vegnu, tigna, vigna, signali* (chestnut, I am coming, bald head, vineyard, signal). Differentiate between this sound and words like *Catania, ddimoniu, tistimoniu* (Catania, demon, witness).

Another sound peculiar to romance languages that is written with a *gli* in Italian and with a ll in Spanish exists in Sicilian in certain areas, but for the majority of speakers on the island this sound has been replaced by "gghi". Thus, where Italian will have *famiglia, figlio, foglio, taglio, travagliare*, (Family, son, sheet of paper, cut, travail-work) Sicilian will have *famigghia, figghiu, fogghiu, tagghiu, travagghiari*.

H

H has no sound of its own. Its only purpose is to make a soft c or g into a hard c or g. *Cetu* (social rank) becomes *chetu* (quiet) by placing an h after the c. *Gettu* becomes *ghettu* by placing the h after the g.

J

The *j* in Sicilian is equivalent to the English *y*. It is a consonant that is slowly disappearing and being replaced by the Italian vowel *i*. In the past, words such as *boja, noja, gioja* (executioner, boredom, joy) used to be written with a j. Today they are being replaced by the Italian *i* as in *boia, noia, gioia.* Nevertheless the *j* has a role to play and its pronunciation requires some attention. It occurs in words such as *jornu, jiri, jurnata, Japicu, jiditu, jenniru, jardinu, jaddu* (day, to go, length of day, Jacob, finger, son-in-law, garden, rooster) etc… If pronounced separately or if it is preceded by an unstressed word, the *j* in these words is simply equivalent to the English y. Thus the *j* of *jorna* preceded by an unstressed word such as *cincu* or *quattru* will be pronounced *cincu jorna, quattru jorna.* (five days, four days) But if the words beginning with *j* are preceded by monosyllables such as *tri* and *a*, the combination will be pronounced *trigghiorna, agghiurnata* (Three days, for the day) even though *jornu* is still written with a *j*. Before titles such as San, and Don as in *Japicu, Jachinu* the resulting sound would be *dongnapicu, dongnachinu.* Following the word *ogni* (every) as in *ogni jornu*, the combination would be pronounced *ognigghiornu* and in the area of Messina and province *ogningnornu.* A sentence that is written as *a jiri a vidiri a don Jachinu* (I have to go see Don Jachinu) would sound like *agghiri avvìdiri a donGnachinu.* In some *parrati* the *v* in stressed position may be heard as a *b*. Thus *avvidiri* could be heard as *abbidiri.*

L

The L presents no difficulty when it is in initial position. Thus the *l* of the following is the same as the English "love". *Lana, lena, linu, lona, luna, mulu, mali, meli.* The double *ll* exists in certain Gallo-Italic areas (Bronte, Maletto, Randazzo, Santa Domenica) and in most of Sicily for words that have been borrowed from Italian such as *ballu, cristallu, ribbelli,* (dance, crystal, rebel), however, the double "ll" in most parts of Sicily became the retroflex sound *dd* we already discussed. Thus words that in Italian would be written as *collo, bellezza, cavallo, gallo* (neck, beauty, horse, rooster) in Sicilian became *coddu, biddizza, cavaddu* and *jaddu.*

The *l* followed by a *c*, an *m* or a *v* as in *falcu, calmu, salvu* (falcon, calm, safe) generally lose the *l* in favor of an *r*, becoming *farcu, carmu, sarvu* in most parts of Sicily. The same words in the eastern part lose the *r* and double the consonant that follows as *faccu, cammu, savvu,* and in the area around Palermo, speakers will add a trailing *i* to the stressed syllable and pronounce the words *faiccu, caimmu, saivvu.*

M

The M does not present any difficulties for English speakers. It has the same sound as the *m* in man, merit. The *m* that follows a stressed vowel usually is pronounced double as in *càmmira, vòmmira, fimmina, nùmmiru, cucùmmaru,* (room, plow, woman, number, watermelon) etc... In Italian the combination *mb* is usually changed to *mm* in Sicilian as in the case of *gamba/jamma; piombo/chiummu; colomba/palumma* (leg, led, dove).

N

The N does not present any difficulties for English speakers. It is the same as the English *n* in name. Pronounce the following words: *Navi, ninna nanna, nìuru, nudu, panuzzu* (Ship, lullaby, black, naked, bread). When the "n" is followed by a *d* in Italian, it generally changes to a double *n* in Sicilian, as in *rutunnu, munnu, funnu, quannu, munnizza* (round, world, bottom, when, garbage). The *d* sound is retained in a small area around Messina where such words would sound like *mundu, quandu, mundizza* etc…

The combination of *nv* of such words as *'nvernu, 'nvidia, 'nvitu, cunventu* (winter, envy, invitation, convent) in most areas changes to a double m as in *mmernu, mmid-*

ia, mmitu, cummentu in the spoken language.

The combination *ng* merits special attention. Sicilian words such as *sangu, fangu, longu* (blood, mud, long) are not pronounced at all as their Italian counterparts *sangue, fango, lungo*. Nor are they pronounced as the English words "longer, finger". The Sicilian sound is closer to the ng of the English "Long Island" or "hanger" where the sound is made by withdrawing the tongue towards the back of the mouth. Pronounce these words: *rangu, sgangu, 'ngagghiari, 'ngratu, 'nfangatu* (rank, bunch, to catch, ingrate, muddy).

P

The **P** is similar to the English "p," however, it is not as explosive. Put your hand before your mouth and pronounce the words "pop" and "pipe". Your hand should feel a puff of air coming out of your mouth. Now pronounce the following Sicilian words: *pani, petra, pumu, papà* (bread, stone, apple, daddy). You should not have felt any air come out of your mouth, or at least not as much. Differentiate between the English and Sicilian *p* in pain/*pena*, poor/*povuru*, pidgeon/*picciuni*.

R

The **R** is trilled. It's pronounced by pointing the tip of the tongue toward the top of the upper front teeth. It can occur in medial position as in *soru, cori, amaru, scuru* (sister, heart, bitter, dark) and it's pronounced with a single trill. When double, the trill is stronger as it is in *carru, merru, ferru, guerra* (cart, blackbird, iron, war).

When it occurs in initial position, it is often doubled as in *rridiri, rragghiari, rraggiu, Rroma* (to laugh, to hee-haw, ray, Rome). When the "r" is followed by another consonant in most parts of Sicily the "r" disappears and the following consonant is doubled, as in the following: *curpa/cuppa; mortu/mottu; corda/codda; porta/potta; curnutu/cunnutu* (fault, dead, cord, door, cuckold). In the area around Palermo, the same words will add a trailing "i" before the stressed vowel. Thus you will have *moiṭtu, coidda, poitta, cuinnutu.*

S

S in Sicilian is like the English *s*. In initial position and in medial position, it maintains the sound of the *s* as in Sam. Thus *sira, sali, sugnu, servu*, (salt, I am, servant) and *casa, spisa, stissu, vossia* (house, shopping, same, you) are all like the *s* in Sam. For double *s*, apply the same rules as any double consonant, that is, pronounce the preceding vowel shorter. The *s* is pronounced like a *z* when it precedes a voiced consonant as in *sbulazzari* (to flutter), *sdintatu* (toothless) or *sminuzzari* (to break into small pieces) where the *b, d* and the *m* are all voiced consonants. In the province of Palermo, *s* followed by a consonant will be pronounced as the English phoneme "sh". Preceding voiceless consonants, the *s* will be like the *s* of sight as in *scappari, scippari, scola, spagu, stubbitu, stazioni* (to flee, to pull out, school, thread, stupid, station).

A group of words written with an *s* present the peculiarity of changing the *s* sound into a soft "sh" sound in the eastern part of Sicily, around Messina. Compare *cammisa, bbasari, cirasa, fasola, cusiri* (shirt, kiss, cherry, bean, to sew) with *cammicia, bbaciari, faciola, cuciri.*

We ought to point out that when the *s* is combined with the phoneme *tr* or *dr* the result is akin to the English pronunciation of "shrill" "shroud". Recall the peculiar sound of *trenu, drittu* (train, straight). Adding an *s* will cause a whistling sound between the teeth. Pronounce the following words: *strittu, strata, finestra, mastru, strummulu, seggiasdraia* and *strammu* (tight, street, window, master, spinning top, rocking chair and strange). Here Sicilian differs markedly from Italian.

T

The *T* is not the same as the English *t*. It is not aspirated. The pronunciation of the expression *tutti i frutti*, which in American English sounds like *tudifrudi*, and *spaghetti*, which sounds more like spaghedi, clearly illustrates the difference. The *t* in Sicilian is formed by striking the upper front teeth with the tongue. Pronounce the following: *Tanu, timuri, stadda, stima, poti, potti, pattu, matina, muturi, carrettu.*

V

The V is primarily the same as the English *v* of valiant. Pronounce the following: *vinu, vinnigna, vita, vistina, vutti.* The *v* sometimes takes the place of the *b* in certain areas. Words such as *vutti, vucca, viviri, vinni* sometimes can be written and pronounced as *butti, bucca, biviri, binni.* Such dualities can give rise to misunderstandings as in the following dialogue between a judge and a defendant:

Judge—*To patri vivi?* Judge— Is your father alive?/ Does your father drink?
Defendant— *No, me patri litrìa.* —No, my father puts it away by the liters.

Z

The Z is either equivalent to *tz* or *dz*. In such words as *zeru, zabbara, zòcculu*, it is a voiced consonant (*dz*) while in words like *zzappagghiuni, mazzu, menzu, azzioni, pazzu* it is a voiceless consonant (tz).

Phono-Syntactical Changes

When you pronounce words in a sentence each word has some effect on the words that follow. In this section we will examine some of the most important elements that can affect pronunciation.

The use of certain words results in the doubling of the initial consonant of the word that follows. Here are the most common words that cause the doubling:

The preposition *a*. "A Roma" (To Rome). Although *Roma* is written with a single *r*, the combination will be pronounced *aRRoma*. Similarly *a mia* (to me) *ammia*, *a tia* (to you) *attia*, and *a vui* (to you) would be written with a single consonant but pronounced double;

The verb *à* (has). In the phrase *Tu à ccapiri na cosa*. (You have to understand something) the *c* of *capiri* is pronounced double;

The words *ccà* and *ddà* (here, there). When combined with adverbs of place such as *sutta, fora, dintra*, (below, inside, outside) they become *ccassùtta, ddassùtta, ccaffòra, ddaffòra, ccaddìntra, ddaddìntra* (down here, down there...);

The interrogative *chi* (what). Questions such as "what are you doing, what are you saying, what did you see?" will be pronounced *Chiffai? Chiddici? Chivvidisti?* The same thing happens also in exclamations preceded by *chi* as in *Chi vvirgogna!* (What a shame!) *Chi ttistazza*! (What a head!)

The verb *è* (is) and the conjunction *e* (and). In such combination as *è ggranni, è bberu, è bbonu, io e ttu* (it's big, it's true, it's good, I and you);

The 3rd person of the present of the verbs *fari, stari, putiri,* and *jiri*; as in, *fammali, sta vvicinu, pò ttrasiri, va ffora* (it hurts, lives close by, may come in, goes out);

The third person of the past tense of essiri, fu (was) as in the expression *fu cchissa a rraggiuni* (that was the reason).

The preposition pi, (for) as in *pi mmia, pi mme matri* (for me, for my mother);

Other monosyllables such as *tri, sì, su, sta, né*;

Doubling can occur also with two-syllable words such as *quacchi, ogni* (some, every) as in *quacchivvota, ogniffimmina* (some time, every woman); even accented two-syllable words can cause doubling such as *pirchì, pirchì vvinisti*? (Why did you come?).

Diphthongs

Although the diphthongs will present no difficulty in terms of their pronunciation, we recognize that because they can take place in so many different ways they offer additional obstacles to understanding. Students need to be aware that in some areas of Sicily words having stressed e and o can often give way to the formation of diphthongs, that is two vowels instead of the one they replace, pronounced as one sound. For example words such as *ferru* (iron) may be pronounced as *fierru*; *pettu* (chest) as *piettu; ventu* (wind) as *vientu*, while *corvu* (crow) may be pronounced as *cuorvu*. In some *parrati* this may become *cuarvu; porcu, puorcu* or *puarcu*. The diphthongs in some areas are reduced to a single sound that is something in between, for example *felu* for *filu* or *molu* for *mulu* where the e and the o have a mixed sound.

Such diphthongs regularly occur also in verbs affecting all persons except the first and second plural of the present tense. For example, the verb *circari* (to look for) and the verb *truvari* (to find) are normally conjugated as follows: *cercu, cerchi, cerca, circamu, circati, cercanu*. But in some areas where diphthongs occur it will conjugated as: *ciercu, cierchi, cerca, circamu, circati, cercanu,* while the verb *truvari* will have the normal conjugation as *trovu, trovi, trova, truvamu, truvati trovanu*. Where diphthongs occur, it will be *truovu, truovi, trova, truvamu, truvati, trovanu.*

Accents

Like Italian, Sicilian words are generally stressed on the next to the last syllable. *Amùri, picciriddu, armàli, cùrtu* (love, little boy, animal, short). When the stress falls on the last syllable, the accent is written. Sicilian uses only the grave accent. Thus *pirchì, pò, ddà, ccà* (why, can, there, here). In Sicilian, the accent is used also where the corresponding Italian word has a different stress. In Italian the verb "persuadère" (to persuade) has a stress on the next to the last e, where Sicilian "pirsuàdiri" the stress falls on the a. The third person plural endings of the imperfect are written with an accent: *avìanu, avèvanu, facìanu, liggìanu, jucàvanu, currèvanu*. This practice, however, is not uniform. Accents should be used to help the reader pronounce correctly. Sicilian also uses the circumflex accent to indicate that a contraction has taken place, that is, two elements have been fused together. Thus instead of writing *di lu* (of the) you may see *dû*; instead of *nta la* (in the) you may see *ntâ*, instead of *a lu* you may see *ô*.

There are other marks that affect the correct reading of texts such as the apostrophe and the aphaeresis. The apostrophe simply joins two words together by eliminating the vowel at the end of the first word as in *lu armali* (the animal) which becomes *l' armali, na acula* (an eagle) which becomes *n' acula*. The aphaeresis is also an apostrophe that indicates that an element has been left out of the word. The negative *nun* (not) drops the initial n and is replaced by an apostrophe. The same can be said of the preposition *in* where the *i* is replaced by the apostrophe. Sometimes words that were originally written *invidia, invitari,* and *invernu* in time lost the initial *i* and to indicate this some will write them with an apostrophe *'nvidia, 'nvitari, 'nvernu*. In this grammar we will write them without the apostrophe as *nvidia, invitu, nvernu, nveci,* etc.

Intonation

The intonation of a sentence, in Italian or English, is an important element that adds significance to the statement. In Sicilian the intonation generally follows an undulating movement. Listen to the following sentence: *A signura Maria ìu a chiesa stamatina*. (Maria went to church this morning) Notice how the voice rises and falls. Here is another utterance: *Me patri mi purtau a fera l'àutru jornu*. (My father brought me to the fair the other day). When we are asking a question, however, the voice will rise at the end of the utterance. Here is an affirmative statement: *U prufissuri ci spiegau a lezzioni ê so studenti*. (The professor explained the lesson to his students). The same statement can become a question simply by changing the intonation of the voice: *U prufissuri ci spiegau a lezzioni ê so studenti?* Here is a statement followed by an exclamation mark: *Mizzica, quantu costa stu libru!* (Damn! this book is really expensive!) Notice how the voice falls off at the end of the utterance. Now the same sentence read as a question: *Mizzica, quantu costa stu libru?* (Damn! How much does this book cost?) Notice the difference. Although it's possible to change statements into questions by altering the intonation, often Sicilians will place the verb at the end of the question. Thus the following statement, *A signura Cuncetta havi a frevi*. (Cuncetta has a fever), can become a question by placing the verb at the end and changing the intonation: *A signura Cuncetta a frevi havi?* or leaving the sentence as is and simply altering the intonation as follows, *A signura Cuncetta havi a frevi?*

The text of the *Sounds of Sicilian* is recorded in the DVD that accompanies this textbook.

The appendix contains a number of exercises illustrating the rules of pronunciation explained in this introduction as well as the answers to the same. Students are urged to listen to the DVD that contains the audio version of this introduction, using it as a model for the pronunciation of Sicilian. I recommend it as the starting point for learning the language.

About This Grammar

The decision to write a grammar of Sicilian was not an easy one for a number of reasons: for one if you go to Sicily you will encounter fewer people who will speak to you in Sicilian. Sicilians, especially the younger generations, have grown up with the modern media which uses Italian almost exclusively. The language is still spoken at home, and I dare say that although the speaking ability is certainly diminished among the younger generation, Sicilian is understood throughout the island. This year while in one of Palermo's old restaurants a Sicilian American lawyer who was dining with us, asked the young waiter for "lu spezzi" which is Sicilian for pepper. The waiter was taken aback and for a moment did not know how to respond, then he smiled and brought the pepper. I asked him why he had hesitated and he replied that he had not expected that my friend who was obviously American would speak to him in Sicilian. *Mi ha spiazzato*, (he threw me off guard) he said in his own defense. He knew what *spezzi* was, of course. He just did not expect to hear Sicilian from an American. I will add that he probably would have had the same reaction if the request had been made by an Italian or even a Sicilian. In Sicily business is conducted primarily in Italian at banks, in government offices, in stores, and in schools. Sicilian is used generally among people who have known each other for a long time, family relations, and neighbors. Since many Sicilians still live in small towns where everyone knows everyone, it is safe to assume that Sicilian is spoken with greater frequency in the smaller communities than in the larger cities where it is more likely that there are many people you do not know.

Sicilian is widely used by people who write poetry. Very few people use Sicilian to write prose. One of the difficulties of editing the *Arba Sicula* journal is to find narrative written in Sicilian. There is no problem at all in finding poetry written in Sicilian, but prose is another matter. There are a few people who write fiction in Sicilian, but they are primarily short stories, tales, and anecdotes. Finding articles written in Sicilian that deal with current events, scientific research, philosophical discussions or any other topic is nearly impossible. The reason for translating into Sicilian every article that appears in *Arba Sicula*, regardless of its content, is to show that Sicilian is capable of expressing every emotion, every movement of the human spirit. Prose, by its very nature embraces the universe. You can use a language to write about everything, from instructions on how to create an atomic bomb to a recipe for *Pasta cu li sardi*. Poetry does not have to be limited in vocabulary and idiomatic expressions as it is today,—look at Dante's *Divine Comedy*, an astounding testament to the infinite capabilities of language!—but in fact the language of poetry is today restricted to a small number of users and is limited in its scope. The fact that Sicilian has been compartmentalized as the language of poetry undoubtedly has had a deleterious effect on it. It is increasingly more difficult to use Sicilian to make a presentation of a scholarly nature. Most Sicilians find it easier to speak of serious matters in Italian, but this does not mean that one could not say the same things in Sicilian. A few years ago, at an event organized by Arba Sicula, Professor Giacomarra, a linguist at the University of Palermo, was invited for a lecture. As he did not speak English, I told him he could speak in Italian or preferably in Sicilian, which the audience would understand better. Being a good sport, he accepted the challenge that many would have refused and proceeded to give a wonderful presentation in Sicilian on a highly technical subject: Sicilian linguistics. This confirmed that Sicilian can be used to express every thought.

There are some purists who object when they hear a Sicilianized Italian word. I am not perturbed by that. Languages are living things. They must evolve and grow, they must adapt and expand to include novel items. Echoing Machiavelli who believed that Florentine was still Florentine even when words from other dialects were used, I believe that Sicilian is still Sicilian even when Italian words are adopted.

This textbook is designed with one principle in mind: teaching students the four language skills: understand, read, speak and write. I consider all four skills important, even though I am aware that students may not have many opportunities for writing in Sicilian. I have not placed more importance on any one of the four skills, convinced that all four skills need to integrated. The textbook has been designed primarily as an interactive tool to help the student develop the ability to understand, speak, read and write in the language. Learning Sicilian is like learning any other romance language. The same pedagogical techniques that are employed in teaching Italian or French can be used to teach Sicilian. This textbook is organized along similar lines of development which focus on dialogue, brief presentation of the grammatical principle, a wealth of exercises designed to develop understanding, the ability to manipulate linguistic structures and to adapt them to different circumstances, and mastery of pronunciation and vocabulary. In addition, the book contains important information on Sicilian literature, myth, traditions, and culture. Each of the later chapters contains a description of mythological beings associated with Sicily, profiles of the major poets who have written in Sicilian, and descriptions of each of the provincial capitals of Sicily, as well as information on more general topics such as "The Sicilian School" of poetry, Sicilian cuisine, open air markets, and open air theatres. I have included easy riddles in Sicilian, as well as a number of Sicilian proverbs, at least one per chapter.

I have designed the exercises and readings to reinforce the grammatical points presented. Where possible, I have included topical vocabulary but I have not approached such topics as the nucleus around which to build the chapter. It goes without saying that grammatical points are usually connected with related skills and activities. Learning how to use adjectives, for example, calls for exercises and activities such as describing objects and persons; learning the imperative automatically calls for giving evidence of mastery by giving commands to people in simulated situations. I have made an effort to create likely scenarios that may call for the use of Sicilian and have avoided creating awkward and embarrassing exchanges, like speaking Sicilian to the border police or to the teller of a bank. Such exchanges do not occur in real life.

One important point needs to be addressed. Even people who do not know Sicilian well, know that there are several *parrati* in Sicily that differ in lexicon, syntax and morphology. How can a grammar cover all the variations among these *parrati*? Sicilians are struggling to find a koine, that is, a way of writing the sounds of Sicilian in a consistent and predictable way. As the editor of *Arba Sicula*, many different texts come across my desk. They are written in the various *parrati* of Sicily, the same word can be spelled in three or four different ways, and some words may be used in one place but not in another.

I have to make sense of these texts and I do so as I translate them into English. I see no difference between *gaddu jaddru, jaddu, addu, iaddu.* To me they all mean rooster. All Sicilians will recognize the variations above as identifying the master of the hen house. I am aware that students learning the language do not possess such expertise. Indeed such students, as my many years of teaching experience have taught me, will not make the leap from *jaddru* to *addu*, especially if they see the word in writing. For this reason, I have added a detailed description of such processes at the beginning. Students ought to familiarize themselves with the differences among the *parrati*. The rules that apply to these local variations are known and are included in the introduction. The variations among the *parrati* are not of such nature as to hinder communication among Sicilians.

In writing this grammar I had to make a choice as to which *parrata* would be favored. My work as a translator has exposed me to the texts of Giovanni Meli, (Palermitan), Marco Calvino (Trapanese) Domenico Tempio (Catanese) Nino Martoglio (Catanese), Luigi Pirandello (Agrigento), Rosa Gazzara Siciliano (Messinese), Corrado Di Pietro (Siracusa), Nino De Vita (Marsala area), and many others from different parts of Sicily. Thus, the Sicilian I use in the translations and in this grammar is sort of a *koinè*. When in doubt, I rely on my own which is the *parrata* of Messina province (Francavilla di Sicilia) with a smattering of all other *parrati*.

I am grateful to the following people who have blazed the trail and made my task easier with their work: Corrado Avolio, Innocenzio Fulci, Giuseppe Pitrè, J. K. Bonner, Salvatore Camilleri, Salvatore Riolo, Giovanni Ruffino, D. Fausto Curto D'Andrea, Vito Lumia, and Frederick Privitera.

What's in the chapter:

Saluti
Prisintazioni
I numiri finu a vinti
Sicilian First Names
Parrari furmali e nfurmali
Useful Words
Li jorna di la simana
Cognates

Lu tempiu di Hera a Agrigentu/The Temple of Hera in Agrigento.

Observe how the following conversations vary according to the participants:

Lu prufissuri D'Amicu si prisenta a la classi di sicilianu.
Professor D'Amicu introduces himself to the Sicilian class.

Bongiornu, sugnu Giuseppi D'Amicu. Sugnu prufissuri di sicilianu. E sugnu di Missina.

La prufissurissa Taibbi si prisenta a la classi di sicilianu.
Professor Taibbi introduces herself to the Sicilian class.

Bonasira, sugnu Marietta Taìbbi. Sugnu prufissurissa di sicilianu. E sugnu di Taurmina.

Lu studenti Marcu Calabrisi si prisenta a la classi di sicilianu.
Student Marcu Calabrisi introduces himself to the Sicilian class.

Salvi, sugnu Marcu Calabrisi. E sugnu studenti di sicilianu. Jo sugnu di Brucculinu.*

**Pronounced yo.*

La studintissa Marianna Racina si prisenta a la classi di sicilianu.
Student Marianna Racina introduces herself to the Sicilian class.

Ciau, sugnu Marianna Racina. Sugnu studintissa di sicilianu. E sugnu di Mineola.

Dialogu furmali tra lu prufissuri D'Amicu e Marcu Calabrisi.
Formal dialogue between professor D'Amicu and Marcu Calabrisi.

Marcu	Bongiornu, prufissuri D'Amicu.
Prufissuri D'Amicu	Bongiornu, Marcu.
Marcu	Comu sta oggi, prufissuri?
Prufissuri D'Amicu	Beni, grazzii, e tu?
Marcu	Nun mi pozzu lamintari, grazzii. (I can't complain)
Marcu	Bona jurnata, prufissuri!
Prufissuri D'Amicu	Grazzii, a prestu, Marcu.

Dumanni: (Questions:)
1. Comu si chiama lu prufissuri? 2. Comu si chiama lu studenti? 3. Comu sta lu prufissuri?

Dialugu infurmali tra Marcu e Elena, na studintissa di sicilianu.
Informal dialogue between Marcu and Elena, a Sicilian student.

Elena Ciau, Marcu, comu stai?

Marcu	Ciau, Elena, abbastanza beni, e tu?
Elena	Nun mi pozzu lamintari.
Marcu	Unni vai, a l'università? (Where are you going, to the university?)
Elena	Sì, aju lezzioni di matimatica. (I have a Math lesson)
Marcu	Bona jurnata!
Elena	Grazzii, arrivederci.

Dumanni:
1. Comu sta Marcu? 2. Unni va Elena? 3. Elena avi lezzioni di sicilianu?

Dialugu furmali di Marcu cu na pirsuna anziana.
Formal dialogue between Marcu and an elderly person.

Marcu	Bona sira, signura Cuncetta, comu sta Vossia?
Signura Cuncetta	Ciau, Marcu, discretamenti, grazzii e tu?
Marcu	Nun mi pozzu lamintari. Unni va, Vossia?
Signura Cuncetta	Vaju a casa.
Marcu	Bona sirata, allura, signura Cuncetta.
Signura Cuncetta	Arrivederci, Marcu.

Dumanni:

1. Comu sta la signura Cuncetta? 2. Unni va la signura Cuncetta? 3. Marcu sta beni o sta mali?

Dialugu tra lu prufissuri e li novi studenti.
Dialogue between the professor and the new students.

Lu prufissuri	Bongiornu, studenti, sugnu lu prufissuri D'amicu. Vogghiu canùsciri a li studenti.* Tu, comu ti chiami?
Marcellu	Mi chiamu Marcellu, prufissuri.
Lu prufissuri	Piaciri, Marcellu!
Marcellu	Piaciri, prufissuri.
Lu prufissuri	E tu, comu ti chiami?
Rusetta	Mi chiamu Rusetta.
Lu prufissuri	Piaciri, Rusetta.
Rusetta	Piaciri, prufissuri.

* I want to meet the students.

Dumanni:
1. A cu voli canùsciri lu prufissuri? 2. Comu si chiama lu primu studenti? (The first student) 3. Comu si chiama la studintissa? (the female student)

Saluti

Ciau	Hello, good bye	*Bona jurnata*	Have a good day
Bongiornu	Good day	*Bona sirata*	Have a good evening
Bonasira	Good evening	*Salvi*	Greetings
Bonanotti	Good night	*Arrivederci*	See you again
A prestu	See you soon	*A dumani*	See you tomorrow

Paroli utili:

Comu si pronunzia?	How do you pronounce?	*Pi favuri*	Please
Comu si dici...?	How do you say?	*Comu si scrivi?*	How do you write?
Grazzii	Thank you	*Nun capisciu*	I don't understand
Sì, capisciu	Yes, I understand	*Scusa*	Excuse me (familiar)
Comu sta? (*Stai?*)	How are you?	*Scusassi*	Excuse me (polite)

Li numiri finu a vinti

1. unu	11. ùnnici	Dui chiù dui fannu quattru.	(+)
2. dui	12. dùdici	Cincu menu dui fannu tri.	(-)
3. tri	13. trìdici	Sei pi dui fannu dùdici.	(x)
4. quattru	14. quattòrdici	Deci divisu dui fannu cincu.	(÷)
5. cincu	15. chìnnici		
6. sei	16. sìdici		
7. setti	17. diciassetti		
8. ottu	18. diciottu		
9. novi	19. diciannovi		
10. deci	20. vinti		

Li jorna di la simana

La simana cumincia di luneddì. The week begins on Monday.
Li jorna di la simana sunnu The days of the week are
Luneddì, marteddì, merculeddì, gioveddì, vennerdì, sàbbatu, dumìnica.

Chi jornu è oggi? (What day is today?) *Oggi è luneddì.*
Chi jornu è dumani? (...tomorrow) *Dumani è marteddì.*
Chi jornu era aieri?(...yesterday) *Aieri era dumìnica.*
Quantu jorna ci sunnu nta na simana? *Ci sunnu setti jorna nta na simana.*
(How many days are there in a week?) (There are ...

Eserciziu 1: Introduce yourself to the class by saying in Sicilian:

"I am _________" "I am a student of Sicilian" "And I am from __________"

Eserciziu 2. Have a conversation with a student. Ask him/her
"how she/he is;" "where she/he is going?" "and what class she/he is going to?"

Eserciziu 3. Say good bye to
1. A professor by name 2. To a fellow student 3. And to signura Cuncetta, an old friend of the family.

Eserciziu 4: With a partner, take turns in asking each other the following questions:

1. Chi jornu è oggi? 2. Chi jornu è dumani? 3. Comu si dici Wednesday in sicilianu? 4. Comu si dici Sunday in sicilianu? 5. Comu si dici good night in sicilianu? 6. Comu si pronunzia eighteen in sicilianu? 7. Comu si dici "See you tormorrow"? 8. Comu si dici, "How are you, Mrs. Cuncetta?" 9. Comu si cunta finu a deci? (count to) 10. Quantu fannu dui chiù dui? (plus)

Eserciziu 5: Practice introducing each other. Always say *piaciri* **or** *tantu piaciri* **and shake hands.**

Mi chiamu ________ *e tu?* *Jo mi chiamu* ____________.
Piaciri, (Say the name). *Tantu Piaciri.* (Say the name and shake hands).

Eserciziu 6: Excuse yourself first, then ask the following people their names:

Example: *Scusa, comu ti chiami?* *Scusassi, comu si chiama Lei?*
Scusassi, comu si chiama Vossia?

1. Of a classmate 2. Of a professor 3. Of an older person using *Vossia.* 4. Of a clerk in a bank. 5. Of a little boy in the street.

Sicilian Names

Here is a list of Sicilian first names:

Masculi	**Nick names**	**Fimmini**	**Nick names**
Antoniu	Ntoniu, Ntoni	Antonia	Ntonia
Antuninu	Ninu, Ninì, Nenè	Antunina	Ninetta
Calogiru	Calò, Liddu	Calogira	Lilla
Carmelu	Carminu, Melu	Carmela,	Carmina, Mela
Duminicu	Mimmu, Miciu	Duminica	Mimma, Minica
Filici		Filicetta	
Franciscu	Cicciu	Francisca	Ciccina
Gaetanu	Tanu	Gaetana	Tania, Tana
Giuanni	Vanni	Giuanna	Vanna
Giuseppi	Pippu, Pippinu	Giuseppa	Peppa, Giusi
Leonardu	Nardu	Leonarda	Narda

Lorenzu	Renzu	Lorenza	Renza
Mariu		Maria	Maricchia
Onofriu	Nofriu		
Micheli		Michela	
Petru	Pitrinu	Petra	Pitrina
Rusariu	Saru, sariddu	Rusaria,	Sara, Saridda
Salvaturi	Turi, Turiddu, Totò	Salvatrici	
Vicenzu	Enzu	Vicenza	Enza

Cognates

It is fairly easy to recognize Sicilian words, even if you have never seen them before. Sicilian is a Romance language, like Italian and Spanish. As such it shares thousands of words with English by way of their common derivation from Latin. Nearly half of all English words are derived from Latin. The same roots of words and endings are found in Sicilian and in Italian. Knowing these roots is immensely useful in learning Sicilian and English vocabulary. A most helpful book that focuses on how Latin shaped Italian and English is *The English-Italian Lexical Converter* by Antonio Russo, published by Legas. The book contains over thirty thousand words that can be easily converted from English into Italian and vice versa. The principles discussed in that book are applicable to Sicilian as well. Here is one example of how the principle is applied. The Latin root "adm" from which English derive such words as "administration, admonish, admonition, admit and admission," has come to be assimilated as "amm" in Italian and in Sicilian. Once you learn that noun endings such as "ation" and "ition" are assimilated as *azioni* and *issioni* or *izioni* you can come up with the Sicilian equivalent for the above: *amministrari, amministrazioni, ammoniri, ammonizioni, ammettiri* and *ammissioni.*

The similarities between English and Sicilian are readily evident. Consider the following cognates:

student	studenti	portable	purtàbbili
professor	prufissuri	legible	leggìbbili
famous	famusu	potable	putàbbili
legal	legali	lament	lamentu
study	studiu	content	cuntentu
necessary	nicissariu	stupid	stùpidu
lesson	lezzioni	music	mùsica
tradition	tradizioni	nasal	nasali
arrive	arrivari	politics	polìtica

With a little imagination you can figure out the meaning of many Sicilian words. If you know Italian, it will be even easier once you learn a few of the basic differences between these two romance languages.

Chapter 1

What's in This Chapter:

Grammatica	Matiriali didattici
A. *Vogghiu + Infinitives*	*Cunvirsazioni tra Mariu e Maria*
B. *The Verb System: The Present Tense of Regular Verbs*	
C. *Verbs Ending in ciari, giari and iari*	*Cunvirsazioni tra Micheli e Carmelu*
D. *The Subject Pronouns*	*The Days of the Week*
E. *The Present Tense of Vuliri*	

Na viduta di l'Etna di lu tiatru grecu-rumanu di Taurmina/A view of Mt. Etna from Taormina's Greek-Roman theatre.

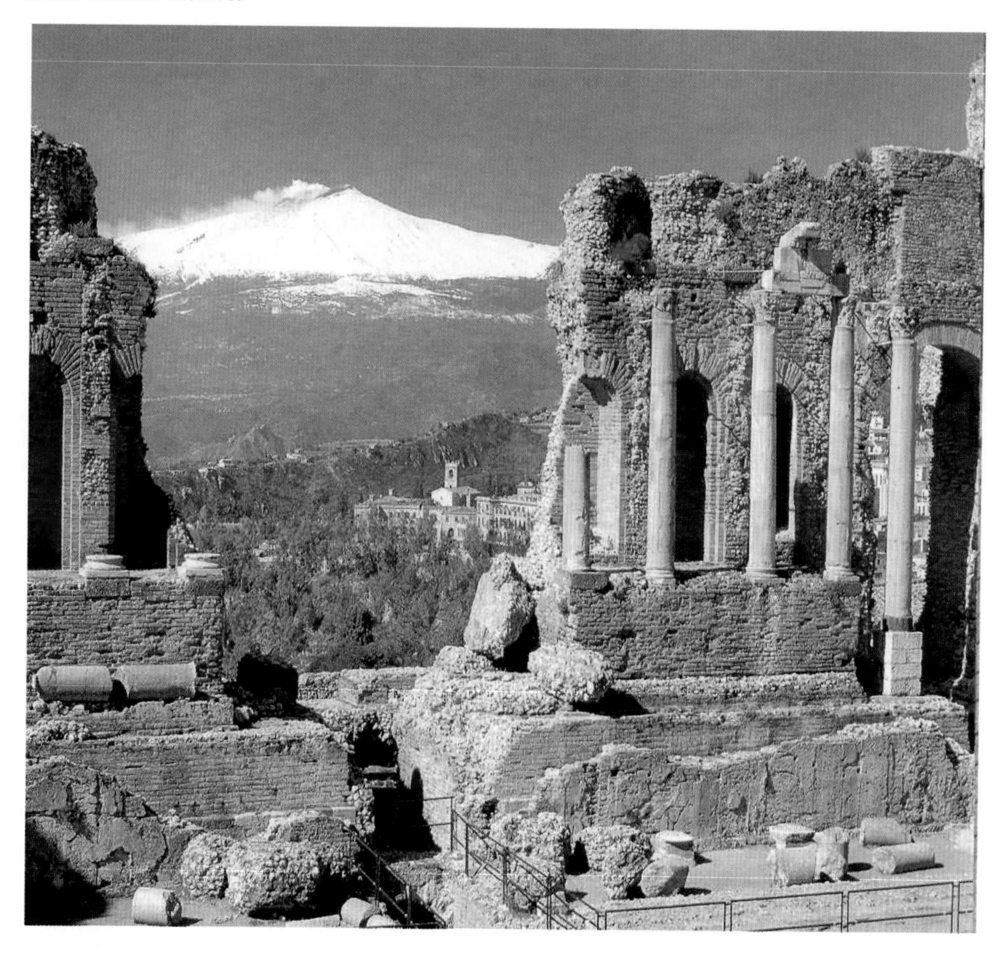

In this grammar, I have chosen to add accents on words to make it easy to pronounce them. While most Sicilians may find them superfluous, I think they are a valuable guide to students who are not familiar with the language. They may also be an aid to Sicilians who speak the language, but are not accustomed to seeing it written.

These are the rules I have followed in placing the accents:

As Sicilian words are normally stressed on the penultimate syllable, there was no need to put an accent on words that do not deviate from this norm. Thus two syllable words like *manu, frenu, veru,* which are stressed normally, will be written without any accents. Two syllable words that are stressed on the last syllable such as *virtù* and *bontà,* will be written with an accent. Accents on the last syllable are part of the word and must be included always. If words of three syllables or more are written without any accent, the stress will be on the penultimate syllable, for example, *am**i**cu, sirin**a**ta,* and *ammaccat**i**na*. Words of three syllables or more that are stressed differently will be written with an accented vowel as in *àbbitu, depòsitu, stupitàggini*. These accents are not written normally, however, they are a useful tool for students learning the language.

A special note for verbs:

As you learn the conjugations you will see that in the Present Tense, the third person plural shifts the stress to the third from the last syllable, for example: *iddi pàrranu, scrìvunu, rispùnnunu, si arrisbìgghianu*. As this is a general rule applicable to all verbs, we will not place accents on them.

In the Past Tense, verbs in *ari* will not be written with accents, but you need to be aware that verb forms such as *iddu mann**a**u, idda manci**a**u, jo camin**a**i* will be stressed on the **a**. Verbs ending in *iri* will carry accents on the **ì** as in *jo partìi, idda liggìu* because it tells you to stress that vowel and pronounce it as a separate sound. Compare the pronunciation of *liggìu* and *leggiu*.

For the Imperfect Tense, we will put accents on those verb ending in *ìa*, but not on those ending *eva*. Thus iddu *ligg**ì**a*, but not on *liggeva*.

My goal in the presentation of the text is to make the pronunciation straightforward and easy. I trust you will find it so. The DVD that accompanies this textbook contains the answers to most of the exercises of each chapter as well as recordings of all the readings, and is a most useful tool to learn how to pronounce words correctly. Some of the exercises that can have a number of correct responses have not been included.

A. Vogghiu + Infinitives

Make it a habit to listen to the audio as you work with the exercises.
Learn how to ask and answer questions affirmatively and negatively:
A. We are addressing one person in the familiar mode:

Chi voi fari?	What do you want to do?
Vogghiu mparari lu sicilianu.	I want to learn Sicilian.
Voi mparari lu sicilianu?	Do you want to learn Sicilian?
Sì, vogghiu mparari lu sicilianu.	Yes, I want to learn Sicilian.
No, nun vogghiu mparari lu sicilianu.	No, I don't want to learn Sicilian.
Chi voi fari?	What do you want to do?
Vogghiu parrari sicilianu.	I want to speak Sicilian.
Voi parrari sicilianu?	Do you want to speak Sicilian?
Sì, vogghiu parrari sicilianu.	Yes, I want to speak Sicilian.
No, nun vogghiu parrari sicilianu.	No, I don't want to speak Sicilian.
Chi voi fari?	What do you want to do?
Vogghiu scrìviri in sicilianu.	I want to write in Sicilian.
Voi scrìviri in sicilianu?	Do you want to write in Sicilian?
Sì, vogghiu scrìviri in sicilianu.	Yes, I want to write in Sicilian.
No, nun vogghiu scrìviri in sicilianu.	No, I don't want to write in Sicilian.
Chi voi fari?	What do you want to do?
Vogghiu rispùnniri in sicilianu.	I want to answer in Sicilian.
Voi rispùnniri in sicilianu?	Do you want to answer in Sicilian?
Sì, vogghiu rispùnniri in sicilianu.	Yes, I want to answer in Sicilian.
No, nun vogghiu rispùnniri in sicilianu	No, I don't want to answer in Sicilian.
Chi voi fari?	What do you want to do?
Vogghiu lèggiri in sicilianu.	I want to read in Sicilian.
Voi lèggiri in sicilianu?	Do you want to read in Sicilian?
Sì, vogghiu lèggiri in sicilianu.	Yes, I want to read in Sicilian.
No, nun vogghiu lèggiri in sicilianu.	No, I don't want to read in Sicilian.

B. Now we are addressing a group of people in the familiar mode.

Chi vuliti fari?	What do you want to do?
Vulemu mparari lu sicilianu.	We want to learn Sicilian.
Vuliti mparari lu sicilianu?	Do you want to learn Sicilian?
Sì, vulemu mparari lu sicilianu.	Yes, we want to learn Sicilian.
No, nun vulemu mparari lu sicilianu.	No, we don't want to learn Sicilian.

Eserciziu 1: Answer questions affirmatively. The answers to these questions are recorded on

the DVD. All the exercises and readings that appear with the earphone symbol next to them are recorded on the DVD.

1. Voi mparari lu sicilianu? 2. Voi parrari in sicilianu? 3. Voi rispùnniri in sicilianu? 4. Voi lèggiri in sicilianu? 5. Voi scrìviri in sicilianu? 6. Vuliti mparari lu sicilianu? 7. Vuliti parrari in sicilianu? 8. Vuliti rispùnniri in sicilianu? 9. Vuliti lèggiri in sicilianu? 10. Vuliti scrìviri in sicilianu?

Note: The answers to the questions in the exercises are recorded on the DVD that accompanies this textbook. All the exercises and readings that appear with the headphone symbol next to them are recorded on the DVD. I urge you to use them in conjunction with the textbook. You should try to answer the questions before listening to the answers.

Eserciziu 2: Answer questions negatively, folllowing the model:

Vuliti mparari lu ngrisi? *No, nun vulemu mparari lu ngrisi, vulemu mparari lu sicilianu.*

1. Vuliti scrìviri in ngrisi? 2. Vuliti rispùnniri in ngrisi? 3. Voi lèggiri in ngrisi? 4. Voi parrari ngrisi? 5. Voi mparari lu ngrisi?

Cunvirsazioni tra Mariu e Marìa

Mariu Voi mparari lu sicilianu?
Marìa Sì, certu ca vogghiu mparari lu sicilianu e tu?
Mariu Jo puru vogghiu mparari lu sicilianu.
Marìa Picchì voi mparari lu sicilianu?
Mariu Picchì vogghiu parrari sicilianu cu me nannu. (*with my grandfather*)
Marìa Allura picchì nun mparamu lu sicilianu nzemmula? (*So, why don't we learn together?*)
Mariu Certu, cu piaciri. (*Of course, with pleasure*)

Dumanni:

1. Marìa voli mparari lu sicilianu? 2. Puru Mariu voli mparari lu sicilianu? 3. Picchì voli mparari lu sicilianu Mariu? 4. Voli parrari sicilianu cu so nannu, Mariu? (his grandfather) 5. Cu cui voli mparari lu sicilianu Marìa?

Eserciziu 3: Answer emphatically:

Example: *Voi mparari lu sicilianu?* *Si, certu ca vogghiu mparari lu sicilianu!*

1. Voi parrari sicilianu? 2. Voi scrìviri in sicilianu? 3. Mariu voli parrari cu so nannu in sicilianu? 4. Marìa voli mparari lu sicilianu nzemmula cu Mariu? 5. Vuliti rispùnniri in sicilianu?

Eserciziu 4: Answer questions by following the pattern. Choose between the negative or positive response :

Nun voi parrari?	*No, nun vogghiu parrari.*	*Sì, certu ca vogghiu parrari!*
Don't you want to speak?	No, I don't want to speak.	Yes, of course, I want to speak!

1. Nun vuliti lèggiri? ________________ ________________.
2. Nun voi mparari? ________________ ________________.
3. Nun voi scrìviri? ________________ ________________.
4. Nun voi rispùnniri? ________________ ________________.

B. The Verb System. Present Tense of Regular Verbs

A. Sicilian verbs have two conjugations: verbs that end in *ari* in the infinitive and verbs that end in *iri* such as *parrari* and *rispùnniri*. To conjugate verbs in the Present Tense, take out the infinitive ending (*ari* or *iri*) and substitute the six endings of the Present. The paradigm for the first conjugation follows:

Jo	parr**u**	I speak, I am speaking, I do speak
Tu	parr**i**	You speak, are speaking, do speak
Iddu, Idda,	parr**a**	He, She speaks, is speaking, does speak
Vossia, Lei	parr**a**	You speak... (polite)
Nui	parr**àmu**	We speak
Vui	parr**àti**	You speak
Iddi	pàrr**anu** or pàrrunu	They speak

B. Verbs of the second conjugation (verbs ending in *iri*) form the Present Tense in the same way. The endings for *iri* verbs are different, except for the first person.

Jo	rispunn**u**	I answer, I am answering, I do answer
Tu	rispunn**i**	You answer...
Iddu, Idda	rispunn**i**	He, She answers...
Vossia, Lei	rispunn**i**	You answer... (polite)
Nui	rispunn**èmu**	We answer
Vui	rispunn**ìti**	You answer
Iddi	rispùnn**unu** or rispùnn**inu**	They answer

Note: The stress shifts for the *nui, vui* forms. For the third person plural the stress is always on the third from the last syllable: *pàrranu, rispùnnunu.* This a general rule for all verbs in the Present Tense. It's important to remember that the endings for the third person plural, *anu* for *ari* verbs and *unu* for *iri* verbs can sound like *unu* and *inu* depending on where you are. The *unu* ending is more prevalent in eastern and central Sicily, the *anu* and *inu* in the western part. This occurs because the vowels are unstressed and Sicilians tend to pronounce the unstressed vowels ambiguously. In this grammar, for the third person plural endings, we will use *anu* for *ari* verbs and *unu* for *iri* verbs.

C. Subject Pronouns

The subject pronouns in Sicilian require a few explanations:

Jo (I) is pronounced *yo* in the province of Messina, but it is different in other parts of Sicily. In the Palermo area it is *eu*, in Catania it's *ju* (pronounced like the English "you"); in other parts of Sicily it's *ìu*.

Tu (You) is used to address peers and people in a familiar, informal way. Do not use this form for people you don't know. Do not use with older persons or people you have just met.

Vossia (You). This is a polite form of address used with older persons who are treated with respect.

Lei (You). This is used to address anyone you do not know. It is more commonly used than Vossia which implies a mutual relationship of respect between people.

Nui (We). This is the same as the English counterpart. Often it's said as nuautri or niautri.

Vui (You). The Italian equivalent refers to the plural form of tu. In Sicilian, however, vui can be used to address one person in a respectful manner. The form vuiautri or vuautri can then used when addressing more than one person.

Iddi (They). This includes masculine and feminine.

D. Verbs Ending in ciari, giari and iari

Verbs that end in *ciari* and *giari* need not add an additional *i* to the second person singular (tu) of the verbs. It is not needed because the *i* that remained as part of the stem garantees the ch sound of the verb. Thus verbs like *manciari* (to eat) *baçiari* (to kiss), *pirciari** (to pierce), *sfriggiari** (to disfigure) *sgaggiari* (to scratch) will be conjugated as follows:

Jo manciu	Nui manciamu	Jo sgaggiu	Nui sgaggiamu
Tu manci	Vui manciati	Tu sgaggi	Vui sgaggiati
Iddu, Idda mancia	Iddi màncianu	Iddu, Idda sgaggia	Iddi sgàggianu
Vossia, Lei mancia	or Iddi manciunu	Vossia, Lei sgaggia	or iddi sgàggiunu

The verbs *studiari*, like *maniari*, (to drive) *taliari* (to look), *tuppuliari* (to knock), etc. will put the stress on the *i* when conjugated in the present except for the first and second persons plural. Thus the present tenses of *studiari* and *taliari* are:

Jo studìu	Nui studiàmu	Jo talìu	Nui taliàmu
Tu studìi	Vui studiàti	Tu talìi	Vui taliàti
Iddu, Idda studìa	Iddi studìanu	Iddu, Idda talìa	Iddi talìanu
Vossia, Lei studìa	or Iddi studìunu	Vossia, Lei talìa	or Iddi talìunu

* these are stem-changing verbs. See Chapter 3.

To change an affirmative statement into a negative statement, put "nun" before the verb, as follows:

Jo vogghiu manciari.	*Jo nun vogghiu manciari.*

To change a statement into a question put a question mark at the end of the sentence and change the pitch of the voice.

Micheli voli manciari	Micheli wants to eat.
Micheli voli manciari?	Does Michael want to eat?

You can also put the subject after the verb without changing the meaning:

Micheli voli manciari? Voli manciari, Micheli?

It helps if you lean with your head toward the right as you change a statement into a question. Try it!

Now let us master how to anwer questions using the **jo** and **nui** subject pronouns: We are addressing one person in the familiar mode:

Chi fai?	What are you doing?
Jo mparu lu sicilianu.	I am learning Sicilian.
Mpari lu sicilianu, tu?	Are you learning Sicilian?
Sì, jo mparu lu sicilianu.	I am learning Sicilian.

Chi fai?	What are you doing?
Jo rispunnu in sicilianu.	I am answering in Sicilian.
Rispunni in sicilianu, tu?	Are you answering in Sicilian?
Sì, certu ca jo rispunnu in sicilianu.	Yes, of course, I am answering in Sicilian.

Chi fai?	What are you doing?
Jo scrivu in sicilianu.	I am writing in Sicilian.
Scrivi in sicilianu, tu?	Are you writing in Sicilian?
Sì, certu ca jo scrivu in sicilianu.	Yes, of course, I am writing in Sicilian.

D. We are addressing a group of people in the familiar mode:

Chi faciti vui?	What are you doing?
Nui mparamu lu sicilianu.	We are learning Sicilian.
Chi mparati, vuaiatri?	What are you learning?
Nui mparamu lu sicilianu.	We are learning Sicilian.

Chi faciti?	
Nui rispunnemu in sicilianu.	We are answering in Sicilian.
Rispunniti in sicilianu, vui?	Are you answering in Sicilian?
Sì, certu ca nui rispunnemu in sicilianu.	Yes, of course, we are answering in Sicilian.

Eserciziu 5: Answer the questions:

1. Chi lingua parri a casa (at home), sicilianu o ngrisi? (English)
2. Chi lingua mpari nta sta classi (in this class), sicilianu o ngrisi?
3. In chi lingua scrivi in America, in sicilianu o ngrisi?
4. In chi lingua rispunni in Sicilia, in sicilianu o ngrisi?
5. In chi lingua leggi a Nova York, in sicilianu o ngrisi?

We are referring to a single individual

Chi fa Marìa?	What is Mary doing?
Marìa mpara lu sicilianu.	Marìa is learning Sicilian.
Mpara lu sicilianu, Marìa?	Is Mary learning Scilian?
Sì, idda mpara lu sicilianu.	Yes, Marìa is learning Sicilian.
Chi fa Mariu?	
Mariu rispunni in sicilianu.	Mariu is answering in Sicilian.
Rispunni in sicilianu, Mariu?	Is Mariu answering in Sicilian?
Certu ca iddu rispunni n sicilianu.	Of course, he is answering in Sicilian.

We are referring to more than one person

Chi fannu Marìa e Mariu?	What are Mariu and Marìa doing?
Mariu e Marìa parranu sicilianu.	Mariu and Marìa are speaking Sicilian.
Parranu sicilianu iddi?	Are they speaking Sicilian?
Certu ca iddi parranu sicilianu.	Of course, they are speaking Sicilian.
Chi fannu li studenti? (the students)	What are the students doing?
Li studenti rispùnnunu in sicilianu.	The students answer in Sicilian.
Rispùnnunu in sicilianu li studenti?	Do the students answer in Sicilian?
Sì, certu ca iddi rispùnnunu in sicilianu.	Yes, of course, they answer in Sicilian.

Eserciziu 6: Complete the sentences following the example:

Si nun vogghiu rispùnniri, nun rispunnu. If I don't want to answer, I don't answer.

1. Si tu nun voi rispùnniri, tu nun ____________________.
2. Si Mariu nun voli rispùnniri, iddu nun ________________.
3. Si Marìa nun voli parrari, idda nun _________________.
4. Si Marìa nun voli lèggiri, idda nun __________________.
5. Si Marìa e Mariu nun vonnu parrari, iddi nun ___________.
6. Si tu nun voi scrìviri, tu nun _______________________.
7. Si jo nun vogghiu rispùnniri, jo nun _________________.
8. Si nui nun vulemu scrìviri, nui nun ___________________.
9. Si vui nun vuliti parrari sicilianu, vui nun ______________.
10. Si iddu nun voli mparari lu sicilianu, iddu nun ___________.

Eserciziu 7: Look at the picture and circle or underline the statement that best describes it:

a. Lu picciriddu scrivi.
b. Lu picciriddu rispunni.
c. Lu picciriddu leggi.

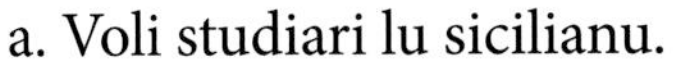

a. Voli studiari lu sicilianu.
b. Lu studenti leggi.
c. Lu studenti voli parrari ngrisi.

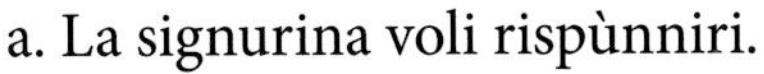

a. La signurina voli rispùnniri.
b. La signurina voli scrìviri.
c. La signurina voli lèggiri.

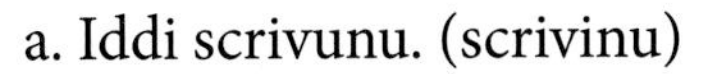

a. Iddi scrivunu. (scrivinu)
b. Iddi leggiunu. (legginu)
c. Iddi rispunnunu. (rispunninu)

a. Iddi rispunnunu.
b. Iddi parranu.
c. Iddi mparanu.

Exercise 8: Volunteer!

Example: S1 *Cu voli parrari sicilianu?* S2 *Jo vogghiu parrari sicilianu!*
S1 *Cu parra sicilianu?* S2 *Jo parru sicilianu!*

1. Cu voli scrìviri in sicilianu?
2. Cu voli lèggiri in sicilianu?
3. Cu voli parrari in sicilianu?
4. Cu voli rispùnniri in ngrisi?
5. Cu voli rispùnniri in giappunisi?
6. Cu scrivi?
7. Cu leggi?
8. Cu parra?
9. Cu rispunni in ngrisi?
10. Cu rispunni in giappunisi?

Eserciziu 9: Everyone wants to do different things.

Jo vogghiu mparari lu sicilianu, ma Marìa voli mparari lu francisi

1. scrìviri in sicilianu/scrìviri in italianu.
2. lèggiri un libru/ lèggiri na rivista. (book/magazine)
3. parrari in sicilianu/parrari in ngrisi.
4. rispùnniri sùbbitu/rispùnniri dumani. (right away/tomorrow)
5. scrìviri un rumanzu/scrìviri na puisìa. (novel/poem)

Eserciziu 10: What are they doing? Write out the answers.

Example: *unu scrivi e l'àutru leggi* One is writing, the other is reading.

1. lèggiri e scrìviri

2. Dumannari (to ask) e rispùnniri

Eserciziu 11: Answer following the suggestions in the Present Tense:

1. Micheli parra sicilianu? No,
2. Vui manciati la pasta cu la sarsa? Sì,
3. Lu picciriddu sgaggia la màchina? Sì,

4. Luisa tuppulìa a la porta? — No,
5. Cu manìa la machina ora? — Jo
6. Cu (who) studìa lu sicilianu? — Nui
7. Cu talìa la televisioni? — Li picciriddi
8. Cu baçia lu jattu? (the cat) — Marìa
9. Cu rispunni a li dumanni? (the questions) — Vui
10. Cu mancia la pizza? — Tu

E. The Verb Vuliri

The verb *vuliri* (to want) is irregular, and it is also a stem-changing verb, that is, the first three persons singular and the third person plural change the *u* of the infinitive into an *o*. In the *nui* and *vui* the stem remains the same as the infinitive. A fuller explanation of stem-changing verbs is given in chapter 3.

This verb can be used by itself or with an infinitive. The paradigm for the Present Tense of *vuliri* is:

Jo	vogghiu	Nui	vulemu
Tu	voi	Vui	vuliti
Iddu, Idda, Vossia, Lei	voli	Iddi	vonnu, vòlunu or vòlinu

Eserciziu 12: Answer in Sicilian:

1. Chi voli fari lu picciriddu? (the boy)
2. Chi voli fari la picciridda? (the girl)
3. Chi vonnu fari li picciriddi? (the boy and girl)

Eserciziu 13: What are they doing? Circle the right answer:

a. Iddu mancia na <u>fedda</u> di pizza. (a slice)
b. Jo manciu na fedda di pizza.
c. Idda mancia na fedda di pizza.

a. Iddu studìa.
b. Iddu talìa la televisioni.
c. Idda studìa.

a. L' omu voli <u>vìnniri</u> frutta. (to sell)
b. L' omu nun voli vìnniri frutta.
c. L' omu nun vinni frutta.

a. L' omu e la fimmina talìanu lu computer.
b. L' omu e la fimmina travagghianu.
c. L' omu e la fimmina sgaggianu lu computer.

a. Iddu leggi un giurnali.
b. Idda leggi un giurnali.
c. Iddi leggiunu un giurnali.

Exercise 14: *Canciari sti affirmazioni a dumanni.* **Change the following statements into questions and ask them of your classmates:**

Example: *Tu voi manciari un cannolu.* *Tu voi manciari un cannolu?*

1. Tu voi studiari lu sicilianu. 2. Idda voli lèggiri in sicilianu. 3. Vossia voli scrìviri in sicilianu. 4. Lei leggi e scrivi in sicilianu. 5. Marìa parra e rispunni in sicilianu.

Eserciziu 15: Ask someone you know:

1. If he wants to study Sicilian. 2. Why he/she wants to study Sicilian. 3. If he/she wants to eat a cannolu. 4. Why he/she wants to answer in Sicilian. 5. If he/she wants to read in Sicilian.

Eserciziu 16: Ask an older person (your grandfather or grandmother) using Vossia.

1. If he/she wants to watch tv. 2. If he/she wants to read a novel. 3. If he/she wants to eat a slice of pizza. 4. If he/she wants to kiss the baby. 5. If he/she wants to live (vìviri) in Sicily.

Exercise 17: What does Mariu want?

Mariu—*vogghiu na banana.* *Chi voli Mariu?* *Mariu voli na banana.*

1. Vogghiu na fedda di pizza. 2. Vogghiu un cannolu. 3. Vogghiu na rivista 4. Vogghiu un giurnali. 5. Vogghiu na màchina (car)

Exercise 18: Change the familiar form of address to the formal, respectful form using *Vossia:*

Tu voi scrìviri na raccumannazioni? (recommendation)
Vossia voli scrìviri na raccumannazioni?

1. Tu voi lèggiri un libru? 2. Tu leggi e rispunni sempri. 3. Tu parri sicilianu? 4. Tu non voi studiari? 5. Tu voi parrari cu me nannu? (my)

Cunvirsazioni tra Micheli e Carmelu

Micheli	Voi travagghiari sta simana? (this week)
Carmelu	Sì, vogghiu travagghiari luneddì, marteddì e merculeddì.
Micheli	E gioveddì e vennerdì nun voi travagghiari?
Carmelu	Gioveddì e vennerdì aju a jiri nni lu mèdicu. (I must go to the doctor)
Micheli	Chi ai? Nun stai beni? (What's wrong? Aren't you well?)
Carmelu	No, staiu beni.
Micheli	E allura picchì ai a jiri nni lu dutturi du' jorna?
Carmelu	Aju a travagghiari pi iddu. (I have to work for him)
Micheli	E sàbbatu e dumìnica?
Carmelu	Sàbbatu e dumìnica sunnu jorna di riposu! (are days of rest)

Dumanni:

1. Quannu voli travagghiari Micheli? (When) 2. Picchì nun voli travagghiari gioveddì e vennerdì? 3. Carmelu sta beni o sta mali? (sick) 4. Chi avi a fari pi lu mèdicu? 5. Picchì nun voli travagghiari sàbbatu e dumìnica, Carmelu?

Eserciziu 19: Answer the questions in Sicilian:

1. Chi jornu è oggi? 2. Chi jornu è dumani? 3. Chi jornu era aieri? (was yesterday) 4. Si oggi è sàbbatu, chi jornu è dumani? (tomorrow) 5. Si oggi è dumìnica, chi jornu è dumani? 6. Si oggi è luneddì, chi jornu è doppudumani? (The day after tomorrow) 8. Ci sunnu cincu (5) jorna o setti (7) jorna nta na simana? (Are there…in a) 9. Si aieri era marteddì, chi jornu è oggi? 10. Quali sunnu li jorna di la simana? (What...of the) 11. Quantu jorna travagghi ogni simana (each)? 12. Tu travagghi sàbbatu e dumìnica? 13. Picchì nun travagghi sàbbatu e dumìnica?

Exercise 20: Anwer the following questions in Sicilian:

1. Luneddì è jornu di travagghiu o jornu di riposu? 2. Gioveddì è jornu di travagghiu o jornu di riposu? 3. Dumìnica è jornu di travagghiu o jornu di riposu? 4. Sàbbatu è jornu di travagghiu o jornu di riposu? 5. Pasqua è jornu di travagghiu o jornu di riposu? (Easter) 6. Natali è jornu di travagghiu o jornu di riposu? (Christmas) 7. Lu quattru di lugliu in America è jornu di travagghiu o jornu di riposu? (July).

Nota culturali: The Days of the Week

Clearly Italian has had an influence on changing the names of the days of the week from how they were pronounced one hundred years or even fifty years ago. The names of the week are somewhat different in different areas of Sicily. It is easier to remember the more Italianate forms that everyone understands. Nevertheless, here are some of the more archaic spelling of the days:s *lùnniri* or *luniddìa, màrti, mèrcuri or mercuriddìa, ggiovi or iòviri, vènniri or venneddì, sàbbatu* and *dumìnica.* These names reflect the derivation of the days from the planets or gods of old:

Lùnniri or luni	lu jornu di la Luna; (the day of the Moon).
Màrti or martiddì	lu jornu di Marti (Mars, the planet or the god of war).
Mèrcuri, mercuriddìa	lu jorni di Mircuriu (the planet or the God Mercury).
Iòviri or gioveddì	lu jornu di Giovi (Jove, the planet or the father of the gods).
Vènniri or venneddì	lu jornu di Vèniri (Venus, the planet or the goddess of love).
Sàbbatu	lu jornu di riposu ebràicu.
Dumìnica	lu jornu di lu Signuri (Dominus, the day of the Lord).

Today, however, these are the names of the days of the week used by most: *Luneddì, marteddì, merculeddì, gioveddì, vennerdì, sàbbatu* and *dumìnica.*

The days of the week are not capitalized in Sicilian, unless they begin the sentence.

Chapter 2

What's in This Chapter:

Grammatica	Matiriali Didattici
A. *The Gender of Nouns*	*Cunvirsazioni tra Marìa e Mariu*
B. *The Indefinite Articles*	*Littura: Fari la spisa*
C. *The Definite Articles*	*La città*

Li isuli Eolii / The Eolian Islands.

Marìa Dumìnica è lu cumpliannu di me matri.
Mariu Allura faciti na festa pi idda?
Marìa Certu! Vogghiu nvitari a amici e parenti
Mariu Pripari tuttu tu? Si voi, ti dugnu na manu.
Marìa Va beni! Ora ti dugnu na lista di cosi d'accattari a lu supirmircatu. Avemu bisognu di la carni, lu latti, l'acqua minirali, la pasta, li pumadoru pi la salsa, li patati, li cipuddi, lu basilicò, lu pitrusinu, lu vinu biancu e lu vinu russu, la torta, li cannoli, li pasti di mènnuli ...
Mariu Chista nun è na festa, è un banchettu!
Marìa Ancora manca la frutta, la virdura, lu cafè e...li cannili.
Mariu Basta, pi favuri!

Dumanni:

1. Quannu è lu cumpliannu di la matri di Marìa?
2. Chi voli fari Marìa dumìnica?
3. A cui voli nvitari Marìa?
4. Cu pripara tuttu pi dumìnica?
5. Mariu voli aiutari a Marìa?
6. Chi voli accattari Marìa a lu supirmircatu?
7. Di chi avi bisognu Marìa pi priparari la festa?
8. La lista di Marìa è curta o longa?
9. Chista è na festa o un banchettu?
10. Mariu è cuntenti di accattari tuttu?

Translation
Marìa Sunday is my mother's birthday.
Mariu So, are you giving her a party?
Marìa Of course! I want to invite friends and relatives.
Mariu Are you preparing everything? If you like, I will give you a hand.
Marìa Fine! Now I will give you a list of the things we need to buy at the supermarket. We need meat, milk, mineral water, pasta, tomatoes for the sauce, potatoes, onions, basel, parsley, white and red wine, the cake, the cannoli, the almond pastries....
Mariu This is not a party, it's a banquet!
Marìa We still lack fruits, vegetables, coffee and the candles.
Mariu That's enough, please!

1. Nouns in Sicilian are either masculine or feminine. There is no neuter. Generally masculine nouns end in **u, i**, or **a** and change to **i** in the plural:

libru, pani, pueta *libri, pani, pueti*

Generally feminine nouns end in **a**, or **i** and change to **i** in the plural

casa, lezzioni *casi, lezzioni*

Three feminine nouns end in **u** and they are invariable: *manu, ficu*, and *soru.*

2. It is easy to identify nouns that end in **u** as masculine and those that end in *a* as feminine. It is not easy to identify the gender of nouns ending in **i** because they can be either masculine or feminine. Generally those that end in *zioni* or *sioni* are feminine. Also those that end with an accented *à* or *ù* are feminine, *città, virtù, vuluntà.* Archaic Sicilian shunned words ending with an accent and added *ti* to the end of such words. Thus the three words above were written as *citati, virtuti,* and *vuluntati.* Words ending with an accent do not change in the plural.

3. Nouns that end in *ista* can be both masculine and feminine. The plural is in *isti*, (*lu dintista, la dintista, li dintisti*).

4. Nouns ending in **i** can be masculine or feminine. Learn their gender by looking at the indefinite article. *Un* is masculine, *na* is feminine. If the word following the indefinite article begins with a vowel, the *a* of *na* is replaced with an apostrophe. *Un* before a vowel does not elide with the noun.

5. Masculine and feminine nouns ending in **ncu** and **nca** formed their plural in *nchi: bancu, banca, banchi.*

6. Masculine and feminine nouns ending in *ngu* and *nga* form their plurals in *gni: sgangu, janga, sgagni, jagni*.

7. Masculine and feminine nouns ending in *cu* and *ca* and in *gu* and *ga* form the plural in *chi* and *ghi*: there are four exceptions to this rule: the masculine nouns *nimicu, amicu, grecu, porcu* have their plural in *nimici, amici, greci* and *porci*. The feminine nouns follow the regular rule: *amichi, nimichi, grechi, porchi*. Also the word *Belga*, forms its plural in *Belgi*.

Eserciziu 1: *Canciari li nomi a lu plurali*/ **Change the following nouns to the plural:**

Note that *dui* (two) when followed by a noun, is written with as *du'* and is pronounced almost as one word with the noun that follows:

Masculine			Feminine			
Un libru	a book	du' libri	Na pinna	a pen	_______	du' pinni
Un carrettu	cart	_______	na casa	house	______	
Un corpu	body	_______	na matri	mother	______	
Un animali	animal	_______	na fìmmina	woman	______	
Un farmacista	pharmacist	______	na giurnalista	journalist	_____	
Un sirgenti	sergeant	_______	na studintissa	student (f)	_____	
Un quaternu	notebook	_______	na mènnula	almond	_______	
Un avvucatu	lawyer	_______	na palora	word	________	
Un giùdici	judge	_______	na vidua	widow	_______	
Un pani	bread	_______	na mugghieri	wife	_______	
Un frati	brother	________	na cosa	thing	_______	
Un patri	father	_________	na rosa	rose	________	
Un pueta	poet	________	na città	city	__________	
Un amicu	friend	________	na virtù	virtue	_________	
Un bancu	bank	_________	na banca	bank	_________	
Un porcu	pig	________	na ricerca	research	________	

The numbers: Review the numbers up to twenty

unu	1	unnici	11
dui	2	dùdici	12
tri	3	trìdici	13
quattru	4	quattòrdici	14
cincu	5	chìnnici	15
sei	6	sìdici	16
setti	7	diciassetti	17
ottu	8	diciottu*	18
novi	9	diciannovi	19
deci	10	vinti	20

* sometimes written as *diciadottu*

Eserciziu 2: Counting

1. Cunta finu a deci — Count to ten
2. Cunta li nùmiri pari — Count only even numbers.
3. Cunta li nùmiri spari — Count only odd numbers.

Eserciziu 3: Add, multiply, subtract and divide the following numbers:

Quantu fannu dui chiù dui? (How much is 2+2?) 3+3; 4+7; 7+2; 10+3; 11+7
Dui chiù dui fannu quattru
Quantu fannu deci menu sei? (How much is 10 minus 6?) 12-3; 14-1; 20-7; 20-2?)
Deci menu sei fannu quattru

Quantu fannu dui pi dui? (How much is 2 x 2?) 3x3; 4x3; 5x3; 10x2; 4x4; 6x3?)
Dui pi dui fannu quattru
Quantu fannu deci divisu dui? (How much is 20÷ 2 ; 20÷5; 20÷10?)
Deci divisu dui fannu cincu

Eserciziu 4: After familiarizing yourself with the nouns below, answer the questions about their gender:

na fami	a hunger
na gnizioni	an injection
na fini	an end
un mali	an evil
un càrciri	a prison
na facci	a face
un pani	a bread
na luci	a light
un lumi	a lamp
na culazioni	a breakfast
un suli	a sun
n' abitùdini	a habit
un duluri	a pain
un piaciri	a pleasure
na lezzioni	a lesson
na visioni	a vision
na raggiuni	a reason
n'azioni	an action
n' operazioni	an operation

S1 *Duluri è maschili o fimminili?*
Is the word *duluri* masculine or feminine?

S2 *Duluri è maschili.*
Duluri is masculine

1. Lezzioni (lesson)
2. Lumi (lamp)
3. Abitùdini (habit)
4. Piaciri (pleasure)
5. Càrciri (prison)
6. Suli (sun)
7. Gnizioni (injection)
8. Fami (hunger)
9. Culazioni (breakfast)
10. Raggiuni (reason)

Eserciziu 5: Answer the question stating that there are two or more items there. Use number up to twenty.

Example: *C 'è sulu un libru ccà?* Is there only one book here?

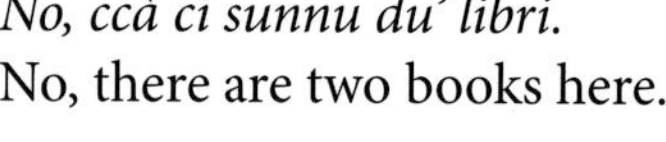

No, ccà ci sunnu du' libri. No, there are two books here.

1. C' è sulu na pinna ccà?
2. C' è sulu un pani ccà?
3. C' è sulu na luci ccà?
4. C' è sulu un tassì ccà?
5. C' è sulu un lumi ccà?
6. C' è sulu na fìmmina ccà?
7. C' è sulu na casa ccà?
8. C' è sulu na matita ccà?
9. C' è sulu na farmacista ccà?
10. C' è sulu un prufissuri ccà?

Eserciziu 6: Answer the questions freely:

1. Quantu studenti ci sunnu nta sta classi?
2. Quantu soru ai?
3. Quantu frati ai?
4. Quantu parenti ai?
5. Quantu nanni hai?
6. Quantu pinni ai?
7. Quantu dòllari ai?
8. Quantu màchini avi la to famigghia?
9. Quantu libri di sicilianu ai?
10. Quantu prublemi (problems) ai?

Littura: Fari la spisa

Lucìa dumanna a Mariu di jiri a lu supirmircatu e di accattari sta lista di cosi pi manciari: du' pani, tri chili di patati, quattru chili di pumadoru, du' buttigghi di vinu russu, cincu buttigghi d'acqua minirali, sei aranci, ottu cannoli, un chilu di carni e na buttigghia di latti. Idda voli cucinari pi lu cumpliannu di so matri.

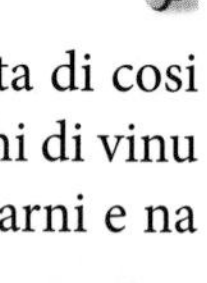

Dumanni:

1. Quantu pani avi a accattari Mariu?
2. Quantu patati?
3. Quantu vinu?
4. Avi a accattari vinu russu o vinu biancu?
5. Picchì avi bisognu di tutti sti cosi di manciari, Lucìa?

B. The Definite articles

In Sicilian the definite articles are three and they correspond to the English "the". There are two forms of the articles that can be used almost interchangeably: *lu, la* and *li* that are considered more formal and are used more predominantly in writing and *u, a,* and *i* that are used more commonly in everyday speech. In this grammar we will use the complete articles *lu, la* and *li* rather than their abbreviated forms *u, a,* and *i.*

Lu (*u*) for masculine singular nouns:

lu libru, lu prufissuri, lu jattu, lu pueta, lu giurnalista or
u libru, u prufissuri, u jattu, u pueta, u giurnalista

La (a) for feminine singular nouns:

la casa, la mugghieri, la fimmina, la carusa, la lezzioni or
a casa, a mugghieri, a fimmina, a carusa, a lezzioni

Li (*i*) for all plural nouns:

li libri, li casi, li jatti, li pueti, li lezzioni or
i libri, i casi, i jatti, i pueti, i lezzioni

The abbreviated forms are not used in front of words beginning with a vowel. If a noun beginning with a vowel follows, the vowel of the articles *lu, la,* and *li* is replaced by an apostrophe thus:

l' armali, *l' amuri,* *l' omu;* *l' àrburu,* *l' umbrella,* *l' umbra.*

Esercizi 7: The contrarian. Student one offers an item but his partner rejects it, specifying that it is not what he wants.

Student 1	*Eccu na pinna bianca.*	(Here is a white pen!)
Student 2	*Nun è la pinna chi vogghiu.*	(It is not the pen I want.)

1. Eccu n' autumòbbili russa! 2. Eccu na cammiçia eleganti! 3. Eccu na bicicletta nova! 4. Eccu na fedda di pizza napulitana! 5. Eccu un disegnu simpàticu! 6. Eccu na farmacìa! 7. Eccu un miccànicu! 8. Eccu un prufissuri! 9. Eccu un libru nteressanti! 10. Eccu na rivista fantàstica!

Eserciziu 8: You can't find the following items in your house and you ask your partner (roommate, wife) where they are:

S1. *Non trovu mai nenti nta sta casa! Unni sunnu li causi?*
I can't find a thing in this house! Where are the pants?

S2. *Tu nun trovi mai nenti! Eccu ccà li causi!*
You can't ever find anything! Here are the pants!

1. Rivista *Oggi*? 2. Giurnali *Amèrica: Oggi*? 3. Libru di sicilianu? 4. Scarpi nìuri? 5. Cravatta gialla? 6. Cumannu pi la televisioni? (TV remote) 7. Librettu di banca? (bankbook) 8. Cucchiara? (spoon) 9. Fazzulettu? (handkerchief) 10. Cosetti bianchi? (white socks)

To express a like or dislike of something, in Sicilian we use *com' è* for singular nouns or *comu sunnu*, for plural nouns, plus an adjective and the nouns. It's equivalent to the English structure: "How pretty the girl is:"

È na carusa bedda.	Com' è bedda la carusa!
È un libru nteressanti.	Com' è nteressanti lu libru!
È na torta duci. (sweet)	Com' è duci la torta!
È un studenti nirvusu (nervous)	Com' è nirvusu lu studenti!

Eserciziu 9: Now try it on your own:

Example: *È na jatta simpatica.* *Com' è simpatica la jatta!*

1. È un omu aggressivu.
2. È na fìmmina arruganti.
3. È na lezzioni difficili.
4. È un libru nteressanti.
5. È un cani nteliggenti.
6. È na vacca grossa.
7. È na picciridda bidduzza.
8. È un disegnu eleganti.
9. È un prufissuri nteliggenti.
10. È na cammiçia fina.

An alternative exclamation that is equivalent to *Com' è aggressivu lu cani* is *Chi cani aggressivu!* (What an aggressive dog!). Try to use this structure with the examples above.

Eserciziu 10: Follow the model:

È un cani aggressivu. *Chi cani aggressivu!*

1. È na fìmmina arruganti. 2. È na lezzioni difficili. 3. È un libru nteressanti. 4. È un omu stùpidu! 5. Sunnu cristiani brutti! (people) 6. È un omu inùtili! (useless) 7. Sunnu studintissi bravi! (good) 8. Sunnu carusi tinti! (bad) 9. Sunnu fìmmini faccioli! (two-faced) 10. È un animali fitusu! (stinky)

Eserciziu 11: Select the statement that describes the picture best:

1. Nun avi fami.
2. È un omu gintili!
3. Voli manciari sùbbitu (right away).

Esercìziu 12: Make a complimentary remark or a negative one about the following pictures using these adjectives as cues:

Romànticu, stanca, raggiatu, curiusu.

1\.  

3\. 

2\. 

4\. 

Esercìziu 13: Answer the question by referring to the pictures:

1. Quantu pumadoru ci sunnu?
2. Quantu manu ci sunnu?
3. Quantu palluni culurati ci sunnu?
4. Quantu palli di tennis ci sunnu?
5. Quantu pani ci sunnu?

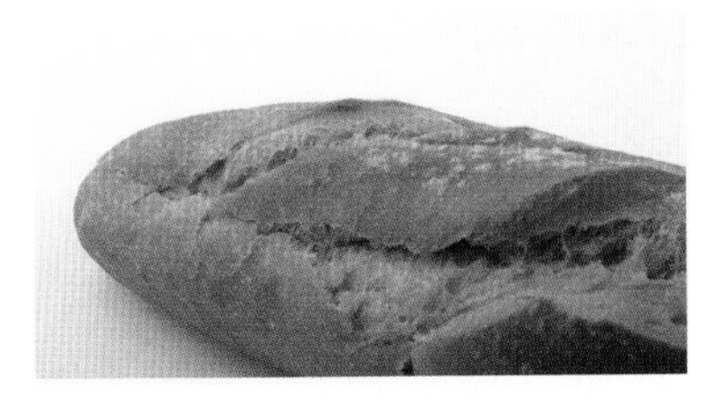

Eserciziu 14. Study the map and locate the establishment by giving the name of the street as in the esample:

Example: *Scusassi, unni è lu tribunali?*
Lu tribunali è in via Papiretu.

1. Scusassi, unni è la Funtana di la Briogna? 2. Scusassi, unni è la Cattidrali? 3. Scusassi, unni è lu parcheggiu pùbblicu? 4. Scusassi, unni è la polizzìa? 5. Scusassi, unni è lu Museu Abbatellis? 6. Scusassi, unni è l'Hotel Cintrali? 7. Scusassi unni è la stazioni cintrali? 8. Scusassi, unni è lu Tiatru Politeama? 9. Scusassi, unni sunnu li pumperi? 10. Scusassi, unni è la farmacìa?

Eserciziu 15. Look at the map in the next page and answer the question:

Example: *Scusassi, mi pò diri si c' è na banca ccà vicinu?*
Excuse me, can you tell if there is a bank nearby?
Sì, c' è na banca in via Maqueda.
Yes, there is a bank in via Maqueda.

1. Scusassi, mi pò diri si c' è na bibliuteca ccà vicinu?
2. Scusassi, mi pò diri si c' è un parcu pùbblicu ccà vicinu?
3. Scusassi, mi pò diri si c' è na stazioni di polizzìa ccà vicinu?
4. Scusassi, mi pò diri si c' è na stazioni di pumperi ccà vicinu?
5. Scusassi, mi pò diri si c' è na tratturìa ccà vicinu?
6. Scusassi, mi pò diri si c' è na farmacìa ccà vicinu?
7. Scusassi, mi pò diri si c' è na pizzerìa ccà vicinu?
8. Scusassi, mi pò diri si ci sunnu nigozzii ccà vicinu?
9. Scusassi, mi pò diri si la bibliuteca cintrali è ccà vicinu?
10. Scusassi, mi pò diri si c' è un parcheggiu pùbblicu ccà vicinu?

Eserciziu 16: Answer the questions following the example together with another student:

S1 *C' è sulu na pizzerìa nta sta città?* S2 *Sì, mi pari ca c' è sulu na pizzerìa.*

S1 Is there only one pizzerìa in this city? Yes, I think there is only one pizzeria.

1. C' è sulu na unversità nta sta città?
2. C' è sulu na farmacìa nta sta città?
3. C' è sulu na chiesa nta sta città?
4. C' è sulu un museu nta sta città?
5. C' è sulu un parcu pùbblicu nta sta città?

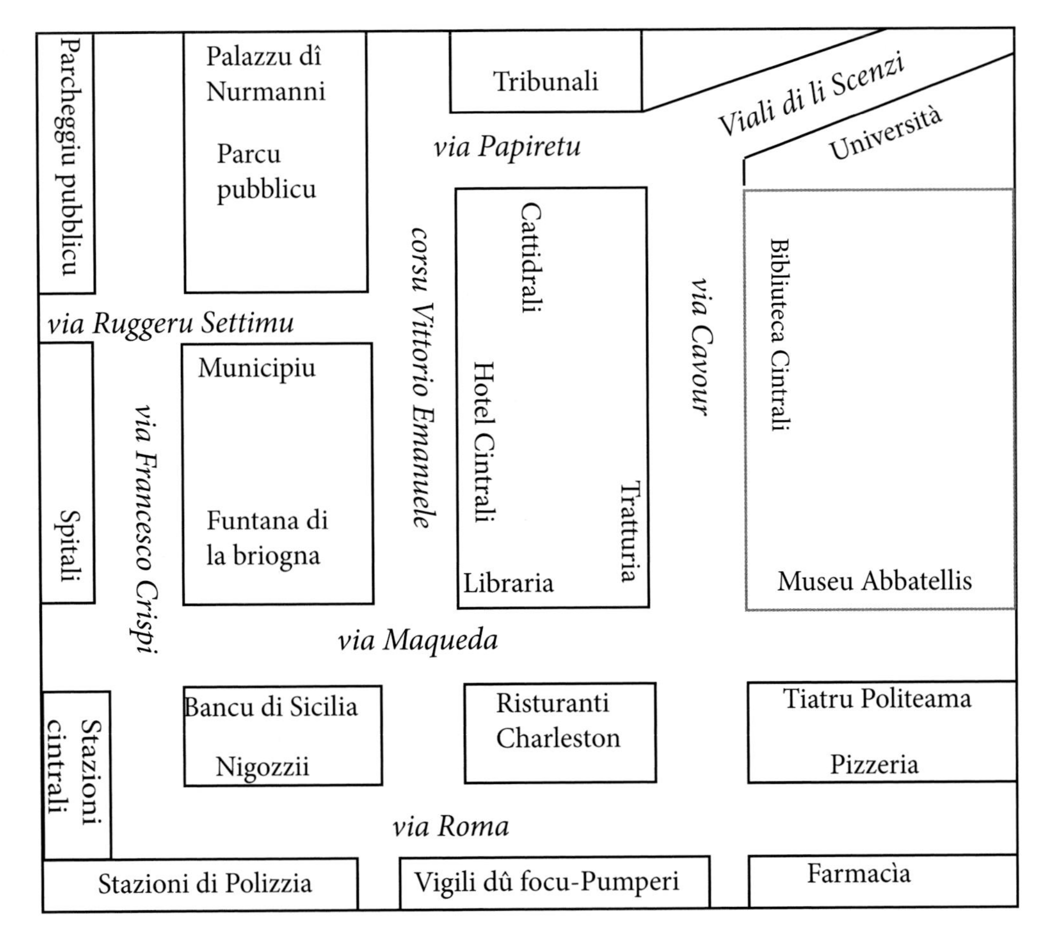

Ripassu 1

It is important to review the material you learned in the previous two chapters. Do the exercises in the review and if you have difficulty with any of them, go back to the chapters where the item was introduced and brush up.

Eserciziu 1. You are talking to your new Sicilian professor. Tell him/her in Sicilian:

a. Your name b. Where you are from c. That you want to learn Sicilian d. That your grandfather is Sicilian e. And that you want to talk with him in Sicilian.

Eserciziu 2. With a partner, ask each other the following questions:

1. Chi jornu è oggi? 2. Quantu jorna ci sunnu nta na simana? 3. Si oggi è luneddì, chi jornu è dumani? 4. Dumìnica è jornu di travagghiu? 5. C' è scola sàbbatu?

Eserciziu 3. You are planning for your mother's birthday party: prepare a list of items you will need:

Dumìnica è lu cumpliannu di me matri e vogghiu fari.....
Avemu bisognu di......

Eserciziu 4. You just met four people and a dog. Provide a different assessment of their personalities using adjectives.

Example: *Chi pirsuna nteliggenti!*

1. Marìa 2. Mariu 3. Lu prufissuri D'Amicu 4. Lu cani Fidu 5. La signura Cuncetta.

Eserciziu 5: Provide the appropriate definite article. Everything belongs to Luigi in this exercise:

Example: *Na màchina russa.* *È la màchina russa di Luigi.*

1. un libru sicilianu 2. na pinna gialla 3. un prufissuri sicilianu 4. na buttigghia di latti 5. un amicu talianu.

Eserciziu 6: Answer the questions based on your knowledge of New York City:

1. C' è sulu un museu a Nova York? 2. C' è sulu na farmacìa a Nova York?
3. C' è sulu un cìnima a Nova York? 4. C' è sulu un spitali a Nova York?
5. C' è sulu na università a Nova York?

Exercise 7: Try to guess what this riddle refers to: *Chi è?*

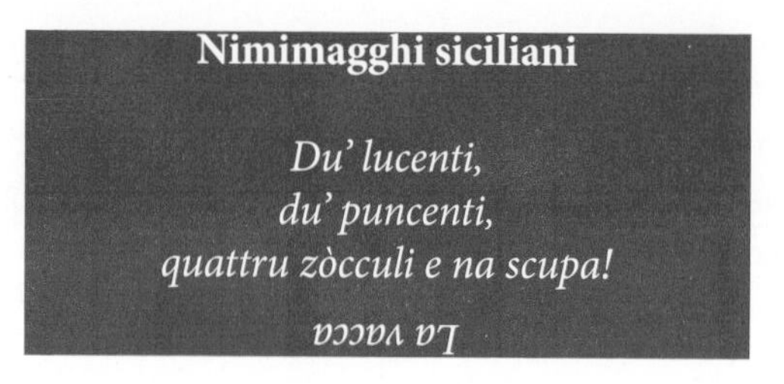

Nimimagghi siciliani
Du' lucenti,
du' puncenti,
quattru zòcculi e na scupa!
La vacca

1. Lucenti: shiny things, *2. Puncenti:* piercing things; *zòcculi:* clogs; *scupa:* broom.

Chapter 3

What's in This Chapter:

Grammatica	Matiriali didattici
A. *The Verb Èssiri in the Present Tense*	*Cunvirsazioni tra Marìa e Mariu*
B. *Present Tense of Some Regular and Irregular Verbs*	
C. *The Stem-Changing Rule in Sicilian*	*Names of Countries, Nationalities*
D. *Adjectives*	*Description of Marìa and Mariu*
	Li sport populari in Sicilia

La funtana di la briogna (The Shameful Fountain) a Palermu.

Marìa Picchì voi mparari lu sicilianu?

Mariu Vogghiu mparari lu sicilianu picchì sugnu sicilianu e tu?

Marìa Io vogghiu mparari lu sicilianu pi parrari cu me nannu.

Mariu Picchì voi parrari sicilianu cu to nannu?

Marìa Picchì iddu è sicilianu. Ma si tu si' sicilianu, comu mai nun parri sicilianu?

Mariu Picchì sugnu miricanu! Sugnu di Brucculinu.

Marìa Allura tu si' menzu sicilianu e menzu miricanu?

Mariu Accussì è! Me patri parra sicilianu, ma me matri parra sulu ngrisi.

Marìa Me nannu è sicilianu, ma nun parra ngrisi, sulu quacchi palora menzu siciliana e menzu ngrisi.

Mariu Picchissu voi parrari sicilianu cu iddu?

Marìa Certu, ma puru picchì sugnu cuntenta di èssiri siciliana.

Dumanni: Answer the following questions and check your answer against the recorded answers on the CD.

1. Picchì voli mparari lu sicilianu Mariu? 2. Lu nannu di Marìa è sicilianu o miricanu? 3. Comu mai Mariu nun parra sicilianu? 4. Di unni è Mariu? 5. Mariu è sulu miricanu? 6. Lu nannu di Marìa parra ngrisi? 7. E so matri, chi lingua (Language) parra? 8. Lu patri di Mariu parra ngrisi? 9. Marìa voli mparari lu sicilianu sulu picchì voli parrari cu so (her) nannu? 10. Tu parri sulu ngrisi?

Conversation Between Marìa and Mariu

Marìa Why do you want to learn Sicilian?

Mariu I want to learn Sicilian because I am Sicilian, and you?

Marìa I want to learn Sicilian to speak with my grandfather.

Mariu Why do you want to speak Sicilian with you grandfather?

Marìa Because he is Sicilian. But if you are Sicilian, how come you don't speak Sicilian?

Mariu Because I am American. I am from Brooklyn.

Marìa So you are half Sicilian and half American?

Mariu That's right! My father speaks Sicilian, but my mother speaks only English.

Marìa My grandfather is Sicilian, but he does not speak English, only some words half Sicilian and half English.

Mariu That's why you want to speak Sicilian with him?

Marìa Of course, but also because I am glad to be Sicilian.

A. The Verb Èssiri (to Be) in the Present Tense

The verb *èssiri* (to be) is not considered an auxiliary in Sicilian. But it is an important verb to learn immediately. Here is the Present Tense:

Jo sugnu miricanu/miricana	Niàutri semu miricani
Tu si' francisi/francisa	Vuiàutri siti ngrisi
Idda è miricana	Iddi sunnu miricani
Iddu è talianu	Iddi sunnu taliani
Lei è tedescu/tedesca	
Vossia è spagnolu/spagnola	

Eserciziu 1: Answer the following questions, using one or more of the appropriate replies on the right.

1. Tu si' miricanu o sicilianu?	Jo sugnu sicilianu.
2. Tu si' miricanu o talianu?	Jo sugnu miricanu ma me patri è sicilianu.
3. Tu si' tedescu o miricanu?	Jo sugnu miricanu ma me matri è siciliana.
4. Tu si' francisi o miricanu?	Jo nun sugnu né francisi né miricanu.
5. Tu si' ngrisi o miricanu?	
6. Tu si' turcu o russu?	
7. Tu si' giappunisi o cinisi?	
8. Tu si' grecu o albanisi?	

Dialogu tra Carmela e Joseph

Carmela	*Di unni si' tu?* (Where are you from?)
Joseph	*Sugnu di Brucculinu.* (I am from Brooklyn)
Carmela	*Allura, si' miricanu?*
Joseph	*Si, sugnu miricanu e tu?*
Carmela	*Jo sugnu di Boston.*
Joseph	*Allura, semu miricani tutti i dui!* (Then, we are both American!)

Eserciziu 2: Practice this dialogue between male and female students using the following combinations:

S1 sugnu di Palermu,	S2 sugnu di Missina
S1 sugnu di Parigi,	S2 sugnu di Marsiglia
S1 sugnu di Lontra,	S2 sugnu di Manchester
S1 sugnu di Ateni,	S2 sugnu di Sparta

Eserciziu 3: Change the plural statements to the singular:

S1. *Nui semu siciliani e vulemu parrari sicilianu.*
We are Sicilian and we want to speak Sicilian.

S2 *Jo sugnu sicilianu e vogghiu parrari sicilianu.*
I am Sicilian and I want to speak Sicilian.

1. Nui semu siciliani e vulemu *visitari* la Sicilia. (to visit)
2. Nui semu siciliani e vulemu manciari *a la siciliana.* (the Sicilian way)
3. Nui semu siciliani e vulemu *canùsciri* la Sicilia. (to know)
4. Nui semu siciliani e vulemu *vìdiri* la Sicilia. (to see)

Eserciziu 4: Answer the following questions in the affirmative, then in the negative. Follow the example and check your answers against the recorded answer.

Vuliti parrari sicilianu? Sì, vulemu parrari sicilianu.
No, nun vulemu parrari sicilianu.

1. Vuliti mparari lu sicilianu? 2. Vuliti manciari a la siciliana? 3. Vuliti rispùnniri in sicilianu? 4. Vuliti scrìviri in sicilianu? 5. Vuliti vìdiri la Sicilia?

Eserciziu 5: A professor is asking the whole class the following questions: Listen to the questions and volunteer to answer for the class, supplying the affirmative or negative reply as required by the Sì or No.

Parrati sicilianu, vuiàutri? *No, ancora nun parramu sicilianu.*
(We do not speak Sicilian yet).

1. Mparati lu sicilianu, vuiàutri? Sì,
2. Studiati lu sicilianu vuiàutri? Sì,
3. Manciati a la siciliana, vuiàutri? Sì,
4. Scriviti in sicilianu, vuiàutri? No,
5. Rispunniti in sicilianu, vuiàutri? Sì,

Eserciziu 6: Answer the following questions about Marìa and Mariu:

Marìa e Mariu manìanu la màchina? Sì, iddi manìanu la machina.

1. Marìa e Mariu studìanu lu sicilianu? Sì,
2. Marìa e Mariu parranu sicilianu? No,
3. Marìa e Mariu mancianu a la siciliana? Sì,
4. Marìa e Mariu scrivunu in sicilianu? No,
5. Marìa e Mariu rispunnunu in sicilianu? Si,

Mi chiamu Robertu

Mi chiamu Robertu. Sugnu studenti a l'università. Àbbitu a Missina assemi a du' cumpagni, Giuseppi ca studìa midicina e Francu ca friquenta corsi di scienza. Jo studìu francisi e ngrisi. Duranti la simana friquentu li corsi e a la fini di la simana travagghiu nta un night a Taurmina. Cantu canzuni in francisi, ngrisi, spagnolu e puru in sicilianu e sonu la chitarra pi accumpagnamentu. Ricivu un salariu discretu. Nun sugnu riccu, ma lu travagghiu mi aiuta a stari a galla!*

Dumanni:

1. Comu si chiama? 2. Unni studìa? 3. Àbbita sulu a Missina? 4. Chi studìa Giuseppe? 5. Unni travagghia Robertu a la fini di la simana? 6. Canta sulu in sicilianu? 7. Sona quacchi strumentu musicali? 8. Comu mai canta in tanti lingui, Robertu? 9. Ricivi un salariu bonu? 10. Lu travagghiu aiuta a Robertu?

* *stari a galla* means to float, to keep the head above water financially.

Verbs that end in *cari* and *gari* must add the letter h to the second person singular of the present tense to maintain the hard sound of k and g. Here are a few of such verbs: *jucari*, (to play) *sfugari* (to vent) *ammuccari* (to eat); *allungari* (to lengthen) *pagari* (to pay). Here is how they are conjugated:

Jo	jocu	Nui jucamu	Jo sfogu	Nui sfugamu
Tu	jochi	Vui jucati	Tu sfoghi	Vui sfugati
Iddu, Idda joca		Iddi jòcanu	Iddu, Idda sfoga	Iddi sfòganu
Vossia, Lei joca		or Iddi jòcunu*	Vossia, Lei joca	or Iddi sfògunu*

A few other verbs that end in *ciri* and *giri* will not add an additional *i* to the second person singular of the Present Tense. In addition, they require an additional *i* to the first person singular and, if you use the *unu* ending, to the third plural in order to maintain the ch sound of the Infinitive. Here are a few of such verbs: *strìnciri* (to hold tight) *vìnciri* (to win) *lèggiri* (to read) *prutèggiri* (to protect):

Jo	vinciu	Nui vincemu	Jo leggiu	Nui liggemu
Tu	vinci	Vui vinciti	Tu leggi	Vui liggiti
Iddu, Idda vinci		Iddi vìnciunu	Iddu, Idda leggi	Iddi lèggiunu
Vossia, Lei vinci		or Iddi vìncinu*	Vossia, Lei leggi	or Iddi lègginu*

* As we pointed out in Chapter 1, the third person endings *anu/unu* for *ari* verbs and *unu/inu* for *iri* verbs are both correct. In the present grammar we have chosen to use the ending of *anu* for *ari* verbs and *unu* for *iri* verbs.

The following verbs are regular and are conjugated like *parrari* and *rispùnniri.*

cantari	(to sing)	chiùdiri	(to close)
aspittari	(to wait)	bìviri	(to drink)

travagghiari	(to work)	ricìviri	(to receive)
ascutari	(to listen)	vìnniri	(to sell)
salutari	(to greet)	vìdiri	(to see)

Eserciziu 7: A quick translation exercise: the following questions are translated below, but not in the same order. Find the matching question and repeat it:

1. Do you want to listen to music? 2. Do you want to work tomorrow? 3. Do you want to greet the professor? 4. Do you want to receive a gift? 5. Do you want to sing a song? 6. Do you want to see a film? 7. Do you want to wait five minutes? 8. Do you want to read a novel? 9. Do you want to repeat the question? 10. Do you want to sell the automobile?

Voi cantari na canzuna? (a song)	Vuliti lèggiri un rumanzu ? (a novel)
Voi ascutari la mùsica? (the music)	Vuliti ripètiri la dumanna? (the question)
Voi aspittari cincu minuti? (five minutes)	Vuliti ricìviri un rialu? (a gift)
Voi travagghiari dumani? (tomorrow)	Vuliti vìdiri un film? (a movie)
Voi salutari a lu prufissuri? (the professor)	Vuliti vìnniri l'autumòbbili? (the car)

Eserciziu 8: Answer the questions listed in Exercise 7, both affirmatively or negatively:

Sì, vogghiu... *Sì, vulemu...*
No, nun vogghiu *No, nun vulemu...*

Eserciziu 9: Answer the questions by providing the right form of the verb:

1. Cu travagghia dumani?	Mariu ____________________
2. Tu ascuti la mùsica nta l'autumòbbili? (in the)	Sì, jo ____________________
3. Cu leggi un rumanzu?	Marìa ____________________
4. Cu canta "Ciuri, ciuri"?	Mariu e Marìa ______________
5. Cu ripeti la dumanna?	Lu prufissuri ______________
6. Cu vinni l'autumòbbili?	Pippinu e Micheli ___________
7. Cu scrivi na littra? (a letter)	Niàutri ____________________
8. Cu aspetta cincu minuti pi lu trenu? (train)	Iddi ____________________
9. Chi (what) ricivi tu pi lu cumpliannu?	Jo ____________________
10. Voi vìdiri un film sicilianu?	Si, jo ____________________

Eserciziu 10: Answer these questions using the name as a clue to their nationalities:

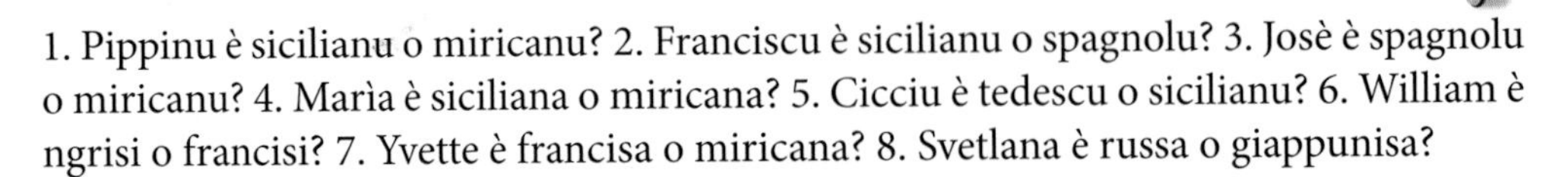

1. Pippinu è sicilianu o miricanu? 2. Franciscu è sicilianu o spagnolu? 3. Josè è spagnolu o miricanu? 4. Marìa è siciliana o miricana? 5. Cicciu è tedescu o sicilianu? 6. William è ngrisi o francisi? 7. Yvette è francisa o miricana? 8. Svetlana è russa o giappunisa?

Eserciziu 11: Complete the sentences by providing the name of the language spoken:

Niàutri semu siciliani e parramu sicilianu.*

1. Niàutri semu taliani e __________ 2. Niàutri semu spagnoli e ______________
3. Niàutri semu tedeschi e__________ 4. Niàutri semu russi e ______________
5. Niàutri semu greci e __________ 6. Niàutri semu miricani e ______________
7. Niàutri semu giappunisi e__________ 8. Niàutri semu cinisi e ______________

* If used as an adjective there is no need to capitalize the nationalities. Capitalize only when you use them as nouns, i.e. The Italians *Li Taliani.*

Eserciziu 12: Complete the sentences with the appropriate adjective

Cu nasci nta la Francia *è francisi.* (Whoever is born in France is French)
la Spagna è______
la Russia è______
la Grecia è______
l'America è______
la Sicilia è______
la Germania è______
l'Italia è______
l'Inghilterra è______
li Stati Uniti è______
lu Brasili è______
l'Argintina è______

Eserciziu 13: What language do they speak in Spain? Read the questions and answer them, following the example:

Chi lingua parranu nta la Spagna? *Nta la Spagna parranu spagnolu.*

1. Chi lingua parranu nta la Francia 2. Chi lingua parranu nta la Germania? 3. Chi lingua parranu nta la Grecia 4. Chi lingua parranu nta la Russia 5. Chi lingua parranu nta la Sicilia? 6. Chi lingua parranu nta li Stati Uniti 7. Chi lingua parranu nta l'Inghilterra? 8. Chi lingua parranu nta lu Brasili? 9. Chi lingua parranu nta lu Venezuela? 10. Chi lingua parranu nta lu Mèssicu?

C. The Stem-Changing Rule in Sicilian

As we conjugated the verbs *jucari* and *pirciari,* you saw how the stem of the verb changed the unstressed *u* of the Infinitive *jucari* to *o* and the unstressed i of *pirciari* to *e.* It is a general rule in Sicilian that stressed *e* and *o* in words shift to *i* and *u* when those vowels are no longer stressed. This affects not only verbs, but also nouns, adjectives and adverbs. For example, in the word *veru* the *e* is stressed. Thus words that are derived from *veru* such as *virità* or *viramenti,* which have the stress on different vowels, change the *e* to an *i.* A similar procedure is followed for words stressed on the vowel *o* such as *volu* (flight) which becomes *vulàri, vulàta*. Here are a few more examples:

Sòla-sulètta   lèttu-littìnu   vèntu-vintàgghiu   tèsta-tistùni   morti-murtali

Verbs like *lèggiri* (to read) and *sèntiri* (to hear) which have a stress on the *e* will change the *e* to *i* for the first and second persons plural of the Present when that stress shifts to another vowel. Similarly a verb like *cògghiri* (to pick) which has a stress on the *o* will shift to a *u* in the *nui* and *vui* persons of the Presente Tense. The first person of the verbs *jucari, sfugari* and *allungari*, listed before, will be *jocu, sfogu* and *allongu* following the same rule.

There are some verbs that are stressed in two different ways. The shift in the stressed vowel causes the verbs to be written differently: Here are some of them: *mòriri / murìri; sèntiri /sintìri*; and *vèniri /vinìri*.

Observe what happens when we conjugate *sèntiri* and *cògghiri* in the Present Tense:

Jo	sèntu	Nui sintèmu	Jo cogghiu	Nui cugghiemu
Tu	sènti	Vui sintìti	Tu cogghi	Vui cugghiti
Iddu, Idda sènti		Iddi sèntunu	Iddu, Idda cogghi	Iddi cògghiunu
Vossia, Lei sènti		or iddi sèntinu	Vossia, Lei cogghi	or Iddi cògghinu

The list of verbs that observe this rule is long. It is therefore important to understand the grammatical point so that you can apply it even to words you meet for the first time. Remember that the vowel of the stem of the verbs changes according to the following rules:

If the stem vowel is *i*, it changes to *e* as in *aspittari-aspettu,*
If the stem vowel is *u*, it changes to *o* as in *allungari- allongu,*
If the stem vowel is e as in *sèntiri*, it changes in *i*: *sintèmu, sintìti,*
If the stem vowel is o as in *mòriri*, it changes to *u*: *murèmu, murìti.*

Once you have the first person of the verb, the rest of the conjugation follows the established pattern, as we have seen.

Eserciziu 14: Provide the appropriate form of the Present for these stem-changing verbs:

1. Luigi ___________na littra di la zita. (*aspittari*, to wait)
2. Li carusi _________lu nvitu pi la festa. (*accittari*, to accept)
3. Iddi____________ca vui viniti a la festa. (*spirari*, to hope)
4. Marìa __________na bedda torta a la festa. (*purtari*, to bring)
5. Jo mi___________la giacca picchì fa càuddu. (*livari*, to take off)
6 Tu ____________lu puntu dèbbuli. (*tuccari*, to touch)
7. Iddi____________pi lu Prisidenti. (*vutari*, to vote)
8. Jo nun _________la chiavi di la porta. (*truvari*, to find)
9. Marisa__________un travagghiu. (*circari*, to look for)
10. Mariu nun ______travagghiari. (*vuliri*, to want)

Eserciziu 15: React to the following statements and give your advice as in the model. Remember these are all stem-changing verbs:

Carusi, aspettu ccà nàutri cincu minuti?	*No, è megghiu nun aspittari.*
Boys, shall I wait here for five more minutes?	No, it's better not to wait.

1. Carusi, accettu lu nvitu di Marìa? 2. Carusi, speru ca vui viniti a la festa. 3. Carusi, portu na torta di puma? 4. Carusi, votu pi li Prisidenti? 5. Carusi, cercu un travagghiu pi Marisa? 6. Carusi, speru ca la situazioni economica cancia. (changes) 7. Carusi, toccu li carti di lu prufissuri. 8. Carusi, vui pusati la paninu supra lu tavulu? (You put) 9. Carusi, allongu nanticchia lu discursu? 10. Carusi, vui liggiti troppu rumanzi! (Too many)

D. The Adjective

Adjectives ending in *u* have three forms: *u* for masculine, *a* for feminine, and *i* for plural masculine and feminine. In Sicilian, adjectives must agree in gender and number with the noun they qualify. Thus,

Mariu è beddu	*Marìa è bedda*	*Mariu e Marìa sunnu beddi*

Adjectives ending in *i* have only one form. Thus,

Mariu è gintili	*Marìa è gintili*	*Mariu e Marìa sunnu gintili*

Adjectives in *i* referring to nationality, however, change to *a* in the feminine. Thus: *Idda è francisa, ngrisa, giappunisa.*

Here is a list of adjectives ending in *u* and in *i*:

aggressivu	(aggressive)	abbunnanti	(abundant)
azzolu	(blue)	aranciuni	(orange)
antipàticu	(unpleasant)	arruganti	(arrogant)
beddu	(handsome)	curtisi	(courteous)
biancu	(white)	forti	(strong)
bruttu	(ugly)	francisi	(French)
balmu	(calm)	gintili	(kind)
castanu	(hazel, brown)	granni	(big)
educatu	(well mannered)	mpurtanti	(important)
fucusu	(fiery)	ngrisi	(English)
giallu	(yellow)	piacèvuli	(pleasant)
grassu	(fat)	pisanti	(heavy)
grossu	(large)	virdi	(green)
grigiu	(gray)	marrò	(brown)
nteliggenti	(intelligent)	niuru	(black)
lisciu	(smooth, straight)	prisintusu	(overbearing)

longu	(tall)	russu	(red)
maladucatu	(uncouth)	sintimintusu	(thoughtful)
sgarbatu	(rude)	simpàticu	(charming)

A Description of Marìa

Marìa è na signurina siciliana simpàtica e gintili. È di Missina. Nun è arruganti o prisintusa. Nun rispunni mai in manera sgarbata. È na bedda carusa, cu modi piacèvuli e curtisi. È bedda di fisicu e di modi, longa e snella cu occhi e capiddi castani, longhi e lisci.

Dumanni: Answer the following based on the description:

1. Comu è Marìa?
2. È arruganti Marìa?
3. Comu rispunni Marìa?
4. È antipàtica Marìa?
5. È longa o curta, Marìa?
6. È grossa o snella?
7. Avi l'occhi virdi o nìuri?
8. Avi li capiddi lisci o ricci?
9. Comu è di fisicu?
10. E di modi comu è?

Esserciziu 16: Describe your best female friend by answering the following questions:

1. Comu si chiama? 2. Quantu anni avi? 3. Unni àbbita? 4. Comu è di fisicu? 5. Di chi culuri avi l'occhi? 6. Di chi culuri avi li capiddi? 7. Avi beddi modi? 8. È studintissa o travagghia?

A Description of Mariu

Mariu è simpàticu puru, ma quacchi vota è fucusu e aggressivu. È longu puru iddu ma siccu e forti. È sintimintusu ma nun troppu sintimintali. È beddu di fisicu, avi occhi nìuri e capiddi nìuri, abbunnanti e lisci. Mariu è catanisi, ma so patri è palermitanu.

Dumanni: Answer the following based on the description:

1. Comu è Mariu, simpàticu o antipàticu? 2. Mariu è aggressivu quaccchi vota? 3. È longu o curtu, Mariu? 4. È sintimintusu o sintimintali? 5. È snellu o robustu? 6. Avi l'occhi nìuri o castani? 7. Avi li capiddi ricci o lisci? 8. Comu è di fisicu? 9. E di temperamentu comu è?

Eserciziu 17: Describe your best male friend by answering the following questions:

1. Comu si chiama? 2. Quantu anni avi? 3. Unni àbbita? 4. Comu è di fisicu? 5. Di chi culuri avi l'occhi? 6. Di chi culuri avi li capiddi? 7. Avi beddi modi? 8. È studenti o travagghia?

Eserciziu 18: Answer the questions referring to the pictures:

1. Stu cani (this dog) è biancu o grigiu?
2. Stu cani è miricanu o talianu?
3. Stu cani è aggressivu o gintili?
4. Stu cani è granni o nicu?
5. Stu cani è simpàticu o antipàticu?

1. Stu omu (this man) è talianu o giappunisi?
2. Stu omu è francisi o tedescu?
3. Stu omu parra o scrivi?

1. Sta carusa (this girl) è arruganti o curtisi?
2. Sta carusa è antipàtica o simpàtica?
3. Sta carusa avi i capiddi longhi o curti?

1. Stu omu (this man) è aggressivu o curtisi?
2. Stu omu avi i denti (teeth) longhi o curti?
3. Stu omu avi i capiddi nìuri o bianchi?

Eserciziu 19: Look at the maps representing various countries. Answer the questions and practice the dialogue for each, making the necessary changes:

1. Unni semu?
2. Semu nta la Spagna.
3. Ccà chi lingua parra la genti? (The people)
4. Ccà la genti parra spagnolu.

1.

3.

2.

4.

5.

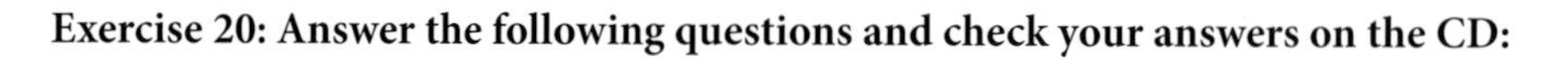

Exercise 20: Answer the following questions and check your answers on the CD:

1. Chi lingua parranu li Spagnoli?
2. Chi lingua parranu li Tedeschi?
3. Chi lingua parranu li Francisi?
4. Chi lingua parranu li Miricani?
5. Chi lingua parranu li Taliani?

Lu sport chiù populari in Sicilia è sicuramenti lu palluni. Tutti li giùvini siciliani sognanu di divintari[1] campiuni e di jucari un jornu nta la squatra naziunali comu fici[2] lu sicilianu Totò Schillaci quannu l'Italia arrivau terza[3] nta lu campiunatu di lu munnu[4] di lu 1990. Tutti li giùvini siciliani, si nun sunnu malati o hannu quacchi problema fìsicu, jocanu a lu palluni e tifanu[5] pi la so squatra cu passioni. Ogni dumìnica, si hannu la possibilità finanziaria vannu a lu stàdiu a vìdiri li partiti e si la squatra vinci tornanu a casa stanchi morti[6] ma cuntenti. Si la squatra perdi[7] tornanu a casa stanchi morti, ma depressi.[8] Si nun hannu li sordi, talìanu la partita a la televisioni. Li Siciliani amanu puru lu ciclismu e àutri sport, ma nuddu sport po' svigghiari[9] in iddi la passioni ca lu palluni svigghia.

Lu ciclismu na vota era assai populari quasi comu lu palluni e li granni currituri[10] comu a Coppi, Bartali e Magni avevanu li so sustinituri[11] comu oggi hannu li cantanti di mùsica rock.[12] Oggi un currituri di bicicletta[13] sicilianu è assai famusu. Vincituri[14] di lu Giru d'Italia e lu Giru di Spagna, arrivau terzu [15] a lu Giru di Francia nta lu 2012. Si chiama Vicenzu Nibali ed è missinisi e picchissu[16] lu chiamanu "Lu Squalu di lu Strittu."[17] L'automobbilismu fu puru populari in Sicilia, specialmenti quannu si curreva la Targa Floriu a lu principiu di lu sèculu precedenti. L'àutri sport esistunu e si jocanu[18] in Sicilia, ma nun sunnu populari. Lu golf, lu baseball, la pallacanestru, lu tennis, lu football miricanu—puru ca lu sìnnacu[19] di Palermu, Leoluca Orlandu, è lu prisidenti di lu football miricanu in Europa—nun hannu la putenza di svigghiari la passioni siciliana comu lu palluni.

Notes: 1. Dream of becoming 2. As did 3. Won third place 4. World championship 5. Root 6. Dead tired 7. Loses 8. Depressed 9. Awaken 10. Great racers 11. Supporters 12. Rock singers 13. Bike racer 14. Winner 15. Came in third 16. For this 17 The Shark of the Strait 18. Are played 19. Mayor.

Dumanni:

1. Quali è lu sport chiù amatu in Sicilia? 2. Chi vonnu divintari li giùvini siciliani? 3. Cu è Totò Schillaci? 4. L'Italia vinciù lu campiunatu nta lu 1990? 5. Unni vannu li giùvini siciliani la dumìnica si hannu li sordi? 6. Comu tornanu a casa si la so squatra vinci la partita? 7. Cu eranu granni campiuni di ciclismu? 8. Cu è canusciutu (known as) comu lu "Piscicani di lu Strittu"? 9. Quannu era (was) populari l'autumòbbilismu in Sicilia? 10. Quali sport svigghia la passioni in tia (in you)?

Eserciziu 21: Try to guess the sport we are talking about. The answers are below but not in the right order. *Di quali sport parramu?*

1. Ci sunnu cincu (5) jucaturi tutti assai longhi.
2. Ci sunnu ùnnici (11) jucaturi ca dunanu càuci a na palla di peddi.
3. Ci sunnu jucaturi ca portanu un cappeddu duru di plàstica e un bastuni di lignu.

4. Ci sunu òmini cu un bastuni di mitallu ca dunanu botti a na pallina di plàstica nta un campu di erba virdi.
5. Ci sunnu du' jucaturi cu na pallina di plàstica bianca supra un tàvulu divisu di na riti.
6. Ci sunnu assai òmini ca currunu supra bicicletti nta la strata.
7. Ci sunnu òmini o fìmmini ca currunu supra la nivi supra a slitti fini di lignu.
8. Ci sunnu du òmini o fìmmini ca dunanu botti a na palla virdi nta un campu divisu di na riti.
9. Ci sunu òmini nta màchini assai viloci ca currunu pi vìdiri cu arriva primu.
10. Ci sunnu òmini o fìmmini ca natanu a tutta vilocità pi vìdiri cu arriva primu/a.

Lu notu, baseball, l'autumobbilismu, ping pong, sci, ciclismu, tennis, golf, palluni, pallacanestru.

Eserciziu 22: Answer in complete sentences.

1. Quali è lu sport ca tu prifirisci? 2. Quali sport talìi a la televisioni? 3. Quali sport nun ami pi nenti? 4. Quali sunnu li jucaturi di pallacanestru ca ammiri chiossai? (admire) 5. Quali sunnu li jucaturi di palluni ca ami chiossai? 6. Quali è lu jucaturi chiù famusu di lu munnu? 7. Quali è lu jucaturi di pallacanestru chiù famusu? 8. Quali è la squatra di baseball ca ami chiossai? 9. Quali squatra di footbal miricanu è la chiù forti? (strongest) 10. Quali sport praticava (engaged in) Lance Armstrong?

Niminagghi siciliani: Chi è?

Nasci bianca
e niura mori.

L'aliva

Pruverbiu sicilianu

Cu mancia, fa muddichi.

Chapter 4

What's in This Chapter:

Grammatica

A. *The Present Tense of Aviri*
B. *Idiomatic Expressions with Aviri*
C. *Irregular verbs fari, stari, dari, putiri, diri, jiri, vèniri*

Matiriali didattici

Lucia
Cunvirsazioni tra Gianni e Francu
The Months and Seasons of the Year
Nota culturali: Li casi siciliani

Na viduta di Cefalù cu la so cattidrali nurmanna./ Cefalù with its Norman Cathedral.

A. The Verb Aviri

The verb *aviri* (to have) in Sicilian is the primary auxiliary. Although you may encounter the forms of the Present Tense spelled differently depending on the writer, we have chosen to drop the initial *h* for the first three persons. We have kept the *h* for the last person plural because it may be confused with *annu,* meaning year. Alternative forms are *haiu, hai, ha, avemu, aviti, hannu*, pronounced as the forms below. Here are the forms of the Present Tense:

The verb *aviri* is used exclusively in Sicilian to form compound tenses, as we will see later. It is used as the verb "to have" in English:

Jo aju	I have	Nui avemu	We have
Tu ai	You have	Vui aviti	You have
Iddu, Idda avi	He/she has	Iddi hannu	They have
Vossia, Lei avi	You have		

Aju na pinna.	I have a pen.
Idda avi du' figghi.	She has two sons.
Nui avemu na casa.	We have a house.
Iddi hannu cincu soru.	They have five sisters.

Note: the question *Chi ai? Chi aviti?* also means "What's the matter with you?" "What is wrong?"

Eserciziu 1: Ask the following questions to one person, then to more than one. Provide answers to both.

Ai na granni famigghia?	*Sì, aju na granni famigghia.*
Aviti na granni famigghia?	*No, nun avemu na granni famigghia.*

1. Ai na soru? 2. Ai un frati? 3. Quantu frati ai? 4. Quantu libri ai? 5. Ai un cani 6. Ai un raffridduri? 7. Ai la frevi? 8. Ai un duluri di testa? 9. Ai na bicicletta? 10. Ai na cravatta russa?

Eserciziu 2: Provide the questions that elicited the following response:

1. Aju un forti duluri di testa. 2. Sì, avemu un cani. 3. Si, du' frati e si chiamanu Giuanni e Pippinu. 4. Si, aju almenu ducentu (200) libri. 5. No, nun aju né (neither) jatti né (nor) cani.

Eserciziu 3: If you can answer positively, raise your hand and answer the question:

1. Cu avi na soru? 2. Cu avi du' cani? 3. Cu avi na bicicletta russa? 4. Cu avi almenu centu (100) libri? 5. Cu nun avi na casa? 6. Cu nun avi un jattu? 7. Cu avi la frevi? 8. Cu avi duluri di testa? 9. Cu avi un raffridduri? 10. Cu avi un nannu sicilianu?

B. Idiomatic Use of the Verb Aviri

Aviri has a number of idiomatic uses. For example, the question: "Quantu anni avi Maria?" if translated literally means "how many years does Maria have?" In English we ask the same question by saying "How old is Maria?" Here are some idiomatic uses of *aviri*: in most of these cases, English will use the verb "to be" plus an adjective:

Aviri	*fami*	(to be hungry)
	siti	(to be thirsty)
	primura, prescia	(to be in a hurry)
	friddu	(to feel cold)
	paura	(to be afraid)
	sonnu	(to be sleepy)
	vogghia di ...	(to feel like having)
	raggiuni	(to be right)
	tortu	(to be wrong)
	càuddu	(to feel hot)

Eserciziu 4: Repeat the following sentences:

If I am hungry, I eat.

1. Si aju fami, manciu.	(I eat)
2. Si aju siti, bivu.	(I drink)
3. Si aju sonnu, dormu.	(I sleep)
4. Si aju primura, pigghiu un tassì.	(I take a taxi)
5. Si aju càuddu, apru la finestra.	(I open the window)
6. Si aju tortu, dumannu scusa.	(I apologize)
7. Si aju paura, chiamu a la polizzìa.	(I call the police)
8. Si aju friddu, mi mettu lu cappottu.	(I put on my overcoat)
9. Si aju càuddu, mi levu la giacca.	(I take off my jacket)
10. Si aju vogghia di un gelatu, accattu un gelatu.	(I buy an ice cream)

Eserciziu 5: Answer the questions expanding your reply to include one or more of the choices given:

1. *Chi mangi si ai fami? Si aju fami,*	*manciu un paninu,*
(What do you eat if you are hungry?)	*na pizza, na frutta.*
2. *Chi bivi si ai siti?*	*Si aju siti, bivu na Coca Cola,*
(What do you drink if you are thirsty?)	*un biccheri d'acqua* (a glass of water)
3. *Chi fai si ai sonnu?*	*Si aju sonnu, dormu,*
(What do you do if you are sleepy?)	*mi curcu* (I go to bed).
4. *Chi fai si ai primura?*	*Si aju primura, pigghiu un tassì,*

(What do you do if you are in a hurry?) *pigghiu lu trenu.* (the train)

5. *Chi fai si ai paura?* — *Si aju paura, chiamu a la polizzìa.*
(What do you do if you are afraid?) — *chiamu a me patri* (my father).

6. *Chi fai si ai càuddu?* — *Si aju càuddu, apru la finestra.*
(What do you do if you are hot?) — *mi levu la giacca, addumu l'aria condiziunata.* (I put on the air conditioning).

7. *Chi fai si ai tortu?* — *Si aju tortu, dummanu scusa.*
(What do you do if you are wrong?)

8. *Si ai vogghia di un gelatu, chi fai?* — *Si aju vogghia di un gelatu, vaju in Sicilia!*
(What do you do if you feel like having an ice cream?)

9. *Si ai friddu, chi fai?* — *Si aju friddu, chiudu la finestra, addumu lu riscaldamentu* (I put on the heat).
(What do do if you are cold?)

Eserciziu 6: Answer the following questions:

1. Chi mangi tu quannu (when) ai fami? 2. Tu chi bivi quannu ai siti? 3. Lu prufissuri chi fa quannu avi primura? 4. Vuiàutri chi faciti quannu aviti friddu? 5. Chi fannu Maria e Mariu si hannu sonnu? 6. Chi fa Pippineddu si avi vogghia di un gelatu? 7. Vuiàutri manciati la pizza si aviti fami? 8. Vossia chi fa si avi tortu? 9. Tu bivi na Coca Cola quannu ai sonnu? 10. Tu dumanni scusa quannu ai tortu?

Eserciziu 7: Follow the pattern. In groups of two students:

S1 *Vogghiu manciari un paninu.* S2 *Picchì voi manciari un paninu?*
S1 *Picchì aju fami!*

1. Vogghiu manciari na pizza. 2. Vogghiu bìviri un biccheri di vinu. 3. Vogghiu pigghiari un tassì. 4. Vogghiu chiùdiri la finestra. 5. Vogghiu àpriri la porta. 6. Vogghiu chiamari a la polizzìa. 7. Vogghiu addumari l'aria condiziunata. 8. Vogghiu dumannari scusa a tutti. (to all) 9. Vogghiu jiri in Sicilia. 10. Vogghiu dòrmiri ancora.

Eserciziu 8: Open ended questions:

Voi manciari quacchi cosa? — *No, grazzii, nun aju fami.*
Si, grazzii, un paninu.

1. Voi bìviri quacchi cosa? 2. Voi pigghiari un tassì? 3. Voi chiùdiri la finestra? 4. Voi àpriri la finestra? 5. Voi jiri in Sicilia? 6. Voi dòrmiri ancora? 7. Voi dumannari scusa? 8. Vossia voli manciari na pizza? 9. Voi addumari l'aria condiziunata?

Lucia è na bedda signurina siciliana. Avi vint'anni e studìa a l'università. Avi occhi celesti e capiddi nìuri. Avi un frati e na soru. Lu frati si chiama Giuseppi, ma tutti lu chiamanu Pippineddu picchì è gintili e simpàticu. Avi vintidu' anni e studìa puru iddu a l'università. So soru Carmela, inveci, è chiù nica. Avi sulu quattòrdici anni e va a la scola media. Lu patri di Lucia travagghia comu mpiegatu nta la banca e so matri nun travagghia fora, ma avi tanti cosi di fari dintra la casa. Lucia spissu duna na manu a so matri pi pulizziari la casa e pi fari la spisa. Hannu du armaluzzi ca sunnu un amuri, specialmenti lu jattu ca mancia sulu quannu mancia Lucia. Lu cani inveci mancia sempri. Avi sempri fami. Pi usari na frasi proverbiali siciliana, lu cani avi la fami canina!

Dumanni: Answer the questions referring to the reading:

1. Cu è Lucia? 2. Quantu anni avi Lucia? 3. Lucia studìa a la scola media? 4. Picchì la genti chiama a Giuseppi Pippineddu? 5. Unni studìa Pippineddu? 6. Chi travagghiu avi lu patri di Lucia? 7. So matri travagghia puru? 8. Chi fa Lucia pi dari na manu a so matri? 9. Lu jattu avi la fami canina? 10. Cu avi sempri fami?

Esercizіu 9: Complete by filling the blanks with the appropriate verbs in the Present Tense according to the context.

(*Èssiri, travagghiari, studiari, pulizziari, aviri, dunari, manciari, èssiri*)

Lucia ____ na bedda signurina siciliana. ______ vint'anni e studìa a l'università. Avi occhi celesti e capiddi nìuri. Avi un frati e na soru. Lu frati si chiama Giuseppi, ma tutti lu chiamanu Pippineddu picchì è gintili e simpàticu. Avi vintidu' anni e ________ puru iddu a l'università. So soru Carmela, inveci, è chiù nica. Avi sulu quattordici anni e va a la scola media. Lu patri di Maria ______ comu mpiegatu nta la banca e so matri nun travagghia fora, ma avi tanti cosi di fari dintra la casa. Lucia spissu _______ na manu a so matri pi _______ la casa e pi fari la spisa. Hannu du armaluzzi ca _______ un amuri, specialmenti lu jattu ca mancia sulu quannu mancia Lucia. Lu cani inveci ______ sempri. Avi sempri fami. Pi usari na frasi pruvirbiali siciliana, lu cani avi la fami canina!

Exercise 10: Choose the most appropriate description for the picture:

1. Avi primura.
2. Avi sonnu.
3. Avi paura.

1. Bivi acqua minerali.
2. Bivi latti.
3. Nun avi siti.

1. Sunnu a na festa.
2. Nun hannu fami.
3. Vonnu studiari.

1. St' armaluzzzu è un amuri!
2. Stu cani è aggressivu.
3. Stu cani nun è niuru.

1. Sta signurina avi l'occhi virdi.
2. Sta signurina avi li capiddi nìuri.
3. Sta signurina avi li capiddi lisci.

1. Stu omu avi un duluri di testa.
2. Stu omu avi la frevi.
3. Stu omu avi fami.

Cunvirsazioni tra Gianni e Francu

Gianni e Francu sunnu du' studenti universitari. Gianni è un pocu paccariatu (low on money), però nun voli ammèttiri ca nun avi sordi.

Francu	Ciau, Gianni. Voi vèniri stasira a vìdiri na partita di palluni? Joca lu Palermu contru lu Catania.
Gianni	Mi dispiaci propriu, sai. Aju a fari tanti cosi stasira. Aju un esami di storia dumani, e poi nun staiu tantu bonu. Forsi aju un pocu di frevi.
Francu	Senti, Gianni, tu si' un carusu stranu. Nun poi èssiri sempri d'accussì. Nta stu munnu, ai a sapiri pigghiari a volu tutti li occasioni pi canùsciri genti nova, pi vìdiri cosi diversi, pi stari assemi a l'amici. Tu nun poi fari sempri lu rimitu! Ai sempri na scusa pronta: "Mi scantu...", "Nun sacciu....", "Nun pozzu....", "Nun fazzu bedda fiura...". Sai chi ti dicu jo? Ca ai a mèttiri di latu tutti sti dubbii, e nèsciri, jiri a ballari, jiri ô cìnima, a visitari quacchi museu...
Gianni	Ma no, nun è chissu!...
Francu	Picchì dici ca nun è chissu? Poi jiri avanti d'accussì pi nàutri cent'anni?
Gianni	No, scusa, nun è chissu ca dicu...
Francu	E allura chi è? Picchì nun voi vèniri a la partita? Aiu sti du' beddi biglietti gratis e tu sai ca nun è fàcili aviri biglietti gratis nta sta staçiuni... e tu cuntinui a fari scusi...
Gianni	Scusa, li biglietti sunnu gratis?
Francu	Si, certu!
Gianni	Allura vegnu! Ma tu picchì nun parri chiaru?

Dumanni:

1. Quali squatri jocanu stasira? 2. È na partita di baseball? 3. Chi scusa duna Gianni pi nun jiri a la partita? 4. Gianni dici la virità? 5. Chi cunzigghia Francu a Gianni di fari, pi èssiri chiù filici? 6. Comu cumincianu li scusi di Gianni pi nun accittari li nviti di Francu? 7. Li biglietti pi na partita di palluni costanu picca o costanu assai? 8. Quantu costanu i biglietti ca avi Francu? 9. Pi quali mutivu Gianni non voli jiri a vìdiri la partita? 10. Pi Gianni, Francu parra in modu chiaru?

C. Some Irregular Verbs in Sicilian

The following verbs of the first and second conjugations form the Present Tense in an irregular fashion: *Fari*, (To do, make) *stari*, (to stay, to be), *dari/Dunari* (to give), *putiri* (to be able), *diri* (to say), *jiri* (to go), and *vèniri* (to come):

Fari	Stari	Dari	Putiri	Diri	Jiri	Vèniri
Fazzu	staiu	dugnu	pozzu	dicu	vaiu	vegnu
Fai	stai	duni	poi	dici	vai	veni
Fa	sta	duna	pò	dici	va	veni
Facemu	stamu	damu	putemu	dicemu	jemu	vinemu
Faciti	stati	dati	putiti	diciti	jiti	viniti
Fannu	stannu	dannu	ponnu	dicunu or dicinu	vannu	venunu, veninu or vennu

The verb *fari* (to do, to make) is also used in many idiomatic phrases that in English are rendered with different verbs. Here are some of the most common:

Fari na passiata	to take a walk.
Fari na fotografia	to take a picture.
Fari la spisa	to go shopping.
Fari mali	to hurt.
Fari attinzioni	to pay attention.
Fari na dumanna	to ask a question.
Fari lu bagnu	to take a bath, to go swimming.
Fari l'anni	to have a birthday.

In addition, *fari* is used to express weather conditions:

Fari càuddu, friddu	to be hot, cold.
Fari beddu, bruttu tempu	to be good or bad weather.

Eserciziu 11: Master the following sentences. Robertu is describing some of his activities:

1. *Quannu fa càuddu, vaiu a fari na passiata nta lu parcu.*
   When it is hot, I go to take a walk in the park.
2. *Quannu fa friddu, staiu dintra l'appartamentu.*
   When it is cold, I stay in the apartment.
3. *Quannu pozzu fari na vacanza, vaiu a Catania.*
   When I can take a vacation, I go to Catania.
4. *Nun pozzu diri la virità picchì mi scantu.*
   I cannot tell the truth because I am afraid.
5. *Robertu dici cìciri, Lucìa dici favi. Nun vannu d'accordu.*
   Robert says chickpeas, she says fava beans. They don't agree.
6. *Dugnu sordi a li pòviri, ma nuddu dici grazzii.*
   I give money to the poor, but nobody says thanks.
7. *Vaiu e vegnu sùbbitu. Aju a fari la spisa nta lu supirmircatu.*
   I go and come back right away. I have to shop in the supermarket.
8. *Quannu vaiu in vacanza, fazzu assai fotografii.*
   When I go on vacation, I take many pictures.

9. *Fazzu na vita calma. Nun fazzu mali a nuddu.*
I lead a calm life. I don't hurt anyone.

10. *Fazzu vint'anni dumani e facemu na gran festa.*
I will be twenty tomorrow and we will have a big party.

Eserciziu 12: After studying the sentences above, answer the following questions using them as possible guides or make up new ones:

1. Quannu va a fari na passiata, Robertu? 2. Unni va a fari na passiata? 3. Chi fa quannu fa friddu? 4. Unni sta quannu fa friddu? 5. Vannu d'accordu Roberto e Lucia? 6. A cu duna sordi iddu? 7. Chi avi a fari nta lu supirmircatu? 8. Quannu fa assai fotugrafii? 9. Vivi na vita muvimintata (hectic) Robertu? 10. Quantu anni fa Robertu dumani?

Eserciziu13: Answer the following questions using the hint at the right

Quantu tempu poi stari?	*un'ura.*
How long can you stay?	*Pozzu stari un'ura.*
1. Quantu sordi poi dari a li pòviri?	vinti dollari
2. Quantu fotografii poi fari?	deci fotugrafii
3. A cu (to whom) poi fari lu favuri?	a Luigi
4. Unni voi stari a Roma?	nta l'albergu
5. Chi (What) poi diri a lu prufissuri?	la virità

Eserciziu 14: Decline the following offers, saying you are sorry:

Picchì nun vai in vacanza? Mi dispiaci, nun pozzu jiri in vacanza.

1. Picchì nun fai na dumanna? 2. Picchì nun fai lu bagnu? 3. Picchì nun dici la virità? 4. Picchì nun stai nta stu (this) albergu? 5. Picchì nun veni in città? 6. Picchì nun fai stu favuri a Luigi? 7. Picchì nun duni un cunzigghiu a Mariu? 8. Picchì nun stai a Nova York? 9. Picchì nun vai d'accordu cu lu prufissuri? 10. Picchì nun dici la cosa a Maria?

Eserciziu 15: Make as many sentences as possible combining A, B, and C sections:

Example: *Di sira nun pozzu taliari la tv.*

A	B	C
Quannu fa beddu tempu	fari	na passiata
Di stati (In summer)	fari	assai fotografii
In vacanza	stari	in un albergu di lussu
Dopu la cena	nun putiri	stari nta la casa

Di sira	jiri a	taliari la tv
Certi voti (sometimes)	nun putiri	pagari lu cuntu
Spissu	nun pozzu	na festa

Eserciziu 16: Put the right form of the verbs in parenthesis in the blanks:

1. Lu prufissuri _______li voti a li studenti. (dari/dunari)
2. Ogni matina mi _______la barba. (fari)
3. Li studenti nun __________capiri la règula. (putiri)
4. Nui__________sempri la virità. (diri)
5. Vui__________a Brucculinu stasira? (jiri)
6. Iddi nun __________beni. (stari)
7. Tu_________lu bagnu ogni jornu? (fari)
8. Jo_________a scola ogni sira. (vèniri)
9. Vossia nun ___________abbastanza a li pòviri. (dari/dunari)
10. Idda ___________a la festa di Luisa. (jiri)

The Months / Li misi

Italian has clearly had an influence on changing the names of the months from how they were pronounced one hundred years or even fifty years ago. As occurred for the days, the more archaic spelling of the months is disappearing in favor of the more Italianate spelling. Compare the more modern forms with the archaic forms.

Like the days of the week, the months are not capitalized in Sicilian unless they begin a sentence.

Modern	**Archaic**	**English**
jinnaru	innàru	January
frivaru	frivàru	February
marzu	marzu	March
aprili	aprili	April
maju	maju	May
giugnu	giugnu	June
lugliu	giugnettu	July
austu	austu	August
sittembri	sittemmiru	September
ottobri	ottuviru	October
novembri	nuvemmiru	November
dicembri	dicemmiru	December

Eserciziu 17: Answer the following questions:

1. In chi misi semu? 2. Chi misi veni doppu jinnaru? 3. Quali è lu misi chiù càuddu? 4.

Quali è lu misi chiù friddu? 5. In chi misi nascìu to patri? 6. In quali misi veni Natali? 7. In quali misi veni Carnaluari? 8. In quali misi veni la festa di la ndipinnenza mirricana? 9. In quali misi si celebra lu jornu di travagghiu in Amèrica? 10. In quali misi fa lu cumpliannu to matri?

Eserciziu18: Compile a list of your family's birthdays:

Example: *Me ziu nascìu lu jornu 18 di marzu di lu 1980.*
My uncle was born on the 18th of March of 1980.

1. Me matri nascìu lu jornu _________di _________ di lu _________.
2. Me patri nascìu lu jornu _________ di _________di lu _________.
3. Me soru nascìu lu jornu _________ di _________di lu _________.
4. Me frati nascìu lu jornu _________ di _________ di lu _________.
5. Jo nascivi lu jornu _________ di _________di lu _________.
6. Me nannu nascìu lu jornu _________di _________ di lu _________.
7. Me nanna nascìu lu jornu _________di _________ di lu _________.
8. Lu me cani nascìu lu jornu _________ di_________ di lu _________.

Littura: The Four Seasons / Li quattru staçiuni

La primavera	Spring
La stati	Summer
L' autunnu	Autumn
Lu nvernu	Winter

Vocabulary Notes:

Staçiuni	season
Significati	meanings
Pi certuni	for some
Chiù piacèvuli	more pleasant
Duci	sweet
Né...né	neither...nor
Offri quacchi cosa	offers something
Primi çiuri	first flowers
Nesciunu	come out
Longa nuttata	long night
Sunnu cuperti	are covered
Tènnira erba virdi	tender green grass
Diventa scura	that becomes darker
C'è lu sciroccu	there's the sciroccu wind
Nun si pò rispirari	one cannot breathe

Arriva a quaranta	reaches forty degrees Celsius
A l'umbra	in the shade
Vacanzi	vacation
Praia	beach
Àrburu	tree
La vinnigna, vinnignari	the grape harvest, to harvest grapes
La racina	grapes
Palmentu	wine Press
Tannu	at that time
Li fogghi cancianu	leaves change
Chiovi spissu	it rains often
Nun nivica quasi mai	It almost never snows
Tranni	except
Carnaluari	Mardi gras
Paci, gioia e divirtimentu	peace, joy and amusement
Nun pisa poi tantu	does not weigh too much on you.

Li quattru staçiuni di l'annu sunnu la primavera, la stati, l'autunnu e lu nvernu. Ogni staçiuni avi significati differenti pi la genti. Pi certuni, la staçiuni chiù piacèvuli è la primavera, pi àutri la stati o l'autunnu, e pi àutri ancora lu nvernu. Ogni staçiuni offri quacchi cosa di speciali. Nta la primavera, la staçiuni chiù duci, lu clima è moderatu. Nun fa né càuddu né friddu. L'aria è frisca e li primi çiuri nesciunu di la terra comu di na longa nuttata. Li campi sunnu cuperti di tènnira erba virdi ca diventa sempri chiù scura.

Nta la stati fa chiù càuddu, è veru, specialmenti nta la Sicilia quannu c'è lu sciroccu ca veni di l'Africa. Certi jorna non si pò rispirari e la temperatura arriva a quaranta a l'umbra. L' aria è pisanti e umida. La stati però è lu tempu di li vacanzi, di li giti a la praia o in campagna, di li picchinnicchi sutta l'umbra di quacchi àrburu giganti.

La staçiuni ca prifirisciu è l'autunnu picchì è lu tempu di la vinnigna. A la fini di sittembri e l'iniziu di ottobri in Sicilia si vinnigna la racina. Pi la genti chi avi na vigna è na festa picchì tutti travagghianu a cògghiri la racina e a purtarla a lu palmentu. L'autunnu è la staçiuni di li frutti ca maturanu tannu. Poi li fogghi cancianu culuri di virdi a russu, di aranciuni a giallu. È propriu na festa di culuri l'autunnu.

Lu nvernu in Sicilia nun è la staçiuni prifiruta. Fa friddu e chiovi spissu. È veru ca nun nivica quasi mai, tranni nta li muntagni e supra l'Etna, ma lu nvernu è menu piacèvuli di la stati o la primavera. E puru ci sunnu tanti festi nta lu nvernu: Natali, Capud'annu, e Carnaluari ca portanu mumenti di paci, di gioia, e di divirtimentu. Pi chistu forsi lu nvernu nun pisa poi tantu.

Dumanni:

1. Quali sunnu li quattru staçiuni di l'annu? 2. Quali è la staçiuni chiù piacèvuli pi tia (for you)? 3. Comu è lu clima nta la primavera? 4. Quannu nesciunu li primi çiuri? 5. Comu si chiama lu ventu càuddu ca veni di l'Africa? 6. Quali è la staçiuni di li vacanzi? 7. La genti unni fa li picchinnicchi? 8. Quannu cancianu li culuri di li fogghi? 9. Quannu chiovi spissu? 10. Nivica assai (a lot) nta la Sicilia? 11. Quannu maturanu li frutti? 12. In quali staçiuni veni Natali?

Nota culturali: Li casi siciliani

Li casi vecchi siciliani sunnu assai diversi di chiddi miricani. Pi cuminciari,[1] li casi siciliani sunnu fatti[2] pi durari[3] nun cent' anni, ma milli. Sunnu fatti di cimentu e di madduni[4] e li mura sunnu di grossu spissuri[5] e nun di lignu[6] comu in America. Chistu nun è sulu picchì hannu a durari assai, ma anchi picchì in Sicilia la lignami[7] costa assai e avi a èssiri[8] mpurtata di fora. Li casi hannu a durari puru picchì li Siciliani nun sunnu mòbili comu li Miricani ca cancianu casa facilmenti e vannu a abbitari in àutri stati pi raggiuni di travagghiu. Li Siciliani, eccettu chiddi custritti[9] a emigrari a l'èstiru, spissu nasciunu e morunu[10] nta lu stissu paisi. La casa unni stannu è la casa di li so ginituri e resta pi li so figghi. Puru oggi quannu na casa vecchia è ristrutturata si creanu dui o tri appartamenti nun pi affittari[11] a genti strana[12] pi guadagnari sordi.[13] L' àutri appartamenti sunnu fatti pi quannu si maritanu[14] li figghi. Li Siciliani sunnu attaccati a la famigghia e la cosa normali è ca li figghi, quannu si sposanu, stannu cu iddi. In Amèrica, li figghi appena maritati spissu vannu a stari nta àutri paisi, certi voti nta àutri stati.

Li casi moderni hannu li stissi cumudità di li casi miricani, ma sunnu sempri fatti di cimentu e di madduni. Li diffirenzi sunnu di natura culturali. Na vota li casi siciliani avevanu lu furnu a ligna unni si faceva lu pani. Ora ca lu pani s'accatta nna la panetterìa o a lu supirmircatu nun c'è chiù bisognu di lu furnu a ligna o a carvuni.[15] Li casi moderni nun hannu chiddu ca li Miricani chiamanu lu "bassamentu".

Li casi vecchi siciliani avevanu la cantina,[16] usata pi tèniri li riservi, lu vinu, l'ogghiu e àutri cosi utili. Ma nun era la stissa cosa. Li Siciliani nun stavanu ntâ cantina a taliari la televisioni, pir esempiu. Li casi moderni hannu la manzarda ca si usa comu ripustigghiu[16] sìmili a l'atticu miricanu. Na vota si usava la conca[17] pi coddiari[18] la casa, oggi si usanu li caluriferi a gas[19]. L' acqua si coddìa cu lu gas o cu l'elettricità ca funziona a 220-240 inveci di 110 comu in America. Li bagni in Sicilia spissu sunnu di màrmuru,[20] granitu o ciramica e hannu na cosa ca in America nun si vidi mai[21]: lu bidet, assemi a lu cessu, lu stipu pi li midicini, lu specchiu, la vasca di bagnu e la doccia. Li casi siciliani hannu lu salottu[22] ca normalmenti nun si usa tantu. È la stanza chiù eleganti, ma resta quasi sempri chiusa,[23] eccettu pi li granni occasioni quannu è necessariu fari bedda fiura.[24] Ci sunnu poltroni, un divanu, tappiti, tavulineddi, làmpadi e quatri nta li mura.

Lu cori di la casa è la cucina unni ci sunnu lu frigurìfiru, la stufa cu li furneddi a gas o elèttrici, la lavandinu, la lavapiatti, lu tàvulu unni manciari, li seggi, la cridenza e l'armadii unni mèttiri piatti, biccheri, pignati, padeddi, eccetira. La sala di pranzu c' è, ma nun si usa tantu, eccettu quannu ci sunnu òspiti. La genti normalmenti mancia nta la cucina. Nta li cammari di lettu c'è lu lettu matrimoniali, ci sunnu tappiti a li lati, du' comodini e li làmpadi, quatri a li mura e tenni a li finestri. Ci sunnu seggi, un ammuarru pi mèttiri li robi, e àutri mòbili.[25] La casa rifletti li abbitùtini e li tradizioni di un pòpulu e pò èssiri na chiavi[26] pi capiri comu è.

Notes: 1. To start 2. Are made 3. To last 4. Bricks 5. Thickness 6. Wood 7. Wood products 8. Must be 9. Forced 10. Are born and die 11. To rent 12. Strangers 13. Earn money 14. Get married 15. Coal 16. Cellar 17. Brazier 18. To heat 19. Gas heaters 20. Marble 21. You never see 22. Living Room 23. Closed 24. A good showing 25. Furniture 26. Key.

Dumanni:

1. Quali è la principali diffirenza tra li casi siciliani e chiddi miricani? 2. È abbunnanti la lignami in Sicilia? 3. Picchì creanu dui o tri appartamenti nta la stissa casa li Siciliani? 4. In Amèrica quannu li figghi si maritanu, stannu cu li ginituri? 5. Pi chi cosa è usata la cantina in Sicilia? 6. Quali oggettu nun esisti nta li bagni miricani? 7. Quali mobili putemu vìdiri nta un salottu sicilianu? 8. Quannu usanu lu salottu li Siciliani? 9. Quali è lu centru di la casa siciliana? 10. Unni mancianu li Siciliani ogni sira?

Eserciziu 19: Answer the questions

1. Àbbiti nta na casa o nta un appartamentu?
2. Quantu stanzi ci sunnu nta la casa o l'appartamentu?
3. La to famigghia mancia nta la cucina o nta la sala di pranzu?
4. Quantu bagni ci sunnu nta la to (your) casa?
5. Nta la to casa c' è l'atticu?
6. La to casa avi un pianu o du' piani? (floors)
7. Nta lu disegnu cassùtta, quantu camari di lettu ci sunnu?
8. Unni è la cucina, a destra o a sinistra (right or left)?
9. Lu bagnu è vicinu a lu salottu o la cucina?
10. Quantu stanzi ci sunnu nta stu appartamentu?

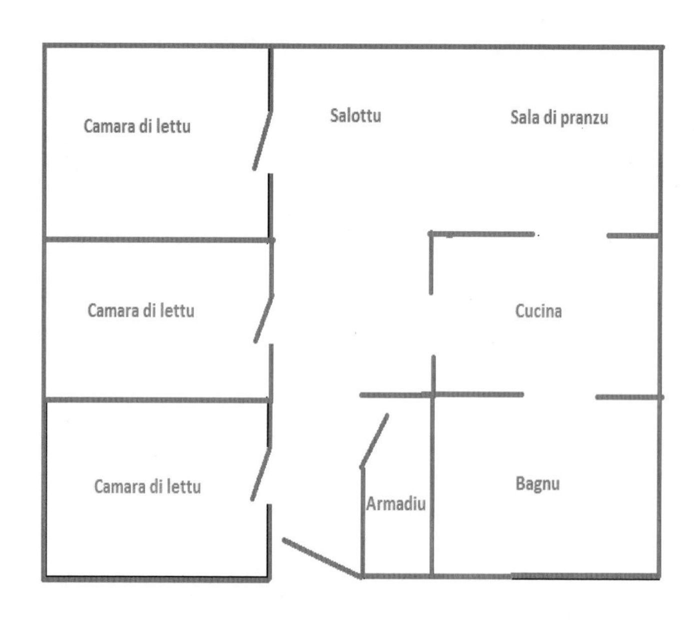

Ripassu 2

It is important to review the material you learned in the previous two chapters. Do the exercises in the review and if you have difficulty with any of them, go back to chapters 3 and 4 and brush up.

Eserciziu 1: With a partner look at a map of Europe and locate the country where the following languages are spoken and give the name of the country:
example:

Tedescu — *La genti parra tedescu nta la Girmania*

1. Spagnolu ___________
2. Ngrisi ___________
3. Francisi ___________
4. Portughisi ___________
5. Russu ___________
6. Albanisi ___________
7. Grecu ___________
8. Sicilianu ___________
9. Àrabu ___________

Eserciziu 2: Some of the following are stem-changing verbs. Some are not. Provide the Infinitive as in the example:

Carusi, aspettati ccà nàutri cincu minuti?	*No, nun vulemu aspittari!*
Boys, shall I wait here for five more minutes?	No, we don't want to wait.

1. Carusi, accittati lu nvitu di Maria?
2. Carusi, vuliti veniri a la festa.
3. Accattati na bedda torta di puma?
4. Vui votati pi lu Prisidenti?
5. Vui circati un travagghiu?
6. Putiti cridiri ca la situazioni economica cancia. (changes)
7. Pigghiati li carti di lu prufissuri?
8. Mittiti la paninu supra lu tavulu? (to put)
9. Vui canciati sempri lu discursu?
10. Vui liggiti sti rumanzi?

Eserciziu 3: Match the following statement with the appropriate response on the right.

1. Si na pirsuna avi sonnu,	a. chiudi la finestra.
2. Si na pirsuna avi fami,	b. dormi.
3. Si na pirsuna avi paura,	c. dumanna scusa.
4. Si na pirsuna avi primura,	d. va a la banca.

5. Si na pirsuna avi bisognu di sordi,
6. Si na pirsuna avi càuddu,
7. Si na pirsuna avi friddu,
8. Si na pirsuna avi diciott'anni,
9. Si na pirsuna avi siti,
10. Si na pirsuna avi tortu,

e. pigghia lu tassì.
f. è cuntenta di èssiri giùvini.
g. apri la finestra.
h. bivi na Coca Cola.
i. chiama a la polizzìa.
j. mancia.

Eserciziu 4: Choose an appropriate response or completion for the statements:

Example: *Fazzu na vita calma.* *Nun fazzu mali a nuddu.*

1. Jo sugnu ginirusu.
2. Maria è assai bedda.
3. Jo dicu cìciri, idda dici favi.
4. Sentu assai friddu.
5. Si aju tortu nta na situazioni.
6. Fazzu vint'anni dumani.
7. Vaju e vegnu sùbbitu.

Dumannu scusa.
Nun jemu d'accordu.
Avi assai nnamurati. (boyfriends)
È megghiu chiùdiri la finestra.
Dugnu sordi a li poviri.
Tornu tra cincu minuti.
Mi fannu la festa.

Eserciziu 5: Answer in complete sentences in Sicilian.

1. Quali sunnu li quattru staçiuni di l'annu?
2. Fa friddu in primavera?
3. Quannu nesciunu li primi çiuri?
4. Quali è la staçiuni di li vacanzi?
5. Quannu cancianu li culuri di li fogghi?
6. Quannu chiovi spissu?
7. Quannu maturanu li frutti?
8. In quali staçiuni veni Natali?
9. Quali è la staçiuni chiù bedda?
10. In quali misi nascisti?

Li ficudinnia. / Prickly pears.

Pruverbiu sicilianu

Acqua d'austu:
ogghiu, meli e mustu.

Niminagghi Siciliani:

Cui di trenta,
cui di trentunu,
di vintottu ci nn'è unu!

Li misi di l'annu

Chapter 5

What's in This Chapter:

Grammatica

A. *The Verbs Sapiri and Canùsciri*
B. *Direct Object Pronouns*
C. *The Particle "ni"*
D. *How to Tell Time*
E. *Numbers*
F. *Ordinal Numbers*
G. *The Prepositions, Contractions*

Matiriali didattici

Cunvirsazioni tra Mariu e Maria
Cunvirsazioni tra matri e figghiu
Jornu di scola

San Giuanni di l'eremiti a Palermu./ St John of the Hermits in Palermo.

Mariu	Maria, canusci a Robertu?
Maria	No, nun lu canusciu pirsunalmenti, ma sacciu ca è amicu di Luisa.
Mariu	Allura, ti prisentu a Robertu!
Robertu	Un veru piaciri! (ci strinci la manu).
Maria	Sugnu cuntenta di canuscìriti. Luisa parra spissu di tia.
Robertu	Tu canusci a Luisa?
Maria	Si, semu vecchi amichi.
Robertu	E comu la canusci?
Maria	Di la scola elementari Giovanni Meli.
Mariu	Chissa è la me vecchia scola!
Maria	Talè quantu è nicu lu munnu!

Mariu	Maria, do you know Robertu?
Maria	No, I don't know him personally, but I know that he is Luisa's friend.
Mariu	So then I introduce Robert to you.
Robertu	A real pleasure! (Shakes her hand).
Maria	I am glad to meet you. Luisa speaks often of you.
Robertu	Do you know Luisa?
Maria	Yes, we are old friends.
Robertu	How do you know her?
Maria	From the Giovanni Meli elementary school.
Mariu	That's my old school!
Maria	Isn't it a small world!

Dumanni:

1. Maria canusci a Robertu pirsunalmenti?
2. Cu parra spissu di Robertu cu Maria?
3. Avi assai tempu ca Maria e Luisa si canusciunu? (know each other)
4. Quali scola elementari friquintaru (attended) Maria, Mariu e Luisa?
5. Comu è lu munnu, nicu o granni?

A. The Verbs Sapiri and Canùsciri

The Verb *Sapiri* (to know) is used to express knowledge of facts. In contrast, the verb *canùsciri* (to know) is used to express acquaintance with people, cities, and situations. *Canùsciri* means also to meet a person for the first time. To meet in the sense of to encounter in Sicilian is *ncuntrari*. Here is the Present Tense of *sapiri* and *canùsciri*:

I know		I am acquainted with	
Jo	sacciu	Jo	canusciu
Tu	sai	Tu	canusci
Iddu, Idda	sapi	Iddu, Idda	canusci
Vossia, Lei	sapi	Vossia, Lei	canusci
Nui	sapemu	Nui	canuscemu
Vui	sapiti	Vui	canusciti
Iddi	sannu	Iddi	canusciunu or canuscinu

Note the use of *sapiri* and *canùsciri* in the following sentences.

Jo sacciu ca oggi avi a chiòviri.
I know that today it's going to rain.
Canusciu a Maria, ma nun sacciu unni sta.
I know Mary, but I don't know where she lives.
Nun canusciu a nuddu, ma sacciu ca ci sunnu assai Siciliani ccà.
I don't know anyone, but I know that there are many Sicilians here.
Nun sacciu comu si chiama, ma canusciu a so patri.
I don't know her name, but I know her father.
Sacciu ca Mariu è maritatu, ma nun canusciu a so mugghieri.
I know that Mariu is married, but I don't know his wife.

Eserciziu 1: Answer the following questions using the previous examples as clues:

1. Sai chi tempu fa? 2. Canusci a Maria, tu? 3. Sai unni sta Maria? 4. Canusci a quaccadunu in Sicilia, tu? 5. Sai si ci sunnu Siciliani ccà? 6. Sai comu si chiama ddu carusu? 7. Canusci a so patri? 8. Sai si Mariu è maritatu? 9. Canusci a so mugghieri?

Eserciziu 2: Let's see how many things you can do and cannot do: With a partner, choose 5 each from the list and combine them, listing what you can do and what he/she cannot do:

Jo sacciu purtari l'automòbbili, ma iddu/idda nun sapi purtari l'autumòbbili.

1. Sacciu maniaril'autumòbbili. 2. Sacciu parrari sicilianu e ngrisi. 3. Sacciu jucari a scacchi. 4. Sacciu cucinari. 5. Sacciu sunari la chitarra. 6. Nun sacciu caminari cu li manu. 7. Sacciu travagghiari cu lu computer. 8. Sacciu cuntari finu a centu in sicilianu. 9. Nun sacciu lèggiri in francisi. 10. Sacciu mannari missaggi cu lu telèfunu. 11. Jo non sacciu jucari a tennis. 12. Sacciu parrari sulu in ngrisi. 13. Nun sacciu jucari a scacchi. 14. Ma sacciu sunari la battarìa. 15. Sacciu caminari sulu cu li pedi. 16. Nun sacciu usari lu telèfunu cellulari.

Eserciziu 3: Answer the following questions with one of the three possible answers given in the example:

Cu sapi purtari l'autumòbbili?

a. Jo sacciu purtari l'autumòbbili! b. In America tutti sannu purtari l'autumòbbili c. In America nun tutti sannu purtari l'autumòbbili.

1. Cu sapi parrari sicilianu e ngrisi? 2. Cu sapi jucari a scacchi? 3. Cu sapi cucinari? 3. Cu sapi sunari a chitarra? 5. Cu sapi caminari cu li manu? 6. Cu sapi travagghiari cu lu computer? 7. Cu sapi cuntari finu a centu in sicilianu? 8. Cu sapi lèggiri in francisi? 9. Cu sapi mannari missaggi cu lu telèfunu? 10. Cu sapi jucari a tennis?

Eserciziu 4: With three students: S1 is desperate. He doesn't know what to say. S2 asks why; S3 gives the reason:

Student 1	*Sugnu dispiratu! Nun sacciu chi diri!*
Student 2	*Picchì è dispiratu?*
Student 3	*Nun sapi chi diri!*

1. Sugnu dispiratu! Nun sacciu chi fari! (to do) 2. Sugnu dispiratu! Nun sacciu chi rispùnniri! (to answer) 3. Sugnu dispiratu! Nun sacciu chi purtari! (to bring) 4. Sugnu dispiratu! Nun sacciu chi manciari. (to eat) 5. Sugnu dispiratu! Nun sacciu chi pigghiari. (to take) 6. Sugnu dispiratu! Nun sacciu unni jiri. (where to go) 7. Sugnu dispiratu! Nun sacciu unni taliari. (to look) 8. Sugnu dispiratu! Nun sacciu unni cuminciari. (to begin) 9. Sugnu dispiratu! Nun sacciu unni sbàttiri. (to turn)

Eserciziu 5: Answer the following questions:

1. Tu sai unni sta lu Prisidenti di li Stati Uniti? 2. Tu sai unni è la statua di la libirtà? 3. Sai in quali statu miricanu è Hollywood? 4. Sai di chi culuri è la bannera taliana? 5. Sai quantu jìdita avemu nta na manu? 6. Sai chi ura è? 7. Sai comu si chiama la mugghieri di lu Prisidenti miricanu? 8. Sai chi tempu fa dumani? 9. Sai si chiovi stasira? 10. Sai cu è lu Sìnnacu di New York?

B. Direct Object Pronouns

Direct Object Pronouns take the place of the direct objects of verbs to avoid repetitions. Each subject personal pronoun has a corresponding object pronoun. Thus:

Subject pronouns	Direct Object Pronouns	English
Jo	mi	me
Tu	ti	you
Iddu	lu (û)	him
Idda	la (â)	her
Vossia, Lei	lu, la (û, â)	you
Nui	ni	us
Vui	vi	you
Iddi	li (î)	them

It's important to know that in Sicilian, like in Spanish, the preposition "a" is placed before the direct object if it refers to a human being. This is called the personal "a" and it is different from the preposition "a" that means "to". In fact, the personal "a" is not translated into English. Thus, the following sentences in Sicilian are translated disregarding the "a":

Jo vidu a Luigi.	I see Luigi.
Iddu saluta a la signura.	He greets the lady.
Vui canusciti a Gianni e a Mariu.	You know John and Mariu.
Iddi chiamanu a Maria e a Luisa.	They call Maria and Luisa.

But

Jo vidu li libri.	I see the books.
Iddu porta li torti.	He brings the cakes.
Vui sapiti la virità.	You know the truth.
Iddi chiamanu li cani.	They call the dogs.

In all the examples above we are dealing with direct objects of the verbs and they must be replaced by direct object pronouns as follows. The pronouns precede the verb for conjugated tenses:

Jo vidu a Luigi.	I see Luigi.	*Jo lu vidu*	I see him
Iddu saluta a la signura.	He greets the lady.	*Iddu la saluta*	He greets her
Iddu vidi lu libru.	He sees the book.	*Iddu lu vidi*	He sees it
Iddu vidi la pinna.	He sees the pen.	*Iddu la vidi*	He sees it
Iddu vidi li finestri.	He sees the windows.	*Iddu li vidi*	He sees them

Vui canusciti a Gianni e a Mariu.	You know Gianni and Mariu.
Vui li canusciti.	You know them.
Iddi chiamanu a Maria e a Luisa.	They call Maria and Luisa.
Iddi li chiamanu .	They call them.

In every day speech Sicilians often contract the direct object pronouns *lu, la, li* as *û, â, î*. To indicate that they are direct object pronouns they are written with a circumflex accent to differentiate them from the definite articles *lu, la, li* (the) which are also used in every day speech as *u, a, i*. Thus *tu û canusci?* means, *Do you know him? Iddu â vidi* means *he sees her* and *Jo î canusciu* means *I know them.*

Eserciziu 6: Complete with the appropriate direct object pronouns:

(When *I* enter the class, the students greet *me, you,* **etc..**)

1. Quannu jo ntrasu in classi, li studenti _____ salutanu.
2. Quannu tu ntrasi in classi, li studenti _____ salutanu.
3. Quannu iddu ntrasi in classi, li studenti _____ salutanu.

4. Quannu idda ntrasi in classi, li studenti ______ salutanu.
5. Quannu Vossia ntrasi in classi, li studenti ______ salutanu.
6. Quannu nui ntrasemu in classi, li studenti ______ salutanu.
7. Quannu vui ntrasiti in classi li, studenti ______ salutanu.
8. Quannu iddi ntrasunu in classi, li studenti ______ salutanu.

Eserciziu 7: Answer the following questions:

1. Chi fannu li studenti quannu lu prufissuri ntrasi in classi? 2. Chi fannu li studenti quannu tu ntrasi in classi? 3. Chi fannu li studenti quannu la maistra ntrasi in classi? 4. Chi fannu li studenti quannu vui ntrasiti in classi? 5. Chi fannu li studenti quannu Mariu ntrasi in classi?

Eserciziu 8: Answer the following questions replacing the object with the pronoun:

Example: *Vidi lu gessu?* *Certu ca lu vidu!* Or *No, nun lu vidu.*

1. Vidi lu libru? 2. Vidi la porta? 3. Vidi la finestra? 4. Vidi a li studenti? 5. Vidi a lu prufissuri? 6. Vidi a Maria? 7. Vidi a Gianni? 8. Vidi la lavagna? 9. Vidi la seggia? 10. Vidi la jatta?

Eserciziu 9: Replace the direct object pronouns with *ti, ni, lu, li* **and repeat the new sentences:**

Normalmenti cu mi vidi, mi saluta.
Gianni è maladucatu! Iddu mi vidi e nun mi saluta.

Eserciziu 10: Follow the pattern of the conversation below, substituting the appropriate adjective for yourself:

S1. *Comu ti cunziddira la genti ca ti canusci?*
S2. *Cu mi canusci, mi cunziddira nteliggenti.*

simpàticu, antipàticu, ginirusu, stranu, divirtenti

Eserciziu 11: Substitute the pronouns *ti, vi* **and** *li* **for** *mi* **and restate the sentence:**

1. *Lu prufissuri nun* ***mi*** *canusci. Picchissu nun* ***mi*** *cunziddira nteliggenti.*
(The professor does not know me. For this reason he does not consider me intelligent.)

Eserciziu 12: Go through the practice as below: The parenthesis holds the contracted direct object pronouns that can be used instead of the regular pronouns.

Cu fa lu compitu? *Lu (û) fai tu o lu (û) fazzu jo?*
E' megghiu si lu (û) fai tu! It's better if you do it!

2. Cu pripara la torta?	La pripari tu o la priparu jo?
3. Cu scrivi la littra?	La scrivi tu o la scrivu jo?
4. Cu nvita a Luisa?	La nviti tu o la nvitu jo?
5. Cu apri la porta?	La apri tu o la apru jo?
6. Cu aspetta a li carusi?	Li aspetti tu o li aspettu jo?
7. Cu chiama a la zia?	La chiami tu o la chiamu jo?
8. Cu manìa la machina?	La manìi tu o la manìu jo?
9. Cu paga lu gelatu?	Lu paghi tu o lu pagu jo?
10. Cu mancia li spaghetti?	Li manci tu o li manciu jo?

The object pronouns normally precede the conjugated verbs. When infinitives are involved the pronouns precedes both verbs or are attached to the infinitive as follows:

Luigi nun voli vidiri a Luisa.	*Luigi nun la (â) voli vidiri*	or *Luigi nun voli vidirla.* *
Maria sapi sunari lu pianu.	*Maria lu (û) sapi sunari*	or *Maria sapi sunarlu.*
Iddi vonnu pagari li tassì.	*Iddi li (î) vonnu pagari*	or *Iddi vonnu pagarli.*
Tu non poi nigari la virità.	*Tu nun la (â) poi nigari*	or *Tu non poi nigarla.*

***Note**. The contracted form of direct object pronouns cannot be attached to infinitives. In Sicilian, as a general rule, the *r* of the infinitive when followed by *lu, la* and *li* is not pronounced and becomes a double *ll*. Thus *vidirla, sunarlu, pagarli* and *nigarla* become *vidilla, sunallu, pagalli* and *nigalla*.

Esercizіu 13: Practice answering the following questions:

Poi purtari la torta stasira?	*No, nun la pozzu purtari.*	*Si, la pozzu purtari.*

1. Sai scrìviri la palora "schifu"? 2. Sai usari lu telèfunu cellulari? 3. Voi sèntiri stu discu talianu? 4. Vuliti manciari sta pizza? 5. Voli pagari la cena lu prufissuri? 6. Vuliti nvitari a Luisa? 7. Voi vìdiri stu film francisi? 8. Poi capiri li frasi antichi? 9. Sapiti cucinari lu tacchinu? 10. Sapiti maniari la machina?

C. The Particle Ni

The particle *ni* (of him, of her, of it, of them) behaves like the direct object pronouns and replaces direct objects referring to quantity or number, for example:

Voi un pocu di pasta?	*No, nun ni vogghiu.*	*Si, ni vogghiu un pocu.*
Do you want some pasta?	No, I don't want any.	Yes, I want some (of it).

The *ni* takes the place of the underlined word (s) in the following examples:

Luigi parra sempri <u>di musica.</u>	*Luigi ni parra sempri.*
Lu prufissuri parra <u>di so mugghieri.</u>	*Lu prufissuri ni parra sempri.*
Nun vogghiu manciari troppu <u>pani.</u>	*Nun ni vogghiu manciari troppu.*
Quanta <u>acqua</u> bivi?	*Ni bivu un biccheri.*
Quantu <u>studenti</u> venunu?	*Ni venunu cincu.*
Quantu <u>soru</u> ai ?	*N' aju dui.*
Quantu <u>studenti</u> voi canùsciri?	*Ni vogghiu canùsciri almenu tri.*

Eserciziu 14: Answer the question by replacing the direct object with the particle *ni*

Lu prufissuri cunta barzelletti? *Sì, ni cunta* Or *No, nun ni cunta.*

1. Mastru Biagiu dici stupitàggini quacchi vota? 2. Ai fami? 3. Quantu veri amici ai? 4. Quantu jìdita ai nta na manu? 5. Quantu pedi hannu l'animali? 6. Robertu parra spissu di Maria? 7. Quanta acqua bivi quannu ai siti? 8. Quantu màchini pussedi la to famigghia? 9. Si' nnamuratu di Lucia? 10. Voi accattari un pocu di frutta?

Eserciziu 15: Respond to the suggestions by stating your preferences. Example:

Panini? *Sì, ni vogghiu.* *No, nun ni vogghiu.*

1. Vinu?	2. Acqua?	3. Coca Cola?	4. Birra?	5. Whisky?
6. Patati fritti?	7. Bistecca?	8. Sali?	9. Sicaretti?	10. Pipi?

In Sicilian, the sense of the partitive is expressed with *nanticchia di* plus a noun for uncountable items and with *na pocu di* plus a noun for items you can count, for example:

Voi nanticchia di pani?	*Sì, ni vogghiu nanticchia.*
Voi na pocu di libri?	*Sì, ni vogghiu na pocu.*

D. How to Tell Time in Sicilian

To ask for the time in Sicilian we say *Chi ura è?* The answer consists of the verb *è* plus the article and the number if it is one o'clock; if it's any other hour, we say *sunnu* plus the article and the number. Thus:

Chi ura è?	*E' l'una.*	It's one o'clock.
	Sunnu li dui.	It's two o'clock.
	Sunnu l' ottu.	It's eight o'clock.

The singular verb is also used for:

È menzujornu. It's noon.
È menzanotti. It's midnight.

Fractions of hours are expressed with *e* plus the number of minutes or *un quartu, menza* if the number is fifteen or thirty. If the minutes are closer to the next hour, we subtract the number of minutes and say *menu* plus the number.

Chi ura è? *Sunnu li tri e chìnnici minuti* or *li tri e un quartu.*
Sunnu li quattru e trenta or *sunnu li quattru e menza.*
Sunnu li deci menu vinti (minuti).
Sunnu li cincu menu un quartu.

The word for minute is not absolutely necessary.

In Sicilian, the 24 hour clock is seldom used. To indicate A.M. and P.M., we use the following:

Sunnu li novi di matina. (in the morning, AM)
Sunnu li dui di basciura. (in the afternoon, PM)
Sunnu li sei di sira. (in the evening, PM)
Sunnu li ùnnici di notti. (at night, PM)

To ask the question "at what time?" you must use the preposition *a* in the question and the answer:

A chi ura manci? *Jo manciu a li setti.*

Eserciziu 16: Answer the question *Chi ura è?* **by writing out the times below:**

1. 7:05 2. 9:10 3. 11:30 4. 2:15 PM 5. 7:45 PM
6. Midnight 7. Noon 8. 1:25 PM 9. 6:12 PM 10. 3.22

Eserciziu 17: Your watch is slow. Please add five minutes to these times:

1. Sunnu li deci e deci. *2. Sunnu li quattru e menza.*
3. Sunnu li sei menu vinti. *4. È l'una e un quartu.*
5. Sunnu li dui menu deci.

Eserciziu 18: Answer the questions:

1. A chi ura vai a scola? 2. A chi ura manci la sira? 3. A chi ura torni a la casa ogni jornu? 4. A chi ura bivi lu cafè la matina? 5. A chi ura ai la prima lezzioni? 6. Unni si' a menzujornu? 7. A chi ura nesci cu l' amici? (go out) 8. A chi ura telèfoni a la to zita? 9. A chi ura ti susi la matina (get up) (mi susu) 10. A chi ura è l'ùltima lezzioni?

Vocabulary Notes:

Ciccinu	Frankie	Nàutri cincu minuti.	Another five minutes.
Cumincia	Starts	C' è ancora tempu.	There's still time.
Tartaruca	Turtle (slow)	Lu tempu nun basta.	Time is not enough.
Auffa!	Enough already!	Mi susu.	I'll get up.

Convirsazioni tra matri e figghiu

Matri	Ciccinu, sunnu li setti!
Figghiu	Nàutri cincu minuti! Sunu li setti menu deci!
Matri	È tardu! Ti dugnu nàutri du' minuti!
Figghiu	Mà, la scola cumincia a li novi, c'è ancora tempu!
Matri	Cu tia ca sì na tartaruca, lu tempu nun basta!
Figghiu	Auffa, va beni, mi susu!

E. Numbers

Review the numbers from zero to twenty (in the Preliminary Lesson). For the numbers above twenty, you simply add the numbers from one to nine, remembering that the number *tri* when added to *vinti, trenta,* etc.requires an accent: *vintitrì, trentatrì.*

21	vintunu	twenty-one
22	vintidui	twenty-two
23	vintitrì	twenty-three
24	vintiquattru	twenty-four
25	vinticincu	twenty-five
26	vintisei	twenty-six
27	vintisetti	twenty-seven
28	vintottu	twenty-eight
29	vintinovi	twenty-nine
30	trenta	

As you can see, numbers twenty-one and twenty-eight drop the i from *vinti* and add *unu* and *ottu*. This is repeated for following numbers, i.e. *trentunu, trentottu,* etc.:

20. vinti	twenty	ducentu	two hundred
30. trenta	thirty	triccentu	three hundred
40. quaranta	forty	quattrucentu	four hundred
50. cinquanta	fifty	cincucentu	five hundred
60. sessanta	sixty	seicentu	six hundred
70. sittanta	seventy	setticentu	seven hundred

80. ottanta	eighty	ottucentu	eight hundred
90. novanta	ninety	novicentu	nine hundred
100. centu*	one hundred	milli	one thousand
2,000 dumila	two thousand	centumila	one hundred thousand
un miliuni	one million	centu miliuni	one hundred million
un miliardu	one billion	du' miliardi	two billion

Centu and *milli* are exceptions to the rule and they must add *unu* and *ottu* as *centuunu* and *centuottu* and *milli e unu* and *milli e ottu*. Note that in Sicilian the word one is not needed before *centu* and *milli. Milli* in the plural is *mila*. Thus *du mila, tri mila, centu mila* etc... However, to say one million, one billion, we need to use the word *un* in front of *miliuni* and *miliardu*. If you use *miliuni* or *miliardu* with a noun you need to put the proposition *di* before the noun. For example:

In Sicilia ci sunnu cincu miliuni di abbitanti.
Oggi lu guvernu spenni miliardi di euro ogni annu.

To write out long numbers the practices are varied. Some write out the full numbers as one word as *millinovicentunovantanovi* (1999), others prefer to break the numbers in more manageable units as in *trimila setticentu cinquantasei* (3756).

If you refer to a specific year in Sicilian, you need to put the definite article *lu* (*u*) in front of it, as in the following:

Lu (U) 1943 fu un annu di guerra pi la Sicilia.
Luisa nascìu nta lu 1966.
Nta lu 2008 ci fu na forti crisi finanziaria in America.

Eserciziu 19: A little exercise in multiplication, addition and subtraction:

Quantu fannu dui pi cincu? — *Dui pi cincu fannu deci.*
How much is two times five? — Two times five is ten.

1. Quantu fannu dui pi sei? 2. Quantu fannu tri pi cincu? 3. Quantu fannu sei pi tri? 4. Quantu fannu dui pi dui? 5. Quantu fannu quattru pi cincu? 6. Quantu fannu dui chiù cincu? 7. Quantu fannu dui chiù sei? 8. Quantu fannu novi chiù sei? 9. Quantu fannu vinti menu deci? 10. Quantu fannu deci menu tri?

Eserciziu 20: Learn how to write out the numbers in manageable units:

1. Comu si scrivi 148? 2. Comu si scrivi 1234? 3. Comu si scrivi 833?
4. Comu si scrivi 1776? 5. Comu si scrivi 2001? 6. Comu si scrivi 2012?
7. Comu si scrivi 1321? 8. Comu si scrivi 1265? 9. Comu si scrivi 1513?

Eserciziu 21: Your colleague is inflating the figures. Lower them to a more realistic number:

La me cravattta (tie) costa ducentu dollari!

Buh! La to cravatta costa sulu centu dollari!
My tie costs two hundred dollars!
Go on! Your tie costs only one hundred dollars!

1. Lu me vistitu (suit) costa milli dollari! 2. Li me scarpi (shoes) costanu cincucentu dollari! 3. La me cammiçia (shirt) costa cinquanta dollari! 4. La me màchina (car) costa trenta mila dollari! 5. La me bicicletta (bike) costa ducentu cinquanta dollari!

Eserciziu 22: Complete the following:

1. Lu me nùmiru di telèfunu è ___________________.
2. Lu me nùmiru di casa è ______________.
3. Lu me ndrizzu è via _______________ nùmiru _____________.
4. Lu Prisidenti miricanu sta a via _______________ nùmiru _______________.
5. Lu Primu Ministru ngrisi sta a via ________________ nùmiru __________.

F. The Ordinal Numbers

The ordinal numbers in Sicilian agree in gender and number with the noun they qualify. Thus you will have:

la prima cumunioni	the first communion
lu secunnu libru	the second book
li terzi premi	the third prizes
la quarta classi	the fourth class
lu quintu capìtulu	the fifth chapter
la sesta sinfunìa	the sixth synphony
la sèttima pirsuna	the seventh person
l' ottavu misi	the eighth month
lu nonu jornu	the ninth day
lu dècimu cuntu	the tenth tale

For numbers above ten Sicilian adds *èsimu, èsima* to the number. Thus *unnici* become *unnicèsimu/a, vinti* will be *vintèsimu/a*, but *vintitrì* will not drop the final *i* because it is a stressed vowel. Thus twenty-third is *vintitrièsimu/a.*

To express fractions in Sicilian, we use the ordinal numbers in the masculine only. Thus you will say *un terzu* (1/3) *du' quinti* (2/5) *setti ottavi* (7/8) *tri quarti* (3/4).

Names of Kings and Popes are expressed in the same way: Fidiricu Secunnu, Firdinannu Quartu, Piu Sestu, Giuanni Vintitrièsimu.

Eserciziu 23: Answer in complete sentences:

1. Quali è lu primu jornu di la simana? 2. Quali è lu secunnu jornu di la simana? 3. Quali è lu terzu misi di l'annu? 4. Quali sunnu l'ùltimi du' misi di l'annu? 5. Quali

è la prima staçiuni di l'annu? 6. Comu si chiama lu Papa attuali? 7. La riggina Elisabetta d'Inghilterra è prima o secunna? 8. Lu primu Re d'Italia comu si chiamava? (What was the name...?) 9. Chi frazioni di un'ura rapprisentanu chìnnici minuti? 10. Chi frazioni d'ura rapprisentanu quarantacincu minuti?

G. The Prepositions in Sicilian

The following are the main prepositions in Sicilian:

Di	la musica di Bellini	The music of Bellini.
A	Vaju a Palermu	I am going to Palermo.
In	Iddu veni in città	He comes to the city.
Nni nna, nta	Sugnu nta lu bagnu	I am in the bathroom.
Ntra	Iddi parranu ntra d'iddi	They talk among themselves.
Cu	Scrivu cu la pinna	I write with a pen.
Pi (pir)	Travagghiu pi iddu	I work for him.

In Sicilian, the prepositions and the articles do not join, as they do in Italian. In every day speech, however, in most provinces (not all) the prepositions and articles are contracted and become one word. Such contractions can be a source of difficulty for students of Sicilian, not only because it is hard to hear the nuances of the sounds made, but also because the conventions for writing them has not been established or accepted by everyone. The preposition *nta + lu,* meaning "in the", can be written as *nto, nt''o, nt'o,* or *ntô*. The alternative forms *nna, nni* are treated similarly. In this grammar we have adopted to write the prepositions and the articles without contractions. But students need to be familiar with them because they are commonly used in everyday speech. We include the contracted forms in parentheses below. Of the various possible forms, we prefer to use a circumflex accent to indicate the contractions. Here are the possible combinations of prepositions and articles and their related contractions:

Di lu	(dû)	di la	(dâ)	di li	(dî)	of, from the
A lu	(ô)	a la	(â)	a li	(ê)	to the
Nta lu	(ntô)	nta la	(ntâ)	nta li	(ntê)	in the
Nna lu	(nnô)	nna la	(nnâ)	nna li	(nnê)	in the
Nni lu	(nnô)	nni la	(nnâ)	nni li	(nnê)	in the
Cu lu	(cû)	cu la	(câ)	cu li	(chî)	with the
Pi lu	(pû)	pi la	(pâ)	pi li	(pî)	for the

Note: Contracted forms cannot be used if the following word begins with a vowel.

Eserciziu 24: Provide the contracted form of the preposition plus article for these sentences:

1. Carlu è lu figghiu di la maistra. _____ 

2. Arrivu a la scola a li novi. _____
3. Arrivu in ufficiu pi li quattru. _____
4. Vaiu nta lu parcu. _____
5. Nta la Sicilia ci sunnu vulcani. _____
6. Giuanni è lu figghiu di lu prufissuri. _____
7. Nui semu nta lu bagnu. _____
8. Iddu si accumpagna cu la chitarra. _____
9. Jo nun parru cu li pirsuni sgarbati. _____
10. Vossia scrivi a lu mèdicu. _____

Littura: Jornu di scola

Oggi è jornu di scola. Nesciu di la casa a li setti, arrivu a la scola a li setti e menza, ntrasu nta la classi di matimàtica a l' ottu, staiu dda dintra cinquantacincu minuti e poi vaju a la secunna classi. Lu prufissuri arriva sempri in ritardu e cumincia la lezzioni a li deci e deci. Quannu finisci, a l'ùnnici e menza, jo e li me cumpagni jemu nni lu risturanti di l'università pi lu pranzu. Doppu pranzu, versu l'una, riturnamu a li lezzioni.

Dumanni:

1. A chi ura nesci di la casa? 2. A chi ura arriva a la scola? 3. Quantu tempu resta nta la classi di matimàtica? 4. A chi ura mancia? 5. Quannu ritornanu a li lezzioni?

Eserciziu 25: Rewrite the sentences below using contractions wherever you can:

Chi c' è nta lu programma oggi? What's on the program today?

1. A li novi c' è la culazioni pi li novi studenti. 2. A li deci lu prufissuri d'arti parra di Antonellu di Missina. 3. A li ùnnici c' è na cunfirenza pi li studenti di lingua stranera. 4. A menzujornu nun c' è nenti! 5. A l'una e menza c' è l' esami di scienza. 6. A li tri c' è un programma di sport nta la palestra (gym). 7. A li quattru nta la bibliuteca c' è un cunfirenza supra la polìtica. 8. A li quattru e menza riturnamu a lu dormitoriu.

Eserciziu 26: Answer the questions based on the above times.

1. A chi ura cumincia l' esami di scienza? 2. A chi ura cumincia lu programma di sport? 3. A chi ura è la cunfirenza di polìtica? 4. Quannu avemu a turnari a lu dormitoriu? 5. Quannu parranu di Antonellu di Missina?

Eserciziu 27: Give an account of how you spend the day. Give at least five activities and the time you do them. Example: 1. *A li ottu bivu lu cafè.* **2.** *A li deci...*

Pruverbiu sicilianu

Ama a cui t'ama, rispunni a cu ti chiama.

Chapter 6

What's in This Chapter:

Grammatica

A. *The Possessive Adjectives*
B. *The Article with Family Names*
C. *Special Uses of the Present Tense*
D. *Demonstrative Adjectives and Pronouns*
E. *Interrogative Adjectives and Pronouns*

Matiriali didattici

Me ziu Micheli
Dialogu tra du' cummari
Nta un nigozziu di scarpi
Nota culturali: Petru Fudduni

Lu tempiu doricu di Segesta./ The Doric Temple of Segesta.

Aju un ziu ca si chiama Micheli. È lu frati di me matri. È na pirsuna assai gintili, ma quacchi vota è nanticchia stranu. Forsi picchì avi la testa nta li nèvuli, oppuru picchì è distrattu, ma iddu nun rispunni mai in manera appropriata. È possìbili puru ca iddu è nanticchia duru d'aricchi, cioè, surdu. Si ci dumanni "Chi ura è?" iddu ti dici, "Dumani è dumìnica", oppuru, si senti la dumanna, ti rispunni schirzannu: "È l'ura d'aieri a st'ura!"

Quannu ncontru a lu ziu Micheli pi strata, facemu sempri na cunvirsa-zioni comu a chista:

Jo — Ciau, ziu Micheli, comu stai?
Micheli — Bonu, bonu, e to matri?
Jo — Oggi nun tantu bona, Ziu. Avi duluri di testa, è stanca e forsi avi la frevi…
Micheli — Bonu, bonu, e tu?
Jo — Macari jo mi sentu mali. La notti nun dormu, nun manciu …
Micheli — Oh, bonu, bonu e unni vai ora?
Jo — Vulissi jiri a lu cìnima, ma mi mancanu du' euru pi lu bigliettu…
Micheli — Ah, bonu, bonu, sugnu cuntentu!

Lu ziu Micheli è na brava pirsuna, ma quacchi vota nun sacciu si è surdu oppuru tiratu.

Dumanni:

1. Comu è lu ziu di l'auturi?
2. Unni avi la testa?
3. Chi rispunni lu ziu si ci dumanni chi ura è?
4. Lu ziu è duru d' aricchi o è stunatu?
5. Comu si senti la mamma di l'auturi?
6. Picchì l'auturi nun pò jiri a lu cìnima?
7. Lu ziu è surdu o è tiratu?

My Uncle Micheli

I have an uncle whose name is Micheli. He is my mother's brother. He is a very kind person, but sometimes he is a little strange. Perhaps because his head is in the clouds, or because he is distracted, but he never answers in an appropriate manner. It's also possible that he is a bit hard of hearing, that is, deaf. If you ask him "What time is it?" he says to you, "Tomorrow is Sunday," or, if he hears the question, he replies joking: "It's the same time as yesterday at this hour." When I meet uncle Micheli in the street, we always have a conversation that goes like this:

I — Ciao, Uncle Micheli, how are you?
Micheli — Good, good, and your mother?
I — Not so well today, Uncle. She has a headache, she's tired and maybe she has a fever...
Micheli — Good, good, and you?
I — I too don't feel so well. I don't sleep at night, I don't eat...
Micheli — Good, good and where are you going now?

I I would like to go to the movies, but I am short two euros for the ticket...
Micheli Ah, good, good, I am glad!
Uncle Micheli is a nice person, but sometimes I don't know if he is deaf or cheap.

A. The Possessive Adjectives

The possessive adjectives in Sicilian agree in gender and number with the objects they refer to, not with the person who owns them. In English, if you say "Mary kisses her dog," the adjective "her" is feminine because Mary is feminine. The Sicilian equivalent is *Maria baçia lu so cani* and the corresponding adjective l*u so* is masculine because the noun *cani* is masculine. Also, the possessive adjectives require the use of the article *lu, la* or *li,* or the short form *u, a,* or *i,* which is not required in English. There are six possessive forms in Sicilian as follows:

The possessive adjectives can precede or follow the noun:

Masculine	Feminine	Plural	English	Contracted form
lu (u) miu	la (a) mia	li (i) mei	(my)	me'
lu to	la to	li toi	(your)	to'
lu so	la so	li soi	(his, her, your)	so'
lu nostru	la nostra	li nostri	(our)	
lu vostru	la vostra	li vostri	(your)	
lu so	la so	li soi	(their)	so'

Lu miu cani *Lu cani miu** *Lu me' cani**

Possession can be expressed also with *di* plus the nouns.

* If the adjective follows more stress is placed on it as though you were emphasizing your ownership of it.* The apostrophe on *me', to'* and *so'* is slowly disappearing and may be written as *Lu me cani.*

Eserciziu 1: Use the contracted possessives for the following sentences:

Ti prisentu a lu miu prufissuri. *Ti presentu a lu me prufissuri.*

1. Ti prisentu a lu miu cullega. 2. Ti prisentu a la mia zita. 3. Ti prisentu a lu miu amicu. 4. Ti prisentu a li mei cugini. 5. Ti prisentu a li mei parenti.

Eserciziu 2: Replace the underlined with the appropriate possessives:

Chistu è lu maestru di Pippinu? *Sì, chistu è lu so maestru.*

1. Chista è la casa di lu Prisidenti? 2. Chisti sunnu li figghi di Maria? 3. Chisti sunnu li

parenti <u>di Micheli</u>? 4. Chisti sunnu li ginituri <u>di Rusetta</u>? 5. Chistu è lu libru <u>di Carlu</u>?

EsercizIu 3: Be disagreeable and contradict your classmate's statements:

La me casa è granni! *Chi dici? La to casa nun è granni!*

1. Lu me giardinu è beddu! 2. Li me figghi sunnu perli! 3. La me màchina è viloci! 4. Li me manu sunnu liggeri! 5. Lu me tempu è priziusu!

Esercizíu 4: Answer these open ended questions in complete sentences:

1. Di chi culuri è la to màchina? 2. Comu è la to zita, bruna o biunna? 3. Comu sunnu li to cumpagni di classi, scattri o stùpidi? 4. Comu è la famigghia di to ziu, granni o nica? 5. Comu è lu to amicu, ginirusu o tiratu?

The possessive adjectives can be used as pronouns. The forms remain the same.

Vidu lu to libru, ma nun vidu lu so.	I see your book, but I don't see his.
La me màchina è granni comu la to.	My car is as big as yours.

*Mi piaciunu li vostri idei, ma prifiriscìu li mei.**
I like your ideas, but I prefer mine.

When you use *mei, toi,* and *soi* as pronouns, it is preferable not to use the contracted form.

Esercizíu 5: Give the forms of the possessive pronouns for the English in the parenthesis:

1. La me manu ____________	(and yours)	(tu form)
2. Li me vistiti ____________	(and hers)	(idda)
3. La mia testa____________	(and your)	(vui)
4. Li me còmpiti____________	(and his)	(iddu)
5. La vostra casa ____________	(and mine)	(jo)

B. Articles with Family Names

Possessive adjectives and pronouns require the use of the definite articles, as we have seen. Special rules apply when the nouns refer to family relationships.

Articles are dropped if the noun is singular, but they are needed for plural forms or for nouns modified by a suffix or an adjective:

Thus you will have		but	
Me patri,	my father		
Me matri	my mother	li me ginituri	my parents
Me soru	my sister	li me soru	my sisters

Me frati	my brother	li me frati	my brothers
Me ziu	my uncle		
Me zia	my aunt	li me zii	my uncles
Me nannu	my grandfather		
Me nanna	my grandmother	li me nanni	my grandparents
Me sòggiru	my father-in-law		
Me sòggira	my mother-in-law	li me sòggiri	my father & mother-in-law
Me cuçinu*	my cousin (m)		
Me cuçina	my cousin (f)	li me cuçini	my cousins
Me mugghieri	my wife	li me mugghieri	my wives
Me maritu	my husband	li me mariti	my husbands
Me cugnatu	my brother-in-law	li me cugnati	my brothers-in-law
Me cugnata	my sister-in-law	li me cugnati	my sisters-in-law
	La me matruzza	my sweet mother	
	la me vecchia zia	my old aunt	

*__Note__: The "ç" of "cuçinu" is pronounced with a soft c almost like a *sci* but softer with the tongue hitting the top of the palate.

Eserciziu 6: What is the relationship of these people to you?

Cu è lu patri di to patri? Lu patri di me patri è me nannu.

2. Cu è lu frati di to matri? 3. Cu è la soru di to patri? 4. Cu è lu figghiu di to matri? 5. Cu sunnu li figghi di to ziu? 6. Cu è lu maritu di to soru? 7. Cu è la mugghieri di to ziu? 8. Cu sunnu li figghi di to nannu? 9. Cu è la matri di li to figghi? 10. Cu è la figghia di to matri?

Littura: La me famigghia

Mi chiamu Marcu. La me famigghia è cumposta di cincu pirsuni. Me patri, me matri, me frati Robertu, me soru Maria, e jo. Me patri si chiama Vicenzu e me matri Lucia. Avemu puru un jattu ca si chiama Calò. Me patri è avvucatu e me matri è maestra di scola. Me soru Maria è studintissa e me frati avi già la làuria di avvucatu. Jo sugnu ancora a l'università. Avemu parenti in Sicilia. Li me nanni vivunu in Sicilia e sunnu pinziunati. Ogni annu li me ginituri vannu a visitarli e quacchi vota jemu puru niàutri.

Dumanni:

1. Comu si chiama? 2. Di quantu pirsuni è cumposta la so famigghia? 3. Chi professioni avi lu patri? 4. Unni àbbitanu li nanni? 5. Marcu travagghia o è ancora studenti?

Eserciziu 7: Answer the following questions:

1. Comu è cumposta la to famigghia? 2. Quantu soru ai? 3. Quantu frati ai? 4. Aviti

quacchi animaleddu dumèsticu, un cani o un jattu? 5. Li to nanni sunnu siciliani? 6. Li to parenti sunnu numirusi? 7. Cu è lu chiù riccu nta la to famigghia? 8. Cu è lu chiù tiratu? 9. Comu si chiamanu li to ginituri? 10. Chi travagghiu fa to patri?

C. Special Use of the Present Tense

If an action began in the past and continues to the present, we use the Present Tense, unlike English which uses the Present Perfect. Consider the following: "I have not seen you for a month" is rendered as *Avi un misi ca nun ti vidu* or *È un misi ca nun ti vidu.*

The structure in Sicilian is:

avi + time period+ca or chi+verb in the Present Tense or
è + time period+ca or chi+verb in the Present Tense.

If the action is completed in the past, Sicilian uses the Past Tense:

I did not see you for two months. *Nun ti vitti pi du' misi.*

Eserciziu 8: Answer the questions by using the suggestions on the right:

Quantu tempu avi ca nun manci ficudinnia? *Un annu*
How long has it been since you ate prickly pears? *A year*

1. Quantu tempu avi ca nun vai in Sicilia? Tri anni
2. Quantu tempu avi ca nun bivi cafè? Du' uri
3. Quantu tempu avi ca nun telèfoni a to zia? Un misi
4. Quantu tempu avi ca nun ntrasi nta stu nigozziu? Un annu
5. Quantu tempu avi ca nun nni videmu? Na simana
6. Quantu tempu avi ca nun veni a truvarimi? Na eternità
7. Quantu tempu avi can nun mi offri na cena? Quattru misi
8. Quantu tempu avi ca nun mi porti a lu cìnima? Du' simani

Eserciziu 9: Express the following sentences by using the alternative structure above:
Avi du' uri ca ti aspettu! *Sunnu du' uri ca ti aspettu!*

1. Avi du' jorna ca ti chiamu! 2. Avi du' misi ca nun nesciu di casa. 3. Avi na simana ca mi sentu stanca. 4. Avi tri anni ca travagghiu in Girmania 5. Avi deci anni ca stamu assemi. 6. Avi sei misi ca nun vidu a me ziu. 7. Avi un jornu ca nun parru cu me matri. 8. Avi na simana ca nun talìu la televisioni. (watch)

Eserciziu 10: Answer the questions:

1. Di quantu tempu canusci a to matri? 2. Di quantu tempu canusci a to mugghieri? 3. Di quantu tempu canusci a lu prufissuri di sicilianu? 4. Di quantu tempu canusci a la to zita? 5. Di quantu tempu canusci a li to cumpagni di scola? 6. Quantu tempu è ca nun vidi a to soru? 7. Quantu tempu è ca nun vai in Sicilia? 8. Quantu tempu è ca mi aspetti ccà? 9. Quantu tempu è ca nun vai in vacanza? 10. Quantu tempu è ca nun mi telèfuni?

Dialogu tra du' cummari

Vocabulary Notes:

Si canusciunu di sempri	Who have known each other from always.
Si mettunu a parrari	They begin talking.
Nun èssiri esaggirata	Don't exaggerate!
Appi a jiri	I had to go.
Mi cunzigghiavu di farimi fari	Advised me to have...done.
Ha statu	Have you been.
Lassamu pèrdiri	Let it go.
Na purga di un litru	A one-liter laxative.
Nun ni parramu	Let's not talk about it.
Nenti di bruttu	Nothing serious.
Un dulureddu	A little pain, (*duluri-dulureddu*)
Nun pozzu jiri di corpu	I cannot defecate, I am constipated.
Na duzzina di ficudinnia	A dozen prickly pears.
Biniditta fimmina	Blessed woman!
Li ficudinnia ntuppanu	Prickly pears have a blocking effect.

Du cummari ca si canusciunu di sempri si ncontranu nta la strata doppu na simana ca nun si vidunu e si mettunu a parrari:

—Avi n' eternità ca nun ni videmu!

—Nun èssiri esaggirata. Avi sulu setti jorna ca nun ni videmu!

—Unni a statu, si pò sapiri?

—Appi a jiri a Missina nni un specialista.

—Picchì, chi ai?

—Nenti, mi faceva mali lu stòmacu e lu nostru mèdicu mi cunzigghiavu di farimi fari na colonoscopìa.

—Na colonoscopìa, e chi è ssa cosa? Nun mi pari na cosa divirtenti!

—Lassamu pèrdiri! Appi a pigghiari na purga di un litru. Pi favuri, nun ni parramu!

—Va beni e chi ti dissi ssu specialista?

—Nun truvau nenti di bruttu, grazzii a Diu, e mi desi na midicina.

—E ora comu ti senti?

—Avi du jorna ca nun aju chiù duluri.

—Menu mali. Jo puru avi na jurnata ca mi sentu un dulureddu ntô stòmacu. E non pozzu jiri di corpu.

—Chi manciasti assira?

—Manciai na duzzina di ficudinnia.

—Biniditta fimmina! Ora si capisci! Nun sai ca li ficudinnia ntuppanu!?

Dumanni:

1. Di quantu tempu nun si vidunu li cummari? 2. Unni appi a jiri la signura? 3. Chi ci cunzigghia lu mèdicu di fari? 4. Quali è la cosa spiacèvuli di la colonoscopìa? 5. Lu specialista trova na gravi malatìa? (disease) 6. Di quantu tempu nun avi chiù duluri la signura? 7. Di quantu tempu avi duluri di stòmacu la secunna cummari? 8. Picchì avi duluri di stòmacu la signura? 9. Chi effettu hannu li ficudinnia quannu si nni mancianu assai? 10. Ai mai manciatu ficudinnia tu? (Have you...)

D. Demonstrative Adjectives and Pronouns

In Sicilian, the Demonstrative Adjectives and Pronouns agree in gender and number with the object they refer to. They are the following:

These refer to objects near the speaker

Chistu	this
Chista	this
Chisti	these

If the object is nearer to the interlocutor than the speaker, we use

Chissu	that
Chissa	that
Chissi	those

If the object is not near to the speaker nor to the interlocutor, we use

*Chiddu**	that
Chidda	that
Chiddi	those

* In some parts of Sicily—southeastern and southwestern towns—these adjectives will be pronounced *chiddru, chiddra, chiddri.*

The demonstrative adjectives can be reinforced and clarified by adding the word *ccà* (here) or *ddà* (there) and *ddocu* (there).

Chistu paru ccà.	*Chidda maglia ddà.*	*Chissi scarpi ddocu.*
This pair over here.	That sweater over there.	Those shoes there, near you.

In practice, in every day speech, all the demonstrative adjectives are contracted as follows. If they are used as pronouns, however, the short form is never used.

chistu	*chista*	*chisti*	*chiddu*	*chidda*	*chiddi*	*chissu*	*chissa*	*chissi*
				become				
stu	*sta*	*sti*	*ddu*	*dda*	*ddi*	*ssu*	*ssa*	*ssi*

Eserciziu 11: Provide the question for these statements:

Stu libru è nteressanti.	*Comu è ssu libru?*
This book is interesting.	How is that book? (near you)

1. Sta signura è anziana. 2. Sti carusi sunnu un pocu pazzi. 3. Stu albergu è novu. 4. Sta casa è vecchia. 5. Sti quaderni sunnu cari. 6. Sti materii sunnu difficili. 7. Stu prufissuri è simpàticu. 8. Sti signurini sunnu eleganti.

Eserciziu 12: Follow the example:

Dda signurina è taliana.	*Quali, chidda ddà?*
That young lady is Italian.	Which one, the one over there?

1. Dda buttigghia è vacanti. 2. Ddu sceccu è travagghiaturi. 3. Ddi màchini sunnu viloci. 4. Ddi seggi sunnu vecchi. 5. Ddu cafè è apertu.

The pronouns take the place of the nouns and must agree in gender and number with the object to which they refer:

Eserciziu 13: Provide the appropriate adjectives and pronouns for the following nouns:

Chiazza	*sta chiazza e chidda.*	*Ssa chiazza e chista.*
	This square and that one.	That square (near you) and this one.

1. Pinna 2. Cravatta 3. Scarpi 4. Vistitu 5. Bancu 6. Seggia 7. CD 8. Discu.

Eserciziu 14: Complete with the appropriate demonstrative adjectives:

1. ________è na chiesa antica. (this)
2. È moderna__________chiesa? (this, near to you)
3. Non vogghiu accattari __________scarpi. (those, near the interlocutor)
4. Vuliti parrari cu ____________carusi? (these, near you)
5. Vogghiu jiri nta ________farmacìa. (that, far from you)
6. ________biccheri nun sunnu puliti. (these, near you)
7. Comu è ________corsu di lu prufissuri Jones? (that, far from you and the interlocutor)
8. ________amici ca ai nun sunnu onesti. (These, near the interlocutor)
9. ________università è assai granni. (This, near you)
10. Pozzu vìdiri_________ paru di scarpi? (that, far from both)

Vocabulary Notes:

Vitrina	Display window
Matrimoniu	Wedding
Cummessu/a	salesman, saleswoman
Esposti	Displayed
Sinistra/destra	Left/right
Punta lu jìditu	points his finger
Parunu trampulini	They looked like trampolines
La moda	Fashion
Tacchi	Heels
Truvàmuni nàutru paru	Let's find another pair (of them)
Mi facissi vìdiri	Let me see (show me)
Chiddi marrò	the brown ones
La cumpagna	the matching shoe
Si li pò pruvari	You can try them on
Vutànnusi	turning to
Longa	it means tall as well as long
Stissa autizza	the same height

Na coppia ntrasi nta un nigozziu di scarpi picchì la mugghieri voli accattari un paru di scarpi pi lu matrimoniu di un niputi. Lu cummessu li saluta e ci dumanna chi disìddiranu. La mugghieri rispunni:

— Vulissi (I'd like) vìdiri ddi scarpi ca sunnu esposti nta la vitrina.

— Quali, Signura?

— Chiddi vicinu a la vitrina, a sinistra!

— Chisti ccà, Signura? E punta lu jìditu versu un paru di scarpi russi.

— Nun chissi! Chiddi niuri, a destra!

Lu cummessu pigghia la scarpa e ci la mustra a la signura. Lu maritu intirrumpi e ci dici:

— Ssi scarpi hannu i tacchi troppu àuti! Parunu trampulini!

La mugghieri ci rispunni ca oramai chista è la moda e tutti li fimmini portanu tacchi àuti. Poi si vota a lu cummessu e ci dici:

— Vistu ca (seeing that) a me maritu nun ci piàciunu li tacchi àuti, truvàmuni nàutru paru cu li tacchi chiù basci, accussì iddu nun si lamenta! Mi facissi vìdiri ddu paru ddà!

— Quali, Signura?

— Chiddi ddà a latu di chiddi marrò!

Lu cummessu pigghia la scarpa e ci la mustra a la signura e ci dici:

— Ora pigghiu la cumpagna e accussì si li pò pruvari. Chi misura pigghia?

— Jo pigghiu trentottu, grazzii! Poi vutànnusi a so maritu ci dici:

— Si’ cuntentu?

— Certu! Cu sti scarpi semu di la stissa autizza. Ca chidd’àutru paru, eri chiù longa di mia!

Dumanni:

1. Picchì ntrasunu nta ddu nigozziu di scarpi? 2. Pi quali occasioni spiciali ci servunu li scarpi? 3. La signura voli accattari un paru di scarpi russi? 4. Li fimmini moderni portanu scarpi cu li tacchi àuti o basci? 5. Unni sunnu li scarpi ca la signura voli vìdiri, nta la vitrina dintra di lu nigozziu? 6. Picchì li scarpi nun ci piàciunu a lu maritu? 7. Cu è chiù longu senza scarpi, l’ omu o la fimmina? 8. E cu li tacchi àuti, cu è chiù longu?

E. Interrogative Adjectives and Pronouns

The main interrogative adjectives and pronouns in Sicilian are *Cu*, (who) *Chi* (what) *Quali* (what, which), *Comu* (how) and *Quantu* (how much).

1. *Cu* is invariable and can be used as subject, and direct or indirect object.

a: *Ci sunnu tanti cristiani. Cu parra pi primu?*
Many people are there. Who speaks first?
b: *A cu scrivi ssa littra?*
To whom are you writing that letter?
c: *A cu vidi a la festa stasira?*
Whom will you see at the party tonight. (personal “a”)

2. *Chi* is also invariable and can be used the same way as *cu*:

a. *Chi fai la simana prossima?*
What will you do next week?
b. *A chi penzi cu ssa facci preoccupata?*
What are you thinking of with such a worried look?
c. *Chi libru accatti?*
What kind of book are you buying?

3. *Quali* is also invariable and can be used like the other two.

a. *Quali amicu ti tradisci?*
Which friend betrays you?
b. *Quali signurina ti pari chiù bedda?*
Which young lady seems more beautiful to you?
c. *A quali porta tuppulìi?*
On what door do you knock?

4. *Comu* is invariable and when you add the *mai* after it, it means "How come":

a. *Comu veni a scola, a pedi?*
How do you come to school, on foot?
b. *Comu è ca nun mi capisci quannu parru?*
How is it that you don't understand me when I speak?
c. *Comu si chiama to soru?*
What is your sister's name? (literally, How is she called?)

5. All four interrogative adjectives and pronouns above can be reinforced with *è ca* or *è chi*, which in English is not translated

a. *Cu è ca ti telèfuna?*
Who telephones you? (Who is it that telephones you?)
b. *Chi è ca ai stamatina?*
What's wrong with you this morning?
c. *Quali è ca non capisci?*
Which one don't you understand?
d. *Comu è ca nun veni a tempu?*
How is it that you do not come on time?

6. *Quantu* is invariable when qualifying plural nouns, but it agrees in gender with feminine singular nouns:

a. *Quantu ricordi!*
How many memories!
b. *Quantu peni!*
How many sorrows
c. *Quanta ricchizza!*
How much wealth!

Eserciziu 15: Formulate a question and answer it using the clues:

Nun manciari li spinaci.	*Li carusi.*
Cu nun mancia li spinaci?	*Li carusi nun mancianu li spinaci.*

1. Nun studiari la lezzioni.	Pippinu
2. Nun fari la doccia.	Maria
3. Nun vèniri a la festa.	Li nvitati
4. Nun dari la mancia a lu cammareri.	Li clienti
5. Nun pagari li tassì.	Lu signuri Conti

Eserciziu 16: Using *Chi*, formulate an appropriate question for these statements:

La pasta è fatta (made) *di frummentu duru.* *Di chi è fatta la pasta?*

1. Jo ricivu beddi riali pi lu me cumpliannu. 2. Aju un gran duluri di testa stamatina.

3. Me matri mi duna centu dollari. 4. Lu prufissuri mi duna na B+ nta l' esami. 5. Staiu pinzannu (I'm thinking) a na cosa mpurtanti.

Esercizu 17: Using *quali*, formulate the appropriate questions for the statements:

Du' università famusi. *Quali università prifirisci?*

1. Du' dischi di Pavarotti. 2. Du' màchini: una russa, l'autra gialla. 3. Un libru di arti o un libru di scienza. 4. Na torta di ciocculattu o di puma? 5. La lingua siciliana o la lingua ngrisi.

Esercizu 18: Using the appropriate form of *quantu*, formulate questions for these statements:

Luigi canusci a du' Miricani. *A quantu Miricani canusci Luigi?*

1. Me frati mi riala du jattuneddi. (kittens) 2. Spennu centu dollari pi na giacca. 3. Accattamu tri CD di Roberto Alagna. 4. Vìsitu cincu città siciliani. 5. Bivi assai acqua picchì avi siti.

Esercizu 19: Answer the questions using the clue:

Comu viaggi in Italia? Cu lu trenu. (cû) *In Italia viaggiu cu lu trenu.*

1. Comu vai di un postu a l'àutru a Palermu?	A pedi (on foot)
2. Comu vai a Murriali di Palermu?	Cu l'autobus (by bus)
3. Comu vai di Palermu a Catania?	Cu la màchina (câ) (by car)
4. Comu viaggi di Roma a Catania?	Cu l'apparecchiu (by air)
5. Comu vai in Italia di New York?	Cu la navi (câ) (by boat) o cu l'apparecchiu (by plane)
6. Comu vai a la farmacìa?	Cu la (câ) bicicletta (by bicycle)
7. Comu traspurtavanu li cosi prima?	Cu li (chî) carretti (with carts)
8. Cu quali animali travagghiava la terra, lu cuntadinu? (the farmer)	Cu lu sceccu (cû) o cu lu (cû) mulu (with donkeys or mules)

Nota culturali: Petru Fudduni (1600-1670)

Di la vita di Petru Fudduni si sapi pocu,[1] sulu ca fu un tagghiaturi di petri.[2] Nascìu a Palermu forsi ntô 1600 e ddà murìu ntô 1670. Fu un omu bizzarru[3] e stranu e pi chissu lu chiamaru "fudduni" ca diriva di "foddi", pazzu. Iddu stissu schirzava[4] cu stu nomu suttalinianu[5] ca iddu nun era né pazzu né stùpidu: "Ju su lu Petru chiamatu Fudduni/ Fudduni nun è foddi né minnali."[6] Amanti di lu vinu e li fimmini, Fudduni era cuscenti di la so bravura[7] comu pueta estempuraniu[8] e pi chissu era sempri prontu a dimustrari la so valentìa[9] sfidannu[10] e accittannu li sfidi di li pueti. Ristaru famusi li cuntrasti[11] cu lu Dottu[12] di Tripi, lu Vujareddu[13] di la Chiana e di lu "Ciecu natu"[14] di Spaccafurnu. Li sfidi avevanu la forma di ottavi rimati[15] unni lu sfidanti proponeva un dubbiu o na serii di dumanni ca l'autru pueta avìa a risòrviri, comu a chiddi ca includemu ccassùtta.[16]

Ma Fudduni scrissi[17] puru canzuni ca dimostranu un pueta assai diversu di chiddu ca si vidi nta li cuntrasti. Chistu appari comu na pirsuna istruita[18] ca canusci li clàssici, la mitologia e lu latinu mentri lu Fudduni ca scrissi li dubbi, puru essennu[19] un pueta cu doti ecceziunali[20] di mimoria e nteliggenza nun duna la mprissioni di èssiri a lu stissu liveddu. Quaccadunu[21] ha pinzatu ca si tratta[22] di du' pirsuni diversi. Àutri penzanu ca forsi li so amici littirati appiru a currèggiri[23] o riscrìviri li canzuni ca foru pubblicati. Oppuru ca iddu stissu, bazzicannu[24] cu amici littirati si criau[25] na cultura cu lu passari di lu tempu grazzii a la so mimoria prudigiusa.[26]

Fattu sta[27] ca Petru Fudduni rapprisenta, comu a Antoniu Vinizianu ma a lu stissu tempu assai diversamenti di iddu, lu pueta mitu,[28] c'aveva doni eccezziunali di la natura, invincìbbili[29] nta li sfidi di puisìa estempurania. La fama di Fudduni ca dura pi sèculi lu renni degnu[30] di stari nta lu Parnasu[31] sicilianu.

Vocabulary Notes:

1. Little is known 2. Stone cutter 3. Bizarre 4. He joked 5. Emphasizing 6. Foolish 7. Was aware of his skills 8. Improvising, extemporaneous 9. Talent 10. Challenging 11. Duels, contrasts 12. Learned man 13. The Little Cowherd 14. The Blind Man from birth 15. Rhymed 16. Below 17. He wrote, p.p. of *scriviri* 18. Educated 19. Though being 20. Exceptional gifts 21. Some people 22. We are dealing 23. Must have corrected 24. Being in contact, frequenting 25. Developed 26. Prodigious 27. The fact is 28. The mythical poet 29. Unbeatable 30. Makes him worthy 31. Parnassus

Dottu di Tripi

Dimmi cu' vivi acqua e piscia vinu;	drinks passes
dimmi cu' ti saluta di luntanu;	from far
dimmi cu' senza pedi fa caminu;	walks without feet
dimmi cu' si currumpi e torna sanu;	gets corrupted and returns whole
dimmi cu' va e sona a matutinu;	rings in the morning
dimmi cu jetta li spaddi a lu chianu;	throws his back on the plain
dimmi cu' manna focu di cuntinu;	sends fire continuously
dimmi cu' luci comu jornu chiaru.	glows

Petru Fudduni

La viti vivi acqua e piscia vinu;	grapevine
l' amicu ti saluta di luntanu;	
la littra senza pedi fa caminu;	

lu mari si currumpi e torna sanu;	the sea
lu saristanu sona a matutinu;	the Sacristan
lu mortu jetta li spaddi a lu chianu;	the dead man
lu suli manna focu di cuntinu;	
la luna luci comu jornu chiaru.	

Comprehension Exercise: True or false:

1. Supra a Petru Fudduni avemu nfurmazioni pricisi. Veru Falsu
2. Lu chiamavanu "Fudduni" picchì era nanticchia eccèntricu. Veru falsu
3. Lu Dottu di Tripi era un pueta rivali di Fudduni. Veru Falsu
4. La sfida cunzisteva di na serii di dumanni a cui Fudduni avìa a rispùnniri. Veru Falsu
5. Nun c' è na granni diffirenza ntra li puisìi ricitati e chiddi pubblicati nta la stampa. Veru Falsu
6. Si dici ca Fudduni era imbattìbili a criari versi impruvvisati. (improvised) Veru Falsu

Mpidugghialingua / Tonguetwisters

Sicilians enjoy teasing one another. Tonguetwisters were part of a long tradition of social games. There are two types, according to Giuseppe Pitrè: *sbrogghialingua* and *mpidugghialingua*. The former were meant to loosen the tongue, but the latter were conceived to make it difficult to pronounce them. Usually they are nonsensical, and are not meant to convey more than onomatopeic sounds. Here are one *sbrogghialingua* and two *mpidugghialingua*. The first is about a bird pecking at its own tail, the second's about someone picking ever more cotton and the third is about a narrow-necked bottle that sits inside another bottle with an even narrower neck. Let's see how well you can pronounce them:

E lu cìpiti-cìpiti aceddu,
supra la cìpiti-cìpiti rama,
cu lu cìpiti-cìpiti beccu,
tutta lu cuda si cipitiàva.

***

Jennu cugghiennu
cuttuni cugghiennu,
addinucchiuni,
cugghiennu cuttuni,

chiù nnintra jìa,
chiù cuttuni cugghìa.

***

Tri çiaschi stritti
ntra tri stritti çiaschi,
ed ogni çiascu strittu
nta lu strittu çiascu stava.

Pruverbiu sicilianu

Missina è ncignusa, Palermu è pumpusa
Missina la ricca, Palermu la licca.

Niminagghi Siciliani

Aju un palazzu cu dùdici porti,
ogni porta trenta firmaturi, (locks)
ogni firmatura, vintiquattru chiavi.

li misi e li jorna

If you have any problems with these exercises, review Chapters 5 and 6.

Esercìziu 1: With a partner complete the following conversation providing the appropriate form of *canùsciri* **or** *sapiri* **in the blanks.**

S1. ________a l'avvucatu Conti?
S2. No, nun lu ________pirsunalmenti, ma ______cu è.
Chiddi ca lu __________dicinu ca è assai bravu e gintili.
S1. ________unni sta di casa?
S2. ________ca sta a Palermu, ma nun ________ l'indirizzu pricisu.
Me soru_________unni sta picchì _________a so mugghieri.

Esercìziu 2. Provide the appropriate object pronouns. Example:

Canusci a lu Prisidenti Obama? Sì, lu canusciu, ma nun pirsunalmenti.

1. Canusci a lu Prisidenti di l'Università di Catania? 2. Canusci a lu prufissurissa D'Amicu? 3. Canusci a l'avvucati Conti e a la mugghieri? 4. Canusci a li novi studenti di sicilianu? 5. Canusci a li novi studintissi?

Esercìziu 3. *A chi ura?* **What time do they do these activities? Ask two students:**

Jiri a dormiri *A chi ura vai a dòrmiri?* *Vaju a dòrmiri a li ùnnici.*

1. Fari li còmpiti 2. Vèniri a la scola 3. Riturnari a casa 4. Nèsciri lu sàbbatu sira? 5. Cuminciari a travagghiari

Esercìziu 4. Cu sunnu sti pirsuni? Explain to a partner how the following people are related to you:

Example: *Me ziu* *Me ziu è lu frati di me matri.*

1. Me nannu 2. Me cugnatu 3. Me cuçina 4. Me sòggiru 5. Me nìputi.

Esercìziu 5. Complete the following narrative about your morning's activities providing the appropriate prepositions plus articles:

Arrivu a la scola _______ novi. Ntrasu ________classi di sicilianu ________. Restu _______classi cinquantacincu minuti. Poi nesciu_________classi e vaju ________classi di matimàtica. Staju ddà nàutri cinquantacincu minuti e poi vaju _______tàvula càudda pi manciari. Doppu un'ura ritornu ______lezzioni.

Eserciziu 6. Provide the plural form of the following statements:

1. Dda buttigghia è vacanti. ____________________
2. Ddu sceccu è travagghiaturi. ____________________
3. Dda màchina è viloci. ____________________
4. Dda seggia è vecchia. ____________________
5. Ddu cafè è apertu. ____________________

Eserciziu 7. Provide the appropriate questions for the following statements:

1. Ogni jornu jo vaju a scola a pedi 2. Lu Prisidenti dicidi lu programma. 3. Ci sunnu tanti cristiani nta lu munnu. 4. Mi pari ca la signurina cu l'occhi virdi è chiù bedda. 5. Luisa nesci a menzanotti lu sàbbatu sira.

Eserciziu 8. With a partner ask each other questions regarding how long you have been doing certain things:

Fumari *Quantu tempu avi ca fumi o nun fumi?*
Avi na simana (un misi, un annu) ca (nun) fumu.

1. Manciari pizza 2. Tuccari libri di scola 3. Nèsciri sàbbatu sira 4. Canùsciri na bedda signurina 5. Vìdiri a to soru 7. Jiri in Sicilia 8. Jiri in vacanza 9. Travagghiari seriamenti 10. Telefunari a li me parenti.

Eserciziu 9. Review the particle *ni*. With a partner ask each other the following questions:

Quantu bicicletti ai? *N'aju una, dui, tri...*

1. Quantu jìdita ai nta na manu? 2. Quantu pedi hannu li cavaddi? 3. Quantu capiddi ai nta la testa? 4. Quantu buttigghi di Coca Cola bivi quannu ai siti? 5. Quantu màchini pussedi la to famigghia? 6. Quantu frati ai? 7. Quantu soru ai? 8. Quantu nanni ai?

Eserciziu 10. Review the possessive adjectives. Your partner has only one of each, you have more than one. Change according to the model:

Me soru è tinta. *Li me soru puru sunnu tinti.*

1. Me frati è antipàticu. 2. Me nannu è bonu. 3. Me zia è ginirusa. 4. Me cugnatu è sicilianu. 5. Me sòggira è gintili.

Eserciziu 11. Change to the plural:

1. Lu me vistitu è strittu. (tight) 2. La me casa è spaziusa. 3. Lu vostru àbbitu è custusu. (expensive) 4. La to prufissurissa è simpàtica. 5. Lu nostru giardinu è nicu.

Chapter 7

What's in This Chapter:

Na viduta di Calascibetta di Enna cu l'Etna in funnu./ A view of Calascibetta and Mt. Etna from Enna.

Matri	Senti, Luisa, quannu veni to patri ci ai a diri ca ritornu a li sei stasira.
Figghia	Va beni, Mamma. Ci dicu ca ritorni tardu.
Matri	Mi ai a fari nàutru favuri. Ai a telefonari a la zia Rusetta pi dàricci la nutizia ca Micheli passau l'esami. Ci dici ca ci vulemu fari na festa sàbbatu sira e ci dumanni si idda è lìbbira.
Figghia	Va beni, Mamma. Ora ci telèfunu, e si nun mi rispunni sùbbitu la chiamu chiù tardu.
Matri	L'ùltima cosa. Nun ti scurdari di nvitari a l'amici di Micheli.
Figghia	Auffa, Mamma! Ti pari ca sugnu na secretaria?

Dumanni:
1. A chi ura torna la matri stasira? 2. Comu si chiama la zia? 3. Chi ci avi a diri a la zia? 4. A cu avi a nvitari pi la festa di sàbbatu sira? 5. La figghia è cuntenta di fàricci sti sirvizi a la matri?

A. The Indirect Object Pronouns

The Indirect Object Pronouns are the same as the Direct Object Pronouns, except for the third person singular and plural pronouns. They follow the same rules of placement in the sentence. The Indirect Object Pronouns indicate to whom or for whom an action is taken. In the sentences "I open the door for John" and "She offers money to Joseph," *for John* and *to Joseph* are indirect objects while *door* and *money* are direct objects. In Sicilian you need to be careful not to confuse the personal "a" with indirect objects. Examine the following sentences:

Jo chiamu a Luisa	I call Luisa	(personal "a"— direct object)
Jo parru a Luisa	I talk to Luisa*	(Indirect object-requires the preposition "to")

Caution: In English you can say "I give John the book" as well as "I give the book to John," but in both cases "John" is an indirect object.

The following sentences contain direct and indirect object pronouns:

Luisa mi vidi,	*ma nun mi parra.*	Luisa sees me,	but does not talk to me
ti	*ti*	you	to you
ni	*ni*	us	to us
vi	*vi*	you	to you
lu	*ci*	him	to him
la	*ci*	her	to her
li	*ci*	them	to them

Using the previous example, supply all the forms of the direct and indirect object pronouns for the following sentences. Rewrite the sentences. The first blank requires a direct object pronoun, the second an indirect object pronoun:

1. *Carlu_____ talia,* ma nun _____ dici nenti.*
Charles looks at me, but doe not say anything to me.
2. *Me patri ______ rimpròvira, ma nun _____ duna aiutu.*
My father repoaches me, but does not give me any help.

The following verbs are often used with indirect object pronouns:
Fari (to do), *dumannari* (to ask); *cunzigghiari* (to advise); *dari/dunari* (to give); *mpristari* (to lend); *nzignari* (to teach); *mustrari* (to show); *purtari* (to bring); *priparari* (to prepare); *rialari* (to give as gift); *rispùnniri* (to answer); *scrìviri* (to write); *telèfunari* (to telephone); *mannari* (to send).

* In Sicilian the verb **taliari** requires a direct object.

Eserciziu 1: Replace the underlined object with an indirect object pronoun:

Example: *Fazzu un favuri a Luigi* *Ci fazzu un favuri.*
I am doing a favor for Luigi I am doing a favor for him, I am doing him a favor.

1. Dicu la virità a me soru. 2. Luigi dumanna un cunzigghiu a lu medicu 3. Luigi scrivi na littra a la signura Cuncetta 4. Lu prufissuri telèfona a li carusi. 5. Giuanni porta la posta a la signurina.

Eserciziu 2: Use the following to formulate requests for various persons. Follow the model:

Fari un favuri *(mi, ni, ci)*

Mi fai un favuri?	Will you do me a favor?
Ni fai un favuri?	Will you do us a favor?
Ci fai un favuri?	Will you do him (her, them) a favor?

Formulate the three requests and give a translation of the resulting sentences:

1. Diri la virità 2. Purtari la burza 3. Dari i sordi 4. Mpristari centu euru 5. Rispùnniri sùbbitu 6. Scrìviri na raccumannazioni 7. Telèfunari stasira 8. Mannari lu paccu.

When infinitives are involved, the placement of the indirect object pronouns is the same as it was for direct object pronouns. The pronouns *ni* and *ci* are often written *cci* and *nni* in initial position or when attached to infinitives.

Eserciziu 3: Formulate requests of your professor following the example.

Fari na dumanna. *Prufissuri, cci pozzu fari na dumanna?* Or
Prufissuri, pozzu fàricci na dumanna?

1. Pozzu diri na cosa. 2. Pozzu scrìviri na littra. 3. Pozzu purtari l'esami dumani. 4. Pozzu òffriri un cafè. 5. Dari un cunzigghiu. 6. Telefunari stasira. 7. Pozzu parrari in privatu. 8. Pozzu dumannari un favuri.

Esercìziu 4: What does a true friend do for his friends? Work with two other students for this:

S1: *Un veru amicu ti duna cunzigghi.*
S2: *È veru, li me amici mi dunanu cunzigghi*
S3 *Nun cridu, li me amici nun mi dunanu cunzigghi.*

1. Un veru amicu ti mpresta sordi.
2. Un veru amicu ti telèfuna spissu.
3. Un veru amicu ti cunta li so problemi.
4. Un veru amicu ti dici la virità.
5. Un veru amicu ti offri lu cìnima.
6. Un veru amicu ti fa quacchi favuri.
7. Un veru amicu ti paga la cena.

Esercìziu 5: You are talking about your best friend. Choose the right form of the direct or indirect pronoun (*lu* or *ci*) and write it in the blank:

1. ______vidu ogni matina. 2. ______parru spissu. 3. ______chiamu a lu telèfunu. 4. ______fazzu assai dumanni. 5.______ rispunnu sùbbitu. 6. ______portu in città quacchi vota. 7. ______dicu la virità 8. ______mprestu sordi quacchi vota. 9. _____ salutu quannu ntrasi nta classi. 10.______ mannu cartulini.

B. The Disjunctive Pronouns in Sicilian

Unlike the direct and indirect object pronouns, the disjunctive pronouns serve to emphasize and to clarify. They normally are used with prepositions and follow the verb.

mia	me	*nui*	us
tia	you	*vui*	you
iddu, idda, Vossia, Lei	he, she, you	*iddi*	them

Now, compare the non emphatic with the emphatic use of the pronouns in the following examples:

Maria ti cerca. — *Maria cerca a tia.*
Lu prufissuri mi voli parrari. — *Lu prufissuri voli parrari a mia.*

In the second sentence, the disjunctive pronoun emphasizes that you are the one she is looking for, not somebody else. The same for the second example.

The disjunctive pronouns are used with prepositions. In these cases, no special emphasis is attached to them. Here are some examples:

Sta midicina è pi tia.	This medicine is for you.
Non vogghiu manciari cu iddi.	I don't want to eat with them.
Picchì non veni nni niàutri.	Why don't you come by us.
Iddi travagghianu pi Vossia.	They work for you.
Nun poi vìnciri cu mia.	You cannot win with me.

After certain prepositions, the disjunctive pronouns require the use of the preposition *di*. Here are the most common, *doppu*, (after) *contra* (against) *prima* (before), *sutta* (under), *supra* (over, above), and *senza* (without).

Dopu di mia pò vèniri lu diluviu.	After me the flood can come.
Senza di tia, la vita nun è nenti.	Without you life is nothing.
Sutta di Vossia, c' è n'àutra stanza.	Below you there is another room.
Prima di mia, nun c' è nuddu.	Nobody comes before me.

Eserciziu 6: Let's make things perfectly clear!

Example: *Ti vogghiu parrari!* *A mia? Si, vogghiu parrari a tia!*

1. Ci vogghiu scrìviri!	A iddu?
2. Ci vogghiu telefunari!	A idda?
3. Ni saluta lu prufissuri!	A nui?
4. Vi fazzu un rialu!	A nui?
5. Ci aju a diri na cosa a Vossia!	A mia?

Eserciziu 7: Make the woman or man in your life feel really wanted. Take turns with another student.

Ti vogghiu beni.	*Vogghiu beni sulu a tia!*
I love you.	I love only you!

1. Ti amu 2. Ti vogghiu 3. Ti cercu 4. Ti penzu 5. Ti sognu

Eserciziu 8: Complete the exchange by replacing the underlined noun with a disjunctive pronoun:

1. Voi ballari cu <u>Salvaturi</u>?	No, nun vogghiu ballari cu ______.
2. Voi scrìviri na raccumannazioni pi <u>li carusi</u>?	Si, vogghiu scrìviri na raccumannazioni pi _____.
3. <u>Maria</u> nun veni a scola oggi.	Va beni, allura jemu a scola senza di ______.
4. Voi telefunari a <u>Rusetta</u>?	No, nun vogghiu telèfunari a ______.
5. <u>Luigi</u> nun pò travagghiari dumani.	Allura travagghia Micheli pi ______.

Iddu, ammucciuni, osserva a tia,	He is observing you, as though unseen.
tu, si' nirvusa vicinu a mia,	You are quite nervous 'cause I'm near you,
iddu accarizza lu sguardu to,	He now caresses the way you look.
tu t'abbannuni ô jocu so.	You play along the game he's playing,
E jo, ntra di vui, si nun parru mai,	And I, in between, if I do not speak,
aju già vistu tuttu quantu.	I see already the whole affair.
E jo, ntra di vui, capisciu ca ormai	And I, in between, now do understand
la fini di tuttu arrivau.	that this is the end of us.
Iddu sta spiannu chi cosa fai.	He is attempting to see your game.
Tu lu ncuraggi picchì lu sai.	You goad him on beccause you know.
Iddu ti tenta cu maistrìa,	He is a master at tempting you.
tu si' siccata ca sugnu ccà.	You are annoyed that I am here,
E jo, ntra di vui, osservu la vostra ntisa.	And I, in between, can see your accord.
E jo, ntra di vui, ammucciu accussì	And I, in between, must cover this way
l'angoscia ca sentu ntra mia.	the anguish that's growing in me.
Iddu, ammucciuni, surridi a tia,	He smiles at you, as though unseen.
tu parri forti, cusà picchì?	You talk too loudly, I wonder why.
Iddu ti curteggia malgradu a mia,	He' s courting you in spite of me.
tu ridi forti, scigghisti già.	You laugh aloud, you've chosen him.
E jo, ntra di vui,	And I, in between,
mi sentu lu cori già unchiu di chiantu.	feel my heart brimming with tears.
E jo, ntra di vui, a sulu mi vidu	And I, in between, now see by myself
la pena ca crisci ntra mia.	the woe that is growing in me.
Oh, nun aju nenti,	Oh, it's nothing,
è sulu un pocu 'i stanchizza.	only a bit of fatigue.
Picchì vai a pinzari ô cuntrariu.	Why think of anything else?
Ha statu na magnìfica sirata,	It was a wonderful evening.
sì, sì, na magnìfica sirata!	Yes, yes, a wonderful evening.

Dumanni:

1. Quantu pirsuni ci sunnu nta sta canzuna? 2. Cu è la terza pirsuna, un amicu, un rivali? 3. A la fimmina piaci l'interessi di l'amicu? 4. Aznavour è cuntentu d'aviri l'amicu vicinu a la so zita? 5. Picchì è nirvusa la fimmina? 6. Unni sunnu li tri pirsuni, nta un risturanti, un bar? 7. Cuppuru (Although) ca nun dici nenti, Aznavour chi senti? 8. Chi ci dumannau la fimmina a Aznavour a l'ùltimu? 9. Chi rispunni Aznavour? 10. Quannu dici ca fu na magnìfica sirata, dici la virità?

C. The Verb Piaciri

To express likes and dislikes in Sicilian we use the verb *Piaciri,** which really is best translated as "to please," rather than "to like". If you keep this in mind, you will avoid making the mistakes that students often make. When you say "John likes pizza" for example, in Sicilian you are really saying "Pizza is pleasing to John," and if you are saying "Maria likes spaghetti," you are saying "Spaghetti are pleasing to Maria". The verb is plural because *spaghetti* is plural. Pizza and spaghetti are the subjects and John and Maria are indirect objects. Thus if you want to substitute pronouns for John and Maria you must use indirect object pronouns. In addition, in Sicilian it is normal to add a pronoun that is redundant. In English, obviously, no one would ever say "Pizza is pleasing to me" for "I like pizza". It would sound as strange as when a student says *piaciu la pizza*" incorrectly, instead of *mi piaci la pizza*. Such a student is applying an English structure onto a Sicilian expression. Analyze these examples:

A Giuanni piaci la pizza.	Pizza is pleasing to John.
Ci piaci la pizza.	Pizza is pleasing to him.
A iddu ci piaci la pizza.	Pizza is pleasing to him (ci is redundant).
A Maria piaci la pasta.	Pasta is pleasing to Maria.
Ci piaci la pasta.	Pasta is pleasing to her.
A idda ci piaci la pasta.	Pasta is pleasing to her (ci is redundant).

A Cicciu piàciunu li spaghetti.	Spaghetti are pleasing to Cicciu.
Ci piàciunu li spaghetti.	Spaghetti are pleasing to him.
A iddu ci piàciunu li spaghetti.	Spaghetti are pleasing to him (ci is redundant).
A lu carusu piàciunu li gelati.	Ice cream is pleasing to the boy.
Ci piàciunu li gelati.	Ice cream is pleasing to him.
A iddu ci piàciunu li gelati.	Ice cream is pleasing to him (*ci* is redundant).

*The verb *piaciri* can be conjugated as a regular second conjugation verb, but we are going to use only the third person singular, *piaci* and the third person plural, *piàciunu* for the present lesson.

This is a list of the foods I like and dislike:

A mia mi piaci la frutta, la torta, la carni, la bistecca, la suppa, la pasta.
I like fruit, cake, meat, steak, soup, pasta.

A mia mi piaci lu furmaggiu, lu gelatu e lu pani.
I like cheese, ice cream, and bread.

A mia mi piàciunu li spaghetti, li ravioli, li bucatini a l'amatriçiana.
I like spaghetti, ravioli, bucatini a l'amatriçiana.

A mia mi piàciunu li ova, li patati fritti, e li funci.

I like eggs, fried potatoes, and mushrooms.

A mia inveci nun mi piaci la carni, lu latti, lu burru, lu salami.
I instead do not like meat, milk, butter, salami.

A mia inveci nun mi piaci la virdura, la racina. la nzalata, l'agneddu.
I instead do not like vegetables, grapes, salad, lamb.

A mia nun mi piàciunu mancu li ova, li pisci, li gnocchi, e li spinaci.
I do not even like eggs, fish, potato dumplings and spinach.

Eserciziu 9: Write down 5 items you like and 5 that you don't like.

Eserciziu 10: Now answer these personal questions:

1. A tia ti piaci la mùsica clàssica? 2. A to matri ci piaci la mùsica moderna? 3. A to patri ci piaci l'òpira? 4. A to soru ci piaci lu rock and roll? 5. A li cumpagni ci piaci l' òpira? 6. A tia ti piàciunu li màchini taliani? 7. A tia ti piàciunu li dischi siciliani? 8. A tia ti piàciunu li fimmini siciliani? 9. A tia ti piàciunu li màsculi siciliani? 10. A tia ti piàciunu li tradizioni siciliani?

Eserciziu 11: Say whether you like or dislike the following. Add *pi nenti* (not at all) for strong dislikes and *assai assai* for strong likes:

1. La frutta, 2. La virdura 3. La carni 4. Lu pisci 5. Li finocchi 6. Li ova 7. La scola 8. Lu prufissuri 9. La prufissurissa 10. Li màchini taliani.

The verb *piaciri* can also be used with other infinitives to describe activities one likes to do, such as "I like to swim or swimming" which is rendered with *A mia mi piaci natari* or simply *mi piaci natari.* Note that the verb is always singular (*piaci*) when followed by an infinitive.

Eserciziu 12: Answer the following questions by choosing one or the other activity:

1. A tia ti piaci manciari a lu risturanti o manciari a casa? 2. A tia ti piaci cucinari o nèsciri cu l'amici? 3. A tia ti piaci taliari la televisioni o jiri a lu cìnima? 4. A tia ti piaci studiari o lèggiri un rumanzu? 5. A tia ti piaci manciari la pizza siciliana o la pizza napulitana? 6. A to matri ci piaci taliari un film romànticu o un film di guerra? (war) 7. A tia ti piaci cunvirsari cu l'amici o stari sulu? 8. A tia ti piaci fari na passiata nta lu parcu o taliari la tv? 9. A tia ti piaci parrari sicilianu o parrari ngrisi? 10. A tia ti piaci viaggiari in Sicilia o in Amèrica?

The verb *Dispiaciri* functions in the same way as *Piaciri*, but it does not mean "to dislike". It means to be sorry, to feel badly, to regret. Analyze the following exchanges:

Poi vèniri a la festa oggi? Can you come to the party today?
No, mi dispiaci, nun pozzu vèniri. No, I am sorry, I cannot come.

Exerices 13: Express your regrets for not being able to accept the following invitations and offer an explanation of your own or from the following:

Nun aju mancu un dollaru. I don't have even a dollar.
Sugnu veramenti stancu. I'm really tired.
Nun ti canusciu bonu. I don't know you well.
Semu occupati. We are busy.
Duranti la stati aju a travagghiari. I must work in the summer.

1. Mi poi mpristari centu dollari? 2. Voi fari na passiata cu mia? 3. Vuliti nèsciri cu nui stasira? 4. Voi jiri in Sicilia cu mia a giugnu? 5. Poi scrìviri na raccumannazioni?

The verb *dispiaciri* can also be used in the sense of "do you mind":

Ti dispiaci di chiùdiri la porta? Do you mind closing the door?

Esercizìu 14: Combine to ask one or more people to do something. *Do you mind...?*

Ti dispiaci di if you're talking to someone you know.
Vi dispiaci di if you're talking to more than one person you know.
Ci dispiaci di if you are talking to someone you don't know (Lei, or Vossia).

1. Àpriri la finestra 2. Nun parrari accussì forti 3. Nun fumari 4. Maniari chiù lentamenti 5. Nun fari tantu rumuri 6. Nun diri stupitàggini 7. Fari silenziu 8. Nun masticari la gomma.

Isole di Sicilia
TRATTORIA ISOLANA
by siciliainbocca

Chistu è lu menù ridottu di stu risturanti a Roma specializzatu nta la cucina di li isuli c'appartenunu a la Sicilia. C'è un risturanti *siciliainbocca* puru a Catania.

This is a much reduced menu of this Sicilian Restaurant in Rome specializing in the cuisine of the smaller islands that are part of Sicily. There's a *Siciliainbocca* restaurant in Catania also.

Antipasti di Mari

Purpu Strascinasali a l'Usticenze € 9,50
(Fresh boiled octopus with potatoes, fresh mint leaves and green lemon)
Baccalaru a la Missinisi € 12,00
Baccalaru arrustutu a la braci (Grilled codfish salad)
Zuppa di "Cozzuli a' Vulcanara" € 10,00

Zuppa di Cozze di Vulcanu (Italian mussels soup)
Fritturina "a' Liparota" € 12,50
Fritturina di Totani (Fried calamari)

Antipasti di Terra

Tuma Fritta di li Egadi € 9,00
Cascavaddu impanatu e frittu ("Caciocavallo" Cheese bread crumbed, lightly fried)
Mulanciani Arrutulati € 8,00
Gustusissimi Mulinciani Arrutulati chini di pani rattatu e furmaggiu
(Eggplant rolls stuffed with breadcrumbs prepared with our secret recipe)
Panelli € 5,50
Fritteddi di farina di ciciri (Delicious chickpea flour fritters)
Caponatina a la Isole di Sicilia € 9,00

Primi Piatti di Mari

Spaccatedda chi Saddi di Lampidusa € 10,50
Pasta cu li sardi, pani rattatu, passuli e pignoli ô prufumu dú finucchieddu sarvaggiu
(A typical pasta dish from Palermo prepared with fresh sardines, wild fennel, pine nuts and breadcrumbs)
Pasta Fritta "Ru Malutempu" € 9,00
Spaghetti cû anciovi, agghiu e pani rattatu tustatu
(Spaghetti mixed in a pan with fried garlic, anchovies and bread crumbs)
Spaghettu cô Niru dî Sicci € 12,00
Spaghettu cô niru di sicci cu na spulvurata di picurinu.
(Spaghetti with black ink of cuttlefish sprinkled with pecorino cheese)
Risottu cû Sucu di Totani € 11,00
(Risotto prepared with calamari and mildly spicy tomato sauce)

Primi Piatti di Terra

Mezzimanichi 'i Salina € 11,00
Mezzamanica al pestu di pignoli, mennuli, menta, pumadoro friscu, cappiri e basilicò
(Short pasta made with an Aeolian pesto with cherry tomatoes pine nuts, capers basil leaves)
Spaccatedda a la Norma câ Ricotta Salata € 10,00
(The most famous recipe from the islands dedicated to the famous composer Bellini: made with fried eggplants, special ricotta cheese, fresh basil leaves and tomato sauce)

Secunni di Mari

Fritteddi 'i Nunnata 'i Linosa € 13,00
(Lightly fried baby-fish fritters made with cheese and parsley)
Baccalaru a Sticchiu 'i Parrinu € 13,50
Baccalaru in biancu cu patati, cappiri, alivi, jaccia, cipudda, pitrusinu e rosmarinu
(Salted cod cooked, with onions, capers, green olives, potatoes, parsley, and rosemary)
Tunnina c'a Cipuddata € 16,00
Tunno grigliatu cu cipudda russa di li Eolii in agruduci
(Grilled fresh tuna fish served with sweet and sour red onions)
Pisci Spada mpanatu o Arrustutu € 16,00
(Swordfish grilled on hot lava stones or breadcrumbed and grilled)
Nvoltini di Spada Arrustuti € 16,00
(Tasty swordfish rolls stuffed with bread crumb and grilled)

Spiedinu di Ammaru e Sicci di Levanzu mpanati" € 15,00
(A Skewer of breaded shrimps, squid, grilled and then drizzled with sammurigghiu)
Saddi a Beccaficu € 13,50
(Grilled Fig-Pecker sardines stuffed with seasoned breadcrumbs)

Secunni di Carni

Sasizza cû Finocchiu Sarvaggiu € 12,50
Fennel seed flavoured pork sausage stuffed with tomato and cheese)
Capritteddu Arrustutu cû Sammurigghiu € 14,00
(Grilled small tender lamb chops aromatized with sammurigghiu sauce)

Cosi Duci

Cannolu € 5,50
Babà 'i Salina € 7,00
(Pastry filled with a delicate lemon cream covered in wild berry sauce)
Cassata Siciliana € 7,00
(The most famous Sicilian dessert: a delicious sweet dish made with fresh ricotta cheese and chocolate drops, sugar glazed and candied fruits on top)
Pasta di Mennuli € 7,00
(Soft almond cookies. Try it dipped in a raisin wine like "Passito" or "Zibibbo")
Cassateddi (fritti e chini di ricotta) € 6,50
(Fried Pastry half moon filled with ricotta cheese)
"Biancumanciari" a la Cannedda € 6,00
(Whipped vanilla mousse with a sprinkle of cinnamon)

Littura: A lu risturanti Ìsuli di Sicilia

Mariu e Maria sunnu a Roma nta lu risturanti Ìsuli di Sicilia pi lu cumpliannu di Maria. Doppu ca talìanu lu menu dicidunu chiddu[1] ca vonnu manciari. Quannu veni lu cammareri e ci dumanna: "Chi disiddirati[2] manciari stasira?" Mariu rispunni d'accussì[3]:

Mariu Comu antipastu, purtassi[4] na pòrzioni[5] di "Capunatina" e na pòrzioni di "Còzzuli a la Vulcanara."
Cammareri Va beni. Pi bìviri?
Mariu Purtassi acqua minirali frizzanti[6] pi mia e liscia[7] pi la signurina. E na buttigghia di vinu biancu di la casa. Comu primu, mi purtassi "Spaghetti cû niuru dî sicci" e pi la signurina la "Spaccatedda cu li sardi di Lampedusa."
Cammareri E pi secunnu piattu?
Mariu Maria, voi manciari quacchi àutra cosa[8]?
Maria Forsi putemu pigghiari[9] na pòrzioni di "Nvoltini di pisci-spata" e poi facemu a mità[10].
Mariu Bona idea! Allura purtassi sulu na pòrzioni di nvoltini.
Cammareri Pirfettu!

Notes: 1. Decide what. 2. What would you like. 3. This way. 4. Bring. 5. Serving. 6. Bubbly. 7. Natural. 8. Something else. 9. Take, order. 10. We will split it.

Eserciziu 15: After studying the menu on the previous pages, choose an antipasto, a first dish and a second dish for yourself and for your guest. Follow the model in the conversation.

Eserciziu 16: What would you order under the circumstances described below:

1. Nun aju tanta fami stasira. Chi pozzu manciari? 2. Sugnu vegetarianu/a. Chi pozzu manciari? 3. Nun mi piaci la carni. Chi pozzu ordinari? 4. Jo manciu sulu pasta. Chi pozzu ordinari? 5. Sugnu allèrgicu/a a li furmaggi. Chi pozzu manciari? 6. Mi piàciunu li cosi duci. Chi òrdinu? 7. Sugnu in dieta. Chi pozzu manciari? 8. Nun mi piaci lu pisci. Chi pozzu ordinari?

Littura: De gustibus

È na cosa strana. La genti dici ca chiddi ca hannu gusti differenti sunnu attratti l'unu di l'àutru. Aju du' amici ca sunnu cumpletamenti opposti in tuttu. Paulinu e Ninetta, d'accussì si chiamanu, sunnu maritu e mugghieri e si vonnu beni, ma nun vannu mai d'accordu supra a nenti.

A iddu ci piaci la carni, ci piàciunu li bistecchi grossi, ci piàciunu li patati fritti e li cosi duci; a idda nveci nun ci piaci la carni, è vegetariana, nun ci piàciunu mancu li pisci. Ci piaci sulu la virdura, la nzalata, la frutta, e li cosi duci nun ci piàciunu pi nenti. A iddu ci piaci viaggiari, visitari àutri paisi, jiri a li musei, ma a idda ci piaci stari a la casa, ci piaci lèggiri, travagghiari nta lu so giardineddu, parrari a lu telèfunu cu li so amichi. Jo non sacciu comu stannu assemi, ma cu tutti sti differenzi parunu assai cuntenti.

Dumanni:

1. Pripara na lista di li cosi ca piàciunu a Paulinu e di cosi ca piàciunu a Ninetta. 2. Canusci a quaccadunu ca è sìmili a Paulinu o a Ninetta? 3. Chi hannu in cumuni cu iddi? 4. A tia ti piaci èssiri vegetarianu/a? 5. A tia ti piàciunu li bistecchi grossi grossi?

D. The Past Tense in Sicilian (Passatu rimotu)

The Past Tense in Sicilian is similar to the Preterite in Spanish and very different from the *Passato Prossimo* in Italian. The Past Tense expresses actions completed in the past, even in the near past. If the action has no relationship or bearing on the present, Sicilians use the Past Tense (*Passatu rimotu*). Unlike the *Passato Prossimo* in Italian which is used almost exclusively in every day speech to refer to finished actions, in Sicilian we use the *Passatu Rimotu*. Contrary to its name, we use it to describe actions that occurred even an hour ago: *Antura manciai na banana* "A little while go I ate a banana." It can also describe an action that lasted for a period of time in the past: *Aieri chiuvìu na jurnata sana* (Yesterday it rained for the whole day) or *Me patri travagghiau nta ddu nigozziu pi vint'anni* (My father worked in the store for twenty years).

1. The *Passatu Rimotu* uses the following endings for the two conjugations. Note that the first person plural (*nui*) is the same as the Present Tense, except for the irregular verbs: Here is the paradigm for *mannari* (to send) and *rispùnniri* (to answer):

Mannari	**Rispùnniri**
Jo mannai	Jo rispunnìi or rispusi
Tu mannasti	Tu rispunnisti
Iddu, Idda, mannò or mannau	Iddu, Idda rispunnìu or rispusi
Vossia, Lei mannò or mannau	Vossia, Lei rispunnìu or rispusi
Nui mannamu	Nui rispunnemu
Vui mannastivu	Vui rispunnistivu
Iddi mannaru	Iddi rispunneru or rispusiru

Eserciziu 17. Let's practice with the following pattern:

Oggi nun caminu chiù!	*Picchì?*	*Picchì aieri caminai troppu.*
I am not walking any more!	Why?	Because yesterday I walked too much.
Oggi nun caminamu chiù!	*Picchì?*	*Picchì aieri caminamu troppu.*
We are not walking any more!	Why?	Because yesterday we walked too much.

1. Oggi nun studìu chiù 2. Oggi nun travagghiu chiù 3. Oggi nun parru chiù 4. Oggi nun curru chiù 5. Oggi nun rispunnu chiù 6. Oggi nun fumu chiù 7. Oggi nun bivu chiù 8. Oggi nun manciu chiù.

Eserciziu 18. Reply using the past tense and following the clues:

Chi manciasti stamatina?	*Du' ova!*	*Manciai du' ova stamatina.*

1. Chi studiasti aieri?	La lezioni di matimàtica
2. Quantu uri travagghiasti aeri?	Cincu uri
3. Quantu curristi nta lu parcu?	Un'ura
4. A cui ci rispunnisti?	A me matri
5. Fumasti du' sigaretti?	No, sulu una
6. Chi bivisti stamatina?	Un cafè
7. Cu cui parrasti?	Cu la me zita
8. Pigghiasti l'autobus o lu trenu?	Lu trenu

2. The *Passatu Rimotu* has many irregular verbs. The pattern of endings though irregular is predictable and can be mastered easily by remembering the first person of the verb. Once you know the first person you can easily figure out the other five endings because three of the other endings will be based on the first and the other two use the

infinitive as a base. Examine the pattern for the verb *dari* (to give) and *vuliri* (to want):

	Dari to give		**Vuliri to want**	
Jo	desi	I gave	vosi	I wanted
Tu	dasti	You gave	vulisti	You wanted
Iddu	desi	He gave	vosi	He wanted
Nui	desimu	We gave	vosimu	We wanted
Vui	dastivu	You gave	vulistivu	You wanted
Iddi	desiru	They gave	vosiru	They wanted

The same pattern is followed by most irregular verbs. Here are the most common:

Aviri	**Diri**	**Fari**	**Mèttiri**	**Stari**	**Scrìviri**
To have	to say	to do	to put	to stay	to write
appi	dissi	fici	misi	stesi	scrissi
avisti	dicisti	facisti	mittisti	stasti	scrivisti
appi	dissi	fici	misi	stesi	scrissi
appimu	dissimu	ficimu	misimu	stesimu	scrissimu
avistivu	dicistivu	facistivu	mittistivu	stastivu	scrivistivu
appiru	dissiru	ficiru	misiru	stesiru	scrissiru

Vèniri	**Essiri**	**Putiri**	**Jiri**	**Vìdiri**
To come	to be	to be able	to go	to see
vinni	fui	potti	jivi	visti
vinisti	fusti	putisti	isti	vidisti
vinni	fu	potti	jìu	visti
vinnimu	fomu	pottimu	jemmu	vistimu
vinistivu	fustivu	putistivu	jistivu	vidistivu
vinniru	foru	pottiru	jeru	vistiru

Sapiri	**Pèrdiri**	**Sèntiri**	**Rùmpiri**	**Crìdiri**
To know	to lose	to hear	to break	to believe
sappi	Persi	sintìi	ruppi, rumpìi	critti
sapisti	pirdisti	sintisti	rumpisti	cridisti
sappi	persi	sintìu	ruppi, rumpìu	critti
sapemu	pirdemu	sintemu	rumpemu	crittimu
sapistivu	pirdistivu	sintistivu	rumpistivu	cridistivu
sappiru	persiru	sinteru	ruppiru, rumperu	crittiru

Exersise 19. After familiarizing yourself with these irregular past tenses, answer the following questions about your morning commute:

Model: *A chi ura vinisti stamatina?* *A li novi* *Vinni a li novi stamatina.*

1. Pigghiasti la màchina o l'autobus?	L' autobus
2. Quannu partisti di la casa?	A li setti
3. Chi dicisti a to matri quannu niscisti?	Ciau, Mamma
4. Facisti i compiti pi la lezzioni di oggi?	No,
5. Avisti tempu pi fari culazioni?	No,
6. Arrivasti in ritardu?	No,
7. Ntrasisti nta la classi a l'ura giusta?	Sì,
8. Sapisti rispùnniri a lu prufissuri?	Certu,
9. Vulisti jiri a pigghiari un cafè doppu?	Sì,

Eserciziu 20. Basing your replies on the answers given above, do the following exercise. The name of the person about whom you are asking the questions is Robertu:

1. Comu vinni a scola Robertu? 2. A chi ura arrivau? 3. Quannu partìu di la casa? 4. Fici li compiti? 5. Appi tempu pi la culazioni? 6. Arrivau a tempu? 7. Ntrasìu in orariu? 8. Sappi rispùnniri? 9. Chi ci dissi a so matri? 10. Vosi pigghiari un cafè?

Eserciziu 21. Connect the following people with the activity they typically perform:

1. Lu mèdicu	purtau li bagagli.
2. Lu prufissuri	vurricau li morti. (buried the dead)
3. Lu studenti	guidau lu tassì.
4. La badanti (caretaker)	bivìu du' buttigghi di vinu.
5. Lu cammareri	pulizziau lu bagnu.
6. Lu bicchinu (grave digger)	stesi attenta a li vecchi.
7. La domèstica	sirvìu li clienti nta lu ristoranti.
8. Lu facchinu	curau li malati.
9. L' autista	priparau l' esami.
10. Lu mbriacu	fici li còmpiti pi la classi.

Littura: Fu na jurnata nìura!

Vocabulary Notes: Before reading familiarize yourself with the following:

Pigghiari un tassì	To take a taxi
A tempu	On time
Fari na cursa	To race
Aviri paura	To be afraid
Pigghiarisi di curaggiu	To take heart, to summon courage
In silenziu	Silently

Dumannari scusa	To apologize
Fari na dumanna	To ask a question
Un tronu di malafiura	A hell of a bad showing.
Pi strata	In the street
In prèstitu	As a loan
A l'urtimata	Finally
Mi tuccau	I had to
Na jurnata nìura	A black day.

L' àutru jornu doppu ca manciai, appi a pigghiari un tassì p'arrivari a scola a tempu. Fici na cursa pi ntràsiri nta la classi prima di l'ùnnici, ma non potti arrivari in orariu. Quannu vitti a lu prufissuri nta la classi appi paura e nun vosi ntràsiri. Doppu mi pigghiai di curaggiu e aprìi la porta in silenziu, la chiudìi e ci dumannai scusa a lu prufissuri. Duranti la lezzioni, lu prufissuri mi fici na dumanna e jo nun ci sappi rispùnniri e fici un tronu di malafiura. Doppu la lezzioni ncuntrai a un amicu pi strata ca mi dummannau cincu dollari in prèstitu e sugnu sicuru ca nun tornanu a casa tantu prestu. A l'urtimata pirdìi lu trenu e mi tuccau di aspittari menz'ura supra la piattaforma di la stazioni, poi… ma è inùtili cuntinuari! Fu na jurnata nìura!

Dumanni:

1. Picchì appi a pigghiari lu tassì? 2. Arrivau a tempu in classi? 3. Picchì nun ntrasìu nta la classi subbitu? 4. Comu aprìu la porta? 5. Chi ci dumannau a lu prufissuri? 6. In classi fici na bedda fiura? 7. Picchì fici malafiura? 8. Cu ci dumannau sordi in prèstitu? 9. Quantu tempu appi a aspittari nta la stazioni? 10. Comu fu sta jurnata pi iddu?

In Sicilian we often use the *prisenti storicu,* that is, we use the Present Tense to express actions that occurred in the distant past as a way of making them more lively. Consider the following narrative:

Giovanni Verga *è* un granni scritturi sicilianu. Iddu *apparteni* a la currenti littiraria dû Verismu. Iddu *nasci* a Catania e *studìa* a Catania. Poi *si trasfirisci* a Firenzi prima e a Milanu doppu. Poi *torna* in Sicilia nàutra vota e *scrivi* I Malavoglia e Mastro Don Gesualdo. Non *rinesci* a scrìviri lu ciclu di cincu rumanzi ma *scrivi* tanti àutri storii di granni successu comu La Lupa e Cavalleria Rusticana ca *diventanu* suggetti di òpiri. *Mori* a Catania.

Eserciziu 22. Read the previous excerpt and restore the verbs in italics to the *Passatu Rimotu*.

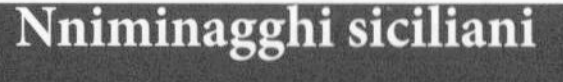

Nniminagghi siciliani

A prima jo stava dintra a lu patruni,
ora lu patruni sta dintra di mia!

La sosizza

La Sicilia è l'ìsula chiù granni e chiù mpurtanti di lu mari Miditirraniu e occupa na superfici[1] di 24,460 kmq. Appartenunu a la Sicilia l'arcipelagu di l'ìsuli Eolii,[2] Ustica a nord, li ìsuli Egadi a ovest e Pantiddarìa[3] e li ìsuli Pelagi a sud vicinu a l'Africa. È circunnata[4] di lu Mari Tirrenu a nord, lu Mari Joniu a est ca si junciunu[5] nta lu Strittu di Missina, e a sud di lu Miditirraniu.

Lu nomu di l'ìsula diriva di li Sìculi, na populazioni indu-europea l' orìgini di li quali[6] nun si sapi esattamenti. L' àutru nomu, minziunatu[7] puru di Omeru, era Sicania dirivatu di li chiù antichi abbitanti di l'ìsula, li Sicani. La Sicilia si identifica[8] puru cu lu nomu di Trinacria ca voli diri terra di tri prumuntorii[9] ca si trovanu a li tri punti estremi di lu triàngulu[10] sicilianu: Capu Peloru, vicinu a Missina, Capu Pàssaru, vicinu a Ragusa, e Capu Lilibeu, vicinu a Marsala.

Anticamenti la Sicilia era na terra ricca di vegetazioni, di àlbiri e di çiumi[11] navigàbili. Pi li Greci ca la colonizzaru era comu la terra prumissa,[12] na specia di paradisu. Nta li so trimila anni di storia non si ponnu[13] quasi cuntari li pòpuli ca hannu passatu supra la so terra lassannu, cu chiù e cu menu,[14] tracci la so prisenza: Sicani, Sìculi, Elimi, Finici, Cartagginisi, Greci, Bizzantini, Àrabi, Nurmanni, Svevi, Francisi, Aragunisi, Spagnoli, Austrìaci, Piamuntisi, e puru Miricani ca sbarcaru a Gela nta la Secunna Guerra Mundiali ntô 1943, senza cuntari[15] li bàrbari comu li Vàndali e l'Ostrogoti. Unu di li effetti chiù evidenti di tutti sti nvasioni fu chiddu di canciari la facci di la Sicilia.

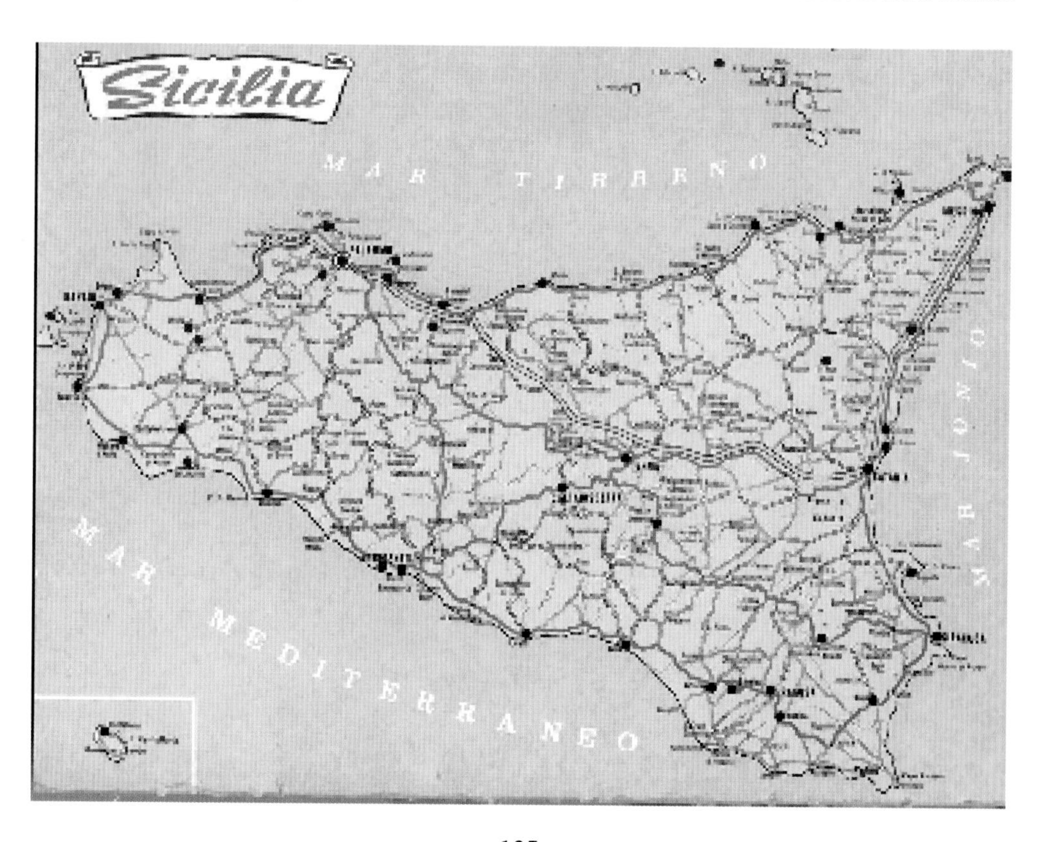

Oggi la ricca vegetazioni si vidi sulu vicinu a li costi,[16] mentri a l'internu nun ci sunnu chiù àrburi picchì li Rumani, pi sfamari li so esèrciti,[17] li tagghiaru pi chiantàricci frummentu.[18] Li çiumi, ca na vota eranu ricchi d' acqua ora sunnu in gran parti asciutti,[19] specialmenti di stati. Lu Salsu, lu Simetu, lu Bèlici e l'Alcàntara sunnu li çiumi ca resistunu ancora.

Lu clima di l'ìsula è assai favurèvuli a l'agricultura e la terra, essennu[20] vulcànica è assai fèrtili. In Sicilia tuttu crisci in abbunnanza. Assai chianti e àrburi ca foru purtati[21] nta l'ìsula di àutri posti, truvaru un clima idiali pi crìsciri e divintari siciliani: li ficudinnia, li pumadoru, l'aranci, li lumiuni e ora macari lu kiwi. Duranti la stati nun chiovi quasi mai. Chiovi nveci di nvernu. Nun nivica[22] quasi mai eccettu nta li muntagni e supra a l'Etna ca di nvernu è sempri cummugghiata di nivi, na ricchizza mpurtanti. Nfatti l'Etna è na granni riserva d'acqua pi li città vicini.

Oggi si cerca[23] di prutèggiri l'ambienti sicilianu attraversu la furmazioni di parchi naziunali e riservi naturali comu a chiddi di lu Zingaru e di Vendicari e autri supra li muntagni di li Madunìi, li Nèbrodi e li Peloritani, e supra a l'Etna. Daccussì forsi la biddizza straordinaria di la Sicilia pò essiri sarvata di l'inquinamentu[24] ca distruggi[25] tanti beddi posti nta lu munnu.

Notes: 1. Surface 2. The Aeolian islands 3. Pantelleria 4. Surrounded 5. That meet 6. Whose origins 7. Mentioned 8. Is identified 9. Of three promontories 10. Triangle 11. Rivers 12. Promised 13. You cannot 14. Some mor, some less 15. Counting 16. Near the coast 17. To feed its armies 18. Wheat 19. Dry 20. Being 21. Were brought 22. It does not snow 23. They are trying. 24. Pollution. 25. Is destroying.

Comprehension Exercise: Complete by putting the missing text in the blanks:

1. La Sicilia è _______ chiù granni di lu Miditirraniu.
2. Li ìsuli Eolii si trovanu a ______ di la Sicilia.
3. Lu primu nomu di la Sicilia fu __________ ca voli diri terra di li Sicani, li primi abbitanti.
4. Li nomi di li tri prumuntorii di la Sicilia sunnu Peloru, Pàssaru e ___________.
5. Nomina almenu tri pòpuli ca hannu dominatu la Sicilia: _____ ______ _______.
6. Li _________ tagghiaru li àrburi in Sicilia pi chiantari frummentu.
7. La terra siciliana è assai fèrtili picchì è terra __________.
8. Chianti nun nativi di la Sicilia comu _________ e _________ truvaru lu clima idiali.
9. In Sicilia nun nivica quasi mai eccettu supra ________.
10. Forsi cu lu tempu la biddizza di la Sicilia pò essiri sarvata di __________.

Pruverbiu sicilianu

Cu pratica cu lu zoppu, all'annu zuppìa

Chapter 8

What's in This Chapter:

Grammatica

A. *Reflexive Verbs*
B. *Reciprocal Actions*
C. *Comparisons of Equality and Inequality*
D. *The Relative Superlative*
E. *The Absolute Superlative*

Matiriali didattici

Littura: Gianni è nottàmmulu
Littura: L' ancilu di Diu
"Sarvari crapa e cavuli"
Miti di la Sicilia: Scilla e Cariddi
Nota culturali: La Sicilia politica
Nota culturali: Li mircati a l' apertu

Mazzarò, una di li prai di Taurmina./ Mazzarò, one of the beaches of Taormina.

Vocabulary Notes:

Mi susu	do I get up?	Nuttàmmulu	night owl
Quacchi vota	sometimes	Mi curcu	I go to bed
Susirisi	to get up	Mi lavu i denti	I brush my teeth
Fora	outside	Mi fazzu la barba	I shave
Cuntinziusa	contentious	Sugnu prontu	I am ready
Certuni	some	Mi mettu	I put on
Si svigghianu	they wake up	Mi piaci assittarimi	I like to sit
Si lavanu	they wash	Mi divertu	I enjoy
Si vestunu	they get dressed	Lagnusu	lazy
Surrisu	smile	Mi cassarìu	*cassariarisi* means to amble about, to dilly dally.
Li labbra	lips		
Si sentunu	they feel		

Mi susu o nun mi susu, chistu è lu dilemma! Certu, nun è lu problema di Amletu, ma quacchi vota è difficili susirisi, specialmenti si fora chiovi o fa bruttu tempu o si a scola c'è un esami mpurtanti o na riunioni cuntinziusa a l'ufficiu. Pi certuni susirisi è na gioia. Iddi aspettanu l'arrivu di la nova jurnata cu piaciri. Doppu ca si svigghianu, si susunu sùbbitu, si lavanu, si vestunu e si priparanu c'un sorrisu a li labbra. Si sentunu cuntenti di èssiri vivi. Jo inveci, sugnu un nuttàmmulu. Nun mi curcu mai prima di l'una o li dui di notti, e la matina nun mi piaci susirimi prestu. Certi voti, si nun aju a travagghiari, mi giru nta lu lettu pi menz'ura prima di susirimi. Poi cu l'occhi menzu chiusi mi priparu lu cafè, mi cassarìu* ntâ cucina pi nàutra menz'ura e mi lavu li denti, poi mi fazzu la barba e mi vestu. A stu puntu sugnu prontu pi cuminciari la me jurnata. Si è jornu di travagghiu, mi mettu lu vistitu cu na bedda cravatta. Si è sàbbatu o dumìnica inveci, mi mettu un paru di jeans e na maglietta. Di stati mi piaci assittarimi nta lu parcu. Di nvernu, si fa friddu mi mettu na giacca di peddi, li guanti e na fascia e mi divertu a caminari in città, mi pigghiu un cafè o un paninu. Nun è ca sugnu lagnusu o pessimista. Sugnu sulu nuttàmmulu.

Dumanni:

1. Quali problema avi Gianni la matina? 2. Quannu è chiù difficili susirisi pi iddu? 3. Chi fannu l'àutri quannu si susunu? 4. A chi ura si curca Gianni la notti? 5. Comu si vesti si avi a travagghiari? 6. Unni s'assetta Gianni duranti la stati? 7. Chi ci piaci fari di nvernu? 8. A tia ti piaci susiriti prestu la matina o tardu? 9. Tu si' nuttàmmulu comu a Gianni o si' matinaru? 10. Tu ti cassarìi nta la cucina la matina?

Reflexive verbs are transitive verbs. They are called reflexive when the action of the verbs falls on the subject. Generally most transitive verbs can be made reflexive. A good number of them can be used with a direct object or reflexively. Consider the following:

La mamma prima lava a lu so picciriddu e poi si lava.
The mother washes her baby first and then she washes herself.

Jo accattu un paru di scarpi pi Maria	I buy a pair of shoes for Mary
Jo m'accattu un paru di scarpi	I buy myself a pair of shoes.

Some verbs may be reflexive in Sicilian, but not in English. The verb "to get up" in English is not reflexive, but *susirisi,* the equivalent in Sicilian, is. Thus, in Sicilian you must say *mi susu* which means literally "I raise myself". The infinitive of the reflexive verbs always ends with the reflexive pronoun *si* (oneself) and the other reflexive pronouns, *mi,* (myself) *ti* (yourself), *si* (himself, herself yourself), *ni* (ourselves), *vi* (yourselves), *si* (themselves), must be used to conjugate the verbs. Remember that infinitives of reflexive verbs followed by a pronoun are always stressed on the third from the last syllable: *vistìrisi, lavàriti.* We will not put accents on them. Here is the paradigm:

Lavàrisi	Vistìrisi*
I wash myself	I dress myself, I get dressed
Jo mi lavu	Jo mi vestu
Tu ti lavi	Tu ti vesti
Iddu, Idda, Vossia Lei si lava	Iddu, Idda, Vossia, Lei si vesti
Nui ni lavamu	Nui ni vistemu
Vui vi lavati	Vui vi vistiti
Iddi si lavanu or si lavunu	Iddi si vestunu or si vestinu

Any transitive verb can be made reflexive simply by conjugating them reflexively. An easy way to identify if a verb is used reflexively is to see that the subject pronouns are in the same person. If they are, the verb is used reflexively: one example: *Jo mi cunzìddiru nteliggenti.* This verb is used reflexively because *jo* and *mi* are both first person pronouns as is the verb ending. Thus the meaning is "I consider myself intelligent." In the sentence *Jo lu cunzìddiru nteliggenti* the verb is not reflexive because *jo* is a first person pronoun as is the verb ending, but *lu* is a third person pronoun. Thus the sentence cannot be reflexive and it means: "I consider him intelligent". Whenever any one of the three elements is different, the verb is not used reflexively. Contrast the following, *Iddu mi cunzìddira scattru* and *iddu si cunzìddira scattru.* Only the second sentence is reflexive.

Here is a list of some common reflexive verbs:

Addurmiscirisi	to fall asleep	Addunarisi	to realize
Curcarisi	to go to bed	Assittarisi*	to sit down
Isarisi	to get up	Divirtirisi	to enjoy oneself
Livarisi*	to take off	Maritarisi	to get married
Mittirisi*	to put on, to wear	Pripararisi	to prepare
Prisintarisi*	to introduce oneself	Ricurdarisi*	to remember
Scantarisi	to be frightened	Sciarriarisi	to quarrel
Sipararisi	to get separated	Spugghiarisi*	to get undressed
Susirisi	to get up	Svigghiarisi	to awaken
Vistirisi*	to get dressed		

*The verbs marked with the asterisks are stem-changing verbs. Observe what happens when we conjugate these stem-changing verbs in the Present Tense:

Prisintarisi	*Mi prisentu*	*Mittirisi*	*Mi mettu*
Ricurdarisi	*Mi ricordu*	*Livarisi*	*Mi levu*
Divirtirisi	*Mi divertu*	*Spugghiarisi*	*Mi spogghiu*

Eserciziu 1: Answer the following questions by referring to the clue:

Chi fai quannu fa càuddu? *Livarisi la giacca*
Quannu fa cauddu, mi levu la giacca.

1. Chi fai quannu fa friddu? — mittirisi lu cappottu
2. Chi fai quannu ti curchi? — spugghiarisi
3. Chi ti metti quannu è dumìnica? — mittirisi un paru di jeans
4. Chi fannu un omu e na donna quannu si amanu? — maritarisi
5. Chi fannu poi quannu si sciarrìanu sempri? — divorziarisi
6. Doppu ca mi susu, — lavarisi
7. Doppu ca mi svigghiu — susirisi
8. Doppu ca mi curcu, — addurmiscirisi
9. Prima di vistirimi, — lavarisi li denti e farisi la barba
10. Prima di curcarimi, — farisi la doccia (to take a show)

Eserciziu 2: Here is a list of activities. Choose the ones you enjoy more and those you do not enjoy: note that the pronoun is attached to the infinitives.

Susirisi prestu la matina. *Nun mi piaci susirimi prestu.*
Mi piaci susirimi prestu.

1. Curcarisi prestu la sira. 2. Sciarriarisi cu la genti. 3. Mittirisi la cravatta ogni jornu. 4. Vistirisi cu un vistitu ogni jornu. 5. Farisi la doccia di matina.

Eserciziu 3: Answer the following questions using the reflexive verbs:

1. A chi ura ti curchi ogni notti? 2. A chi ura ti susi la matina? 3. Chi fai doppu ca ti susi? 4. Chi fai doppu ca pigghi lu cafè? 5. Chi fai quannu senti friddu?

Eserciziu 4: Correct the sequence of the following actions:

1. Prima mi curcu e poi mi lavu. 2. Prima mi vestu e poi mi lavu li denti 3. Prima mi mettu li scarpi e poi mi mettu li jeans. 4. Prima mi curcu e poi mi spogghiu. 5. Prima mi mettu la giacca e poi mi mettu la cammiçia.

B. Reciprocal Action

Most verbs, even those that are not reflexive, can be used to express reciprocal actions by using the plural reflexive pronouns *ni, vi* and *si* and the plural endings of the verbs:

Nui ni videmu ogni jornu. — We see each other every day.
Vui vi parrati na vota a simana. — You talk to each other once a week.
Iddi si scrivunu quannu è possìbili. — They write to each other when possible.

the auxiliary *aviri* is used in compound tenses with the reciprocal construction:

Nui nun ni avemu ancora vistu. — We have not seen each other yet.
Iddi nun si hannu parratu mai. — They have never spoken to one another.
Vui vi aviti guardatu sempri cu amuri. — You have always looked at each other with love.

Look at the pictures and use one of the verbs to describe what the people are doing. Use only one of the verbs to describe a reciprocal action:

maritarisi, parrarisi, taliarisi, strincirisi li manu

1. 

2.

3. 

4. 

Eserciziu 5: Follow the model:

Jo vidu a tia, tu vidi a mia.	*Niàutri ni videmu.*
I see you, you see me.	We see each other.

1. Jo parru a tia, tu parri a mia. 2. Idda talia a John, John talìa a idda. 3. Tu scrivi a iddu, iddu scrivi a tia. 4. Jo salutu a tia, tu saluti a mia. 5. Jo capisciu a tia, tu capisci a mia.

Littura: Mariella e Pippu

Mariella e Pippu si canusciunu di tantu tempu. Si canusceru nta la scola elementari. Ora ca sunnu a l'università, si vidunu quasi ogni jornu, si parranu spissu ô telèfunu, si mprestanu li appunti di li corsi ca friquentanu assemi. Si capisciunu a volu, si talìanu in classi, macari senza farisi vìdiri e si vonnu beni comu frati e soru, almenu accussì si dicunu. Poi quacchi vota sti relazioni platònichi ponnu divintari nanticchia chiù serii.

Dumanni:

1. Di quantu tempu si canusciunu Mariella e Pippu? 2. Quannu si canusceru la prima vota? 3. Unni si vidunu ogni jornu? 4. Chi si mprestanu? 5. Tu penzi ca iddi si amanu o è sulu na relazioni platònica?

Eserciziu 6: Write a paragraph describing the activities that you and your best friend engage in. Try using as many reciprocal actions as possible.

The Reflexive verbs follow the same rules as all transitive verbs in the formation of the other tenses. The auxiliary *aviri* is used to form the compound tenses. Consider the following :

Jo mi susu prestu ogni matina. I get up early every morning. (Present)
Iddu si susìu prestu aieri matina. He got up early yesterday morning. (Past Tense)
Maria si visteva eleganti ogni jornu. Maria used to dress elegantly every day. (Imperfect)
Tu t'hai vistutu comu un pagghiazzu. You have dressed up as a clown. (Pres. Perfect)
Iddi s'avianu già vistutu. They had already gotten dressed. (Past Perfect)
Si tu ti vistissi megghiu... If only you dressed better... (Imp. Subj.)
Si idda s'avissi vistutu bona... If she had dressed better... (Past Perf Subj.)
Arrisbìgghiati! Wake Up! (Command)
Vossia si pripara! Prepare yourself! (Polite form) (Command)

Eserciziu 7: Complete with the verbs in parenthesis. The context will tell which tense to use:

1. Mariu nun __________mai a tempu. (susirisi)
2. La signurina ddu jornu ________tardu. (svigghiarisi)
3. Si iddu __________ megghiu, fa beni a l'esami. (pripararisi)
4. Giuanni ______________prestu ogni matina! (lavarisi)
5. Jo nun _____ _________la barba ogni jornu. (farisi)
6. Jo e idda ________a scola ogni sira. (vidirisi)
7. Tu e Micheli avi assai ca nun __________. (parrarisi)
8. Maria e Luisa ___________sicreti. (cuntarisi) (to relate)

Eserciziu 8: Answer the following questions:

1. A chi ura ti curcasti aieri sira? 2. A chi ura ti svigghiasti stamatina? 3. Chi facisti doppu ca ti susisti? 4. Quannu si maritaru li to ginituri? 5. Quannu ti nnamurasti di la to zita?

C. Comparisons of Equality and Inequality

The comparisons *of equality* are expressed in Sicilian with *tantu...quantu* (as much...as) or *accussì...comu* (so...as):

Micheli è tantu riccu quantu a Carlu. Michael is as rich as Charles.
Micheli è accussì riccu comu a Carlu. Michael is as rich as Charles.

In every day conversation, however, both of the first elements disappear and the above are rendered as

Micheli è riccu quantu a Carlu.	*Micheli è riccu comu a Carlu.*

Comparisons *of inequality* are expressed with *chiù* or *menu* followed by *di*:

Maria è chiù bedda di Luisa.	Maria is more beautiful than Luisa.
Li carusi sunnu menu sicuri di tia.	The boys are less sure than you.

If the expression more than or less than is followed by a numeral, Sicilian uses *chiù/menu di:*

L' omu manciau chiù di du' pizzi.	The man ate more than two pizzas.

When you compare two adjectives, two verbs or two nouns with the same subject, Sicilian uses *chiù…ca* or *chi* or *menu…ca* or *chi* to express the comparison:

Roccu è chiù diligenti ca nteliggenti.	Roccu is more diligent than intelligent.
L'Italia è chiù longa ca larga.	Italy is longer than wider.
A Roma chiovi chiù ca a Palermu.	In Rome is rains more than in Palermo.

To choose between using *chiù di* or *chiù ca*, follow this simple rule: If the terms of comparison are next to each other in the sentence, choose *chiù ca* or *menu ca;* if the terms are far apart in the sentence, choose *chiù di* or *menu di*. There is only one exception to this rule. The third sentence above would seem to contradict the rule since *A Roma* and *a Palermu* are far apart in the sentence and yet we used *chiù ca*. This represents the exception. We used *chiù ca* because the two terms of comparison are introduced by a preposition. The same sentence could be expressed as follows: *Chiovi chiù a Roma ca a Palermu.*

Here are two other examples:

In Italia ci sunnu chiù chiesi ca in America.
(In Italy there are more churches than in America).
Ci sunnu chiù chiesi in Italia ca in America.
(In Italy there are more churches than in America).

Eserciziu 9: Listen to the following statements and react tentatively suggesting that you don't think Micheli is as good as his brother and then state categorically that his brother is better than he is.

Micheli è veramenti bravu!	*A) A mia nun mi pari bravu comu a so frati!*
	B) So frati è certamenti chiù bravu di iddu.

1. Micheli è veramenti bonu! 2. Micheli è veramenti gintili! 3. Micheli è veramenti

simpàticu! 4. Micheli è veramenti grassu! 5. Micheli è veramenti ginirusu! 6. Micheli è veramenti longu! 7. Micheli è veramenti antipàticu! 8. Micheli è veramenti stranu!

Esercizìu 10: Now let's see if you agree with the following assessments:

Al Pacinu è chiù bravu di Robert De Niro?
Sì, sugnu d'accordu, Al Pacinu è chiù bravu di De Niro.
No, nun sugnu d'accordu, Pacinu è menu bravu di De Niro.

1. La Sicilia è chiù antica di Nova York? 2. Palermu è chiù granni di Los Angeles? 3. L' aranci sunnu chiù duci di li banani? 4. Lu gilatu sicilianu è chiù riccu di lu gilatu miri-canu? 5. Lu sicilianu è chiù fàcili di lu giappunisi? 6. Lu palluni è chiù divirtenti di lu baseball? 7. Lu tennis è menu piacèvuli di lu golf? 8. Li patati fritti sunnu chiù sapuriti di la bistecca? 9. La Ferrrari è chiù viloci di la Fiat? 10. Sofia Loren è menu bedda di Jennifer Lopez?

Esercizìu 11: Reformulate the following sentences as comparisons:

L' Italia è longa, ma nun è larga. L'Italia è chiù longa ca larga.

1. Stu libru è ùtili, ma nun è divirtenti. 2. Lucia è biddìtta, ma nun è gintili. 3. Sta signurina è eleganti, ma nun è ricca. 4. Stu vistitu è azzolu, (blue) nun è celesti. 5. Tu sì travagghiaturi, ma nun si' risparmiaturi (thrifty). 6. Jo bivu assai acqua, ma picca vinu. 7. Idda mancia assai pasta, ma picca virdura. 8. La me màchina cunzuma assai binzina, (gasoline) ma picca ogghiu. 9. Nta la strata, vidu assai picciriddi, picca fimmini. 10. Ci sunnu assai chiesi, ma picca musei.

Esercizìu 12: Read the following sentence and place the correct term in the blank (di or ca)

1. A Firenzi ci sunnu chiù chiesi _______ musei. 2. In Europa ci sunnu chiù _____ ducentu miliuni di pirsuni. 3. Lu raffridduri è menu gravi _______la purmuniti (pneu-monia) 4. Lu to pedi destru è chiù grossu _____lu to pedi sinistru. 5. Jo capisciu chiù lu ngrisi ______lu sicilianu.

In Sicilian we use the disjunctive pronouns following the comparisons:

Jo sugnu chiù riccu di tia. *Idda è menu scura di mia.*
Niàutri semu chiù giùvini di Vossia. *Iddi sunnu chiù picciriddi di vui.*

Esercizìu 13: Show a bit of conceit by claiming to be better than the speaker:

Cu è chiù scattru di mia? Jo sugnu chiù scattru di tia!

1. Cu è chiù filici di mia? 2. Cu è chiù simpàticu di mia? 3. Cu è chiù travagghiaturi di mia? 4. Cu è chiù beddu di mia? 5. Cu è chiù fissa di mia?

di Francesco Lanza

Vocabulary Notes:

1. Sant'Alissandru è lu santu patrunu di Barrafranca.
2. Lu Barrafranchisi è l'abbitanti di Barrafranca.
3. Già spicava voli diri ca lu frummentu avìa crisciutu abbastanza pi fari la spica.
4. Chiù valurusu chi mai picchì lu campu stava criscennu megghiu di l'àutri anni.
5. Salma: servi pi misurari la quantità di lu frummentu o àutri cereali.
6. Lu chiù è n'aceddu notturnu cu l'occhi granni (owl) ca quannu canta fa *chiù, chiù.*
7. Pi lu Barrafranchisi "chiù" voli diri chiossai frummentu, chiù frummentu.
8. Lu Barrafranchisi, nun vidennu l'aceddu, penza ca è un àncilu di Diu ca parra.
9. "Ca mi cunforta": lu Barrafranchisi si senti cunfurtatu a sapiri ca lu campu ci produci assai frummentu.

Pi Sant'Alissandru, lu Barrafranchisi si misi supra la mula e si nni jìu a vìdiri lu so campu comu crisceva. Già spicava, chiù àutu d'un omu, e a ddu vinticeddu faceva li unni comu lu mari, fittu e lucenti.

Nun c'era unu chiù cuntentu di iddu; e stava a bucca aperta a taliarilu, senza pìnzari a lu tempu. Si fici notti, ed era ancora ddà chi nun puteva spiccicarisi di ddu triunfu; e comu spuntò la luna si misi supra lu colli pi taliarilu megghiu, e jeva dicennu a vuci forti:

— Voi vìdiri, accussì beddu com'è, ca chist' annu va chiù valurusu chi mai, e mi fa sei salmi di frummentu chiù di l'oru?

Nta ddu mentri, lu chiù chi s'avìa assittatu supra l'ulmu, aprìu lu beccu e ci rispunnìu:

— Chiù!

— Pi Sant'Alissandru — gridau iddu cu gioia.

— Chistu è l' àncilu di Diu chi mi rispunni, e dici chi mi nn'avi a fari di chiù.

— E quantu allura, ottu salmi?

— Chiù, chiù! — rispunnìu iddu.

— E bravu l'àncilu di Diu! — diceva iddu.

— E quantu allura, ca mi cunforta: deci?

— Chiù!

— Dudici?

— Chiù!

E accussì ristau tutta la notti, iddu a crìsciri e l'àutru a fari chiù, chiù.

Dumanni:

1. Comu va lu Barrafranchisi a lu so campu? 2. Chi crisci nta lu campu? 3. Quantu è àutu lu frummentu? 4. Quantu tempu passa a taliari lu so campu lu Barrafranchisi? 5. Pi vìdiri megghiu lu campu, unni va iddu? 6. Quantu salmi di frummentu spera di prodùciri? 7. Chi è lu chiù? 8. Lu Barrafranchisi quannu senti la vuci di lu chiù, capisci ca è lu chiù? 9. Secunnu lu Barrafranchisi cu è ca dici "chiù"? 10. Comu è lu Barrafranchisi, 'gnuranti, supirstiziusu, o babbu?

D. The Relative Superlative

To express the Relative Superlative (that is a comparison relative to a given context) Sicilian uses the definite article before *chiù* or *menu* plus the adjective. In English, context is expressed by the preposition "in". In Sicilian we use the preposition *di*:

Mastru Cicciu è lu scarparu chiù spertu di lu (dû) paisi.
Master Cicciu is the most expert shoemaker in the town.

Alternatively you can put the adjective before the noun as in

Mastru Cicciu è lu chiù spertu scarparu di lu (dû) paisi.
Sofia Loren è la chiù bedda attrici di lu (dû) munnu. Or
Sofia Loren è l' attrici chiù bedda di lu (dû) munnu.
Sofia Loren is the most beautiful actress in the world.

Esercizi u 14: Express your opinion about the following:

1. Quali (which) è la festa chiù mpurtanti di l'annu pi tia? 2. Cu è l' omu chiù putenti di lu munnu? 3. Cu è lu jucaturi di palluni chiù forti di lu munnu? 4. Cu è lu jucaturi di tennis chiù bravu di lu munnu? 5. Cu è la fimmina chiù bedda di Nova York? 6. Cu è la pirsuna chiù cara di la to famigghia? 7. Quali è l'autumòbbili chiù custusa di lu munnu? 8. Cu è lu pueta ngrisi chiù canusciutu? 9. Quali è la città chiù piacèvuli di la Sicilia? 10. Quali è lu fruttu chiù sapurita?

In Sicilian the terms better and worse are rendered with *megghiu* and *peju* or *peggiu*, which are invariable. Unlike in Italian, you can use the word *chiù* or *menu* before them.

Jo parru bonu, ma tu parri megghiu di mia, Tu parri megghiu di tutti.
I speak well, but you speak better than I. You speak bettter than all.

Tu sì la chiù megghiu (chiù peju) pirsuna di lu munnu!
You are the best (the worst) person in the world.

E. The Absolute Superlative

In Sicilian the Absolute Superlative can be rendered in a number of ways:

1. By putting the invariable *veru, assai, troppu* before the adjective:

a. *Sta carusitta è veru bedda!* This little girl is really beautiful!
b. *St' òpira è assai miludiusa!* This opera is very melodious.

c. *Stu cani è troppu scattru!*	This dog is really smart!

2. By adding a suffix that denotes largeness such as *uni:*

a. *È un palazzuni autu.*	It's a very tall building.
b. *Sunnu barcuni enormi.*	They are enormous boats.
c. *È un omu ntiliggintuni!*	He is a very smart man!

3. By repeating the adjective:

a. *È un prufissuri calmu calmu!*	He is a very calm professor.
b. *È na strata liscia liscia!*	It's a very smooth road.
c. *È un omu babbu babbu!*	He is a real simpleton.

4. The practice of adding *ìssimu* to the adjective is more an Italian influence, but it is frequently heard, especially in the words *bellissimu, bunissimu, furtissimu, tranquillissimu, grannissimu.*

Sicilians can express the superlative in many creative ways. Here are a few ways to say that Master Cuncettu was a very rich man:

Mastru Cuncettu era strariccu. *Mastru Cuncettu era riccu riccu.*
Mastru Cuncettu era ricchissimu. *Mastru Cuncettu era assai riccu.*
Mastru Cuncettu era riccu ca chiù riccu nun c'era.

Littura: "Sarvari crapa e cavuli"

Vocabulary Notes:

C'era na vota	Once upon a time	Na crapa	A goat
Un mazzu di càvuli	A bunch of cabbage	Un lupu	A wolf
Avìa a passari un çiumi	He had to cross a river	Masinnò	Otherwise
Mi perdu...	I will lose...	Si mancia	Will eat
Penza...penza	He thinks it over	Va a pigghia	Goes to pick up
Si lu càrrica	Loads it on under his arm	Sarvò	He saved.

C'era na vota un viddanu e avìa na crapa, un mazzu di cavuli e un lupu; avìa a passari un çiumi e era cunfusu; dici: - "E comu fazzu! sti cosi s'hannu a passari a unu a unu, masinnò mi perdu .... Ma comu fazzu?! Si passu prima lu lupu, la crapa si mancia li càvuli; si passu prima li càvuli, lu lupu si mancia la crapa; si passu primu la crapa, poi a la secunna aggirata o la crapa si mancia li càvuli, o lu lupu si mancia la crapa .... E comu fazzu? Penza, penza ... chi fa? prima passa la crapa; torna e si va a pigghia li càvuli; lassa li càvuli a l' àutru latu di lu çiumi e si pigghia la crapa arreri, e cu la crapa torna unn' era lu lupu, si lu càrrica sutta lu brazzu, e cu la crapa d'un latu e lu lupu di l'àutru passa arreri lu çiumi, e accussì sarvò crapa e càvuli.

Di stu fattu nni veni lu muttu di quannu si dici: "sarvari crapa e càvuli".

Dumanni:

1. Chi avìa a fari lu viddanu? 2. Si lassava la crapa sula cu lu mazzu di càvuli, chi faceva la crapa? 3. Si lassava lu lupu sulu cu la crapa, chi faceva lu lupu? 4. Comu risorvi lu problema lu viddanu? 5. Chi voli diri "sarvari crapa e càvuli?"

Miti di la Sicilia: Scilla e Cariddi

Vocabulary Notes:

Tutti sannu	everyone knows	Suca l'aqua	he sucked water
Lu Strittu	the Strait	E la sputava	and spat it out
Piriculusu	dangerous	Un tronu continuu	continuous thunder
A causa	on account	Na specia di vòrtici	a kind of vortex
Lu scontru	the clash	Assumigghiava	It resembled
Facevanu minnitta	wrought havoc	Na pignata d'acqua	a pot of water
Pueta cecu	blind poet	Vinevanu sucati	were sucked
Mostri	monsters	Ferribbotti	Ferry boats
Tri filirati	three rows	Scantari	to frighten
Tagghienti	sharp	Chinu di caverni	full of caves
Pedi sgòrbii	deformed ugly feet	Lisciu	smooth
Schigghi	shrieks	Mpacciu	obstacle
Attirriri	terrify	Emozionanti	moving
Ammucciata	hidden	Grutta	cave
Rocchi àuti	steep rocks		

Tutti sannu ca lu Strittu di Missina na vota era cunziddiratu assai piriculusu a causa di li forti currenti ginirati di lu scontru tra l'acqua di lu Mari Tirrenu e chidda di lu Mari Joniu. L'antichi pinzavanu ca ci fussiru du' mostri misi d'un latu e di l'àutru ca facevanu minnitta di li poviri marinara c'attravirsavanu lu Strittu. Omeru, lu granni pueta cecu, cunta nni *l'Odissea* di sti du' mostri di nomu Scilla, chidda di la parti di la Calabria, e Cariddi, l'àutru vicinu a la costa siciliana, ca affunnavanu li navi e poi si manciavanu a li marinara.

Scilla era fimmina e aveva sei testi, tri filirati di denti tagghienti, dùdici brazza e dùdici pedi sgòrbii. Quannu idda gridava, li so schigghi facevanu attirriri a chiddi ca la sintevanu. Idda stava ammucciata nta na grutta e si quacchi marinaru s'avvicinava troppu idda lu pigghiava e lu divurava.

Cariddi stava di lu latu oppostu. Tri voti ô jornu sucava l'acqua di lu mari in granni quantità e poi la sputava cu viulenza e cu un scrusciu ca pareva un tronu cuntinuu. L'acqua furriava criannu na specia di vòrtici. Assumigghiava a na pignata d'acqua ca bugghieva forti e ddi sfurtunati piscaturi ca si truvavanu vicinu vinevanu sucati assemi cu li barchi ô funnu di lu mari.

Oggi attravirsannu lu Strittu cu li ferribbotti nun si vidinu chiù ddi vòrtici ca tantu ficiru scantari a l'antichi marinara. Si penza ca li currenti oramai nun sunnu tantu forti e ca lu funnu di lu mari, ca prima era chinu di grutti e rocchi àuti, ora è chiù lisciu e l'acqua pò passari senza mpacciu. Ma puru ca li mostri nun ci sunnu chiù, è sempri emoziunanti attravirsari lu Strittu di Missina, anchi pi cu nun è sicilianu. È comu ntràsiri nta un munnu diffirenti.

Dumanni:

1. Picchì era cunziddiratu piriculusu lu Strittu di Missina? 2. Secunnu l'antichi, cu c'era a li du' lati ca turmintava a li marinara? 3. Quali pueta grecu discrivìu li mostri? 4. Comu si chiamava lu mostru di lu latu calabrisi? 5. Comu si chiamava lu mostru ca stava di lu latu sicilianu? 6. Lu scontru di li du mari chi causava? 7. Oggi comu si attraversa lu Strittu? 8. È piriculusu oggi attravirsari lu Strittu? 9. Picchì è emoziunanti arrivari in Sicilia? 10. La Sicilia è comu a tutti l'àutri reggioni o avi quacchi cosa di diversu?

Nota culturali: La Sicilia politica

Quannu arrivaru l'Arabi in Sicilia ntô 827 AD, doppu ca avìanu pigghiatu pussessu[1] di na bona parti di l'ìsula—quacchi città comu Taurmina risistìu[2] contru a iddi finu a l'annu 904 AD—la divisiru[3] in tri parti dannucci[4] li nomi di: Val di Mazara, ca rapprisintava la parti a ovest, Val Dèmoni ca rapprisintava la parti a nord est e Val di Notu ca era la parti a sud est. Val non vuleva diri[5] pi iddi valli,[6] ma distrittu.[7] Sta divisioni ristau pi sèculi finu a quannu la Sicilia, attraversu la nvasioni di Garibaldi, divintau parti di lu regnu d'Italia sutta a Vittoriu Emanuele II ntô 1861.

Oggi l'ìsula è divisa in novi pruvinci.[8] La capitali è Palermu, ca è puru la sedi[9] di l' Assimblea Reggionali Siciliana, un òrganu di novanta Diputati,[10] ca si pò cunziddirari comu lu Parlamentu sicilianu. La Sicilia è la prima di li cincu reggioni taliani ad aviri un statutu spiciali[11] ca ci duna[12] na certa autonomia e ndipinnenza pi li formulazioni di li liggi[13] ca pirtenunu[14] a l'ìsula. Lu capu di l'ARS è lu Prisidenti ca avi la funzioni di guvirnaturi di l'ìsula. Palermu è puru la capitali di la so pruvincia.

Li àutri ottu pruvinci sunnu: in ordini alfabèticu: Agrigentu, Caltanissetta, Catania, Enna, Missina, Ragusa, Siracusa e Tràpani. Ogneduna[15] avi lu so Prisidenti e lu so assettu polìticu. Li cumuni fannu parti di li pruvinci e sunnu 390 in tuttu. Ogni paisi avi la so struttura polìtica cu lu so sìnnacu,[16] lu cunzigghiu comunali[17] e li assissuri[18] ca si òccupanu di aspetti diversi di la guvernu.[19] Eccu ccà li novi pruvinci in òrdini di grannizza di la populazioni risidenti:

Palermu: Un miliuni ducentu cinquantottu mila abbitanti (1,258,000)

Catania: Un miliuni e sessantanovi mila abbitanti (1,069,000)
Missina: Seicentu novanta mila abbitanti (690,000)
Agrigentu: Quattrucentu novanta mila abbitanti (490,000)
Tràpani: Quattrucentu trentottu mila abbitanti (438,000)
Siracusa: Quattrucentu unnici mila abbitanti (411,000)
Caltanissetta: Ducentu novantaquattru mila abbitanti (290,000)
Ragusa: Ducentu novanta mila abbitanti (290,000)
Enna: Centu novantottu mila abbitanti (198,000)

La populazioni siciliana è di quasi cincu milioni. A stu nùmiru s' avi a jùnciri li tanti siciliani ca sunnu sparsi[20] pi lu munnu ca certamenti rapprisentanu un nùmiru chiù àutu, cuntannu li varii generazioni. Sulu in Amèrica si dici ca lu quaranta pircentu di la populazioni italu-miricana di vintottu miliuni è siciliana.

Vocabulary Notes:

1. Had taken possession 2. Resisted 3. They divided it 4. Naming them 5. Val did not mean 6. Valley 7. Department, section 8. Provinces 9. The seat 10. Body of ninety Deputies 11. Special Statute 12. Grants to it 13. Formulation of laws 14. Pertaining 15. Each one 16. Mayor 17. Town Council 18. Aldermen 19. Government 20. Spread out.

Comprehension Exercise: true or false.

1. Li Àrabi divisiru la Sicilia nta tri parti. Veru Falsu
2. La palora Val signìfica valli. Veru Falsu
3. Ci sunnu ottanta diputati nta l'Assimblea Reggionali Siciliana. Veru Falsu
4. In Italia li reggioni ca hannu statuti spiciali sunnu cincu. Veru Falsu
5. Lu Prisidenti di la Reggioni Sicilia è lu Guvirnaturi di l'isula. Veru Falsu
6. La pruvincia ca avi chiù abbitanti di tutti è Palermu. Veru Falsu
7. La pruvincia chiù nica in nùmiru di abbitanti è Enna. Veru Falsu
8. Li cumuni sunnu guvirnati di lu sìnnacu e di lu cunzigghiu comunali. Veru Falsu
9. La populazioni di la Sicilia è di circa cincu miliuni. Veru Falsu
10. Li Siciliani sparsi nta lu munnu sunnu certamenti assai chiù numirusi di chiddi ca vivunu nta l'ìsula. Veru Falsu

Nota culturali: Li mircati a l'apertu

Nta lu mediuevu li città avevanu generalmenti tri centri unni si svulgeva[1] la vita di li cittatini: lu centru polìticu ca era la chiazza davanti a lu palazzu di lu guvernu, lu centru riligiusu ca era la cattidrali, e lu centru cummirciali unni la genti accattava chiddu ca ci sirveva[2] pi vìviri. Sti centri eranu vicini in modu ca la genti si muveva facilmenti tra un postu e l'àutru. Oggi li città sunnu organizzati in manera diversa. La vita nun si svolgi chiù attornu a sti tri centri. La polìtica si vivi[3] nta la televisioni, li mircati sunnu oramai supirmircati e la vita riligiusa si fa puru nta li chiesi di quarteri.

Cu tuttu chissu, putemu diri ca in Sicilia li mircati a l'apertu risistunu la cumpitizioni di li supirmircati. Nta tutti li granni città siciliani ci sunnu ancora mircati a l'apertu unni si ponnu accattari prodotti pi manciari, pi vistirisi, pi la casa e pi la cucina e pi ogni àutru bisognu. Sti mircati ca crisceru[4] in quarteri affuddati[5] attraversu li sèculi hannu n'attrattiva irresistìbbili. Sunnu comu li purmuni[6] di la città e esprìmunu energìa, vivacità, muvimentu e ottimismu. Li putiari bannìanu[7] la so merci cu vuci nasali ca fa pinzari[8] di èssiri nta la casbah, e li cristiani talianu li milinciani,[9] li cipuddi,[10] li pumadoru,[11] li cucuzzeddi,[12] lu tunnu[13] enormi tagghiatu a mità,[14] li pisci frischi, li purpi,[15] li sardi,[16] li cozzi[17] e tuttu ddu beni di Diu,[18] cu l'occhiu clìnicu di cu è spertu[19] e sapi scègghiri lu bonu di lu tintu.[20] In Sicilia sunnu l'òmini ca fannu la spisa nta lu mircatu, nun li fimmini!

Ogni città avi li so mircati a l'apertu ca esistunu di seculi. A Palermu ci nni sunnu tri: la Vuccirìa, Ballarò e lu Capu. La palora *vuccirìa* ntrasìu nta la lingua siciliana comu sinònimu di caòticu. A Catania la *Fera ô luni* avi na tradizioni millinnaria e si fa ogni jornu e nun sulu luneddì. A Catania c'è puru la caòtica piscarìa vicinu a la chiazza Domu. Tutti l'àutri città hannu lu so mircatu a l'apertu. Nta l'ùltimi trent'anni puru nta li paisi ca na vota facevanu la fera annuali pi lu santu patronu[21] ora organìzzanu mircati a l'apertu unni si pò accattari unu di tuttu[22]: vistiti, cammiçi, mutanni, scarpi, cosetti, giuielli, giucàttuli, umbrelli, ucchiali di suli, cosi di manciari, oggetti pi la casa, caffitteri Moka, caffitteri napulitani e ogni àutra cosa. Sunnu mircati itineranti, cioè ca giranu tutti li paisi, vennerdì a Francavigghia di Sicilia, sàbbatu a Giardini Naxos, dumìnica a Rannazzu e accussì pi l'àutri paisi. Arrivanu prestu la matina, àrmanu[23] la so putìa supra a li tàvuli, oppuru direttamenti di li camiuncini[24] e poi si nni vannu la sira pi cuminciari lu jornu doppu nta n'àutru paisi. Sunnu li supirmircati moderni e dannu a la genti dû paisi un novu modu di ncuntrarisi, salutarisi e cuntarisi li nuvità.[25]

Notes: 1. Took place 2. They needed 3. Is lived. 4. Grew 5 crowded. 6. Lungs 7. Hawk 8. Makes you think 9. Eggplant 10. Onions 11.Tomatoes 12. Zucchini 13. Tuna fish 14. Cut in half 15. Octopus. 16. Sardines 17. Mussels 18. All that God's bounty 19. Expert 20. Bad 21. Patron Saint 22. Everything 23. Set up 24. Small trucks, vans 25. News.

Dumanni:

1. Unni si svulgeva la vita cittatina nta lu mediuevu? 2. Chi putemu accattari nta li mircati a l'apertu? 3. Cu fa la spisa nta li mircati a l'apertu? 4. Chi sapi fari l'omu quannu fa la spisa? 5. Comu si chiama lu mircatu di Catania ca si fa ogni jornu? 6. Chi si vinni nta na piscarìa? 7. Comu si chiamanu li mircati ca si fannu nta li paisi? 8. Chi vinninu nta li mircati ca giranu li paisi? 9. Comu contribuisciunu (*contribute*) a la vita di li paisi sti mircati?

If you have any problems with these exercises, review Chapters 7 and 8.

Eserciziu 1. Read the following profile of Giovanni Verga written in the *Passatu Rimotu*. Change the verbs in italic to the Present Tense (*Prisenti Storicu*).

Giovanni Verga *fu* un granni scritturi sicilianu. Iddu *appartinni* a la currenti littiraria dû Verismu. Iddu *nascìu* a Catania e *studiau* a Catania. Poi *si trasfirìu* a Firenzi prima e a Milanu doppu. Poi *tornau* in Sicilia nàutra vota e *scrissi* I Malavoglia e Mastro Don Gesualdo. Non *riniscìu* a scrìviri lu ciclu di cincu rumanzi ma *scrissi* tanti àutri storii di granni successu comu La Lupa e Cavalleria Rusticana ca *divintaru* suggetti di òpiri. *Murìu* a Catania.

Eserciziu 2. Decide if the preposition "a" used in the following exercise is a personal "a", that is, a direct object or the marker for the indirect object. Then provide either the direct object pronoun or the indirect object pronoun:

Carlu telèfona a Maria ogni sira.	*Carlu ci telèfona ogni sira.*
Carlu vidi a Maria ogni sira.	*Carlu la vidi ogni sira.*

1. Carlu scrivi a Maria ogni simana.
2. Carlu cunta a Maria li so secreti.
3. Carlu ammira a Maria picchì è bedda.
4. Carlu riala a Maria tanti riali.
5. Carlu talìa a Maria cu amuri.

Eserciziu 3. With a partner list 3 things each of you like and 3 that each of you don't like: :

A mia (nun) mi piaci _________. *A mia (nun) mi piàciunu* _________.

Eserciziu 4. Ask your partner if

1. He/she likes to swim.
2. He/she likes to travel.
3. He/she likes to talk in Sicilian.
4. He/she likes spinach.
5. He/she likes Sicilian pizza.

Eserciziu 5. Give the Past Tense of the underlined verbs in the following passage.

Aeri Giuanni jiri a un nigozziu di scarpi e accattarisi un paru di scarpi. Quannu turnari a la casa, si li pruvari e vìdiri cca na scarpa era chiù granni di l'àutra. Allura turnari nta lu nigozziu, ma la cummessa cunfunnirisi picchì nun putiri truvari sùbbitu l'àutra scarpa. Poi finalmenti la truvari, e ci dari la scarpa di la giusta misura. Giuanni sta vota si li mèttiri tutti i dui e vìdiri ca ci stavanu boni. Giuanni ringraziari a la signurina e turnari a casa cuntentu.

Eserciziu 6. With a partner look at the menu of the restaurant *IsulidiSicilia* and choose three of the most interesting dishes that you would like to taste. Your partner, however, does not like your choices:

S1. *A mia mi piacissi assaggiari* ________________.
S2. *A mia nun mi piaci (piàciunu)* ______________.

Eserciziu 7. With your partner name 3 of the best players in each category: *palluni, pallacanestru e tennis*. **Then state your absolute best:**

Pi mia li megghiu jucaturi di palluni sunnu _______ ________ ________.
Lu megghiu in assolutu è ________________.

Eserciziu 8. Put the following reflexise verbs in a natural sequence:

1. Mi vestu	mi lavu	mi priparu pi la scola
2. Mi susu	mi curcu	mi addurmisciu
3. Si marita	si nnamura	si divorzia
4. Ti lavi li denti	ti fai la barba	ti susi
5. Mi curcu	mi spogghiu	mi fazzu la doccia

Eserciu 9. Read the following sentences and place the appropriate term of comparison in the blank (*di* or *ca*)

1. A Roma ci sunnu chiù chiesi ______ musei.
2. In Sicilia ci sunnu chiù ___cincu miliuni di abbitanti.
3. Lu cancru è chiù gravi ______ lu raffridduri.
4. Lu to pedi è chiù grossu ______ lu miu.
5. Jo capisciu chiù lu ngrisi _____lu giappunisi.

Pruverbiu sicilianu

Nun c'è megghiu sarsa di la fami.

Pruverbiu sicilianu

Megghiu mbriacu chi malatu.

Chapter 9

What's in This Chapter:

Grammatica

A. *The Imperfect Tense*
B. *Contrasting the Imperfect Tense with the Past Tense (Passatu Rimotu)*
C. *Verbs that add ISC to Stem in the Present*

Matiriali didattici

Lu gattu e lu firraru
Miti di la Sicilia: Alfeu e Aretusa
Nota culturali: Siracusa
Nota culturali: La Scola Siciliana
Nota culturali: Domenico Tempio

La cattidrali di Palermu./ The Cathedral of Palermo.

di Giovanni Meli

Vocabulary notes:

Fari lu malviventi	normally means "to live as a criminal" but, obviously, that is not what Meli implies. The real meaning is suggested by the next line.
E multu chiù in dicembru ed in jinnaru.	In December and January female cats are ready to mate. So the blacksmith's cat was looking for amorous encounters.
Picchì già si mittevanu a manciari	Because they were ready to start eating.
Arrisbigghiarisi -svigghiarisi	To awaken.
Nun si fa mai di l' àbiti smuntari	Instincts can never be undone by habits.
Mpintu from the mpìnciri	To hang, to attach.

Lu gattu e lu firraru

Aveva un gattu dìsculu un firraru,
chi la notti facìa lu malviventi,
e multu chiù in dicembru ed in jinnaru;
lu jornu poi durmìa tranquillamenti,
ed unni vi criditi chi durmìa?
Tra la strepitusìssima putìa.

Ma quannu poi cissava lu fracassu,
picchì già si mittevanu a manciari,
si arrisbigghiava e vinìa passu passu.
Lu patruni lu sgrida in accustari:

"Bestia, dormi tra strèpiti e bisbigghi,
e a lu scrusciu di labbri t'arrisbigghi?"

Si ponnu a tuttu l'òmini avvizzari,
comu anchi l'animali: ma l'istintu
nun si fa mai da l' àbiti smuntari,
picchì a la guardia di la vita è mpintu;
perciò lu scrusciu di li labbri e di piatti
basta pri arrisbigghiari òmini e gatti.

The Blacksmith's Cat

A blacksmith had a rascal of a cat
who often spent his nights in fun and play
—and in the winter oftener than that!—
but he would sleep profoundly through the day.
Where do you think he slept? Inside the shop,
which was extremely noisy as a rule.

But when at dinner time the noise would stop,
the cat awoke—he surely was no fool!--
and sauntered to the kitchen in slow strides.
"You sleep through whispering and shouts, you rake,"
on seeing him approach his owner cried,
"but at the sound of lips you soon awake!"

Man can become accustomed to all things,
and beasts can too. But our instinctive drives
can't be ignored, despite conditioning,
for they are charged to keep watch on our lives.
Therefore, the noise that lips and dishes make
is strong enough both men and cats to wake.

Dumanni:

1. Comu era lu gattu di lu firraru? 2. Quannu faceva lu malviventi lu gattu? 3. Chi circava veramenti, li gatti fimmini? 4. Unni durmìa duranti lu jornu? 5. Quannu si arrisbigghiava lu gattu? 6. Lu patruni, quannu lu videva arrivari, chi ci diceva? 7. Quali è la murali di sta fàvula? 8. Di quali istintu parra Meli nta sta fàvula? 9. L' omu pò ignorari l'istintu di manciari? 10. Chi basta pi arrisbigghiari òmini e gatti?

A. The Imperfect Tense (Lu mpirfettu)

The Imperfect Tense in Sicilian is similar to the Imperfect Tense in Italian. It has several uses that English speakers must pay attention to because the structure of their language is different. Let us look at five of its most important uses:

1. The Imperfect describes a habitual, repeated action in the past. In this function it is best rendered in English with "used to plus verb" or "would plus verb". Consider the following:

Ogni dumìnica me matri mi purtava a la chiesa.
Every Sunday my mother used to take me to church. (or took)

2. The Imperfect Tense is used to describe an action that was going on while something else occurred. It is equivalent to the English "was+ verb ending in ing":

Mentri Luigi liggeva, sunau lu telèfunu.
While Luigi was reading, the phone rang.

3. The Imperfect is used to describe a background action for something that happened:

Nun fici li còmpiti aieri picchì era malatu.
I did not do the homework yesterday because I was sick.

4. The Imperfect Tense is also called the Descriptive Past because it is used to tell what was happening, how things were in the past. It doesn't tell you what actually happened.

Luisa aveva trent'anni. Era bedda e vuleva maritarisi.
Luisa was thirty years old. She was beautiful and she wanted to get married.

5. The Imperfect Tense is used to tell time and weather conditions:

Era l'una.	It was one o'clock.
Eranu li cincu di la basciura.	It was five in the afternoon.
Chiuveva assai.	It was raining a lot

Here are the endings of the Imperfect Tense for the two Sicilian conjugations. The second conjugation verbs generally have two endings for the first and third person singular and for the third person plural.

parrari	**scrìviri**
I spoke, used to speak	I wrote, used to write
Jo parrava	Jo scrivìa, scriveva
Tu parravi	Tu scrivevi
Iddu, Idda, Vossia, Lei parrava	Iddu, Idda, Vossia, Lei scrivìa, scriveva
Nui parràvamu	Nui scrivìamu, scrivèvamu
Vui parravavu	Vui scrivèvavu
Iddi parràvanu or parràvunu	Iddi scrivìanu, scrivèvanu or scrivèvunu

We prefer to use the endings *àvanu* and *èvanu*, rather than *àvunu* and *èvunu*, for the third person plural, but you may see these alternative endings for the Imperfect.

There are a few irregular verbs in the Imperfect Tense. Here are the most important ones:

èssiri	**fari**	**diri:**
I was	I did, was doing	I said, I was saying
Jo era	Jo facìa, faceva	jo dicìa, diceva
Tu eri	Tu facevi	Tu dicevi
Iddu era	Iddu facìa, faceva	Iddu dicìa, diceva
Nui èramu	Nui facìamu, facèvamu	Nui dicìamu, dicèvamu
Vui èravu	Vui facìavu, facèvivu	Vui dicìavu, dicèvivu
Iddi èranu or	Iddi facìanu, facèvanu or	Iddi dicìanu, dicèvanu or
Iddi èrunu	Iddi facèvunu	Iddi dicèvunu

Esercíziu 1: Change the verbs to express an habitual action in the past

Ora nun mi piaci chiù jucari nta lu parcu. *Prima mi piaceva jucari nta lu parcu.*

1. Ora nun talìu chiù la televisioni. 2. Ora nun parra chiù cu me cuçinu. 3. Ora nun leggiu chiù i fumetti. 4. Ora nun dormu chiù finu a li deci. 5. Ora nun parru chiù sicilianu.

Esercìziu 2: Complete the sentences by naming a few of your activities as a child. Use the verb in the Imperfect.

Quannu jo era picciriddu, *(diri sempri la virità)* *jo diceva sempri la virità.*

1. Quannu era picciriddu/a (jiri a la scola ogni jornu).

2. Quannu era picciriddu/a (bìviri sempri lu latti).
3. Quannu era picciriddu/a (fari sempri li me duviri).
4. Quannu era picciriddu/a (sapiri lèggiri a tri anni).
5. Quannu era picciriddu/a (parrari sulu sicilianu).
6. Quannu era picciriddu/a (vuliri jucari sempri).
7. Quannu era picciriddu/a (èssiri beddu/a grossu/a).
8. Quannu era picciriddu/a (jucari cu me soru).
9. Quannu era picciriddu/a (scantarisi di tuttu).
10. Quannu era picciriddu/a (nun aviri responzabilità).

Eserciziu 3: Provide a background for the following actions taken in the past. Choose a plausible explanation:

Manciai un beddu piattu di ravioli. *Comu mai?* *Aveva fami!*

1. Luigi bivìu na bedda birra fridda. Comu mai? Era stancu mortu.
2. Carlu durmìu novi uri. Comu mai? Aveva siti.
3. Lu prufissuri pigghiau lu tassì. Comu mai? Eramu malati.
4. Li studenti apreru la finestra. Comu mai? Avevanu primura.
5. Nui nun ficimu li còmpiti. Comu mai? Avevamu càuddu.

Eserciziu 4: Choose an appropriate excuse for the following actions and rewrite the full sentence, using *picchì* to join them:

1. Aieri nun potti jiri a la scola. C' era troppu fudda.
2. Lu prufissuri nun si divirtìu a la festa. Nun ricurdàvamu lu nùmiru.
3. Nun ntrasemmu nta lu nigozziu. Aveva un raffridduri.
4. Nun pòttimu telefunari a li carusi. Era assai nirvusu.
5. Carlu fici tanti sbagghi a l' esami. Nun canusceva a nuddu.

Eserciziu 5: Use the imperfect tense for the action that was going on for some time:

1. Quannu vinni Luigi? mentri jo dòrmiri.
2. Quannu si susìu Maria? mentri tu travagghiari.
3. Quannu ntrasìu Luigi nta la casa? mentri nui studiari.
4. Quannu telefunau Luigi? mentri iddi lèggiri.
5. Quannu fici lu còmpitu Maria? mentri jo taliari la tv.

Eserciziu 6: Follow the example:

Luigi finìu di parrari cu lu prufissuri? *No, quannu niscivi parrava ancora cu iddu.*

1. Luigi finìu di cantari dda vecchia canzuna? 2. Luigi finìu di sciarriarisi cu so mugghieri? 3. Luigi finìu di chiacchirari cu li fimmini 4. Luigi finìu di ripètiri la stissa storia? 5. Luigi finìu di manciari ficudinnia?

Eserciziu 7: Provide the right form of the Imperfect for the following narrative:

Quannu Maria e Luisa *èssiri* picciriddi, *susirisi* sempri prestu e *jiri* a la scola assemi. Lu papà li *accumpagnari* e la mamma li *ripigghiari* nta la basciurata. Si *fari* beddu tempu li *purtari* a lu parcu unni iddi *jucari, cùrriri, sautari* e *manciari* quacchi cosa, si *aviri* fami; si *fari* bruttu tempu *tornari* sùbbitu a casa, unni iddi *taliari* la televisioni, *bìviri* na bibita o *jucari* a jochi di picciriddi.

Eserciziu 8: Imagine you are going out tonight with a beautiful girl or a handsome man. Create a paragraph by answering the following questions:

1. Comu si chiamava? 2. Era talianu/a, sicilianu/a? 3. Comu era di fisicu, longu/a, snellu/a, beddu/a 4. Unni avevi ntinzioni di jiri cu iddu/idda, a lu cìnima, tiatru, risturanti? 5. Comu era vistutu/a? E tu comu eri vistutu/a? 6. Era di stati o di nvernu? 7. Chi tempu faceva?

B. Contrasting the Imperfect Tense with the Past Tense

It is important to remember the following distinctions between the *Imperfettu* and the *Passatu Rimotu*. The latter describes what happened at a particular moment in the past. The Imperfect instead expresses a state of being, what things looked like, attitudes, feelings, beliefs, time, weather etc... but it cannot be used to describe what actually occurred. Let us examine the following sentences:

Chiuveva.	It was raining.	No indication of how long it rained.
Chiuvìu tutta la nuttata.	It rained all night.	The period of time is considered finished.

Perhaps a more clear distinction between the two tenses can be deduced from the following examples:

Vuleva jiri a lu cìnima *Vosi jiri a lu cìnima.*

Both sentences mean "I wanted to go to the movies". In the first one, it is unclear whether you actually went to the movies. The second, however, which uses the *Passatu Rimotu*, actually states that you wanted to go the movies and did so. This is not possible in English, but in Sicilian, by using the *Passatu Rimotu*, which expresses complete actions in the past, you can do it.

Eserciziu 9: In the following exercise change the statements to the past using the Imperfect first and then the *Passatu Rimotu* to imply that the actions was completed:

È tardu. Vogghiu turnari a la casa. *Era tardu. Vuleva turnari a la casa.*
Era tardu. Vosi turnari a la casa.

1. È prestu. Putemu ristari cincu minuti. 2. Sunnu li sei. Aju a telefunari a me matri. 3. Aju fami. Vogghiu manciari un paninu. 4. Sugnu stancu. Vogghiu ripusarimi. 5. Chiovi. Nun pozzu nèsciri nta lu giardinu.

Eserciziu 10: In the following paragraph, the context will tell you which infinitives describe finished actions requiring the *Passatu Rimotu* and which require the Imperfect Tense. Change the infinitives to the appropriate tense:

Aieri quannu Mariu e Luisa *nèsciri* assemi, *fari* beddu tempu. *Pigghiari* lu trenu e *jiri* a Manhattan picchì Luisa *vuliri* accattari na cravatta pi so patri ca *fari* lu cumpliannu lu jornu doppu. Quannu *arrivari* nta lu nigoziu di Bloomingdales, *vìdiri* ca li cravatti *custari* troppu e non la *putiri* accattari. D'accussì iddi *dicìdiri* di canciari piani. Siccomu lu tempu *èssiri* bellu, *fari* na passiata a Central Park. Ci *èssiri* tanta genti nta lu parcu: ci *èssiri* cu *jucari* a lu palluni, cu *cùrriri*, e àutri chi *gudirisi* lu suli. A so patri poi Luisa ci *cucinari* pasta cu li sardi ca *èssiri* lu so piattu favuritu.

Littura: Na littra polìtica

Caru cumpari,

Ti scrivu sta littra stasira picchì vogghiu sfugarimi[1] nanticchia pi chiddu ca vivemu nta sti jorna. Sacciu ca tu nun si' amanti di li polìtici e ca li cunzìddiri fàusi e munzignari. Jo sugnu d'accordu cu li to pinzeri, ma stasira vogghiu parrari nun di l' òmini polìtici, ma di nàutru gruppu ca fa di la polìtica lu so travagghiu. Ti vogghiu parrari di ddi sapiintuni[2] ca cumparisciunu[3] a la televisioni pi spiegari[4] a nuiàutri, poviri gnuranti, lu significatu[5] di chiddu ca succedi[6] nta lu munnu. In ngrisi li chiamanu *pundits* ca voli diri na specia di spertu.[7] Si tratta di genti ca avi la lingua fàcili, o pi dirla comu dissi Boccacciu, parrannu di dda bedda siciliana nta la nuvella di Andreucciu di Pirugia, "li palori nun ci murevanu nta la bucca."[8] La polìtica è na cosa ca nun diggirisciu, ma chiddu ca nun supportu sunnu sti sapiintuni ca nveci di chiariri[9] li cosi, li mbrogghianu[10] chiossai. Si li repubblicani nesciunu[11] cu na idea, li sapiintuni democratici sùbbitu l'attaccanu; si li democratici annuncianu un programma pi aiutari l' economia li sapiintuni repubbicani si riunisciunu in cunzigghiu[12] e ci scoprunu li frusti[13] e stabilisciunu[14] ca dda cosa nun po' mai risultari in benefici pi la genti. Ti dicu, caru cumpari, jo nun sacciu comu la virità[15] pò aviri tanti facci e pò significari[16] chistu e lu so oppostu. Forsi aveva raggiuni Pirandellu quannu dissi ca la virità era comu un saccu vacanti[17] e ognedunu[18] ci metti[19] dintra la so virità pi farlu stari addritta.[20] Ma nta stu paisi la genti rischia di mpazziri[21] sintennu a sti parulara[22] ca s'arricchisciunu[23] siminannu carteddi di fumeri, comu dissi Giovanni Meli.[24] E poi sintennu li discursi di sti ciarlatani, si capisci sùbbitu a quali partitu appartenunu[25] picchì ripetunu, nun dicu li stissi cuncetti,[26] ma li stissi palori comu si l'avissiru cuncurdatu prima.[27] E nfatti chiddu ca dicinu è cuncurdatu prima di quacchi super sapiintuni ca ci dici, "aviti a diri chistu d'accussì e nun di nàutru modu." Naturalmenti, la pòvira genti ca travagghia na jurnata sana nun avi tempu o disidderiu di studiari e analizzari li cosi. Ed è accussì ca l' opinioni pùbblica si crea in basi a ddi frasi furmati a tavulinu ca nun hannu mancu lu ciàuru luntanu di la virità. A la genti ci resta quacchi menza frasi scancarata,[28] na vaga mprissioni ca nun avi né testa né cuda.

Nenti, Cumpari! Nun vidu l'ura ca sta campagna eletturali finisci. Sugnu stancu di li annunci e di la propaganna ca ogni dui e tri cumparisciunu nta lu schermu di la televisioni. Sai chi ti dicu, di dumani in poi, nun talìu chiù la televisioni. Prifiriscìu lèggiri lu giurnali, anchi si ddà puru ci sunnu li sapiintuni, ma almenu ddà si pizzìanu a distanza[29] e nun comu du' jadduzzi nta un jaddinaru.[30]

Notes: 1. To vent my frustration 2. Wise men, experts 3. Appear 4 To explain 5. The meaning 6. Happens 7. Sort of an expert 8. Words did not die in her mouth 9. Clarify 10. Muddle them 11. Come out 12 Meet in council 13. Uncover the shortcomings 14. Establish 15. Truth. 16. Can mean 17 An empty sack 18. Each person 19. Puts in 20. To make it stand 21. Go mad 22. Wordsmiths 23. Enrich themselves 24. Sowing piles of horseshit 25. They belong 26. The same concept 27. Agreed on before hand 28. Broken half sentences 29. They tear each other apart from a distance 30. Roosters in a henhouse.

Dumanni:

1. Chi voli fari cu sta littra l'auturi? 2. Lu so amicu ama la polìtica? 3. L' auturi voli parrari di li polìtici o di li cummentaturi? 4. Li cummentaturi hannu la lingua fàcili? 5. Di cu parra Boccacciu quannu dici ca a idda nun ci murevanu li palori nta la bucca? 6. Chi dici Pirandellu di la virità? 7. Chi siminanu li parulara? 8. Comu si capisci ca li sapiintuni sunnu repubblicani o democratici? 9. La genti cumuni avi lu tempu pi studiari la situazioni polìtica? 10. Chi prifirisci lèggiri l'auturi a la fini?

C. Verbs that Add ISC to Stem in the Present Tense

A group of verbs that end in *iri* add *ISC* to the stem of the verb for the first three persons singular and the third person plural before adding the endings for the Present Tense. They do not add *ISC* to the *nui* and *vui* forms. The following is the paradigm they follow:

Capiri (To understand)	
Jo capisciu	Nui capemu
Tu capisci	Vui capiti
Iddu, idda capisci	Iddi capisciunu
Vossia, Lei capisci	or Iddi capiscinu

As you can see, the first person singular must add an additional *i* to make the *sh* sound. As for the third person plural, we prefer to use the ending of *ìsciunu* rather than *ìscinu*. Owing to the fact that the penultimate vowel is unstressed, Sicilians tend to pronounce it as something in between. You may hear it as an *i* or a *u*. Both *capìsciunu* and *capìscinu* are acceptable. My preferance is for *capìsciunu* because of the analogy with the first person *capìsciu*. It is also more prevalent in eastern and central Sicily.

The verbs that follow this pattern are not many. These are the most commonly used verbs:

abbiliri	to dishearten	guariri	to heal
alliggiriri	to lighten	mpuviriri	to impoverish
appisantiri	to make heavy	mpazziri	ro go crazy
attibuiri	to attribute	nfluiri	to influence
arricchiri	to enrich	piriri	to perish
agiri	to act	prifiriri	to prefer
chiariri	to clarify	riuniri	to reunite, to gather
cumpariri	to appear	scupriri	to discover
diggiriri	to digest	stabiliri	to establish

Esercizi 11. Answer in complete sentences:

1. Tu prifirisci lèggiri un rumanzu o taliari la televisioni? 2. L' auturi di la littra prifirisci lèggiri lu giurnali o taliari la televisioni? 3. Tu prifirisci manciari a la casa o nta un risturanti? 4. Tu prifirisci fari na passiata nta lu parcu o stari in casa? 5. Tu prifirisci natari (swim) nta na piscina o nta lu mari? 6. Tu prifirisci jiri in Sicilia o jiri in Francia? 7. Tu capisci tutti li palori di la littra? 8. Cu si arricchisci nta stu munnu? 9. Quannu manci troppu pasta ti alliggirisci o ti appisantisci? 10. Quannu spenni troppu sordi ti arricchisci o ti mpovirisci?

Esercizi 12. Follow the model:

Nui nun capemu sta situazioni. *Jo mancu capisciu sta situazioni.*

1. Nui nun stabilemu li règuli. 2. Nui nun contribuemu tantu. 3. Nui nun arricchemu a nuddu. 4. Nui nun diggiremu stu fattu. 5. Nui nun attribuemu la responzabilità a iddi.

Esercizi 13. Find the verb that best fits in the sentence and provide the appropriate form. The infinitives on the right are not in the right order.

1. Lu prufissuri di sicilianu_________li règuli di la lingua.	Cumpariri
2. Aju a ___________davanti a lu giùdici.	Capiri
3. La signura si nun _________di sta malatìa, mori sicuramenti.	Chiariri
4. Bisogna____________li fatti. C' è troppu cunfusioni.	Guariri
5. E na cosa sèmplici. Nun è comu ____________l' Amèrica!	Attribuiri
6. Jo____________lu so modu di parrari a la gnuranza.	Scupriri
7. Videmu si putemu_________tutti li cumpagni pi fari la riunioni.	Arricchiri
8. Li ricchi si vonnu ___________chiossai.	Riuniri

Vocabulary Notes:

Nun si duna mai pi vintu	Never accepts defeat
A lu sirviziu	In the service
Quaccadunu dici	Some say
Divinità di çiumi	A river divinity
Ci faceva la curti	Courted her
Surgenti	Source
Essennu divinità	being a divinity
Fici in modu	Managed
Juncirisi	To join
Suttaterra	Underground
Sòrgiri	To emerge
Curunannu	Crowning
Lu murmuriari	The rumbling
Papiri, cigni e pisci russi	Papyrus, swans, and red fish

La storia di Alfeu e Aretusa è lu sìmbulu di un amuri ca nun si duna mai pi vintu. Aretusa era na bedda ninfa, figghia di Nereu, ca era a lu sirviziu di Àrtemis (Diana pi li Rumani). Un pasturi di nomu Alfeu, quaccadunu dici ca era na divinità di çiumi, si nnamurau pazzamenti di idda e ci faceva la curti jornu e notti. Ma Aretusa, cu pò sapiri picchì, nun ni vuleva sèntiri parrari. Aretusa si rifuggiau a Ortigia e ci dumannau a Àrtemis di aiutarla contru a Alfeu. La dea allura la canciau nta na surgenti d'acqua. Alfeu nun si rassignau, anzi, fici in modu di juncirisi cu Aretusa. Lu problema era ca iddu era in Grecia e Aretusa in Sicilia. Ma li dei risorvunu problemi comu a chissi ogni jornu e chistu forsi cunferma ca Alfeu era na divinità di çiumi. Alfeu si trasfurmau in çiumi suttirraniu e attravirsau lu Mari Joniu suttaterra e vinni a sòrgiri propriu unni surgeva la funtana d'Aretusa, curunannu d'accussì lu so sognu d'amuri.

A Siracusa pari ca si pò sèntiri lu murmuriari di lu çiumi suttirraniu quannu nesci dintra a lu mari. Li Siracusani lu chiamanu "L' occhiu di Zillica". La storia di l'amuri di Alfeu pi Aretusa diventa tangìbili quannu si vidi la funtana di Aretusa nta l'ìsula di Ortigia e si senti lu murmuriari di l'acqua mentri nesci a menzu di papìri, cigni e pisci russi.

Dumanni:

1. Chi simbuleggia l'amuri di Alfeu? 2. Di cu era figghia Aretusa? 3. Quaccadunu penza ca Alfeu era pasturi o un diu. Quali virsioni è chiù plausìbili? 4. In chi cosa canciau Àrtemis a Aretusa? 5. Quannu Aretusa divintau na surgenti d'acqua, chi fici Alfeu? 6. Comu vinni di la Grecia a Siracusa lu çiumiceddu di Alfeu? 7. Alfeu riniscìu ad aviri chiddu ca disiddirava? 8. Comu chiamanu li Siracusani unni nesci la surgenti d'acqua? 9. In quali parti di Siracusa si trova la Funtana di Aretusa? 10. Oltri (beside) a li papìri, chi àutru si vidi nta la funtana?

Vocabulary Notes:

A un certu puntu	At a certain point
Fu funnata	Was founded
Appena	Barely
Cumpagni di vintura	Comrades
Vinni a visitarla	Came to visit her
L'Imperu Rumanu d'Orienti	The Eastern Roman Empire
Lu nonu sèculu	In the ninth century
Attraversu li quali	Through which
Si pò immaginari	One can imagine
La so grannizza	Her greatness
Si ponnu sèntiri echi	You can hear echoes
Li vuci di li antichi atturi	voices of the ancient actorfs
Traggedii di Èschilu	Tragedies of Aeschylus
Cava di petri	Stone quarry
A migghiara	By the thousands
Tagghiata	Carved
Numinau	Named
Si diceva	People said
Mimorii antichi	Ancient memories
Assortu	absorbed
Mancu si nni adduna	does not even realize it
Scunfissiru	defeated
Foru ricugghiuti	Were collected
Fatta a forma di làcrima	Built in the shape of a tear
Foru carcati	Were treaded upon

Siracusa fu la città chiù mpurtanti di lu Miditirraniu a un certu puntu di la so longa storia. Fu funnata ntô 734 aC, appena vint'anni doppu Roma, di Archias, un omu di Corintu ca vinni nta l'ìsula di Ortigia assemi a àutri cumpagni di vintura. Siracusa fu la prima città siciliana a divintari cristiana quannu San Paulu vinni a visitarla ntô 44 dC. Idda fu la capitali di l'Imperu Rumanu d' Orienti finu a quannu arrivaru l' Àrabi in Sicilia nta lu nonu sèculu dC. È na città ricca di storia e di monumenti attraversu li quali si pò immaginari comu era a lu tempu di la so grannizza.

Caminari nta li strati di Ortigia, quasi si ponnu sèntiri echi di lu so passatu. Ntrasennu nta lu so tiatru anticu, quasi quasi si sentunu li vuci di li atturi ca rapprisentanu traggèdii di Èschilu e Sòfucli, scinnennu nta chidda ca era na cava di petri suttirrania, immaginamu di sèntiri li vuci di li schiavi a migghiara cunnannati a nun nèsciri mai di dda dintra. Ntrasennu nta dda caverna tagghiata dintra la petra ca lu pitturi Caravaggiu numinau "L' orecchio di Dionisiu," picchì si diceva cca lu tirannu di supra scutava chiddu ca dicevanu li priggiuneri, si veni traspurtati cu la menti a ddi tempi crudeli quannu la vita nun valeva du' sordi. Caminannu pi li strati a Siracusa, mimorii antichi tornanu a la menti: Archimedi, lu primu granni scinziatu, ca bruçia li navi rumani nta lu portu cu li so specchi, lu stissu Archimedi ca veni ammazzatu di un surdatu rumanu mentri iddu, cumpletamenti assortu cu li so prublemi di matimàtica, mancu si nni adduna; la vittoria di Siracusa contru a Ateni unni di 40 mila surdati nni ristaru vivi sulu setti mila, la granni battaglia di Himera quannu Siracusa e Agrigentu scunfissiru a li Cartagginisi ntô 480 aC.

"L' orecchio di Dionisiu" a Siracusa.

Oggi Siracusa nun è chiddu ca era, ma è sempri na città affascinanti. La so cattidrali è sìmbulu di lu so anticu passatu picchì fu costruita usannu li antichi culonni di lu tempiu di Minerva. Santa Lucìa, una di li tri santuzzi ca li Siciliani amanu assai, è la patruna di Siracusa. Li glorii di Si-racusa foru ricugghiuti di Paolu Orsi nta lu museu ca porta lu so nomu. Ma nun tuttu di Siracusa è anticu: la chiesa di la Madonna di li Làcrimi, fatta a forma di làcrima, rapprisenta la città moderna. E oggi ddi strati ca foru carcati di pedi di Greci, Rumani, Àrabi, Nurmanni e Spagnoli sunnu attravirsati di migghiara di turisti ogni jornu ca vonnu sèntiri li vuci dû passatu.

Dumanni:

1. Cu fu lu funnaturi di Siracusa? 2. Di unni vinniru li funnaturi? 3. Quannu divintau la prima chiesa di la Sicilia Siracusa? 4. Quannu finìu di èssiri la capitali di l'Imperu Bizzantinu? 5. Chi si rapprisenta nta lu tiatru anticu? 6. Chi tagghiavanu li schiavi nta li cavi suttirranii? 7. Cu desi lu nomu a "L' orecchio di Dionisiu"? 8. La vita a li tempi antichi quantu valeva? 9. Cu bruçiau li navi di li Rumani cu li specchi? 10. Quali è lu simbulu di la Siracusa moderna? 11. Quali santuzza è la patruna di Siracusa? 12. Comu si chiama lu museu anticu di Siracusa?

La polìtica di Fidiricu II aveva comu obiettivu l'accentramentu di lu putiri[1] nta li manu di lu Mpiraturi. Vuleva ristaurari lu Sacru Rumanu Imperu e l'arma ca usau[2] nun fu sulu chidda militari e polìtica, ma anchi chidda culturali. Pi rinèsciri nta lu so scopu Fidiricu avìa a criari[3] na cultura ca putissi attràiri[4] li intellettuali di lu so tempu—li laici[5]—pi cummàttiri[6] contru la Chiesa e li cumuni. Avìa a criari na cultura "laica," cioè nun nfluinzata di la Chiesa, nun municipali, cioè nun suggetta[7] a li vicenni[8] lucali, e aristucràtica, nun pi nascita[9] ma pi ambizioni. Picchissu funnau[10] l'università di Napuli ntô 1224 comu alternativa a chidda di Bologna. Avìa bisognu di criari na classi suciali ca putissi aiutarlu[11] a guvirnari un imperu. La Scola Siciliana fa parti di lu vastu prugettu di vìnciri l'ànimi[12] di li ntellettuali a na nova littiratura basata nun chiù supra lu latinu ma lu vulgari talianu.[13] E ccà ntrasi lu sicilianu illustri ca si parrava a la curti di lu Mpiraturi. Lu mudellu pi li pueti buròcrati di la curti fu la puisìa pruvinzali adattata a li novi bisogni.[14]

Li pueti di la Scola Siciliana, a differenza di[15] li pueti pruvinzali, eranu buròcrati di àutu liveddu,[16] nun giullari di chiazza.[17] Eranu ntellettuali laici mpignati[18] a cummàttiri contru la Chiesa di Roma. La so lingua era lu sicilianu pulizziatu e arriccutu[19] di la cultura di la curti. Li pueti siciliani nun cupiaru[20] li puisìi di li pruvinzali, ma ficiru na selezioni atttenta[21] di chiddu ca puteva sèrviri a iddi nta lu so disegnu polìticu. Li pruvinzali nta li so puisìi scrivevanu di tuttu, ma li Siciliani eliminarunu tuttu chiddu[22] chi nun avìa a chi fari cu l'amuri, cuncintrànnusi[23] quasi esclusivamenti supra a stu sintimentu. Nta un sèculu di battagli polìtichi firoci,[24] li Siciliani cantavanu sulu di l'amuri—certamenti un anacronismu—. Ma picchì? Lu mutivu, in parti, pari ca avi a chi fari[25] cu la liggi ca Fidiricu fici passari a la Dieta di Missina ntô 1221 ca nuddu atturi o giullari putissi scrìviri puisìi o canzuni di critica[26] contru lu Mpiraturi. Ma nun fu sulu picchissu. Lu tema[27] di l'amuri fu cintrali picchì era chiù ntunatu[28] a la cultura laica di la curti; l'idea di didicari la vita a l'amuri di na fimmina si adattava beni a la curti di lu Mpiraturi unni iddu era na specia di Diu.[29] La struttura polìtica di l'imperu ca avi a la cima di la piràmidi[30] lu Mpiraturi di cui dipenni la vita e la morti di li sudditi[31] è sìmili a lu rolu ca iddi assignavanu a la donna comu èssiri priviligiatu ca puteva dari o nun dari a l'amanti lu premiu[32] di la filicità. Li Siciliani foru li primi a vìdiri l'amuri comu na specia di microcosmu,[33] comu na realtà a cui didicari na vita, comu poi fici Petrarca.[34] E iddi si dumannanu comu nasci l'amuri, unni nasci, chi effetti avi, comu si perdi,[35] spirannu[36] sempri la giusta ricumpenza di la donna amata.

Li pueti di la Scola Siciliana foru li primi, comu dici lu patri Danti, e pi li primi cent'anni di la littiratura taliana la lingua di la puisìa fu lu sicilianu, scrittu macari di pueti ca siciliani nun eranu. Fidiricu II, lu figghiu Enzu, Pier della Vigna, Giacomu di Lentini, Oddu di li Culonni ficiru parti di sta scola ed è giustu ricurdarili comu chiddi ca iccarunu li funnamenti[37] pi la littiratura taliana. In particulari, Giacomu di Lentini merita di èssiri ricurdatu. Iddu nvintau lu sunettu[38] ca nasci di l'ottava tipica siciliana juncennucci nàutri du' tirzini.

Vocabulary Notes:

Lu mausoleu di Fidiricu II (a sinistra) e chiddu di so matri Custanza nta la cattidrali di Palermu./ The Tombs of Frederick II (left) and of his mother Constance in Palermo's Cathedral.

1. The concentration of power 2. The weapon he used 3. He had to create 4. Attract 5. Lay people 6. To fight 7. Subjected 8. Events 9. By birth 10. Founded 11. That could help him 12. To win over the souls 13. Italian vernacular 14. Adapted to the new needs 15. Differently from 16. High level bureaucrats 17. Troubadors 18. Engaged 19. Cleansed and enriched 20. Did not copy 21. A careful 22. Eliminated all that 23. Concentrating 24. Fierce political battles 25. Seems to be connected 26. Criticizing 27. The theme 28. In tune with 29. Where he was a god-like figure 30. At the head of the pyramid 31. Subjects 32. The prize 33. A kind of microcosm 34. As Petrarch did later 35. How one loses it 36. Hoping 37. Lay the foundations 38. Invented the sonnet 39. Adding.

Dumanni:

1. Quali era l'obiettivu di Fidiricu II? 2. Quali armi usau pi jùnciri lu so scopu? 3. Cu eranu li pueti di la Scola Siciliana? 4. Quali tema fu lu chiù mpurtanti pi iddi? 5. Picchì parravanu sulu di l'amuri? 6. Quali granni pueta talianu didicau la so vita a l'amuri? 7. Cu dissi ca li Siciliani foru li primi pueti? 8. Cu nvintau lu sunettu?

Nota culturali: Domenico Tempio (1750-1820)

La Sicilia di la tardu setticentu[1] avi du' fiuri di pueti di liveddu europeu[2] ca dòminanu la scena culturali: Giovanni Meli a Palermu e Domènicu Tempiu a Catania. Hannu assai cosi in cumuni ma sunnu a lu stissu tempu assai diversi: lu primu assai dilicatu, eleganti e sobriu, lu secunnu, scatològicu, rialìsticu e rivoluzionariu. Tutti i dui foru òmini di curti nta lu senzu ca foru amati[3] di li nòbili e tutti i dui nun risparmiaru li critichi[4] contru l'aristocràtici ca nun produciunu nenti, ludannu[5] a li cuntadini ca sunnu li veri produttori di la ricchizza. Tutti i dui hannu na furmazioni illuminìstica[6] e raziunali, amanu la biddizza di la natura, odianu[7] li ipocrisìi individuali. La diffirenza tra Meli e Tempiu sta[8] nni l'attiggiamentu di li pueti[9] versu la munnu. Meli nun voli cunnannari[10] a nuddu. La so arma fu l'ironìa, lu sorrisu a mità comu di unu ca esponi li frusti[11] di l'omu ma a lu stissu tempu li capisci. Meli è, comu dissi Pirandellu, un veru umorista.[12] Tempiu, di l'àutru latu, mentri leva li cummogghi[13] a li miserii di l'omu, nun sorridi pi nenti. Iddu avi la firocia[14] di lu sàtiru, di chiddu ca vulissi canciari[15] la munnu e libbirarlu di li malalingui, li fàusi, li manciuni, l'ipòcriti,[16] e li abusi di l'òmini polìtici. Si Meli fu a modu so un omu ca cuntistava[17] lu *status quo*, ma in manera timpirata, Tempiu usa la so puisìa comu forma di prutesta sociali e nun èsita[18] a usari palori duri e vulgari. Tempiu usa un linguaggiu scatològicu e senzuali, descrivi atti sessuali, masturbazioni, còiti iperbòlici disignati a scioccari.[19] L' attinzioni ca iddu desi a l'amuri sessuali, e la libirtà cu cui nni parrau fineru pi daricci[20] la reputazioni di pornògrafu. Domènicu Tempiu infatti è canusciutu assai di chiù pi li so puisìi licinziusi[21] ca pi li àutri puisìi ca iddu scrissi, comu la *Caristìa,* un longu puema di vinti canti supra la caristìa ca successi[22] a Catania ntra lu 1797 e lu 1798. La *Caristìa*, pubblicata ntô 1848, rapprisenta l'òpira chiù granni di Tempiu. Però la so fama resta ancora attaccata a li puisìi osceni. Chisti rapprisentanu un aspettu di la so puisìa, ma nun sunnu rapprisentativi di la fiura totali di Tempiu comu hannu circatu di dimustrari li studi di Santo Calì e Vincenzo De Maria. L'accusa di pornògrafu nun è giustificata. Lu stissu Tempiu[23] vosi rispùnniri a chiddi ca l'accusavanu di èssiri troppu scannalusu[24] cu li versi ca includemu ccassùtta:

Vocabulary Notes:

1. Late eighteenth century 2. European level 3. Were loved 4.Were not sparing in their criticism 5. Praising 6. Enlightened education 7. They hated 8. Rested 9. On the poets' attitude 10. To condemn 11. Who exposes the evils 12. Humorist 13. He uncovers 14. The fierceness 15. Who would like to change 16. False, greedy, hypocrites 17. Contested 18. Does not hesitate 19. Designed to shock 20. Resulted in giving him 21. Licentious 22. Occurred 23. Tempiu himself 24. Scandalous.

Protesta	**Protest**
Si c'è cu pigghia scànnalu di ciò ch'iu scrivu, saccia ch'iu di li frusti d'àutri nn'accollu in mia la taccia.	If men are scandalized By all the things I write Tell them I won't accept the blame for others' faults.
Scrivu chi fannu l'òmini e fazzu a la morali di lu presenti sèculu processi criminali.	I write what all men do and I make an indictment against the moral conduct of this our present century.

A quali signu arrivanu mia musa si proponi dirvi li brutti vizzii e la corruzioni.	How far corruption goes my Muse and I propose to tell you, to expose the ugly face of vice.
chi di la culpa làidi, tantu l'aspetti sunu, chi basta sulu pùngirla per aborrirla ognunu.	There are so many aspects to these perversities that painting them in verse will make all men despise them.

Recentementi fu pubblicata n' antologìa bilingui ntitulata *Domenico Tempio: Poems and Fables*, a cura di Giovanna Summerfield, Mineola, NY: Legas, 2011. N'abbunnanti selezioni di li puisìi eròtichi di Tempiu, fu inclusa nta l'antologìa bilingui *Sicilian Erotica*, a cura di Onat Claypole, Mineola, NY: Legas, 1996.

Dumanni:

1. Cu sunnu li du' pueti chiù granni di lu Setticentu in Sicilia? 2. Chi hannu in cumuni? 3. Chi attiggiamentu avi Meli versu lu munnu? 4. Tempiu avi lu stissu attiggiamentu? 5. Tempiu esprimi li so pinzeri in manera timpirata o usa palori duri? 6. Secunnu l'auturi, l'accusa contru a Tempiu di scrìviri pornografia è giustificata? 7. Quali scritturi hannu scrittu supra a Tempiu? 8. Nta la puisìa comu si difenni Tempiu? 9. Quali obiettivu si proponi la musa di Tempiu? 10. Esistunu traduzioni di l' òpira di Tempiu in ngrisi?

La funtana di Diana a Ortigia, Siracusa./ The Fountain of Diana in Siracusa.

Chapter 10

What's in This Chapter:

Grammatica

A. *The Future Tense*
B. *The Double Object Pronouns*
C. *The Present Perfect (Passatu Prossimu)*
D. *Formation of the Past Participle*

Matiriali didattici

Un viaggiu in Sicilia
Chiù chi si campa e chiù si sapi.
Miti di la Sicilia: Dèdalu in Sicilia
Nota culturali: Catania
Nota culturali: Ninu Martogghiu

Lu tiatru Bellini a Catania./ The Bellini Theatre in Catania.

In Sicilian, the Future Tense has become practically extinct, although you may find its presence in literary works. It is not necessary to make an existential issue out of it—Leonardo Sciascia claimed that Sicilian lacks the future because Sicilians are a profoundly pessimistic people—. Neapolitan lacks the future too, yet no one would say Neapolitans have a pessimistic view of life. Sicilians express future events by using paraphrases and by using adverbs of time which manage to convey the future in an unmistakable way. If I say in Sicilian, *dumani vaiu a Catania* the adverb of time *dumani* perfectly conveys the idea of futurity. Italian expresses a future action with adverbs of time as well: *domani vado a Catania*. Another factor that may have a bearing on why Sicilians dislike using the future has to do with their dislike of words that are accented on the last vowel. In fact, Sicilians often attach a trailing sound to words ending in an accented vowel such *ccà, è*, which are pronounced often as *ccàni* and *èni* or *èvi*, and as the future ending for first person ends in an accented vowel they have added alternative endings, as you can see in the paradigm for verbs ending in *ari* and *iri* below:

Amari	**timiri**
I will love	I will fear
Amirò (amiroggiu)	timirò or (timiroggiu)
Amirai	timirai
Amirà	timirà
Amiremu	timiremu
Amireti	timireti
Amirannu	timirannu

Fari, èssiri, diri, stari, aviri, will form the future in an irregular way as follows and we offer the alternative ending which no one I know will ever use. Also all the verbs below can be written with a single *r* instead of the double consonant. Thus you can say *farò, dirò, avrò, starò* and *sarò*, which are closer to Italian, instead of *farrò, dirrò,* etc:

Fari (to do)	**diri (to say)**	**aviri (to have)**	**stari (to be)**	**èssiri (to be)**
Farrò-farroggiu;	Dirrò-dirroggiu;	Avirrò-avirroggiu;	Starrò-starroggiu;	Sarrò-sarroggiu.
Farrai	dirrai	avirrai	starrai	sarrai
Farrà	dirrà	avirrà	starrà	sarrà
Farremu	dirremu	avirremu	starremu	sarremu
Farriti	dirriti	avirriti	starriti	sarriti
Farrannu	dirrannu	avirrannu	starrannu	sarrannu

The most common way to express a future action is to use an adverb of time plus the verb in the present tense. These are the most common adverbs conveying a future idea:

Chiù tardu	later
Dumani	tomorrow
Doppudumani	the day after tomorrow
L' annu chi veni	next year
La simana pròssima	next week
Lu misi pròssimu	next month
Luneddì pròssimu	next Monday
Prestu	soon
Stasira	tonight
Sùbbitu	right away
Tra pocu	in a little while
Tra cincu minuti	within five minutes
Ottu jorna oggi	a week from today

Another effective way of expressing a future action is to use the verb *aviri* plus the preposition *a* plus the verb which implies an obligation, hence, an intention to do it in the future. For example:

Aju a dari milli dollari a Luigi.	I have to give a thousand dollars to Luigi.
Iddu avi a jiri nta lu parcu.	He has to go the park.
Nui avemu a fari li esercizii.	We have to do the exercises.
Quannu veni? Vegnu sùbbitu.	When are you coming? I'm coming right away.
Quannu parti? Partu dumani.	When are you leaving? I am leaving tomorrow.

English can express a future idea by using *I am going to*+verb. Sicilian thus is not so different.

Esercìziu 1: Answer the following question by providing a time frame from the list to the right:

A chi ura manci stasira?	*Stasira manciu a li ottu.*
At what time will you eat tonight?	I will eat at eight o'clock tonight.

1. Quannu vai in Sicilia?	Lu misi pròssimu
2. Quannu finisci l'università?	Ntra du' anni
3. Quannu ti mariti?	A giugnu
4. Quannu veni a truvarimi?	La simana pròssima
5. Pigghi lu trenu di menzujornu?	Di l'una
6. A chi ura nesci stasira?	A li unnici
7. Quannu ai a pagari li bulletti (bills)?	Doppudumani
8. Quannu accatti na nova màchina?	Quannu aju li sordi
9. Pi quantu tempu duranu ssi lamenti?	Pi sempri.
10. Quannu ritorni in Amèrica?	Ottu jorna oggi.

In English, in sentences such as "If I am hungry, I eat," we use the Present Tense in both the subordinate and the main clauses. However, if the main clause implies a future action, in English it will be expressed with the Future Tense, as in "If I am hungry later, I will eat."

In Sicilian even if the Future is implied we use the Present Tense and indicate the futurity with an adverb of time.

Si aju fami, manciu.	*Chiù tardu, si aju fami, manciu.* Later if I am hungry, I will eat.
Quannu aju siti, bivu.	*Chiù tardu, quannu aju siti, bivu.* Later, if I am thirsty, I will drink.

Notice how the context makes it clear that the Future is implied.

Eserciziu 2: Choose the most appropriate response from the list to the right. The suggestions are not in the right order::

Stasira, si ai fami, chi fai? *Si aju fami, manciu nta na pizzerìa.*

1. Dumani, si Luigi nun veni, chi fai?	Mi nni vaju sulu.
2. Stasira, si Carlu nun arriva a tempu, chi fai?	M'accattu na umbrella.
3. Si chiovi chiù tardu, chi fai?	Ci telèfunu.
4. Si ai un incidenti cu la màchina poi, chi fai?	A tutti li amici.
5. Quannu ti mariti, a cu inviti?	Chiamu a la polizzìa.

Littura: Un viaggiu in Sicilia

Vocabulary Notes:

Mi prumettu di fari	I promise myself to take
Pi mancanza	For lack of
Pò succèdiri lu finimunnu	Even if the world comes to an end
A scutari a chiddi	Listening to those
Lu megghiu tour	The best tour
Cridu ca vaju	I think I will go
Mi prinotu	I will reserve
Ci mannu	I will send them
Cuminciu a pigghiari	I start to collect
Sacciu ca visitamu	I know we will visit
Lu paisi unni nascìu	The town where …was born
Municipiu	Town Hall
Campusantu	The cemetery

Sunnu vurricati li me parenti	My relatives are buried
Si esisti ancora	If it still exists
Cu sapi si lu trovu?	Who knows if I will find it
Avi a èssiri	Will be, must be
Viaggi di scuperti	A journey of discovery
Di unni veni	Where he comes from
Nun sapi unni va	Will not know where he is going

La stati ca veni vogghiu fari un viaggiu in Sicilia. Avi tant'anni ca mi prumettu di fari stu viaggiu ma ancora nun l'aju pututu fari pi mancanza di tempu e puru di sordi. Ma chist'annu, pò succèdiri lu finimunnu, aju a jiri a visitari la terra dî me nanni. Nun sugnu sicuru si ci vaju sulu o si ci vaju cu lu gruppu di Arba Sicula ca ogni annu organizza un tour. A sèntiri a chiddi ca l'hannu fattu, è lu megghiu tour di la Sicilia. E picchissu, cridu ca vaju cu Arba Sicula. A dicembri, quannu annuncianu lu viaggiu, mi prinotu un postu, ci mannu li sordi pi lu depòsitu, e cuminciu a pigghiari nfurmazioni supra li posti ca avemu a visitari. Sacciu ca visitamu Palermu, Cefalù, Èrici, Marsala, Agrigentu, Siracusa, Catania e Taurmina e tanti àutri posti. Quannu semu a Taurmina, aju a jiri a vìdiri lu paisi unni nascìu me nannu: Linguarossa. Quannu sugnu ddà, vogghiu jiri a lu municìpiu prima e doppu a lu campusantu unni sunu vurricati li me parenti. Aju a vìdiri puru la casa unni nasceru, si esisti ancora. Sacciu lu ndrizzu: via Crispi, 14. Cu sapi si lu trovu? A ogni modu stu viaggiu avi a èssiri un viaggiu di scuperti mpurtanti picchì l'omu si nun sapi di unni veni, nun sapi unni va!

Dumanni:

1. Quannu avi a fari un viaggiu in Sicilia? 2. Picchì nun l'a ancora fattu? 3. Ci va sulu? 4. Quannu è ca Arba Sicula annuncia lu tour? 5. Chi avi a fari pi primu? 6. Unni avi a jiri pi visitari lu paisi di li nanni? 7. Chi voli vìdiri nta lu paisi? 8. Tu penzi ca la casa esisti ancora? 9. Tu a' parenti vurricati in Sicilia? 10. Chi è mpurtanti sapiri pi l'omu?

B. Double Object Pronouns

Consider the following sentence: *Lu prufissuri duna lu votu a lu studenti* (The professor gives the mark to the student). If you replace the direct object with its pronoun you will say *Lu prufissuri lu duna a lu studenti*; if you replace the indirect object with the pronoun you will have *Lu prufissuri ci duna lu votu*. If you want to replace both objects with their respective pronouns you will end up with: *Lu prufissuri ci lu duna.* (The professor gives it to him). Thus when you replace both objects with pronouns, the indirect object pronoun always goes first, followed by the direct object pronoun. They are written as two words when they precede the verbs, as they will in most cases, except infinitives, as we will see shortly. If you needed to say "the professor gives it to me" you simply replace the *ci* with *mi* as follows: *Lu prufissuri mi lu duna.*

Here are all the possible combinations of indirect and direct object pronouns in Sicilian. As we already learned, the direct object pronouns *lu, la,* and *li* often become *û, â,* and *î* in every day speech. When they are used with the indirect object pronouns they combine as you see in the table below:

Mi	mi lu, mi la, mi li	(mû, mâ, mî)	it to me, them to me
Ti	ti lu, ti la, ti li	(tû, tâ, tî)	it to you, them to me
Ci	ci lu, ci la, ci li	(ciû, ciâ, cî)	it to him, to her, to you, them to him, her, you
Si	si lu, si la, si li	(sû, sâ, sî)	it to himself, herself, yourself them to himself, etc.
Ni	ni lu, ni la, ni li	(nû, nâ, nî)	it to us, them to us
Vi	vi lu, vi la, vi li	(vû, vâ, vî)	it to you, them to you
Ci	ci lu, ci la, ci li	(ciû, ciâ, cî)	it to them, them to them

Eserciziu 3: Answer the questions and replace the object with a pronoun:

Facisti la pasta? *Si, la fici.* *Si, â fici.*

1. Scrivisti la littra? 2. Mannasti lu paccu? 3. Dicisti la virità? 4. Accattasti li vistiti? 5. Purtasti lu telegramma?

Eserciziu 4: Now replace both the direct and the indirect objects with pronouns:

Facisti la pasta pi li to figghi? *Si, ci la fici.* *Si, ciâ fici.*

1. Scrivisti la littra a lu prufissuri? 2. Mannasti lu paccu a Luisa? 3. Dicisti la virità a to matri? 4. Accattasti li vistiti pi li picciriddi? 5. Purtasti lu telegramma a to soru? 6. Si lavau li mani lu picciriddu? 7. Si misi la cravatta Robertu?

Eserciziu 5: Let's blame Giuanni for doing all the following for you:

Cu ti purtau sta brutta notizia? Mi la purtau Giuanni! Mâ purtau Giuanni!

1. Cu ti purtau stu mazzu di ciuri? 2. Cu vi cuntau sti barzelletti? 3. Cu ti desi sti risultati? 4. Cu vi fici stu rialu miseràbbili? 5. Cu vi traducìu sta frasi?

When the direct object refers to a quantity or a countable item, it must be replaced by *ni*:

Eserciziu 6: Follow the model:

Example: *Quantu libri ti purtau to patri?*
Mi ni vuleva purtari tri, ma poi mi ni purtau sulu unu.

He wanted to bring me three of them but he brought me only one.

1. Quantu riali ti fici to matri pi lu to cumpliannu? 2. Quantu littri ti scrissi lu to zitu? 3. Quantu barzelletti ti cuntau Robertu? 4. Quantu miliuni di dollari ti lassau to nannu? 5. Quantu amici ti fici canùsciri Micheli?

In the previous exercise, the object pronouns were placed before the verb that introduced the infinitive. You can also attach both pronouns to the infinitive itself, remembering to double the *l* of the direct object pronoun and also the *c* and *n* of the indirect object pronouns. Consider the following:

Senti, Marcu, pozzu mannariti lu rialu a la casa?
Listen, Mark, can I send you the gift at home?
Certu, poi mannarimillu a la casa.
Sure, you can send it to me at home.

Eserciziu 7: Follow the model given above:

1. Senti, pozzu mannariti li ricivuti a la casa? 2. Senti, pozzu cuntari sta storia a to soru? 3. Senti, pozzu pigghiarimi na vacanza? 4. Senti, pozzu scrivìriti la cartulina di Taurmina? 5. Senti, poi mannarimi lu vaglia pustali?

Eserciziu 8: Follow the model:

Vogghiu mannaricci lu libru a Carlu *Vogghiu mannariccillu sùbbitu.*

1. Vogghiu scriviricci la littra a lu prufissuri. 2. Luisa voli spidiricci li ciuri a so matri. 3. Carlu prifirisci purtaricci li rosi a so soru pirsunalmenti. 4. Nui nun putemu diricci la virità a li carusi. 5. Li picciriddi nun ponnu mittirisi lu vistitu senza l'aiutu. 6. Li picciriddi nun sannu lavarisi l'aricchi senza l'aiutu di la mamma. 7. Jo nun pozzu livarimi sta nutizia di la testa. 8. Tu vulevi accattaricci la màchina a to figghiu? 9. Nui nun avemu ntinzioni di pagaricci li dèbbiti a ddu scimunitu. 10. Iddi nun hannu ntinzioni di pagarimi li dèbbiti. Sunnu tirati!

Littura: Chiù chi si campa e chiù si sapi

Vocabulary Notes:

Si cunta e s'arricunta	The story is told and retold
Vecchiu stravecchiu	a very old man
Assittatu	Seated
Un cocciu di focu	A bit of fire

Lu cufuni nni mia?	The hearth in my house?
Eu ti lu dugnu	I will give it to you
Unni ti lu metti	Where will you put it?
Lu focu abbruçia	Fire burns
Chi nn'âti a fari?	What do you have to do with it?
Nca pigghiatillu!	So take it!
La chianti di lu manu	The palm of his hand
Cìnniri	ashes
Si duna na manata in testa	Smacks his head
Chiù chi si campa e chiù si sapi	The more you live, the more you know (learn)

Na vota si cunta e s'arriccunta ca cc'era un vecchiu stravecchiu, omu di spirienza, assittatu a lu focu. Veni, e veni un picciutteddu; dici: — "Mi lu dati un cocciu di luci, pr'addumari lu cufuni nni mia?"—"Eh, figghiu (dici lu vecchiu), eu ti lu dugnu, ma nta chi ti lu metti, ca nun purtasti nenti? nun lu sa' ca lu focu abbruçia?" — "E vu' chi nn'âti a fari?" (dici lu picciutteddu); "datimillu, ca cci penzu eu." "Nca pigghiatillu!" Lu picciutteddu allura chi fa? Si jinchi la chianta di la manu di cinniri fridda, cci metti supra un cocciu di focu e si nni va. "Oh," (dici lu vecchiu e si duna na manata in testa) ed eu cu tutta la me spirienza e tant'anni chi campu, nun sapìa affattu sta cosa: 'Chiù chi si campa e chiù si sapi.'" E di ddocu, sta palora arristau pri muttu.

Dumanni:

1. Unni era lu vecchiu? 2. Cu va nni lu vecchiu? 3. Chi voli di iddu? 4. Lu veccchiu nun ci voli dari lu focu? 5. Lu picciutteddu porta quacchi cosa pi traspurtari lu focu? 6. Comu risorvi lu problema lu picciutteddu? 7. Chi lezzioni mpara lu vecchiu?

C. The Present Perfect (Passatu Prossimu)

Compare the following sentences:

Lu facchinu purtau li bagagli?	*No, ancora nun li a purtati.*
Did the porter bring the suitcases?	No, he still has not brought them.

The Present Perfect in Sicilian is not as widely used as in Italian. It is used primarily when an action that began in the past continues to the present or whose effect is still felt in the present. In the example above the porter has not yet brought the cases. The action is not finished.

The Present Perfect is formed with the Present tense of the auxiliary *aviri* and the Past Participle of the verb. The Past Participles of verbs are formed by adding *atu* to the stem of verbs in *ari* and *utu* to the stem of verbs in *iri*. Thus the P.P. of *parrari* is *parratu*, the P.P. of *vinniri* is *vinnutu*. Here is the paradigm for the Present Perfect:

Manci<u>ari</u>	manci<u>atu</u> (eaten)	Rispùnn<u>iri</u>	rispunn<u>utu</u> (answered)
aju manciatu	aju, ê manciatu*	aju, ê rispunnutu	aju, ê rispunnutu
ai manciatu	a' manciatu	a' rispunnutu	a' rispunnutu
avi manciatu	a manciatu	a rispunnutu	a rispunnutu
avemu manciatu	amu manciatu	avemu rispunnutu	amu rispunnutu
aviti manciatu	ati manciatu	aviti rispunnutu	ati rispunnutu
hannu manciatu	hannu manciatu	hannu rispunnutu	hannu rispunnutu

*These are alternatives forms commonly heard. They are preferable for compound tenses. You may find the following forms of *aviri* written with an h, as *haiu, hê, hai* and *ha*.

In Sicilian some verbs that form the Past Participles irregularly also retain the regular Past Participle. Here are the most common:

scrìviri	scrittu	scrivutu	(written)
offènniri	offisu	offinnutu	(offended)
jùnciri	juntu	junciutu	(joined)
cògghiri	cotu	cugghiutu	(gathered)
rùmpiri	ruttu	rumputu	(broken)
stènniri	stisu	stinnutu	(hung)
mòriri	mortu	murutu	(dead)
pèrdiri	persu	pirdutu	(lost)
scìnniri	scisu	scinnutu	(descended)
riddùciri	ridduttu	ridduciutu	(reduced)
affrìggiri	affrittu	affriggiutu	(afflicted)
distrùggiri	distruttu	distruggiutu	(destroyed)
tradùciri	tradottu	traduciutu	(translated)

Other verbs that form the Past Participle in an irregular way:

diri	dittu	(said)
fari	fattu	(done)
èssiri	statu	(been)
chiùdiri	chiusu	(closed)
àpriri	apertu	(opened)
mèttiri	misu	(placed)

Eserciziu 9. Now answer the following questions:

Lu facchinu purtau la valigia? *No, ancora nun a purtatu la valigia.* 

1. Lu mbriacu finìu la buttigghia di vinu? 2. La cammarera pulizziau lu bagnu? 3. Lu picciriddu bivìu lu latti? 4. Lu bicchinu vurricau lu mortu? 5. Lu mèdicu curau lu pazienti? 6. Lu studenti fici l'esami? 7. Mariu vinni a la scola? 8. L' autista arrivau cu lu tassì? 9. Lu cammareri sirvìu a li clienti?

A period of time that includes the present must be implied or expressed when using the Present Perfect.

Eserciziu 10: Read and understand the following questions:

1. Chist'annu lu tempu a distruggiutu menzu munnu! 2. Stu misi nun aju fattu nenti di particulari 3. Sta simana aju avutu tantu chiffari 4. Stamatina a statu in campagna a travagghiari 5. La Sicilia nun a fattu tantu prugressu contru la disoccupazioni 6. Li studenti hannu studiatu assai pi l'esami 7. Lu prufissuri a scrittu almenu vinti littri stamatina 8. Nun ê ancora pruvatu sta rizzetta 9. Me mugghieri a persu lu riloggiu 10. Jo nun aju mai vistu na cosa sìmili.

Eserciziu 11: These are the questions that elicited the answers above. Match questions with answers. The answers are not in the same order as the statements.

1. Chi a persu to mugghieri? 2. A' mai vistu quacchi cosa di sìmili? 3. Quantu hannu studiatu li studenti pi l'esami? 4. A fattu prugressu la Sicilia contru la disoccupazioni? 5. A' pruvatu sta rizzetta? 6. Quanti littri a scrittu lu prufissuri stamatina? 7. A' statu occupatu stamatina? 8. Unni a' statu stamatina? 9. Comu a statu lu tempu chist'annu? 10. A' fattu quacchi cosa di particulari stu misi?

The Past Participles of verbs are used also as adjectives and agree in gender and number with the nouns they qualify:

La lingua parrata the spoken language *Li casi vinnuti* the sold houses

Eserciziu 12: Use the past participles as adjectives and translate them:

Scrìviri (to write)	*La frasi scritta*	The written phrase
1. distrùggiri (to destroy)	La casa__________	__________
2. parrari (to speak)	La lingua__________	__________
3. macchiari (to stain)	La cammiçia__________	__________
4. stènniri (to hang)	Li robbi __________	__________
5. pèrdiri (to lose)	Li carti __________	__________
6. mòriri (to die)	Li cristiani__________	__________
7. rùmpiri (to break)	Li piatti __________	__________
8. sòffriri (to suffer)	Li peni __________	__________
9. chiùdiri (to close)	La porta__________	__________
10. àpriri (to open)	Li finestri __________	__________

Vocabulary Notes: Before reading familiarize yourself with the following:

L' archetipu di lu scienziatu	The archetype of the scientist
Benvulutu	Well loved
Costruiri	To build
Putissi cunsumari	She could satisfy
Crideva fussi so figghiu	Believed he was his son
Unni tèniri ammucciatu	To keep hidden
Snaturatu accoppiamentu	Unnatural coupling
Riniscìu a scappari	Succeeded in escaping
La cira	The wax
Na furmìcula	An ant
Fici un purtusu	Made a hole
Attraversu la spirali	Through the spiral, coils
Crideva fussi	Who thought that he was
Passari un capiddu	To thread a hair
N' anticchia di meli	Some honey
Ristau ammiratu	Was impressed
Prutiggìu	Protected
Circari minnitta	To seek vengeance
Accugghìu cu bona facci	Received him with a welcoming face
Beddu rilassatu	Nice and relaxed
Anniari	To drown
Li termi	The spa
Riserva d'acqua	Water reservoir

I Siciliani hannu granni ammirazioni pi l'òmini nteliggenti. Empedocli di Agrigentu fu cunsiddiratu un diu pi la so nteliggenza, Archimedi fu assai amatu di li Siracusani pi lu geniu c'aveva. È forsi picchissu ca Dèdalu, ca nun era sicilianu comu a l'àutri dui e ca si pò cunziddirari comu l'archetipu di lu scinziatu, fu assai benvulutu in Sicilia unni vinni a passari l'urtimi anni di la so vita.

Tutti sannu comu Dèdalu fu chiddu ca costruìu dda vacca pi Pasìfae, la mugghieri di lu re Minossi di Creta, in modu ca idda putissi cunzumari la so passioni pi lu toru biancu mannatu di Posiduni. E fu sempri iddu ca costruìu lu labirintu unni tèniri ammucciatu lu fruttu di ddu snaturatu accoppiamentu tra Pasìfae e lu toru, lu Minutauru, ca Minossi crideva fussi so figghiu. Quannu poi sappi ca lu Minutauru era figghiu di lu toru, Minossi mpriggiunau a Dèdalu nta lu labirintu assemi a so figghiu Icaru. Dèdalu riniscìu a scappari facènnusi du' para d'ali pi iddu e so figghiu. Ma Ìcaru s'avvicinau troppu a lu suli e la cira ca tineva li pinni ncuddati si squagghiau e iddu cadìu ntô mari unni murìu. Dèdalu inveci attravirsau lu mari, arrivannu in Sicilia unni

rignava a ddu tempu Còcalu, lu re di li Sicani.

Còcalu vosi vìdiri si Dèdalu era veramenti ddu geniu ca tutti dicevanu e ci dumannau di risòrviri stu problema: comu fari passari un capiddu attraversu la spirali di na cunchigghia facènnulu nèsciri di l'àutru latu. Dèdalu allura pigghiau na furmìcula, ci attaccau un capiddu a na jamma e la pusau nta la parti chiù aperta. Fici un purtusu di l'àutru latu e ci misi nanticchia di meli. E la furmìcula a picca a picca caminau, carriannusi dappressu ddu longu capiddu finu a quannu nisciù di l'àutru latu. Còcalu ristau ammiratu e prutiggìu a Dèdalu quannu Minossi vinni circannu minnitta. Nveci di cunzignàricci a Dèdalu, Còcalu accugghìu a Minossi cu bona facci, ci fici priparari un bagnu d'acqua càudda di li so du' figghi fimmini e chisti, quannu iddu era beddu rilassatu, l'anniàru nta l'acqua.

Dèdalu ristau in Sicilia e costruìu tanti cosi nta l'isula comu la tempiu di Vèniri a Èrici, li termi di Sciacca e la riserva d' acqua di Colimbetra.

Dumanni:

1. Chi tipu d'omu ammiranu li Siciliani? 2. Dèdalu era sicilianu? 3. Chi ci costruìu pi la mugghieri di lu re Minossi? 4. Di cu' era nnamurata Pasìfae? 5. Chi nasciù di l'unioni tra Pasìfae e lu toru? 6. Unni lu misiru a lu Minutauru? 7. Poi dari na discrizioni di lu Minutauru? 8. Comu scappau Dèdalu di lu labirintu? 9. Cu vinni a circari minnitta contru a Dèdalu? 10. Quali òpiri lassau Dèdalu in Sicilia?

Catania pi grannizza[1] è la secunna città dâ Sicilia doppu Palermu, ma pi li so attività cummirciali è forsi la prima. Si dici ca Catania è la Milanu dû sud. Avi un portu mpurtanti e nta li ùrtimi trent'anni a criatu numirusi cumpagnìi ca travagghianu cu la tecnologia avanzata.[2] Catania è nanticchia comu la "Silicon Valley" dâ California.

La città avi un aspettu modernu cu strati longhi e dritti, comu la via Etnea ca porta direttamenti a l'Etna. Siccomu a statu distruggiuta[3] tanti voti dâ lava e dî tirrimoti, lu so sìmbulu è la finici ca risorgi sempri dî so cìnniri.[4] Idda fu quasi distruggiuta cumpletamenti ntô 1669 quannu l'Etna la cummugghiau[5] di lava finu a lu mari. Infatti lu Casteddu Ursinu, costruitu[6] di Fidiricu II ntô tridicèsimu sèculu pi difènniri lu portu,[7] ora si trova a un migghiu di distanza di l'acqua. Lu tirrimotu dû 1693 cumplitau[8] la distruzioni dâ città. Naturalmenti fu ricostruita di sana pianta ntô 1736 nta lu stili baroccu sicilianu. E picchissu Catania avi assai palazzi eleganti e ricchi di decorazioni. [9]

C'è tanta storia e tanti cosi di vìdiri: un parcu eleganti cu passiati e viali unni li Catanisi amanu passiari,[10] didicatu a ddu famusu figghiu di Catania, Vicenzu Bellini, granni musicista, auturi di òpiri comu *Norma, La Sunnàmbula, I Pirati* e àutri; Catania è la città dû Liotru,[11] lu liafanti di petra làvica ca si vidi a Piazza Domu, è la patria[12] di Sant'Àita, la santuzza ca iddi amanu tantu, ca è la patruna;[13] è la città di l'università chiù antica dâ Sicilia, funnata ntô 1434. C' è puru un anticu tiatru rumanu menzu vurricatu[14] dâ lava.

Li Catanisi, genti vivaci c'avi sempri la lingua pronta[15] e nanticchia spizzusa,[16] rispunnunu ca sunnu "macca* Liotru"[17] quannu ci dumannanu di unni venunu. Iddi hannu na parrata a cantilena[18] e nveci di diri "jo" dicinu "ju". Ci piaci schirzari.[19] Nun pi casu,[20] Àncilu Muscu, l'atturi chiù famusu dâ Sicilia, e Ninu Martogghiu, lu funnaturi dû tiatru sicilianu, eranu "Macca Liotru".

Vocabulary Notes:

1. In size 2. Advanced technology 3. Destroyed 4. Phoenix that is reborn from its ashes 5. Covered it 6. Built 7. To defend the port 8. Completed 9. Richly decorated 10. They love promenading 11. The city of the elephant 12. Motherland 13. Patron Saint 14. Half buried 15. A quick tongue 16. A little spicy 17. Liotru brand.18. A sing-song speech 19. They like fooling around 20. It's no coincidence

* The Catanese generally drop the *r* when another consonant follows. Instead of saying *marca* they say *macca*; instead of saying *porta*, they say *potta*.

Dumanni:

1. Comu è canusciuta Catania pi li so attività industriali? 2. Comu sunnu li strati catanisi? 3. Quannu fu distruggiuta Catania di lu tirrimotu? 4. Cu costruìu lu Casteddu Ursinu? 5. Cu è lu musicista chiù famusu di Catania? 6. Quali è lu nomu lucali pi lu liafanti? 7. Cu è la santuzza patruna di la città? 8. Chi voli diri èssiri "Macca Liotru"? 9. Quali aceddu è lu sìmbulu di la città? 10. Cu fu l'atturi chiù famusu di la Sicilia?

Un postu tra i pirsunaggi chiù eminenti dâ cultura siciliana dû sèculu passatu nun ci lu leva[1] nuddu a Ninu Martogghiu. Cui, megghiu d'iddu, sappi rapprisintari l'ànimu e lu spìritu[2] dî Siciliani? Iddu arricchìu[3] lu tiatru dialettali sicilianu cu òpiri comu *L' aria dû Continenti* e *San Giuvanni Decullatu*, ca l'immortali Àncilu Muscu interpritau cu tanta cunvinzioni, Martogghiu fu regista[4] di cìnima, funnaturi[5] di giurnali, capucòmicu[6] di cumpagnìi tiatrali, e pueta lìricu di rara finizza[7] Aveva raggiuni Luigi Pirandellu quannu dissi ca "Martogghiu fu pâ Sicilia chiddu ca Di Giacomo e Russo foru pi Napuli: chiddu ca Pascarella avìa statu pi Roma;... vuci nativi[8] ca dicinu li cosi dâ so terra comu la so terra vulissi ca fussiru ditti pi èssiri chiddi e non àutri,[9] cû sapuri e cû culuri, cu l'aria, lu çiatu e l'uduri[10] cu li quali campanu veramenti e si gustanu e s'illumìnanu e rispìranu e pàlpitanu ddà sulamenti e non in àutri posti."

Doppu a Giovanni Meli, Martogghiu fu lu pueta dialettali chiù espressivu di tutti li pueti dâ Sicilia. La cullezioni di puisìi siciliani ca va sutta lu nomu di *Centona* a avutu tanti ristampi[11] e sempri si esaurisci[12] prestu picchì lu pòpulu sicilianu si ricanusci[13] nta li versi di Martogghiu, ricanusci[14] nta li so puisìi la vuci ca senti parrari[15] ogni jornu, rividi li cummari ca si sparranu[16] darreri li vitrini, senti l'ecu di li banniati dî so vinnituri[17] ambulanti, lu richiamu di li matri a li picciriddi, a vuci di un nnamuratu ca chiama di notti a la finestra di la so bedda.

Lu munnu puèticu di Martogghiu rifletti la vita di lu pòpulu catanisi ca iddu amava. Martogghiu lu cantau sempri cu frischizza, cu geniu, cu nvenzioni e virità, a

Lu liotru davanti a lu municipiu di Catania./The Elephant in front of Town Hall in Catania.

cuminciari di la vita dî vappi[18] catanisi ca parravanu un dialettu strittu strittu[19] ca sulu Diu e Martogghiu putevanu capirlu, pi finiri cu li nciurìi fantasiusi[20] di li cummari di curtigghiu[21] ca si pizzulìanu[22] cu scattrizza e finizza degni[23] di politicanti, usannu na lingua spissu chiù tagghienti d'un rasoru svidisi,[24] àutri voti grussulana e scancarata. C'è tanta varietà nta la *Centona*, ma chiddu ca culpisci di chiù[25] dâ so vasta produzioni puètica è la nzistenza supra lu tema di l'amuri. L' amuri comu mutivu principali dâ vita umana, l'amuri comu funti di amarizzi[26] e di duluri, l'amuri accattatu, l'amuri ca duna l' èstasi, l'amuri chinu di spini.[27] E la fimmina, ca in sicilianu nun è palora offensiva [28]comu in italianu, è sempri nta li so pinzeri, a voti comu n'anciuledda[29] ca fa ricurdari a li donni ancilicati[30] dû Dolci Stil Novu, a voti comu na tintatrici[31] ca ti porta a lu nfernu e ti duna la morti, a voti cu l'ucchiuzzi duci e tradituri a lu stissu tempu, spissu comu riposu eternu e meta ùnica[32] di l'omu. Martogghiu tuccau tutti li tasti[33] di l'amuri, canuscìu tutti l'emozioni ca nasciunu d'iddu e li cantau cu sincerità e frischizza. Nta li so puisìi si rispècchianu[34] l'ànima e li cori amanti dâ Sicilia.

Includemu un sunettu di Martogghiu di *The Poetry of Nino Martoglio*, ed. & trans. di G. Cipolla, Mineola, NY: Legas, 1995.

Vocabulary Notes:

1. Will take away 2. The soul and spirit 3. Enriched 4. Director 5. Founder 6. Manager 7. Refinement 8. Native voices 9. Saying things about their land as the land expects them to be and nothing else 10. The breath and smell 11. Reprints 12. Sold out 13. Identifies itself 14. recognizes 15. That he hears spoken 16. Speak ill of each other 17. The hawking of vendors 18. Machos 19. So difficult 20. With the imaginative insults 21. The ladies of the courtyard 22. Peck at each other 23. Worthy 24. Sharper than a Swedish razor 25. What's more striking 26. Source of bitterness 27. Full of thorns 28. An offensive term 29. Sometimes like a little angel 30. Angel-like women 31. Temptress 32. Eternal resting place and only goal 33. Played every key 34. Are mirrored.

LU SULI E LA LUNA

Chi nni vuliti, caru amicu miu,
a mia m'ha fattu sempri 'sta mprissioni:
ca a pettu di lu suli su' un schifìu,
la luna e tutti li costillazioni.

Lu suli è fattu di na costruzioni
ca fa 'n caluri, salaratu Diu,
ca s'arristora na pupulazioni...
E inveci, ccu la luna, non quarìu!

N mumentu... Approvu zoccu aviti dittu,
lu suli ci la vinci, in questa classi;
ma... in quantu a lustru, mi pariti pazzu.

La luna nesci quann' è scuru fittu
e ju sparagnu supra l'ogghiu a gassi...
lu suli nesci a jornu; chi nni fazzu?

The Sun and the Moon

My dear old friend, what else can I reply?
I've always felt this way, I don't know why!
The stars and Moon, when all is said and done,
are worthless when compared to our own Sun.

The Sun was made precisely in a way
to give us heat, thank God, throughout the day,
making the people comfortable, ok.
The Moon gives out no heat! What can I say?

—All right! I do agree with what you said.
As far as giving heat, the Sun is champ,
but as for giving light, I think you strayed.

The Moon comes out when it's pitch dark, therefore,
I save the gas I need to light the lamp;
the Sun comes out in day light: what's it for?

Dumanni:

1. Comu si chiama l' òpira puètica chiù mpurtanti di Ninu Martogghiu?
2. Ninu Martogghiu travagghiau nta vari campi. Quali professioni fici?
3. Quali sunnu du' òpiri tiatrali famusi di Ninu Martogghiu?
4. Cu è cunziddiratu lu pueta chiù espressivu di la Sicilia, doppu Giovanni Meli?
5. Quali è lu tema ca dòmina la so puisìa?
6. Comu sunnu li fimmini ca Martogghiu discrivi nta la *Centona*?
7. Comu è la lingua di li curtigghiara catanisi?
8. Nta lu sunettu "Lu suli e la luna," a cu fa la sàtira Martogghiu?
9. Li du' Catanisi vannu d'accordu supra lu fattu ca lu suli duna caluri. Supra a chi cosa nun vannu d'accordu?
10. A chi servi la Luna pi unu di li du' Catanisi?

Pruverbiu sicilianu

Cu tardu arriva, trova la tavula scunzata.

If you have any problems with these exercises, review Chapters 9 and 10.

Eserciziu 1. Review the Imperfect and the Past Tenses. Rewrite the following paragraph changing the verbs in bold into the Imperfect or Past Tense as needed by the context:

Aieri *svigghiarimi* prestu. *Vuliri* jiri a passari na jurnata a la praia, ma doppu ca *taliari* di la finestra, *vìdiri* ca lu celu *èssiri* niuru e nun ci *èssiri* mancu l'ummira di lu suli. Nun *fari* friddu picchì *èssiri* in austu, ma certamenti nun mi *pàriri* jurnata di mari. Allura chi *fari? Pigghiari e curcarisi* nàutra vota.

Eserciziu 2. *Chi si fa nta sti casi?* **What can be done in the following situations? Use the impersonal "si":**

Example: *Chiovi e tira ventu.* *Si sta dintra e si leggi un libru.*

1. L' autumòbbili nun parti. Chiamari lu miccànicu.
2. La picciridda avi la frevi. Chiamari lu mèdicu.
3. Bisogna spidiri du' littri. Jiri a la posta.
4. Nun avemu tanta fami. Manciari chiù picca.
5. Dumani è lu me cumpliannu. Fari na bedda festa.

Eserciziu 3. With a partner concur with the statements made:

Example: *Jo capisciu lu sicilianu.* *Nui puru capemu lu sicilianu.*

1. Jo finisciu lu me travagghiu dumani.
2. Lu prufissuri prifirisci stari mutu. (to be silent)
3. Jo contribuisciu zoccu pozzu. (what I can)
4. Jo m'alliggirisciu di stu pisu. (weight)
5. Stabilisciu la me risidenza ccà.

Eserciziu 4. With a partner reply that Robertu is to blame for all your problems:

Example: *Cu ti desi sta brutta notizia?* *Mi la desi Robertu!*

1. Cu ti fici ssa malaparti? (this dirty deed)
2. Cu vi cuntau tutti ssi minzogni? (lies)
3. Cu ti mannau ssi ciuri morti? (dead flowers)
4. Cu ti fici ssu rialu misiràbbili?
5. Cu ti comunicau sta nutizia? (news)

Eserciziu 5. Ask your partner these questions that imply a future date. Use an adverb of time to convey the sense of the future.

1. Quannu finisci li to studii?
2. Quannu ti mariti?
3. Quannu vai in Sicilia?
4. A chi ura nesci dumani matinu?
5. A chi ura torni stasira?

Eserciziu 6. Answer using the Present Perfect Tense.

Example: *A' fattu quacchi nova canuscenza stu misi?* *No, nun ê fattu novi canuscenzi.*

1. A' vistu quacchi novu film sta simana?
2. A' scrittu quacchi puisìa stu misi?
3. A' mannatu quacchi paccu a to soru?
4. A' travagghiatu assai stu misi?
5. A' visitatu lu Museu Metropolitan avannu? (this year)

Eserciziu 7. Use the past participles to show the result of the actions performed, as in the model:

Example: *Lu picciriddu rumpìu la finestra.* *Ora la finestra è rutta.*
The boy broke the window. Now the window is broken.

1. Lu picciriddu aprìu la porta.
2. Lu picciriddu pirdìu la palla.
3. Lu picciriddu ammazzau la musca. (the fly)
4. Lu picciriddu ruvinau lu muru.
5. Lu latru (the thief) distruggìu la casa.

Chapter 11

What's in This Chapter:

Grammatica

A. *The Present Progressive Tense*
B. *The Gerund*

Matiriali didattici

La pasta a la Norma
Lu corpu umanu
Littura: La Longa
Lu jocu di lu palluni
Nota culturali: La Trinacria
Nota culturali: Tràpani
Sicilian Humor

Lu tiatru grecu di Segesta. / The Greek Theatre in Segesta.

A. The Present Progressive Tense

In Sicilian, as in Italian, the verb *stari* is combined with the Gerund of verbs to express an on-going action. For example, *Staiu parrannu cu tia* means that I am talking to you at this very moment. If the action was on-going in the past, instead of the Present Tense of *stari,* we use the Imperfect Tense plus the Gerund of the verb as follows: *Stava parrannu cu tia, quanu arrivau Luisa*, (I was talking to you when Luisa arrived.) The Gerund is formed by adding *annu* to the stem of verbs in *ari*, and *ennu* to those that end in *iri*. The Gerund is invariable.

Present Progressive Tense	
Cuntari	**Finiri**
(I am telling a story)	*(I am finishing un travagghiu)*
Jo staiu cuntannu na storia	Jo staiu finennu un travagghiu
Tu stai cuntannu na storia	Tu stai finennu un travagghiu
Iddu, idda sta cuntannu na storia	Iddu/idda sta finennu un travagghiu
Vossia, Lei sta cuntannu na storia	Vossia, Lei sta finennu un travagghiu
Nui stamu cuntannu na storia	Nui stamu finennu un travagghiu
Vui stati cuntannu na storia	Vui stati finennu un travagghiu
Iddi stannu cuntannu na storia	Iddi stannu finennu un travagghiu

There are a few verbs that form the Gerund in an irregular way because the original Latin infinitive is used to form some of the tenses:

fari	(derives from *FACERE*)	facennu	doing
diri	(derives from *DICERE*)	dicennu	saying
tradùciri	(derives from *TRADUCERE*)	traducennu	translating

Keep in mind that verbs that have stressed *e* or *o*, change the *e* to *i* and the *o* to *u* when forming the Gerund. Here are some of the most common. Also remember that the stress will always fall on the penultimate vowel: *liggènnu, caminànnu*, etc.

chiòviri	chiuvènnu (raining)	cèrniri	cirnènnu (sifting)
dòliri	dulènnu (hurting)	currèggiri	curriggènnu (correcting)
dòrmiri	durmènnu (sleeping)	nèsciri	niscènnu (going out)
gòdiri	gudènnu (enjoying)	pèrdiri	pirdènnu (losing)
mòviri	muvènnu (moving)	sèntiri	sintènnu (hearing)
mòriri	murènnu (dying)	spènniri	spinnènnu (spending)
sciògghiri	sciugghiènnu (untying)	succèdiri	succidènnu (happening)
sòffriri	suffrènnu (suffering)	vèstiri	vistènnu (dressing))

Note: the accents above have been added to show the shifting of stress. They are not required in normal writing.

In addition to its use in the formation of the Progressive Tense, the Gerund can be used in subordinate clasuses. Consider the following:

The Gerund can be repeated to introduce a main clause. This use has no equivalent in English.

Schirzannu schirzannu, si ficiru li novi.
While we were fooling around, it got to be nine o'clock.

Manciannu manciannu, finistivu lu pani.
By nibbling continuously, you finished the bread.

*Ballannu ballannu, la festa briau. (*briari, to end*)*
One dance after the other, the party came to an end.

2. The Gerund can be used as a subordinate clause:

Vidennu a la guardia, Turiddu si firmau.
On seeing the guard, Turiddu stopped.

Mentri parrava cu Luisa, jo visti l'incidenti.
While talking to Luisa, I saw the accident.

3. Sometimes the Gerund can be used as an adverb:

Arrivaru a la festa currennu.
He arrived at the party running.

Iddu travagghiava babbiannu.
He worked playfully.

Its use as a component of the Present Progressive is the most important function of the Gerund. The verb *stari* is the main supporting verb but the verb *jiri* and *veniri* can also be used, but they are not interchangeable with *stari*. *Iddu va malidicennu la so sorti* does not mean "he is cursing his bad luck right now," but "He keeps cursing his bad luck."

Iddu sta lavannu la màchina.	He is washing his car. (right now)
Lu viddanu stava jinchennu la quartara.	The farmer was filing his jug.
Nui stamu manciannu na banana.	We are eating a banana.
Iddi stannu cugghiennu alivi.	They are harvesting olives.

Eserciziu 1: Rewrite these sentences replacing the subordinate clauses with Gerunds:

Mentri vineva dû mircatu, iddu vitti a Rusina.
Vinennu dû mircatu, iddu vitti a Rusina.

1. *Mentri travagghiava* nta lu nigoziu, sintìu na sparatoria. 2. *Mentri baçiava* la terra, mi fici lu signu dâ cruci. 3. *Quannu telefunai* a to matri, jo sappi la nutizia. 4. *Quannu muzzicavu* la frutta, sintìu ca era fracida. 5. *Mentri caminava* nta la strata, cuminciau a chiòviri.

Eserciziu 2: Substitute the subordinate clause with the idiomatic repetition of the Gerund:

A forza di gridari, pirdìu la vuci. *Gridannu gridannu, pirdìu la vuci.*
By continuing to yell, he lost his voice. By yelling, he lost his voice.

1. A forza di manciari, ci ngrussau la panza. 2. A forza di caminari, la signura si stancau. 3. A forza di chiànciri, ci vinni la depressioni. 4. A forza di chiamari aiutu continuamenti, nuddu lu scutau chiù. 5. A forza di cùrriri, si rumpìu na jamma.

Eserciziu 3: Complete the following statements using the Present Progressive as shown:

Normalmenti nun fazzu esercizi di sira, ma ora li staiu facennu.

1. Normalmenti nun manciu spaghetti câ sarsa,__________________.
2. Normalmenti nun scrivu li raccumannazioni, __________________.
3. Normalmenti nun nesciu di sira tardu, ________________________.
4. Normalmenti me patri nun balla, ___________________________.
5. Normalmenti me soru nun cucina mai, ______________________.

Eserciziu 4: Your parents are pressuring you to do something. Tell them you are about to do what they are asking: Replace objects with pronouns as necessary:

Giuanni, facisti li compiti? *Si, li staiu facennu!*

1. Giuanni, ti susisti? 2. Giuanni, ti lavasti? 3. Giuanni, telefonasti a lu dutturi? 4. Giuanni, pigghiasti la posta? 5. Giuanni, curriggisti li erruri?

Littura: La Pasta a la Norma

Vocabulary Notes:

Supra la sissantina	about sixty years old
Pinziunati	Retired
A leggiu a leggiu	slowly

Dû palluni	of soccer
Chiddu ca sta succidennu	What is occurring
Nicareddu	Rather small
Ntrasunu nta l'aricchi	They enter through the ears
E nesciunu dâ bucca	and they exit through the mouth
Cumpari	Neighbor*
Na cosa prilibbata	An especially delicious meal.
Vidennumi	Seeing me. Pronouns are attached to the Gerund.
Comu fici sèntiri a Billini	As it made Bellini feel
La Sunnàmbula	The name of another Bellini opera.
Ci friscau	Whistled at it. (Whistling means disapproval)
Musciu	Feeling low
Ora tû spiegu	Now I will explain it to you.
Lu maccarruni	Homemade *maccheroni*. The word, however, has a second meaning which is "Simpleton," "Dummy".

*To be a *cumpari* you must have baptized or christened someone's child or your son or daughter must have married an offspring of the other. But good friends often use the term as a sign of friendship. It can be pronounced "mpari" if followed by a name.

Don Pippinu e don Franciscu sunnu du' òmini supra a sissantina pinziunati ca ogni sira prima di manciari fannu na passiata nta lu viali di lu so paisi. Don Pippinu è maritatu cu donna Rusetta e Don Franciscu è maritatu cu donna Filumena. Li du' òmini caminanu a leggiu a leggiu, senza primura e parranu di polìtica, di sport, specialmenti dû palluni, e di chiddu ca sta succidennu ntô paisi a ddu mumentu. Lu paisi è nicareddu e tutti si canusciunu. Li sicreti sunnu comu li porti aperti: ntrasunu nta l'aricchi e nesciunu dâ bucca. Li du' cumpari (pi diri la virità nun sunnu cumpari, ma si chiamanu cumpari picchì sunnu vecchi amici) ogni sira parranu di chiddu ca li mugghieri ci stannu priparannu pi manciari:

Don Pippinu: Chi ti sta facennu to mugghieri pi la cena?
Don Franciscu: Mi sta priparannu na cosa prilibbata!
Don Pippinu: Chi è sta cosa prilibbata, sintemu!
Don Franciscu: Mi sta cucinannu la pasta a la Norma!
Don Pippinu: Mìzzica! Pasta a la Norma! E tu chi sì, Billini?

Don Franciscu: No, ma me mugghieri, vidennumi nanticchia depressu, mi dissi: "Stasira ti staiu facennu un piattu ca pi certu ti fa sèntiri assai megghiu, comu fici sèntiri a Billini quannu lu cocu ci lu priparau."

Don Pippinu: Cuntami ssa storia! Tu sai ca sugnu amanti di Billini. Aieri quannu mi chiamasti stava scutannu un novu CD di *La Sunnàmbula*.

Don Franciscu: Quannu fu rapprisintata la *Norma* pi la prima vota, la genti ci friscau e Billini turnau a Catania tuttu depressu. Nun vuleva chiù scrìviri mùsica e lu cocu dû risturanti unni manciava, doppu ca lu vitti assai musciu, ci dissi: "Maestru, ora ci priparu un piattu speciali ca Vossia si lu ricorda pi sempri picchì rapprisenta la so città di Catania e l'Etna."

Don Pippinu: Stai schirzannu? La pasta a la Norma rapprisenta l'Etna e Catania?

Don Franciscu: Ora tû spiegu. La pasta a la Norma è fatta cu la sarsa di pumadoru, cu li milinciani fritti e cu la ricotta salata e li maccarruni. Lu cocu dissi ca la sarsa rapprisenta lu focu di Muncibbeddu, li milinciani fritti ca sunnu niuri rapprisentanu la lava chi c'è attornu a Catania e la ricotta salata ca è bianca rapprisenta la nivi di la muntagna.

Don Pippinu: Mi piaci assai ssa storia, si è vera. E lu maccarruni?

Don Franciscu: Lu maccarruni si' tu!

Dumanni:

1. Quantu anni hannu li du' cumpari? 2. Travagghianu ancora? 3. Quannu fannu la passiata, prima o doppu di manciari? 4. Di chi parranu quannu fannu la passiata? 5. Li sicreti di lu paisi nun li sapi nuddu, è veru chissu? 6. Picchì si chiamanu cumpari? 7. Quali sunnu li ngridienti principali di la pasta a la Norma? 8. Chi rapprisentanu secunnu a lu cocu? 9. Picchì era depressu Billini? 10. Tu penzi ca la storia è vera?

Lu corpu umanu

La testa	the head	Li capiddi	the hair
La frunti	the forehead	Li gigghia	the eyelashes
Li supraggigghia	the eyebrows	L' occhiu	the eye
Lu nasu	the nose li naschi (pl.)	La bucca	the mouth
Lu denti	the teeth	La lingua	the tongue
La barbarottu	the chin	L' aricchia	the ear
Lu coddu	the neck	Lu pettu	the chest
La spadda	the shoulder	Lu brazzu	the arm (li brazza)
Lu gòmitu	the elbow	La manu	the hand (li manu)
Lu jìditu	the finger li jidita (pl.)	La panza	the belly
La jamma	the leg	Lu ginocchiu	the knee (ginocchia)
La cavigghia	the ankle	Lu pedi	the foot
L' organi interni	the internal organs	Lu cori	the heart
Lu ficatu	the liver	Lu purmuni	the lung
Lu stòmacu	the stomach	Lu pusu	the wrist

Li capiddi ponnu èssiri ricci, lisci, biunni, russi, niuri, curti, longhi (curly, straight, blond, red, black, short, long).

L' occhi ponnu èssiri niuri, virdi, celesti, azzolu, castani (black, green, light blue, blue, brown).

Some of the nouns above can generate other nouns. Notice how vowels shift from stressed *e* to *i* and from stressed *o* to *u*:

testa	tistàta	(a blow with the head)
occhiu	ucchiàta	(a glance)
bucca	buccàta	(a mouthful)
spadda	spaddàta	(a shoulder check)
manu	manàta	(a blow with the hand)
jìditu	jiditàta	(a blow with the finger)
panza	panzàta	(a flop, as in the pool)
pedi	pidàta	(a kick)

Eserciziu 5: Identify the part of the body with its function. Answers are not in order.

1. Servi pi pinzari	li manu
2. Servunu pi sèntiri	li pedi
3. Servi pi manciari	la testa
4. Servi pi parrari	lu nasu
5. Servunu pi caminari	l'aricchi
6. Servunu pi tuccari	lu nasu
7. Servunu pi rispirari	lu stomacu
8. Servi pi çiariari	la bucca
9. Servi pi diggeriri lu manciari	l' occhi
10. Servunu pi vìdiri.	li purmuni

Eserciziu 6: *Chi è?* **Guess what part of the body we are referring to:**

1. Si unu cunta minzogni, iddu ci crisci. 2. I pirati ni hannu una di lignu. 3. Quannu dolunu, avemu a jiri nni lu dintista. 4. Si manciamu troppu, iddu doli quacchi vota. 5. Si nun funzionanu beni, purtamu l'occhiali. 6. Si avemu l'allergìa, iddu cula (drips). 7. Quannu unu è vecchiu, spissu scumparisciunu. 8. Quannu mancanu, si pò manciari sulu suppa. 9. Quannu idda è unchia o malata, nun si pò parrari. 10. Cu cci l'avi spasciata, (broken) nun ragiuna bonu.

Eserciziu 7: Describe this head drawn by Niccolò D'Alessandro, by answering the following questions:

1. Comu avi li capiddi?
2. Comu avi li supraggigghia?
3. Comu avi li gigghia?
4. Quantu aricchi si vidinu?
5. Avi la bucca aperta?
6. Avi lu coddu longu o curtu?
7. Avi la bucca surridenti o tristi?
8. Si vidinu li denti?
9. Avi la frunti larga o stritta?
10. Avi un bravu barberi? (barber)

Quannu jocanu a lu palluni, li jucaturi dunanu pidati a la palla pi passarla* a li cumpagni e pi farila ntràsiri nta la porta di l'avvirsarii. Usanu spaddati pi sbilanciari a li jucaturi, quacchi vota ci scappa quacchi gumitata o manata, ma chissi li dunanu ammucciuni, almenu accussì cridinu iddi. A la televisioni però si vidi ogni cosa, anchi si iddi pritennunu di èssiri nnuccenti e spinciunu li manu. Li jucaturi dunanu tistati pi passari lu palluni o mannarlu nta la riti, ma nun ponnu dari manati a lu palluni e mancu tuccarlu cu li brazza. Ponnu tuccari lu palluni cu lu pettu, la panza, li ginocchia, ma nun cu li manu. Si lu palluni nesci fora di lu campu, ponnu usari li manu pi rimèttirlu in jocu. L'ùnicu ca pò usari li manu nta lu jocu è lu purteri. Lu sport di lu palluni in Sicilia è assai populari e du' di li squatri siciliani jocanu nta lu campiunatu di Serii A, lu Palermu e lu Catania.

*Note: *passarla, or (passarila) mannarla, tuccarla*, and *rimèttirla* are pronounced without the r: *passalla, mannalla, tuccalla*, and *rimèttilla* in normal speech.

Dumanni:

1. È pirmessu dari pidati a li jucaturi? 2. È pirmessu dari spaddati a l'avvirsariu? 3. È pirmessu dari manati o gumitati a l'avvirsariu? 4. È pirmessu a li jucaturi tuccari la palla cu li brazza? 5. È pirmessu a lu purteri di pigghiari la palla cu li manu?

Here are a few expressions that you can use when talking about your body:

Mi fa mali la testa.	My head hurts.
Mi dolunu li denti.	My teeth ache.
Nun pozzu rispirari bonu.	I can't breathe well.
Mi doli la lingua.	My tongue hurts.
Aju lu nasu ntuppatu.	My nose is clogged.
Mi doli lu stòmacu.	My stomach hurts.
Mi cula lu nasu.	My nose is dripping.
Mi sentu musciu.	I feel without energy.
Aju la frevi.	I have a fever.
Aju la tussi.	I have a cough.
Aju la temperatura a 40.	My temperature is at 40.
Aju lu raffridduri.	I have a cold.
Stranutu spissu.	I sneeze often.
Mi mancianu l'occhi.	My eyes are itchy.

Esercizu 8: Explain to your doctor and then to your mother what symptoms you have when you have a cold. Mention at least three symptoms and write them out:

1. Dutturi, ____________ ____________ ____________.
2. Mamma, ____________ ____________ ____________.

Eserciziu 9: Try to diagnose your colleague by asking a series of questions:

1. Comu ti senti oggi? 2. Ti doli la testa? 3. Ai la tussi? 4. Ti cula lu nasu? 5. Ai la frevi? 6. Stranuti spissu? 7. Ai l'occhi ca ti mancianu? 8. Ai lu nasu ntuppatu? 9. Ti doli lu stòmacu? 10. Ti doli la gula?

Eserciziu 10: What do you do in the following situations?

1. Chi pigghi quannu ai duluri di testa? 2. Unni vai si ai duluri di denti? 3. Chi pigghi si ai duluri a lu stòmacu? 4. A cu chiami si ai la frevi? 5. Unni vai si stai veramenti mali?

Littura: La Longa

di Francesco Lanza

Vocabulary Notes:

Lu Bruntisi	Inhabitant of Bronti, a town on Mt. Etna
Lu curteu dappressu	With the nuptial party behind
Ca s'affuddava	That was crowding
Faceva prescia	Was urging them to hurry
La mmuttava	Was pushing her from behind
Picchì ntrasissi	So she could enter
S'avissi gnuttutu na spata	Had swallowed a sword
Iccari nterra lu curniciuni	Knock down the door frame
Sbassari lu scalinu	Lower the step
Tagghiàricci la testa	To cut off her head
E poi appiccicariccilla	And then reattach it to her
L' Adernisi	Inhabitant of Adernò
Si fici avanti	Came forward
Si la fazzu passari	If I make her go through
Muntuni	Rams
Picureddi	Little lambs
Furmi di caciu	Cheese rounds
Lassau càdiri na manata	Let his hand fall
Idda calau la testa	She lowered her head
Senza tagghiàricci la testa	Without cutting off her head

Lu Bruntisi maritava a la figghiola, ch' era longa e dritta comu na pala di furnu. Ma quannu arrivaru a la chiesa, la zita nun puteva passari picchì la porta era bascia e nun sapevanu comu fari cu lu curteu dappressu ca s'affuddava e lu parrinu dintra la chiesa cu la stola ncoddu ca faceva prescia.

—Largu, signuri mei!—gridau lu Bruntisi — ca prima av'à passari me figghia!— e iddu stissu la mmuttava picchì ntrasissi, ma ci ristava tutta la testa di fora, longa e sicca com' era, e pareva ca s'avissi gnuttutu na spata.

Allura, c' era cu vuleva iccari nterra lu curniciuni, sbasciari lu scalinu, cu vuleva tagghiaricci la testa a la zita e poi appiccicariccilla di novu nta chiesa, ma nun facevanu nenti.

Nta ddu mentri, si truvau a passari l'Adernisi ch' era a Bronti pi l'affari so, e sintennu la cosa, si fici avanti:

—Chi mi dati, si la fazzu passari jo?

E lu patri:

—Si la fai passari, quattru muntuni ti dugnu, quattru picureddi, quattru furmi di caciu e quattru pezzi di ricotta ti dugnu, e tu fammi passari la figghia!

L' Adernisi alzau lu brazzu e lassau càdiri na manata comu vinni supra lu coddu di la zita e idda calau la testa e passau.

—E bravu l' Adernisi! —gridaru tutti—ca fici passari la Longa senza tagghiàricci la testa.

From Francesco Lanza, *Opere*, a cura di Sarah Zappulla Muscarà, La Cantinella, 2002, p. 69, traduzzioni in sicilianu di Gaetano Cipolla.

Dumanni:

1. Comu era la figghia di lu Bruntisi? 2. Picchì nun puteva ntràsiri nta la chiesa? 3. Cu era nirvusu di cuminciari la cirimonia? 4. Chi faceva lu patri pi farila ntràsiri? 5. Quali proposti fici la genti pi risòrviri lu problema? 6. Comu mai l' Adernisi si truvava a Bronti? 7. Chi cci duna lu patri a l'Adernisi si iddu fa passari la figghia nta la chiesa? 8. Chi fici l' Adernisi a la zita? 9. E idda comu reagìu? (How did she react?) 10. Cu è chiù scattru, lu Bruntisi o l'Adernisi?

La Trinacria fatta a Castelmola. / The Trinacria as made in Castelmola.

Pruverbiu sicilianu

L' occhiu di la Siracusana
fa nèsciri la serpi di la tana

La Trinacria, comu tutti sannu, è lu simbulu di la Sicilia. E' difficili diri comu, quannu e picchì nascìu stu simbulu. Hannu truvatu esemplari di trisceli[1] in tanti lucalità di lu Miditirraniu—a Creta, ntâ Sicilia, ntâ Grecia, ntâ Francia, nta l'Asia Minuri, li costi di l'Àfrica dû Nord e macari[2] nta l'ìsula di Man[3] ca si trova tra la Gran Bretagna e l'Irlanda—in èpuchi diversi a cuminciari di l'ottavu sèculu avanti Cristu. Recentementi si nni truvaru dui[4] a Castidduzzu e a Bitalemi nta Sicilia ca si fannu risaliri[5] a lu VII-VI sèculu avanti Cristu. Lu trisceli si pò diri ca è unu di li sìmbuli chiù antichi dû bacinu[6] di lu Miditirraniu.

Pi quantu riguarda la so orìgini ci sunnu tri pinzati:[7] secunnu un gruppu di stu-diusi lu trisceli è d'orìgini finicia[8] e aveva originalmenti un significatu riligiusu collegatu a lu diu semìticu[9] Baal. L'idea di li tri iammi in posizioni di cùrriri[10] forsi significava la cursa dû tempu, lu giru annuali e continuu dâ natura. Baal era lu diu di lu tempu e siccomu era trinu[11] li tri iammi putevanu simbuliggiari la so trinità;

La secunna ipòtesi dici ca lu trisceli è un sìmbulu aràldicu[12] assuciatu a li Spartani. Iddi si chiamavunu macari Lacedèmoni e purtavanu ntô so scu du na iamma piegata[13] ca puteva significari la prima littra di Lacedèmoni e cioè la lambda greca dû so nomu. I surdati di Dionisiu I, tirannu di Siracusa, si vosiru fari canùsciri[14] pi Siciliani e si ficiru mèttiri[15] supra li scuti tri iammi pi indicari i tri prumuntorii di l'isula, Peloru, Pàssaru e Lilibeu;

La terza ipòtesi si basa supra li du' esemplari truvati a Ca-stidduzzu (vicinu a Agrigentu) e a Bitalemi (vicinu a Gela). Sti du' trisceli sunnu li chiù antichi di l'ìsula e mustranu[16] certi sumigghianzi cu àutri trisceli truvati a Creta in tempi ancora chiù antichi. Chistu ni fa pinzari[17] ca la civiltà minòica di Creta appi cuntatti cu la Sicilia nta stu perìodu e espurtau[18] li disegni.

Lu nomu di lu sìmbulu anticu varia secunnu i tempi. I Rumani lu chiamavanu *triquetra* ca voli diri triàngulu e si riferisci ovviamenti a la forma triangulari di l'ìsula; li Greci lu chiamavanu *tryskelion* ca voli diri tri iammi. Lu nomu “Trinacria” diriva di lu grecu *trinakrios* ca voli diri triàngulu.

L' àutru elementu chiù mpurtanti è la testa. Si tratta ovviamenti di la Midusa, la chiù putenti e famusa di li tri soru chiamati Gorgoni. Midusa, secunnu[19] la mitologia greca aveva sirpenti pi capiddi e lu so sguardu era accussì putenti ca chiddi ca la taliavanu ristavanu di petra.[20] L'eroi grecu, Perseu, cu l'aiutu di Atina, ci potti tagghiari[21] la testa picchì nun la taliau direttamenti, ma tramiti lu riflessu ntô so scutu lucenti.[22] Nta la rapprisentazioni di lu trisceli sicilianu l'aspettu terrificanti[23] di lu mostru fimmininu si ridduciu[24] a na facci di giuvini duci e surridenti cu spichi di frummentu ca ci nesciunu[25] di la testa pi significari la fertilità di la Sicilia. Idda rapprisenta na dea benèfica di la natura nveci di ddu mostru di castrazioni e di scantu[26] ca la Midusa rapprisenta. Infatti la dea Atina purtava la testa di la Midusa supra lu so scutu pi fari scantari[27] a li so avvirsari.

Notes: 1. They have found copies of Tryskelions 2. Even 3. The Isle of Man 4. Two were found 5. Are believed to date back 6. One of the most ancient symbols of the Mediterranean basin 7. Opinions 8. Phoenician 9. The Semitic God 10. Three running legs 11. Was triune 12. A heraldic symbol 13. A bent leg 14. Wanted to be known 15. They had the legs placed 16. Show 17. Makes us think 18. Exported 19. According to 20. Were petrified 21. Was able to cut 22. Through the reflection of his shiny shield 23. The terrifying aspect 24. Was reduced 25. Wheat stalks coming out 26. Castration and fear 27. To frighten.

Comprehension Exercise: Complete the sentences based on the reading:

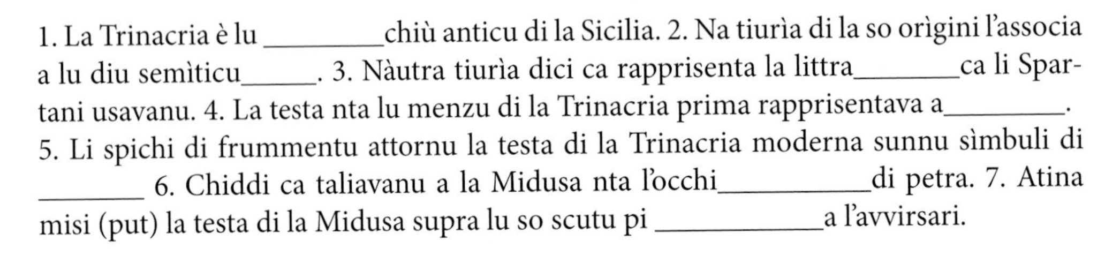
1. La Trinacria è lu _________chiù anticu di la Sicilia. 2. Na tiurìa di la so orìgini l'associa a lu diu semìticu______. 3. Nàutra tiurìa dici ca rapprisenta la littra________ca li Spartani usavanu. 4. La testa nta lu menzu di la Trinacria prima rapprisentava a________. 5. Li spichi di frummentu attornu la testa di la Trinacria moderna sunnu sìmbuli di _______ 6. Chiddi ca taliavanu a la Midusa nta l'occhi__________di petra. 7. Atina misi (put) la testa di la Midusa supra lu so scutu pi ___________a l'avvirsari.

Li salini di Marsala. / The salt pans of Marsala.

Tràpani e la so pruvincia hannu tanti[1] attrazioni: pi li so ricchizzi archiulogichi offri monumenti straordinari comu chiddi di Segesta, Selinunti, e Mozia pi ricurdarinni sulu tri, chi ogni annu portanu migghiara[2] di turisti nta la Sicilia; pi lu turismu estivu[3] basta pinzari a li isuli Ègadi, Èrici, Bonagìa, San Vito Lo Capo; pi li produzioni di la terra, la pruvincia avi quasi mità di li vigni chiantati in Sicilia e produci vini di granni qualità oltri a lu Marsala, famusu nta tuttu lu munnu. Lu Biancu di Àlcamu, pi esempiu, lu Passitu di Pantiddaria; si produci puru un ogghiu d'aliva assai spiciali[4] picchì li alivi li cogghiunu a manu prestu la matina e li spremunu[5] a friddu pi limitari l'acidità.

Tràpani anticamenti si chiamava *Drepanon* ca voli diri fauci, comu a Missina.[6] Prima c'arrivassiru l'Àrabi, fu postu di cummattimentu[7] tra li Cartagginisi e li Rumani. Li Greci nun arrivaru mai a nfluinzari sta parti di l'ìsula. Eppuru c'è cu penza[8] ca li posti discritti nta *l'Odissea* di Omeru cumbaçianu[9] chiossai cu l'antica *Drepanon* ca cu Itaca e l'àutri posti di la Grecia. William Pocock scrissi un libru intitulatu *L' Origini siciliana di l'Odissea* unni proponi ca li lucalità discritti nta *l'Odissea* si trovanu[10] nta sta parti di la Sicilia.

La parti occidintali[11] di l'ìsula fu quasi sempri sutta lu cuntrollu di li Cartagginisi puru quannu eranu granni Siracusa e Agrigentu. Mozia era un postu di cummerciu pi li Finici. Tràpani era cunziddirata comu lu portu di Èrici. Ma crisciù[12] doppu ca Amilcari, lu ginirali cartagginisi fici trasfiriri[13] li abbitanti di Èrici a Tràpani duranti la Prima Guerra Pùnica contru i Rumani. Fu iddu a[14] distruggiri la bedda città supra la muntagna di San Giulianu ca la genti lucali, schirzannu, chiama "lu minchiuni di Èrculi".

Tràpani è famusa pi la produzioni di lu sali marinu[15] e pi li so mulini a ventu[16] e pi la pisca di li tunni, chiamata "la mattanza"[17] ca si praticava prima in tanti posti e ora sulu a Favignana, ma chiù comu attrazioni turìstica ca pi àutru. Foru li Àrabi ca cuminciaru a piscari li tunni in manera sistemàtica e efficienti, ma oramai st'attività nun duna travagghiu a la genti comu prima. Li Àrabi lassaru tracci[18] di la so cultura nta lu modu di parrari e di manciari. La Sicilia orientali nun canusci lu *cuscous.* Nveci si trova facilmenti nta sta pruvincia e nun sulu a Mazara del Vallo unni vivunu almenu cincu mila piscaturi tunisini. La pruvincia avi lu primatu[19] pi nàutra cosa mpurtanti. Almenu tri di li nvasioni ca canciaru la storia di la Sicilia appiru locu ccà:[20] li Àrabi ca sbarcaru[21] a Mazara del Vallo nta l'827 AD, Federicu III ca purtau li Aragunisi nta l'isula ntô 1282, e Garibaldi ca sbarcau a Marsala pi cuminciari la storia taliana dâ Sicilia. Ogneduna di sti nvasioni rapprisenta un radicali canciu di direzioni[22] ca dura pi sèculi.

Populazioni: 80.000

Notes: 1. Have many 2. Thousands 3. Summer 4. Special, prized 5. Squeeze them 6. Messina was called Zancle which also means Scythe 7. Of the struggle 8. Yet there are some who think 9. Match 10. Are found 11. The western 12. It grew 13. Made them move 14. He was the one 15. Sea salt 16. Wind mills 17. Tuna fish killing 18. Left traces 19. Holds the record 20. Occurred here 21. Landed 22. A radical change of direction.

Comprehension Exercise:

Answer the following questions in writing.

1. La pruvincia di Tràpani è mpurtanti pi l'economia siciliana pi tri mutivi. Quali sunnu? 2. Quali vini prodotti nta la pruvincia di Tràpani hannu fama intirnaziunali? 3. Quali è la tesi di William Pocock? (thesis) 4. Cu distruggìu la città supra lu munti San Giulianu? 5. Comu si chiama la pisca di li tunni in Sicilia? (fishing) 6. Cu cuminciau stu modu di piscari li tunni? 7. Quali piattu (dish) tipicamenti àrabu si pò truvari nta li risturanti di la pruvincia? 8. Chi travagghiu fannu li Tunisini ca stannu a Mazara del Vallo? 9. Tri nvasioni mpurtanti ca canciaru la Sicilia appiru locu nta sta pruvincia. Quali sunnu? 10. Quantu abbitanti ci sunnu a Tràpani?

Sicilian Humor

Li Siciliani hannu un senzu di l'umorismu assai sviluppatu,[1] comu dissi na vota Ciciruni.[2] Iddi trovanu sempri un modu di rìdiri[3] puru nta li situazioni chiù brutti.[4] Stu cunticeddu dimostra quantu è veru chiddu ca dissi Ciciruni.

Na famigghia di Vallelunga Pratamenu purtau lu patriarca a lu spitali[5] di Caltanissetta e lu puvureddu[6] murìu. Mentri la famigghia chianci dispirata pi la pèrdita di l'amatu patri, ntrasi nta la stanza un cristianu vistutu eleganti, cu un paru di ucchiali nìuri, e ci fa li condoglianzi tuttu cirimuniusu e rispittusu[7] e ci dici ca iddu capisci la pena[8] chi senti la famigghia e ca voli aiutarli nta stu bruttu mumentu. Si offri[9] pi fari purtari lu mortu a lu so paisi, di urdinari lu tabbutu,[10] lu vistitu,[11] la carrozza murtuaria[12] pi purtarlu a lu campusantu,[13] ci offri macari lu parrinu,[14] si nun c'è. Pi ogni sirvizziu, naturalmenti, ci junceva[15] un prezzu. A la fini, lu cuntu arrivau a du' miliuni e triccentu mila liri, ma vistu[16] ca era na brava famigghia ci uffrìu lu scuntu[17] di triccentu mila liri. La famigghia era chiù cunfusa ca pirsuasa,[18] ma iddu c'aveva la palora fàcili, ci misi lu cuntrattu[19] davanti a lu figghiu e iddu lu firmau. Doppu quannu ristaru suli, cuminciaru a capiri ca avìanu fattu na stupitàggini.[20] Lu figghiu si scusau dicennu ca lu bicchinu[21] nun ci avìa datu tempu di riflèttiri. Lu ziu puru si lamintau,[22] dicennu ca nun era cosa di firmari.[23] Ma la battuta[24] ca tistimonia l'umorismu di li Siciliani fu chidda di la pòvira vìdua.[25] "Tantu pi chistu, tantu pi st'àutru," dissi. "Ci mittemu chistu e ci mittemu st'àutru, macari lu parrinu ci vuleva mèttiri! E menu mali ca lu muortu ci lu misimu nuatri!..."[26]

Notes: 1. Developed 2. Cicero 3. Of laughing 4. Worst situations 5. Hospital 6. The poor fellow 7. Respectful 8. The sorrow 9. Offers his services 10. Order the coffin 11. The suit 12. The hearse 13. Cemetery 14. The priest 15. He added 16. Seeing 17. A discount 18. More confused than convinced 19. The contract 20. Dumb thing 21. The grave digger 22. Complained 23. Should not have signed 24. The quip 25. Widow 26. Thank God we provided the dead body!

Chapter 12

What's in This Chapter:

Grammatica

A. *The Impersonal "Si"*
B. *The Passive "Si"*
C. *The Imperative*
D. *Giving Directions*

Matiriali didattici

I Siciliani a l'èstiru
Lu tiatru a l' apertu in Sicilia
Miti di la Sicilia: Dafni
Nota : Ragusa
Nota culturali: Ulissi in Sicilia
Sicilian Humor

Li faragghiuni ca Polifemu ci lanzau a Ulissi a Acitrizza. /The rocks that Polyphemus hurled against Ulysses in Acitrezza.

Vocabulary Notes:

Custretti	Forced
Unni vannu vannu	Wherever they go
Armanu	They set up
Panetterìi	Bakeries
Frutta e virdura	Fruits and Vegetables
L'arancini	Rice balls
Sfinciuni	A pizza with onions, anchovies and tomato sauce
Pasticcerìi	Pastry shops
Frutti culurati	Marzipan fruits
Pasti di mènnula	Almond pastries
A l'èstiru	Abroad
Finòminu	Phenomenon
E succedi	And it happens
Sturiedda	A little story
Cunveni pigghiari	It's convenient to take
Nveci di l'apparecchi	Instead of planes
Limiti di pisu	Weight restrictions
Bilici	Suitcase
Quintali	Ton
Chiddu chi pò càpiri	All that can fit
Di casa	Home made
Buttigghi di sarsa	Sauce jars
Milinciani sutt'acitu	Eggplant in vinegar
Sosizza	Dry Sausages
Si prisintau	Showed up
Chi ci misi	What did you put in
Affruntatizza	Somewhat embarrassed
Nun fannu ciàuru di nenti	Have no odor at all
Ci staiu purtannu	I am bringing her
Rinfurzari li rosi	Strenghten the roses

Si dici ca quannu li Siciliani sunnu custritti a emigrari, iddi si creanu na nova Sicilia unni vannu vannu. Àrmanu sùbbitu panetterìi pi fari lu pani comu si fa in Sicilia, mircati cu li frutti e virduri ca si mancianu in Sicilia, pizzerìi unni si vinnunu puru l'arancini e li sfinciuni, risturanti unni si priparanu piatti siciliani comu la *Pasta cu li sardi* e la *Pasta a la Norma,* pasticcerii unni si priparanu puru li pasti di mènnula, li cannoli, e li frutti culurati.

Stu finòminu è veramenti na cosa univirsali ca si ripeti ogni vota ca l'emigranti sicilianu va a l'èstiru. Si vidi nta li Stati Uniti, nta lu Sud America e puru nta lu Nord di l'Europa. St' abbitùdini di trasfurmari lu munnu nta na Sicilia in miniatura si manifesta in ogni cuntinenti unni ci sunnu Siciliani, puru nta l'Australia. E succedi picchì li Siciliani vonnu beni a la so terra in manera particulari.

Si pò illustrari stu fattu cu na sturiedda ca mi cuntau me cuçinu c'aveva na cumpagnia di autubussi ca jevanu dâ Sicilia ntâ Girmania direttamenti. A li emigranti ca travagghianu ntâ Girmania ci cunveni pigghiari sti autobussi, nveci di l'apparecchi, picchì nun c'è limiti di pisu pi li bagagli. Iddi vannu e venunu cu enormi bilici ca pisanu un quintali. Quannu partunu dâ Sicilia si portanu tuttu chiddu chi pò càpiri nta li bilici: pani di casa, buttigghi di sarsa di pumadoru, milinciani sutt'acitu, sosizza e salami, origanu, basilicò, eccetira. Si portanu dappressu tutti ddi cosi ca non ponnu truvari unni vannu. Me cuçinu mi cuntau ca na vota na vicchiaredda si prisintau cu du' bilici accussì pisanti ca iddu quasi nun li potti sullivari. Allura ci dumannau a la vicchiaredda:

—Mizzica, signura, ma chi cci misi dintra sti bilici, petri?

Idda, puvuredda, si vutau nanticchia affruntatizza e ci rispunnìu:

—No, nun sunnu petri. È terra siciliana. Me figghiu si maritau a na girmanisa ca avi un giardinu di rosi, ma sti rosi nun ci fannu ciàuru di nenti. Allura ci staiu purtannu un pocu di terra siciliana in modu ca li rosi si ponnu rinfurzari e poi fannu ddu beddu ciàuru ca fannu li rosi siciliani.

Dumanni:

1. Chi creanu li Siciliani a l'èstiru? 2. Chi nigozzii àrmanu quannu vannu a l'èstiru? 3. Picchì li Siciliani si creanu na nova Sicilia a l'èstiru? 4. Cu cuntau sta storia a l'auturi? 5. Chi cumpagnia aveva lu cuçinu? 6. Unni jevanu li autubussi? 7. Picchì era chiù cunvinienti pigghiari l'autubussu nveci di l'aeriu? 8. Chi sunnu li cosi ca l'emigranti si portanu dappressu quannu ritornanu nta la Girmania? 9. Chi misi la vicchiaredda nta li du' bilici? 10. Fannu ciàuru li rosi tedeschi?

A. The Impersonal "Si"

The pronoun *si* can be used in Sicilian as a reflexive pronoun, as in *Maria si lava li manu*, (Maria washes her hands) and in an impersonal construction in which the subject is not specified. The *si* construction corresponds to the English *one*, *people*, *they*, *we* plus a verb. Consider the following examples:

Nta sta casa si mancia a l'una.	In this house we eat at one o'clock.
In America nun si studìa lu sicilianu.	In America people don't study Sicilian.
Si dici ca lu prufissuri avi du' figghi.	People say the professor has two children.
Ccà si parra sulu ngrisi.	Here only English is spoken.

If the verb has a plural direct object, the verb must be changed to the third person plural:

Si vidunu cosi brutti oggi.	One sees bad things today.

Si mancianu assai spaghetti in Amèrica.	People eat a lot of spaghetti in America.
Nun si scrivunu chiù littri.	People don't write letters any more.
Nun si bivi assai Coca Cola in Sicilia.	They don't drink much Coca Cola in Sicily.

Eserciziu 1: Ask a question using the impersonal si as shown:

Nun sacciu cuminciari stu eserciziu	*Comu si cumincia?*
I don't know how to begin this exercise	How does one begin it?

1. Nun sacciu fari sta opirazioni 2. Nun sacciu àpriri la porta 3. Nun sacciu lèggiri sta frasi 4. Nun sacciu cucinari sta jaddina 5. Nun sacciu diri "thank you" in sicilianu 6. Nun sacciu manciari st'araùsta 7. Nun sacciu usari stu telèfunu 8. Nun sacciu maniari sta màchina 9. Nun sacciu jiri a la posta 10. Nun sacciu pronunziari Turiddu.

Eserciziu 2: In the following exercise the verb has a direct object. The verb must agree in number with the direct object. Reply to the question negatively and ask how it is done:

Sai fari stu truccu?	*No, comu si fa?*
Do you know how to do this trick?	No, how do you do it?
Sai fari sti cosi?	*No, comu si fannu?*
Do you know how to do these things?	No, how are they done?

1. Sai tradùciri sta frasi? 2. Sai scrìviri ddi palori? 3. Sai maniari stu tratturi? (drive this tractor) 4. Sai sunari lu pianuforti? 5. Sai lèggiri sti annunci? (announcements)

Eserciziu 3: The following are identical in meaning: use the impersonal form:

In Sicilia la genti parra sicilianu.	*In Sicilia si parra sicilianu.*
In Sicily people speak Sicilian.	In Sicily people speak Sicilian.

1. In Amèrica la genti travagghia assai. 2. In Italia la genti vivi chiù calmamenti. 3. A Nova York la genti curri cuntinuamenti. 4. Nta ddu nigozziu la genti accatta a prezzi basci. 5. In Sicilia la genti nun trova travagghiu.

Eserciziu 4: Use the impersonal "si" to answer these questions:

Chi si vidi ntrasennu nta na bibliuteca?	*Ntrasennu nta na bibliuteca si vidinu libri.*
What does one see entering a library?	Entering a library one sees books.

1. Chi si vidi ntrasennu nta na scola? 2. Chi si vidi, aprennu lu frigurìferu? (The refrigerator) 3. Chi si vidi ntrasennu nta na librarìa? (bookstore) 4. Chi si vidi ntrasennu nta na farmacìa? 5. Chi si vidi ntrasennu nta lu giardinu zoologicu? 6. Chi si vidi ntrasennu nta l'aeruportu? 7. Chi si vidi ntrasennu nta lu cìnima? 8. Chi vidi ntrasennu nta lu museu? 9. Chi si vidi ntrasennu nta un ufficiu? 10. Chi si vidi ntrasennu nta la to stanza? (your room)

Eserciziu 5: In Italy and in Sicily you must buy certain products in specialty stores. Follow the model. The hints in the parenthesis are not in the right order.

Unni s'accattanu li francubulli? *Li francubulli s'accattanu nta lu tabbaccaru.*

1. Li giurnali	(nta lu mircatu di frutta e virdura)
2. Li midicini	(nta lu nigozziu di scarpi)
3. Lu pani	(nta la macellerìa)
4. La carni	(nta la pasticcerìa)
5. Li pasti di mènnula	(nta li piscarìa)
6. Li sicaretti	(nta la panetterìa)
7. Li pisci	(nta lu tabbaccaru)
8. La frutta	(nta l' edicula)
9. Li scarpi	(nta la farmacìa)

The Impersonal **si** can be used in all the tenses:

1. *Si capisci ca tu si' scattru.*	People understood that you are smart.
2. *Si capìu ca tu eri scattru.*	People understood. (on a specific occasion) that you were smart.
3. *Si capeva ca tu eri scattru.*	it was understood that you were smart.
4. *Nun si a mai caputu sta cosa.*	People have never understood this thing.

B. The Passive "Si"

A much more common way to express actions not performed by anyone specifically is by using the pronoun *si* plus the verb in the third person singular or plural. For example, the sentence "In America medicines are sold in pharmacies" can be rendered with *In America li midicini sunnu vinnuti nni li farmacìi,* or with *In America li medicini si vinnunu nni li farmacìi*. The second option is preferable as Sicilian, like English, does not make much use of the passive voice.

Eserciziu 6: Transform the following sentences from the passive to si+verb construction as the example shows:

Ccà li giurnali sunnu vinnuti nta la strata. *Ccà li giurnali si vinnunu nta la strata.*

1. Ccà li màchini sunnu riparati nta li stazioni di rifornimentu. 2. Ccà li bulletti sunnu pagati pi posta. 3. A Nova York, lu *New York Times* è assai liggiutu. 4. In America li spaghetti sunnu manciati troppu cotti. 5. A Roma la pizza è fatta senza pumadoru.

Eserciziu 7: Using the Passive si, transform the following sentences according to the model:

Li vistiti sunnu fatti dintra la sarturìa. *Si fannu li vistiti dintra la sarturìa.*

1. Li scarpi sunnu fatti dintra la fabbrica di scarpi 2. Li mòbili sunnu disignati dintra la fabbrica di mobili 3. Li zappuni sunnu usati nta la campagna 4. Li ponti sunnu costruiti supra li çiumi. 5. Li casi sunnu arrubbati quannu lu patruni nun c' è.

Littura: Lu tiatru a l'apertu in Sicilia

Li Greci amavanu tantu lu tiatru a l'apertu. Pi iddi lu tiatru era na forma di vìviri nzemmula, esercitari[1] la so cittadinanza,[2] cu li so passioni, l'amuri, l'odiu e la polìtica. Quannu colonizzaru la Sicilia 2800 anni fa, purtaru la so passioni cu iddi e costrueru tiatri in ogni città. Oggi ddi strutturi ca nun foru distruggiuti di lu tempu e di li guerri[3] servunu ancora pi ntrattèniri[4] a li Siciliani e a li turisti ca vìsitanu l'ìsula. Forsi l'atmosfera nun è chiù chidda di na vota. Si pirdìu[5] ddu senzu di sacru ca accumpagnava li antichi spittàculi, ma sempri restanu rapprisintazioni affascinanti.

Ci sunnu tiatri in tanti posti di la Sicilia. Li chiù mpurtanti sunnu chiddi di Siracusa e di Taurmina, ca si usanu ancora pi organizzari spittàculi ca vannu[6] di li traggedii grechi a lu ballettu, di l'òpira a la cummedia, e di lu cìnima a li cuncerti musicali. Lu tiatru di Siracusa è lu chiù granni di tutti e pò ospitari[7] 15.000 spittaturi. Chiddu di Taurmina, ristrutturatu di li Rumani, è chiù picciriddu, ma sempri capaci[8] di ospitari almenu 5.000 pirsuni. Ma nun ci sunnu sulu ssi dui. Li tiatri di Segesta, di Tìndari, e di Eraclea Minoa offrunu puru programmi duranti la stati.

Li rapprisintazioni hannu quacchi cosa di màgicu. Vìdiri li traggedii di Eschilu, ca murìu[9] in Sicilia, di Sofocli e puru di Shakespeare nta sti posti a l'apertu è senza dubbiu na spirienza ca resta nta lu cori pi sempri. Guy de Maupassant dissi na vota ca li Siciliani mpararu l'arti di costruiri li tiatri nta li posti chiù drammatici possìbili. È veru. Nun c'è bisognu di criari scenografii.[10] Chidda naturali è già drammàtica abbastanza. Vìdiri *Macbeth* nta lu tiatru di Taurmina ca avi l'Etna e lu mari comu sfunnu[11] è na spirienza ùnica e ndimenticàbbili.[12]

Notes: 1. To exercise 2. Citizenship 3. Wars 4. Entertain 5. We lost 6. That range from 7. Accommodate 8. Capable 9. Died 10. Scenery 11. Backdrop 12. Unforgettable.

Dumanni:

1. Picchì li Greci amavanu tantu lu tiatru? 2. Quannu vinniru li primi Greci in Sicilia? 3. Chi costrueru in ogni città li Greci? 4. L' atmosfera nta sti tiatri canciau? Comu? 5. Quali sunnu li tiatri chiù mpurtanti di la Sicilia? 6. Chi rapprisintazioni si fannu nta sti tiatri? 7. Quali è lu chiù granni tiatru a l'apertu di la Sicilia? 8. Quali àutri città offrunu spittàculi duranti la stati? 9. Picchì nun c'è bisognu di criari scenografii novi nta sti tiatri? 10. Chi cosa si vidi di lu tiatru di Taurmina?

C. The Imperative

In Sicilian the commands are basically two: the *Tu* and the *Vui* forms. For the polite command, Sicilian uses the third person of the Present Tense preceded by *Vossia* or the Imperfect Subjunctive, generally without the *Vossia*. It is important to remember that *Vossia* is not used very often any more. The pronoun *Lei* has become an alternative for *Vossia*. The Imperfect Subjunctive must be used with the pronoun *Lei*. For the exhortative command that includes the person giving it, Sicilian uses the first person plural of the Present Tense.

Here are the paradigms for the two conjugations:

Parrari		**Scrìviri**	
(Tu)	parra	(Tu)	scrivi
(Vossia)	parra, parrassi	(Vossia)	scrivi, scrivissi
(Lei)	parrassi	(Lei)	scrivissi
(Nui)	parramu	(Nùi)	scrivemu
(Vui)	parrati	(Vui)	scriviti

To give a negative command, put *nun* before the verb, except in the *tu* form. The negative command in the *tu* form uses *nun* plus the infinitive of the verb: *nun manciari!*

Eserciziu 8: Complete with the command form of the italicized verb:

Carlu, si ai a travagghiari, travagghia!
Charles, if you have to work, work!

1. Nardu, si ai a *manciari,*__________! 2. Maria, si ai a *studiari,*__________!
3. Turi, si ai a *lèggiri,* __________! 4. Pippu, si ai a *finiri,* __________!
5. Carlu, si ai a *dòrmiri,* __________!

Eserciziu 9: Follow the example and complete with command:

Carusi, pi fauri, si vuliti *rispùnniri*, rispunniti!
Boys, please, if you want to answer, answer!

1. Carusi, pi fauri, si vuliti *caminari,* __________!
2. Carusi, pi fauri, si vuliti *parrari,* __________!
3. Carusi, pi fauri, si vuliti *ntràsiri,* __________!
4. Carusi, pi fauri, si vuliti *ordinari,* __________!
5. Carusi, pi fauri, si vuliti *ristari,* __________!

Eserciziu 10: Answer the following questions:

Parri tu o parru jo?	*Pi fauri, parra tu!*
Will you speak or shall I?	You speak, please!

1. Leggi tu o leggiu jo? 2. Scrivi tu o scrivu jo? 3. Veni tu o vegnu jo? 4. Rispunni tu o rispunnu jo? 5. Paghi tu o pagu jo? 6. Cuminci tu o cuminciu jo? 7. Dicidi tu o dicidu jo? 8. Vai tu o vaju jo? 9. Cantu jo o canti tu? 10. Offri tu o offru jo?

The use of polite commands can be handled by using *Vossia* with the third person of the verb in the Present Tense or simply using the Imperfect Subjunctive whose endings are *assi* for *ari* and *issi* for *iri* verbs. If you use the Lei pronoun you must use the Imperfect Subjunctive as a command. See Chapter 16.

Eserciziu 11: Follow the model:

Ntrasissi!	*Vossia ntrasi!*
Come in, Sir!	Come in, Sir!

1. Manciassi! 2. Bivissi! 3. Facissi attinzioni! 4. Vinissi cu mia! 5. Pigghiassi sta seggia! 6. S'assittassi! 7. Rispunnissi! 8. Caminassi! 9. Parrassi chiaru! 10. Stassi attentu!

Eserciziu 12: Complete the following statements giving the command form for nui:

Avanti, carusi, è ura di cuminciari:	*Cuminciamu!*
Come on, boys, it's time to begin:	Let's begin!

1. Avanti, carusi, è ura di manciari	___________!
2. Avanti, carusi, è ura di fari li esercizi	___________!
3. Avanti, carusi, è ura di pulizziari la stanza	___________!
4. Avanti, carusi, è ura di studiari la lezzioni	___________!
5. Avanti, carusi, è ura di jiri a dòrmiri	___________!

Reminder: In the negative commands for tu, you must use the infinitive:

Eserciziu 13: Complete by using the negative command (tu):

Mi dispiaci, ma tu parri troppu!	*Pi fauri, nun parrari troppu!*

1. Mi dispiaci, ma tu manci troppu! 2. Mi dispiaci, ma tu si' maliducatu! 3. Mi dispiaci, ma tu ti scanti di tuttu! 4. Mi dispiaci, ma tu camini viloci! 5. Mi dispiaci, ma tu dormi in classi! 6. Mi dispiaci, ma tu ai sempri primura! 7. Mi dispiaci, ma tu veni sempri in ritardu! 8. Mi dispiaci, ma tu cunti sempri la stissa barzelletta! 9. Mi dispiaci, ma tu fai sempri lu stissu discursu! 10. Mi dispiaci, ma tu talìi sempri la televisioni!

Direct and indirect object pronouns are attached to the *Tu, Nui* and *Vui* commands. For the *Vossia* and *Lei* commands, the pronouns precede the verbs, as follows:

Finisci lu còmpitu!	(Finish your homework!)
Finìscilu!	(Finish it!)
Pigghiamu lu trenu!	(Let's take the train!)
Pigghiàmulu!	(Let's take it!)
Purtati li vistiti a Giuseppe!	(Bring the suits to Giuseppe!)
Purtaticcìlli!	(Bring them to him!)
Vossia porta la littra a me matri!	(Bring the letter to my mother)
Vossia ci la porta!	(Bring it to her!) or
Vossia ci la purtassi!	(Bring it to her!)
Lei ci la purtassi!	(Bring it to her!)

Eserciziu 14: Follow the example:

Nun aju ntinzioni di taliari lu programma,	*talìalu tu!*	*taliàtilu vui!*
I have no intention of watching the program,	you watch it!	you watch it!

1. Nun aju ntinzioni di studiari la lezzioni. 2. Nun aju ntinzioni di scrìviri li esercizi. 3. Nun aju ntinzioni di lèggiri sti frasi 4. Nun aju ntinzioni di pulizziari li stanzi 5. Nun aju ntinzioni di vìnniri la machina.

Eserciziu 15: Follow the example:

Vulemu mparari lu russu?	*Picchì no, mparàmulu!*
Do we want to learn Russian?	Why not? Let us learn it!

1. Vulemu visitari lu museu? 2. Vulemu cuminciari na nova buttigghia? 3. Vulemu aspittari a Luisa? 4. Vulemu scutari stu novu discu di Alagna? 5. Vulemu chiùdiri la finestra?

Eserciziu 16: Follow the example. Note how the direct object pronoun must double the l when used with the tu command:

Ti vogghiu mannari <u>stu rialu</u>.	*Va beni, mannamìllu!*
I want to send you this gift.	All right, send it to me!

1. Ti vogghiu cunzigghiari na cosa! 2. Ti vogghiu cunfidari un segretu! 3. Ti vogghiu raccumannari a un studenti! 4. Ti vogghiu prisintari a na signurina! 5. Ti vogghiu pagari na cena!

There are a few irregular verbs in the *tu* and *vui* forms:

fari	fa	facemu	faciti	Imp. Subj. facissi
diri	dì	dicemu	diciti	Imp. Subj. dicissi
dari	da, duna	damu	dati	Imp. Subj. dassi, dunassi

When the verb *fari* and *diri* are used with pronouns in the *tu* form the first letter of the pronoun is doubled. Thus you have,

Fallu, fammillu, faccillu! — do it, do it for me, do it for him/her
Dillu, dimmillu, diccillu! — say it, say it to me, say it to him/her
Dallu, dammillu, daccillu! — give it, give it to me, give it to him/her

Eserciziu 17: Replace the underlined direct object with the pronoun as in the model:

Fammi stu favuri, Giuanni!	*Ti preju, fammillu!*
Do me this favor, Giuanni!	I beg you, do it for me!
Facitimi stu favuri, carusi!	*Vi preju, facitimillu!*
Do me this favor, boys!	I beg you, do it for me!

1. Dimmi la virità, Maria!	Ti preju,____________!
2. Dicci la virità, Mariu!	Ti preju,____________!
3. Fatti li fatti to, Pippinu!	Ti preju,____________!
4. Dacci du' dollari a Carlu!	Ti preju,____________!
5. Fatti la barba, Giuseppi!	Ti preju, ____________!
6. Dicitimi la nutizia, carusi!	Vi preju,____________!
7. Facitimi la carità, carusi!	Vi preju,____________!
8. Datimi li sordi, carusi!	Vi preju, ____________!
9. Daticci boni cunzigghi, carusi!	Vi preju, ____________!
10. Diciticci dda barzelletta, carusi!	Vi preju,____________!

D. Dari istruzioni

Quannu unu si trova nta un paisi o città ca nun canusci, c'è sempri lu pirìculu di pirdirisi. Ci sunnu chiddi ca prifirisciunu truvari la strata giusta pirdennu assai tempu, e pirdennusi tanti voti, specialmenti li màsculi. Tutti sannu ca li masculi non vonnu mai ammèttiri di nun sapiri unni sunnu. È na quistiuni d'onuri pi iddi. Li Siciliani nun ammettunu mai di èssiri persi. Però ci sunnu àutri ca quannu si perdunu nun si virgognanu e dumannanu aiutu. È mpurtanti allura sapiri dari istruzioni a la genti ca dumanna e macari di capiri l'istruzioni di l'àutri. Lu vocabulariu assolutamenti nicissariu è chistu ca vi dugnu ora. La palora chiù usata nta sti casi è *drittu*. In Sicilia e puru nta lu cuntinenti, tutti chiddi ca dunanu direzioni usanu sta palora: *caminati drittu finu a...* oppuru *jiti sempri drittu...* oppuru *jiti avanti drittu drittu....* Un verbu ùtili è *girati* o *vutati* ca si usa cu la frasi *a sinistra* o *a destra*. Si quaccadunu usa lu frasi *turnati arreri* è già signali ca ci fu sbagghiu in quacchi postu. Si la genti voli èssiri pricisa vi duna quacchi vota li distanzi, espressi in metri naturalmenti. *Centu metri chiù avanti, deci metri chiù supra, chiù sutta*. E poi ci sunnu pricisazioni comu *accantu c' è lu tribunali, dirimpettu viditi na famacìa* oppuru *di l'àutru latu c' è na stazioni di binzina*. Comu alternativa a *girati a sinistra*, si pò diri *pigghiati a sinistra* o *pigghiati a destra*, e ora ca cci penzu si pò diri puru *pigghiati a manu manca o a manu dritta* pi diri a sinistra o a destra. Cu tutti sti indicazioni, sugnu sicuru ca nun vi pirditi chiù si vi truvati nta na città siciliana ca nun canusciti.

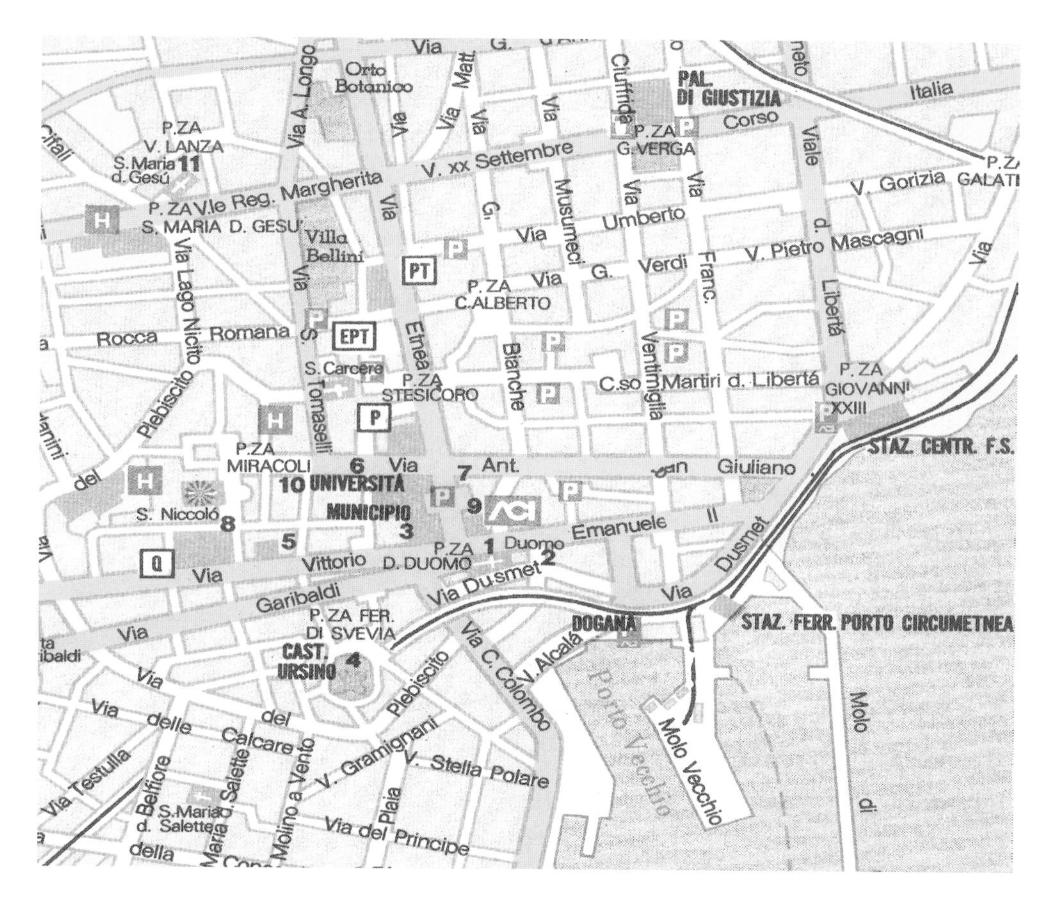

Ora studiati la mappa di Catania ccassùpra. Truvati lu puntu di riferimentu di unni cuminciari. Lu puntu di partenza è Piazza Domu. Un vicchittu vi dumanna comu avi a fari pi jiri a Piazza Giovanni Vintitrièsimu. Truvati la piazza e daticci li indicazioni. Pi lu primu esempiu vi aiutu jo, pi l'àutri poi ci pinzati vuiàutri. Ricurdativi ca aviti a usari la formula di rispettu Vossia o Lei pi dari li cumanni.

Allura, Vossia caminassi drittu nta la via Vittoriu Emanueli finu a via Dusmet. Girassi a sinistra e cuntinuassi drittu finu a quannu arriva a Piazza Giovanni XXIII!

Eserciziu 18: Now it's up to you to give directions:

1. Scusassi, aju a jiri a Piazza Santa Maria del Gesù. Comu aju a fari? 2. Scusassi, aju a jiri Piazza Giovanni Verga. Comu avissi a fari? 3. Scusassi, mi pò aiutari. Sugnu persu. Aju a jiri a la Stazioni Cintrali di lu trenu 4. Mi putissi indicari comu jiri a lu Casteddu Ursinu? 5. Vulissi jiri a la Villa Bellini. Comu fazzu?

Vocabulary Notes:

Lu primu pueta	The first poet
Miludiusa e piacèvuli	Melodious and pleasing
Ninfi	Nymphs
Accumpagnànnusi	Accompanying himself
Flautu	Flute
Friscalettu	Reed pipe
Costruiri	To build
Tagghiannu li canni	Cutting the bamboo
Ci fici prumèttiri	Made him promise
Pirdissi…la vista	Would lose the sight of…
Si sinteva battiri lu cori	Felt her heart beating
Sidùciri	To seduce
Pinzannu a lu malocchiu	Thinking of the curse
Fogghi di dauru	Laurel leaves
Afrudisìacu putenti	A powerful aphrodisiac
Fari l'amuri	To make love
Annurbau	Was blinded
Avìa funziunatu	Had worked
Divintau accussì depressu	Got so depressed
Si ittau	He jumped off
Bàusu	Cliff
Dannucci la forma	Shaping him
La pusau	Placed it

Dafni fu lu primu pueta di la Sicilia. Era un pasturi ed era un beddu giùvini c'aveva na vuci tantu miludiusa e piacèvuli ca tutti li ninfi ca lu sintevanu cantari accumpagnannusi cu lu flautu e lu friscalettu, si nnamuravanu di iddu. Divintau assai famusu pi li versi ca nvintava e li canzuni ca sunava. Iddu ci nzignau a l'àutri Siciliani comu scrìviri puisìi e comu costruiri li friscaletti e li flauti, tagghiannu li canni.

Quannu divintau chiù granni, la ninfa Nomia si nnamurau di iddu. Era na fìmmina assai gilusa e cci fici prumèttiri a Dafni di nun tradirla mai picchì si iddu la tradissi pirdissi sùbbitu la vista di l'occhi.

Un jornu la riggina Climeni nvitau a Dafni nta lu palazzu riali. Mentri iddu cantava li so versi, la riggina si sintìu bàttiri forti lu cori e capìu ca s'avìa nnamuratu pazzamenti di iddu. Circau sùbbitu di sidùciri a lu giùvini. Iddu risistìu, pinzannu a lu malocchiu di Nomia, ma poi la riggina ci fici bìviri vinu mmiscatu cû fogghi di dàuru—un afrudisìacu putenti—e iddu nun potti resìstiri chiù. Appena fineru di fari l'amuri, Dafni annurbau completamenti. Lu malocchiu di Nomia avìa funziunatu. Lu pòviru Dafni divintau accussì depressu ca doppu pocu tempu si ittau di un bàusu vicinu a lu paisi ca oggi si chiama Cefalù. So patri ca era lu diu Hermes trasfurmau a Dafni nta na petra, dannucci la forma di na testa umana e la pusau darreri a lu paisi e picchissu Cefalù si chiama d'accussì. *Kefalodion* in grecu voli diri testa.

Dumanni:

1. Cu era Dafni? 2. Cu quali strumentu si accumpagnava? 3. Picchì li ninfi si nnamuravanu di iddu? 4. Chi sapeva fari Dafni cu li canni? 5. Cu cu' si maritau? 6. Chi ci appi a prumèttiri a Nomia? 7. Chi si sintìu la riggina mentri scutava lu cantu di Dafni? 8. Chi usau la riggina pi sidùciri a Dafni? 9. Chi succidìu a Dafni doppu ca finìu di fari l'amuri cu la riggina? 10. Chi voli diri *Kefalodion* in grecu?

Nota culturali: Ragusa

Situata nta l'estrema punta a sud-est di l'ìsula, Ragusa è la chiù nica di li pruvinci siciliani ed è furmata[1] di du' città, l'antica Ibla, nni la parti chiù bascia,[2] e la chiù moderna città (Ragusa) nta la parti chiù auta[3] di li pinnini[4] di li muntagni Iblei. Ragusa (la parti àuta) fu costruita doppu lu forti tirrimotu[5] ca distruggìu na bona parti di la Sicilia orientali ntô 1693. Comu successi[6] pi li città distruggiuti di lu tirrimotu—Mòdica, Notu, Catania e Missina—Ragusa fu costruita nni lu stili priduminanti[7] a ddu mumentu: lu baroccu, naturalmenti nterpritatu a la manera siciliana.

La vecchia Ibla, c'avi strati silinziusi e stritti unni pi passari cu l'autobus ci voli[8] un pirmissu[9] spiciali, assumigghia[10] a la Medina di Malta. Pi nchianari[11] di Ibla a Ragusa c' è na longa scalinata[12] di 242 scaluni. Di lu 1865 finu a lu 1926 li du' città eranu du' cumuni[13] siparati. Cu l'arrivu di Mussolini divintaru un cumuni.

Ragusa è na pruvincia c'avi un vastu patrimoniu zootecnicu[14] e avi na forti produzioni agricula. Ci sunnu puru cultivazioni nta li serri[15] vicinu a la custera.[16] Nta la storia chiù ricenti, Ragusa ha divintatu chiù industrializzata a càusa di la scuperta di lu pitroliu.[17] La prisenza di cavi d'asfaltu[18] nni la pruvincia contribuisci a lu sviluppu di la petrochìmica. Li so spiaggi di rina bianca e fina[19] e li so monumenti di stili baroccu rapprisentanu na carta mpurtanti pi lu turismu.

L' antica Ibla.

Popolazioni: 75.000

Notes: 1. Formed 2. Lower 3. Higher 4. Slopes 5. Earthquake 6. As occurred 7. Predominant 8. Special permission is needed 10. Resembles 11. To climb 12. Stairs 13. Townships 14. A vast cattle patrimony 15. In green houses 16. The coastline 17. The discovery of oil 18. Asphalt deposits 19. Fine white sand.

Comprehension Exercise:

1. Ragusa è situata a la punta a sud-est di lu triàngulu sicilianu. Veru Falsu
2. È la chiù picciridda di li novi pruvinci siciliani. Veru Falsu
3. Fu distruggiuta nta lu tirrimotu di lu 1693 e fu ricostruita nta lu stili baroccu. Veru Falsu
4. La pruvincia nun avi industrii e vivi sulu tramiti l'agricultura. Veru falsu
5. La pruvincia avi beddi spiaggi di rina bianca e fina ca rapprisentanu na ricchizza turìstica mpurtanti. Veru Falsu
6. Produci assai frutti e virduri tramiti la cultivazioni in serri. Veru Falsu

Nota culturali: Ulissi in Sicilia

Vocabulary Notes:

Muncibbeddu	It's Mt. Etna, the highest volcano in Europe. The name is derived from "Mons" (mountain in Latin) and "Gebel" (mountain in Arabic). It means "mountain mountain".
Ulissi lu cicau	Ulysses blinded him
Si sparsi la vuci	The rumor was spread
Dettiru ssa malanòmina	Gave him that bad reputation
Furriavanu	They roamed
Vidennu ca	Seeing that
Scinnìu dâ muntagna	Came down from the mountain
Minacciusu	Threateningly
Cu quali facci	With what courage (face) (How dare you?)
Pirdemmu la strata	We lost our way
Circamu pruvvisti	We are looking for provisions
Cuntata di Omeru	Told by Homer
Un palu nfucatu	A burning log
Curnutu e bastiunatu	Cuckolded and beaten
Tineva priggiunieri	Was holding them prisoner
Gridannu	Screaming
Jirisìnni	To go away. A combination of jiri plus reflexive pronoun plus ni. To go away from a place
Raggiatu com' era	Furious as he was
Ci li lanzau	Hurled them against him

Quannu Ulissi, ddu granni eroi grecu, vinni in Sicilia, arrivau nta li parti di Muncibbeddu, lu vulcanu ca dòmina la costa orientali siciliana. Nta li grutti di Muncibbeddu viveva Polifemu ca la liggenna dici c'aveva sulu un occhiu ntô menzu dâ frunti. Stu giganti era pasturi e guvirnava tanti pecuri e crapi e faceva furmaggi e ricotti e viveva tranquillu supra li pinnini di l'Etna. Poi, doppu ca Ulissi lu cicau, si sparsi la vuci ca iddu era cannìbali, ma a mia nun mi pari na cosa plausìbili. A niàutri siciliani nun ni piaci tantu la carni. Cridu ca i Greci ci dettiru ssa malanòmina picchì, comu tutti sannu, la storia la scrivi cu vinci. A ogni modu, Ulissi e li so cumpagni eranu affamati e furriavanu a destra e a sinistra pi truvari quacchi cosa di manciari. Polifemu li vitti cu ddu sulu occhiu c'aveva e vidennu cu eranu straneri nta la so terra, scinnìu di la muntagna e ci dumannau minacciusu:

— Cu siti vuiàutri? Cu quali facci vi prisintati nta la me terra?

Ulissi cci rispunnìu:

— Semu pòviri marinara ca pirdemmu la strata.

— E chi vuliti?

— Circamu pruvvisti pi putiri cuntinuari lu nostru viaggiu.

— E tu ca pari lu capu, quali è lu to nomu?

— Nuddu, jo mi chiamu Nuddu.

Ma tutti sapiti la storia cuntata di Omeru, di comu Ulissi ci detti lu vinu e lu fici mbriacari e poi lu cicau cu un palu nfucatu mentri iddu durmeva. Ma la cosa chiù brutta di sta storia è ca Polifemu fu "curnutu e bastuniatu," comu si dici in Sicilia quannu unu è vittima nun sulu di un primu attu di viulenza ma puru di un secunnu e macari di un terzu. Doppu ca Ulissi e li cumpagni scapparu di la grutta unni Polifemu li tineva priggiuneri, iddu chiamau a li so frati ca eranu supra a Muncibeddu, gridannu: "Aiutu, fratuzzi me'. Nuddu mi cicau!" Iddi ci dumannaru assai voti:

— Cu fu ca ti cicau?— E Polifemu ci rispunneva sempri:

— Nuddu mi cicau. Mi cicau Nuddu!

Li frati pinzaru ca Polifemu era mbriacu e ci dissiru di jirisìnni a curcari. Ma Polifemu, raggiatu com'era, pigghiau tri pezzi di muntagna e ci li lanzau contru a Ulissi. E ora ddi pezzi di muntagna ca si chiamanu faragghiuni sunnu davanti a Acitrizza ntô mari.

Ulissi mentri duna lu vinu a Polifemu. Mosaicu di Piazza Armerina./ Ulysses offering wine to Polyphemus. Floor mosaic in Piazza Armerina.

Dumanni:

1. Cu era Ulissi? 2. In quali parti di la Sicilia arrivau? 3. Chi è Muncibbeddu? 4. Di unni diriva lu nomu Muncibbeddu? 5. Comu campava Polifemu? 6. Tu penzi ca era cannibali? 7. Picchì l'auturi nun penza ca Polifemu era cannìbali? 8. Quantu occhi aveva Polifemu? 9. Ulissi comu potti cicari a Polifemu ca era un giganti? 10. Chi dissi Polifemu a li so frati quannu chiamau aiutu? 11. Cu scrivi la storia ntô munnu?

Sicilian Humor

"Urbi et Orbi"[1] (A la città e a lu munnu)

Miciu di Castigghiuni ca era menzu surdu nun aveva sintutu[2] bonu chiddu ca aveva dittu lu parrinu[3] a la fini di la missa.[4] Ci lu dumannau a cummari Fulippa a Ntontira[5] e idda ci spiegau[6] ca la dumìnica di Pasqua lu Papa dava la binidizioni a "Surdi e Orbi"[7] nta la chiazza di San Petru a Roma.

"Jo a ssa missa ci vulissi jiri, pi divuzzioni e na picca puru pi bisognu[8]: orbu nun sugnu, ma un pocu surdu, sì, e la binidizioni dû Santu Patri ...mi putissi fari lu miraculu!?"[9]

Notes: 1. A Latin phrase meaning "To the city (of Rome) and to the world." This anecdote was adapted from *Almanaccu sicilianu, Fra Filici '95.* Marina di Patti: Pungitopo editrice 1994. 2. Had not heard 3. The priest 4. End of the Mass 5. The Dope 6. Explained to him 7. The Deaf and the Blind 8. Out of need 9. It could make me a miracle.

Eserciziu 19: Scriviti un brevi riassuntu di la storia di Dafni, usannu li vostri palori.

Eserciziu 20: Scriviti un riassuntu di la storia di Ulissi.

Eserciziu 21: La storia di Polifemu a statu cunziddirata sempri di lu puntu di vista di Ulissi. Riscriviti la storia usannu lu puntu di vista di Polifemu, un omu ca vidi arrivari straneri priputenti e arruganti nta la so terra. Pinzati a Polifemu comu la vìttima di la priputenza di l' àutri. Iddu cerca di difènniri la so proprietà, la so terra. Viditi quacchi analogia cu àutri populi? L' Indiani d'America, pir esempiu, oppuru li Siciliani?

If you have any problems with these exercises, review Chapters 11 and 12.

Eserciziu 1: With a partner take turns in changing the impersonal mode to the personal:

Example: *Scusassi, si pò usari lu bagnu?* *Certu, ca Lei pò usari lu bagnu.*
Excuse me, can one use the bathroom? Of course, you can use the bathroom.

1. Scusassi, si pò fari na dumanna?
2. Scusassi, si pò parrari cu lu Sìnnacu? (Mayor)
3. Scusassi, si pò vìdiri ssu strumentu? (instrument)
4. Scusassi, si ponnu prinutari du' posti? (reserve two seats)
5. Scusassi, si pò scègghiri zoccu si voli? (choose what one wants)

Eserciziu 2: You are excited beacuse you can do something unexpected.

Carusi, videmu lu mari. *Carusi, si vidi lu mari.*

1. Carusi, videmu li pisci 2. Carusi, videmu l'apparecchiu c'atterra (landing) 3. Carusi, videmu li jucaturi dû Palermu ca s'allenanu. (training) 4. Carusi, videmu li màchini di cursa ca passanu. 5. Carusi, videmu a lu Prisidenti di li Stati Uniti.

Eserciziu 3: Your partner is complaining. You too have something to complain about.

S1. *A mia mi doli la testa.* S2 *A mia nveci mi doli la panza.*

1. la jamma destra/la spadda 2. lu nasu/ li denti 3. L' aricchi/lu coddu 4. Li ossa/ la bucca 5. La gula/ li occhi.

Eserciziu 4: Complete the following statements with the appropriate words to the right. The answers are not in the right order.

1. Nui pinzamu cu ____________________.	li pedi
2. Tuccamu li cosi cu ____________________.	la testa
3. Pigghiamu la pinna cu ________________.	li jammi
4. Nui sintemu cu ______________________.	la bucca
5. Nui parramu ________________________.	l'aricchi
6. Nui diggiremu lu manciari cu __________.	li labbra
7. Baçiamu li picciriddi cu ______________.	lu stòmacu
8. Nui caminamu cu ____________________.	li jìdita
9. Nui curremu _________________________.	li occhi
10. Videmu cu _________________________.	li manu

Eserciziu 5: Give your little brother or sister the following advice. Use the *Tu* command:

1. Stari attentu quannu camina. 2. Fari attinzioni a li màchini chi passanu. 3. Taliari a destra e a sinistra prima di attravirsari la strata. 4. Nun parrari cu pirsuni strani. 5. Nun jucari cu li cumpagni nta la strata.

Eserciziu 6: Addressing your superior (*Lei* or *Vossia*), tell him the following:

1. Di aviri un pocu di pazienza. 2. Di aspittari un minutu. 3. Di dirivi quannu vi paga lu stipenniu. 4. Di rispùnniri a lu telèfunu. 5. Di nun fari casu a certi stupitàggini. (not to pay attention to)

Eserciziu 7: Be authoritarian and set the rules of the house!

Manciari a l'una! *Nta sta casa si mancia sempri a l'una!*

1. Nun taliari la televisioni! 2. Nun ntirrùmpiri li pirsuni chi parranu! 3. Parrari sulu quannu è nicissariu! 4. Ognedunu (Everyone) pigghiari la propria responzabilità! 5. Manciari spaghetti cu la sarsa ogni dumìnica!

Niminagghi Siciliani

Mi scantu a pigghialla,
mi scantu a tuccalla,
ci tagghiu la testa,
ci tagghiu la cuda,
e vidu dintra
na bedda signura.

la ficudinnia

Pruverbiu sicilianu

Zoccu si cumincia si finisci!

Chapter 13

What's in This Chapter:

Grammatica	Matiriali didattici
A. *The Relative Pronouns*	*Lu tràficu a Palermu*
B. *Moving Vowels and Stem-changing*	*Miti di la Sicilia: Vulcanu*
	Nota culturali: Palermu
	Nota culturali: Giovanni Meli

Lu tiatru grecu di Siracusa./ The Greek Theatre of Siracusa.

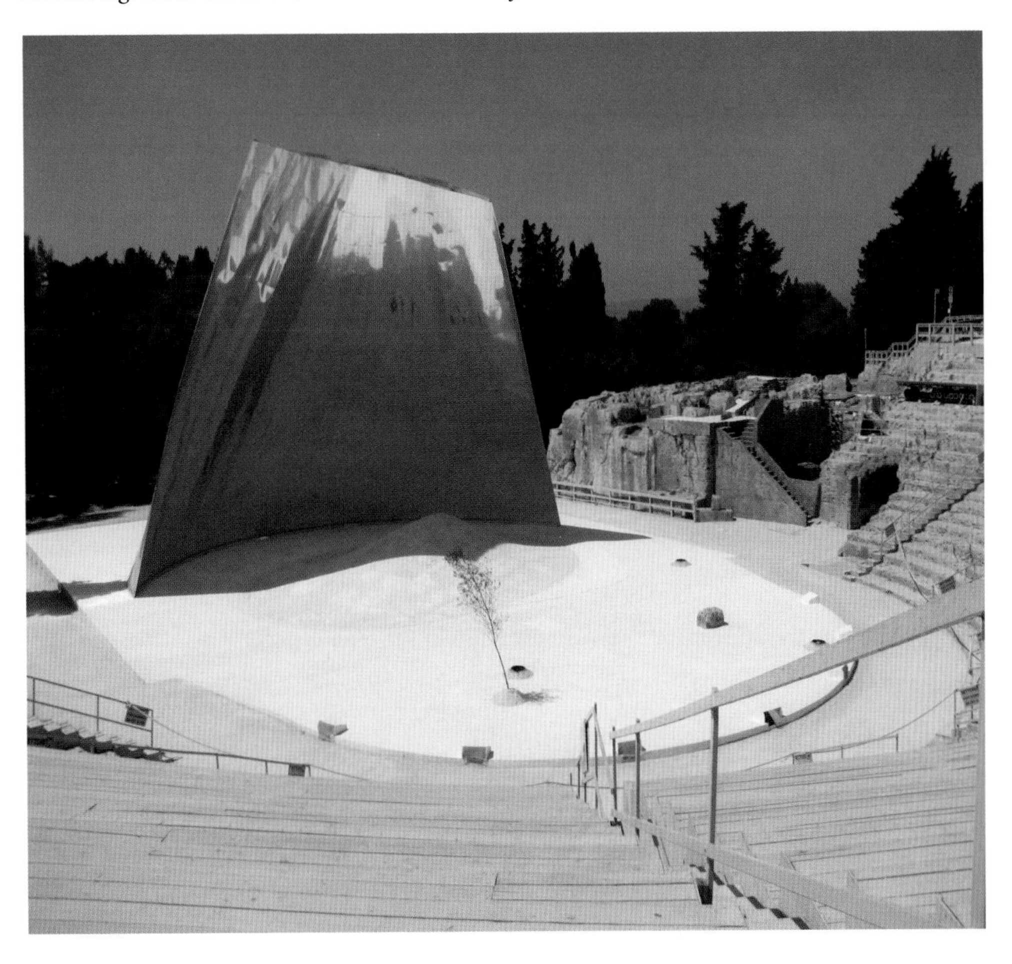

Relative pronouns join two sentences together to avoid repetition. Sicilian uses five pronouns that are invariable. They are:

Chi who, whom, that, which. It is interchangeable with *ca*.
Ca who, whom that, which.

Maria è na bedda signurina. Maria àbbita a lu primu pianu.
Maria è na bedda signurina ca àbbita a lu primu pianu.
(Maria is beautiful young lady who lives on the first floor.)

Cui whom, which. *Cui* is always used with a preposition (*di, a, cu, pi, in, tra*).
Chistu è lu picciottu. Jo ti parrai di stu picciottu.
Chistu è lu picciottu di cui ti parrai. (This is the young man of whom I spoke).

Cu who, he who, whoever. It is generally used in sayings, maxims and proverbs.

Cu dormi nun pigghia pisci. (He who sleeps won't catch any fish.)

Zoccu That which, what. *Zoccu*, unlike the other pronouns, does not refer to anything said before.

Nun capisciu zoccu voi diri.	I don't understand what you mean.
Sugnu sicura ca zoccu dici tu è sbagghiatu.	I am sure that what you say is wrong.

Lu quali, la quali, li quali who, whom, agree with the person to which it refers in gender and number and is used generally to provide greater clarity. These pronouns, however, are rarely used.

La zia di Micheli, la quali avi 70 anni, si maritau di novu.
(Michael's aunt, who is 70 years old, got married again.)
Lu cuçinu di Giuseppi, lu quali è miricanu, arrivau oggi.
(Giuseppi's cousin, who is American, arrived today.)

Eserciziu 1: Provide the appropriate relative pronoun in the blank space:

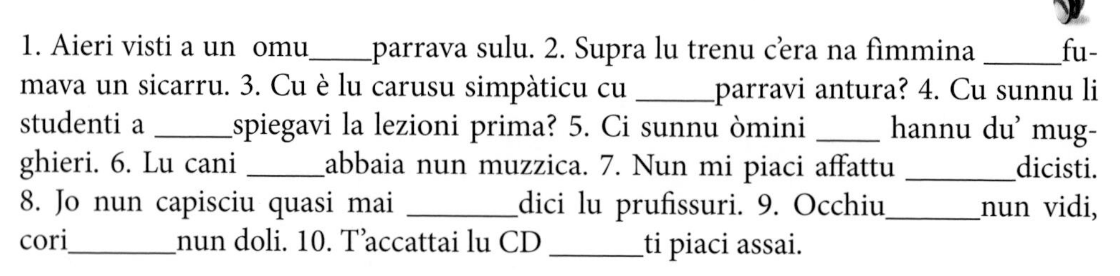

1. Aieri visti a un omu____parrava sulu. 2. Supra lu trenu c'era na fimmina _____fumava un sicarru. 3. Cu è lu carusu simpàticu cu _____parravi antura? 4. Cu sunnu li studenti a _____spiegavi la lezioni prima? 5. Ci sunnu òmini ____ hannu du' mugghieri. 6. Lu cani _____abbaia nun muzzica. 7. Nun mi piaci affattu _______dicisti. 8. Jo nun capisciu quasi mai _______dici lu prufissuri. 9. Occhiu______nun vidi, cori_______nun doli. 10. T'accattai lu CD ______ti piaci assai.

Eserciziu 2. Ask the questions that elicited the following answers:

Example: *Lu nfirmeri ci vinnìu la so màchina a lu mèdicu.*
È chistu lu mèdicu a cui ci vinnìu la so màchina lu nfirmeri?

1. Lu prufissuri telefunau a lu so studenti. 2. Jo studìu spissu nta sta bibliuteca. 3. Jo vegnu sempri nta stu nigozziu.* 4. Scrissi na littra di raccumannazioni a sta studintissa. 5. Jo votu a nuvembri pi stu candidatu.

*The preposition *in* + *cui* is seldom used. Sicilians prefer to express the concept with the word *unni*. Thus, sentence three is better expressed as *È chistu lu nigozziu unni vegnu sempri?*

Eserciziu 3: Choose the right answer for the following questions from the list to the right:

1. Cu è la pirsuna ca cucina pi l'àutri?	Lu chitarrista
2. Cu è la pirsuna ca diriggi l'orchestra?	L' atturi
3. Cu è la pirsuna ca nzigna lu corsu di sicilianu?	Lu pueta
4. Cu è la pirsuna ca rècita nta lu tiatru drammàticu?	Lu diritturi d'orchestra
5. Cu è la pirsuna ca scrivi puisii?	Lu cocu
6. Cu è la pirsuna ca sona la chitarra?	Lu prufissuri

Eserciziu 4: Use a relative pronoun to join the following sentences:

Canusciu a ddu cristianu. Veni ogni jornu p'accattari lu pani.
Canusciu a ddu cristianu ca veni ogni jornu p'accattari lu pani.

1. Cu è dda bedda signurina? Ntrasi sempri nta ddu nigoziu. 2. Nun sacciu comu si chiama ddu avvucatu. Parra cu Vossia. 3. L' artista sicilianu si chiama Alagna. Canta puru in àutri lingui. 4. Sta grammàtica è assai ùtili. Lu prufissuri scrivìu sta grammàtica. 5. Vogghiu sèntiri lu novu CD. Accattai lu CD aieri.

Eserciziu 5: Combine the two sentence using a relative pronoun:

Chistu è lu picciottu. Aieri ti parrai di iddu. Chistu è lu picciottu di cui ti parrai aieri.

1. Visti a la signurina. Assira jo ballai cu idda. 2. Chista è la stanza. Assira durmìi nta sta stanza. 3. Chistu è l'avvucatu Conti. Jo travagghiu pi iddu la dumìnica. 4. Chidda è Maria. Ci vogghiu assai beni a Maria. 5. Chisti sunnu li amici. Iddi venunu cu mia in Sicilia.

B. On Moving Vowels and Stem-changing verbs

As we discussed in Chapter 3, all words that contain stressed *e* or *o* in Sicilian will change the *e* to *i* and the *o* to *u* if a shift in the stressed vowel occurs. This phenomenon, present also in other languages, is important in Sicilian because it affects the language in a significant way. Verbs, nouns, adjectives and adverbs are affected by it.

Let us add a few additional examples of the phenomenon. Consider the adjective *dèbbuli* (weak). The noun that is connected with it should be *debbulizza* (weakness), but because the stress shifted to the final *i*, the noun changes to *dibbulizza*. The noun *pòrta* (door) through alteration gives rise to *purtèdda* (gateway). Here is a short list of words that when altered shift the stressed *e* into *i* and the stressed *o* into *u*:

cornu	horn	curnutu	cuckold
cocciu	glass shard	cucciutu	hardheaded
frenu	brake	frinari	to brake
ferru	iron	firraru	blacksmith
genti	people	gintagghia	plebeians
jornu	day	jurnata	whole day
lettu	bed	littinu	small bed
meli	honey	ammilatu	honeyed
pedi	foot	pidata	kick
porcu	pig	purcili	pigsty
sintimentu	sentiment	sintimintusu	thoughtful
sonu	sound	sunaturi	player
tempu	weather	timpurali	storm
terra	earth	tirragnu	earth-bound
testa	head	tistardu	stubborn
ventu	wind	vintagghiu	fan
vilenu	poison	avvilinatu	poisoned

Eserciziu 6: The following pattern asks you to use the relative pronoun *cu* with *La pirsuna chi* while mastering the vowel shifting words:

Cu avi li corna è curnutu. *La pirsuna chi avi li corna è curnuta.*

1. Cu avi sintimentu è sintimintusu. 2. Cu senti ventu voli un vintagghiu. 3. Cu avi senzu è sinzatu. 4. Cu è porcu sta nta lu purcili. 5. Cu avi la testa dura si chiama tistuni. 6. Cu travagghia cu lu ferru si chiama firraru. 7. Cu bivi vilenu mori avvilinatu. 8. Cu avi boni pedi, duna boni pidati. 9. Cu nun avi freni nun pò frinari. 10. Cu dormi nta un lettu nun si pò abbituari a un littinu.

The verbs that observe this rule are too numerous to list, but once you have mastered how the mechanism that determines the stem-changing works, you will be able to recognize the verbs on your own. The changes are limited to the Present Tense and the Imperative forms. Consider the following paradigm:

Note: only the 1st and 2nd person plural uses the stem of the infinitive, the other four change the vowel to *e* and to *o* because the stress falls on them in the two verbs.

Pinzari (to think)	**Truvari** (to find)
Jo penzu	Jo trovu
Tu penzi	Tu trovi
Iddu, Idda penza	Iddu, Idda trova
Vossia, Lei penza	Vossia, Lei trova
Nui pinzamu	Nui truvamu
Vui pinzati	Vui truvati
Iddi penzanu or penzunu	Iddi trovanu or trovunu

The following verbs are all stem-changing:

purtàri	(to bring)	ripètiri	(to repeat)
spugghiàrisi	(to undress)	circàri	(to seek)
rubbàri	(to steal, rob)	òffriri	(to offer)
vistirìsi	(to dress)	vulìri	(to want)
vulàri	(to fly)	vèniri	(to come)
livàrisi	(to take off)	scurdàrisi	(to forget)
mpristàri	(to lend)	tèniri	(to hold)
mittìrisi	(to put on)	sèntiri	(to hear)

Eserciziu 7: Provide the first person singular and the first person plural of each of the following stem-changing verbs:

Purtàri (to bring)		*jo portu*	*nui purtamu*
1. ripètiri	(to repeat)	jo____	nui__________________
2. spugghiàrisi	(to undress)	jo____	nui __________________
3. circàri	(to search)	jo____	nui__________________
4. rubbàri	(to steal)	jo___	nui__________________
5. òffriri	(to offer)	jo____	nui__________________
6. vistirìsi	(to dress)	jo____	nui__________________
7. vulìri	(to want)	jo____	nui__________________
8. vulàri	(to fly)	jo___	nui__________________
9. vèniri	(to come)	jo____	nui__________________
10. livàrisi	(to take off)	jo____	nui__________________
11. scurdàrisi	(to forget)	jo____	nui__________________
12. mpristàri	(to lend)	jo____	nui__________________
13. tèniri	(to hold)	jo____	nui__________________
14. mittìrisi	(to put on)	jo____	nui__________________
15. sèntiri	(to hear)	jo____	nui__________________

The Imperative also is subject to the stem-changing rule:

Eseciziu 8: Use the command form for *tu, vui* and *Vossia* for these stem-changing verbs:

Purtari lu libru nta la classi. *Pi fauri, porta lu libru nta la classi! (tu)*
Pi fauri, purtati lu libru nta la classi! (vui)
Pi fauri, purtassi lu libru nta la classi! (Vossia)

1. Mittirisi lu cappottu picchì fa friddu! 2. Vèniri nta la classi picchì c' è un esami! 3. Vistirisi eleganti picchì c' è na festa! 4. Purtari quattru cannoli pi la festa! 5. Mpristari vinti dollari a Mariu!

Littura: Lu tràficu di Palermu

Palermu, comu tutti sannu, è na città antica e li strati nta lu centru storicu nun sunnu assai larghi. Lu tràficu di automòbbili è cosa, pir dirla senza esaggirazioni, di mittirisi li manu ntê capiddi. Però, i Palermitani sunnu pirsuni calmi. Hannu na certa flemma ca ci pirmetti di affruntari lu caos di tutti ddi màchini senza bistimmiari o arraggiarisi. Forsi ci sunnu abbituati e si quacchi cittadinu si ferma davanti a lu bar pi pigghiarisi un cafè, lassannu la so màchina ntô menzu di la strata, nun si scomponinu chiù di tantu. Fa parti di la vita in città. Nun vali la pena di rudirisi lu ficatu pi certi ncuscenti.

Ma certi voti, quannu fa cauddu e li nervi sunnu chiù tisi, pò succèdiri ca tutta dda calma scumparisci nta na botta e allura sunnu guai.

Na giurnalista miricana ca si truvau a Palermu ntôn jornu quannu lu tràficu era ntenzu cuntau sta scena tra du' Palermitani: un omu e na fimmina. Iddi ristaru bloccati senza putiri jiri né avanti né arreri pi quasi deci minuti. A un certu puntu, la fimmina cuminciau a sunari: "pi pi, piii," ma era inùtili picchì tutti li machini eranu fermi. L' omu nta la màchina accantu a idda, si siddiau, si vutau e ci dissi: "Ma picchì sona?" La fimmina lu taliau nta l'occhi senza timuri e ci rispunnìu pronunziannu li palori a una a una: "A mia mi piaci la mùsica!" L' omu, vidennu la sfacciatàggini di la fimmina, divintau na bestia e ci dissi: "E eu ci rumpu li cuorna a so maritu!" Senza pinzàricci du' voti, la fimmina rispunnìu: "E eu ci nni fazzu nàutru paru!" Nun è fàcili vìnciri cu li fimmini palermitani. L'ùltima palora tocca sempri a iddi!

Dumanni:

1. Comu è lu tràficu a Palermu? 2. Li Palermitani sunnu pirsuni nirvusi o calmi, generalmenti? 3. Li Palermitani osservanu li règuli di lu tràficu? 4. È possìbili ca un Palermitanu lassa la màchina nta lu menzu di la strata pi pigghiarisi lu cafè? 5. Cu cuntau l'anèddutu? 6. Comu rispunnìu la fimmina quannu l'omu ci dumannau picchì sunava? 7. La fimmina era na cristiana tìmida?(timid) 8. Picchì l'omu divintau na bestia? 9. A cu ci voli rùmpiri li corna, l'omu? 10. Chi voli diri aviri li corna in Sicilia?

Miti di la Sicilia: Vulcanu

Lu diu di lu focu ca li Greci chiamavanu Hephaestus in Sicilia si chiamava Vulcanu. Ed era naturali ca quannu li Greci arrivaru cridissiru[1] ca Hephaestus abbitassi e avissi[2] la so forgia[3] dintra di l'Etna. Vulcanu era granni maestru pi travagghiari li metalli. Travagghiava cu lu ferru, cu l'oru e l'argentu e fu chiddu ca faceva li spati, li fùlmini, li curazzi e li scuti[4] a li so frati di l'Olimpu. Ma Vulcanu, mischinu, aveva na pocu di difetti. So matri Hera, la mugghieri di Giovi, quannu nascìu, lu ittau[5] ntô mari tantu era bruttu. Era puru sciancatu[6] e aveva li pedi ca nveci di puntari nnavanti puntavanu nnarreri. In cumpenzu, era daveru maestru nta la so arti.

Na vota, pi vinnicarisi[7] di so matri ca cu iddu era crudeli, ci costruìu un tronu d'oru e d'argentu ca pareva accussì beddu ca Hera sùbbitu ci s'assittau.[8] A ddu puntu nisceru tanti fili di di mitallu[9] ca la mpriggiunaru di un modu ca idda nun si potti mòviri chiù. Li dei circaru di cunvìnciri a Vulcanu di libbirari a la matri, ma iddu nun ni vosi sèntiri.[12] Finalmenti ci dèsiru a bìviri e accunzintìu[10] a libbirarla, a pattu[11] però ca idda ci dassi[13] a Vèniri comu mugghieri. D'accussì Vulcanu, ca era lu chiù bruttu di li dei, si maritau a Vèniri, la dea di l'amuri, ca era la chiù bedda. Ma Vèniri poi nun fu, comu si dici, na mugghieri pirfetta e spissu e vulinteri faceva la crapetta,[14] pi nun diri àutru.

Notes: 1. Believed 2. Lived and had 3. Forge 4. Swords, lightning bolts, armor and shields 5. Hurled 6. Lame 7. Avenge himself 8. She sat 9. Metal threads 10. Consented 11. Provided that 12. Would not hear of it 13. Gave 14. "Acted like a little goat," misbehaved, fooled around.

Dumanni:

1. Cu era Hephaestus? 2. Picchì era naturali ca li Greci l'assuciavanu cu l'Etna? 3. In quali travagghiu era spertu Vulcanu? 4. Chi ci faceva pi li dei di l'Olimpu? 5. Chi difetti aveva, Vulcanu? 6. So matri chi fici quannu lu vitti pi la prima vota? 7. Comu aveva li pedi? 8. Quannu cunzintìu a libbirari a so matri? 9. Cu cui si maritau? 10. Fu na mugghieri fideli a Vulcanu, Vèniri?

Nota culturali: Palermu

Palermu è la capitali di la Sicilia. È la città unni avi la sedi[1] l'Assimblea Reggionali Siciliana ca di l'annu 1947, quannu fu firmatu[2] lu Statutu Speciali, guverna l'isula in manera chiù o menu autonuma. La sedi dû guvernu è nta lu Palazzu dî Nurmanni. Palermu è na città di quasi ottucentu mila abbitanti ca pari ca nesciunu[3] di casa tutti a la stissa ura pi jiri a travagghiari, pi fari li spisi[4] o pi pigghiarisi lu cafè. Fattu sta[5] ca Palermu è na città rumurusa, lu tràficu dî màchini è caòticu, li muturini ntrasunu e nesciunu[6] a menzu di li màchini in manera piriculusa. E la genti si movi,[7] camina viloci, e s'affudda[8] p'attravirsari li strati. Spissu li sireni[9] di la polizia o li pumperi[10] si jùnciunu a li rumuri di la strata e la genti si ferma[11] a taliari chi succedi. C'è na specia di elettricità nta l'aria. Quacchi vota pari quasi[12] di èssiri a Nova York.

Na città ca porta supra li spaddi[13] tri mila anni di storia avissi a èssiri[14] chiù calma, chiù ripusanti.[15] Ma a mia mi pari ca chiù tempu passa chiù diventa difficili, almenu pi li turisti, pi chiddi ca venunu di fora[16] a visitari. Li Palermitani nveci sunnu cuntenti di èssiri palermitani. Iddi hannu la cunvinzioni di èssiri[17] na razza spiciali.[18] Gaitanu Basile, omu di granni spiritu umorìsticu, cunta ca li Palermitani dividunu l'umanità in dui: "Palermitani e Regnìculi,"[19] cioè chiddi ca foru furtunati di nàsciri nta la filicissima Palermu e l'àutri chi nun appiru sta furtuna. Nun è quistioni di razzismu o sciovinismu,[20] dici Basile. La curpa[21] è tutta di un metru quatratu di màrmuru[22] misu supra lu porticu miridiunali[23] dâ Matrici, cioè la Cattidrali di Palermu. C'è scrittu supra a lu màrmuru in latinu: *Prima sedes-corona regis-regni caput* e li Palermitani ci crittiru[24] daveru. E allura iddi cridunu di èssiri la capitali di lu munnu. Na cosa simili a comu la penzanu li Rumani ca cunzìddiranu tutti chiddi ca venunu di fora Roma nun regnìculi, ma burini.[25] Lu raggiunamentu nun fa na piega.[26] Si nun fussi d'accussì[27] chi senzu avissi scrìviri la frasi in latinu, dici Basile, schicciannu[28] l'occhiu? Ma la cosa ca cunferma la virità di quantu dici iddu è quannu so matri, parrannu di Milanisi, o di straneri ca nun hannu avutu la furtuna di nàsciri a l'umbra[29] di lu Munti Pilligrinu, ci junci sempri la palora mischinu![30] "È milanisi, mischinu!" "Sunnu miricani, mischini!" Ma lu dici comu si sintissi pena[31] pi ddi poviri cristiani ca nasceru fora di Palermu.

Certu, Palermu fu la capitali di lu munnu nta li sèculi passati. Sutta l'Àrabi Palermu divintau lu giardinu di Allah. Un viaggiaturi scrissi ca a Palermu l'abbitanti eranu assai superbi e vulevanu tutti na muschìa pirsunali tanti ci nn'eranu![32] Forsi la superbia[33] dî Palermitani veni di ddà. Oppuru di quannu sutta a Fidiricu II, Mpiraturi di lu Sacru Rumanu Imperu, Palermu era la capitali di la scienza e di la littiratura, di la filosofia e di l'astronomia. O di quannu, nta lu sèculu tridicesimu, Palermu aveva triccentu mila abbitanti quannu Parigi era un paisottu di quaranta mila. Oppuru di quannu addumaru la miccia[34] ca avvampau nta tutta la Sicilia pi cacciari a li Francisi, pi l'unica granni rivoluzioni populari di la nostra storia: li Vespiri Siciliani. Certu, mutivi di orgogliu nun mancanu[35] pi glorificari la so storia, ma nun bisogna esaggirari.[36]

Notes: 1. The seat 2. Was signed 3. Who seem to come out 4. To shop 5. The fact is 6. The scooters go in and out 7. Moves 8. Crowds 9. Police sirens 10. Firemen 11. Stops 12. It almost seems 13. Bearing on her shoulders 14. Should be 15. Relaxing 16. From outside 17. Convinced they are 18. A special breed 19. Belonging to the realm 20. Racism or chauvinism 21. Fault 22. Marble 23. Southern 24. Believed it 25. People living outside of Rome, hicks 26. The reasoning is sound 27.Were it different, why write it in Latin? 28. Winking 29. In the shade 30. Adds the word "Poor Thing!" 31. She felt sorry 32. A personal mosque, there were so many! 33. Haughtiness 34. They lit the fuse 35. Are not lacking 36. Let's not exaggerate.

Dumanni:

1. Unni avi la sedi lu guvernu sicilianu? 2. Chi significa pi la Sicilia aviri un Statutu Speciali? 3. Quantu abbitanti avi Palermu? 4. Comu è lu tràficu a Palermu? 5. A quali città miricana assumigghia Palermu? 6. Quantu annni di storia porta supra li spaddi? 7. Li Palermitani cridunu di èssiri speciali? 8. Chi hannu di simili a li Rumani? 9. La matri di Basile comu cumpateva a li straneri? 10. In quali sèculu aveva triccentu mila abbitanti Palermu?

Nota culturali: Giovanni Meli (1740-1815)

Canusciutu comu l'Abbati[1] Meli, Giovanni Meli nascìu a Palermu ntô 1740 e murìu ddà ntô 1815. È vurricatu nta la chiesa di San Duminicu a Palermu, ca è comu lu Pànteon sicilianu e cunteni monumenti pi l'òmini illustri di la Sicilia. Lu "pueticchiu,"[2] accussì chiamatu picchì era giuvini quannu cuminciau a friquintari[3] li circuli puetici di Palermu, è cunziddiratu comu lu pueta dialettali chiù granni di la Sicilia. Chiù di qualsiasi àutri pueta iddu è l'incarnazioni[4] di chiddu ca Luigi Settembrini chiamava "lu pirfettu pueta sicilianu". Sta definizioni nun voli èssiri[5] restrittiva ntô senzu ca Meli s'interessava sulu di cosi siciliani. Anzi, la so vasta opera nun si pò capiri senza tèniri cuntu[6] di comu la cultura europea di ddu tempu alimenta lu so pinzeru.[7] Meli appi na vasta cultura e la so menti fu aperta[8] a li nuvità ca vinevanu di la Francia, e di l'Inghilterra. Meli fu lu pirfettu pueta sicilianu picchì iddu ncarnava lu spiritu di la Sicilia. Li pinzeri ca iddu esprimi nta li so òpiri in quacchi modu[9] rapprisentanu li pinzeri e li preoccupazioni di un pòpulu sanu. Iddu diventa la vuci di lu pòpulu sicilianu, li so palori diventanu pruverbiali, la so saggizza espressa nta li *Favuli morali* rifletti la saggizza[10] di lu populu.

L' òpira di Giovanni Meli è troppu vasta pi putirinni parrari appropriatamenti nta stu spaziu. Pirciò mi fermu sulu supra a chidda ca forsi chiù di tutti l'àutri rapprisenta la so pirsunalità e li cunflitti di lu so tempu: lu *Don Chisciotti e Sanciu Panza*, un puema eroicòmicu[11] di dùdici canti cu n'aggiunta ntitulata *Visioni*, scrittu tra lu 1785 e lu 1786. Li du' pirsunaggi di Cervantes, ripinzati e ridiminziunati[12] secunnu l'èbbica e l'ambienti diversu unni ritornanu a vìviri—sìmbuli di li forzi opposti ca esistunu dintra a l' omu—ponnu èssiri cunziddirati comu proiezioni[13] di lu cunflittu ca esisteva dintra di lu pueta. Lu cunflittu pò èssiri difinutu comu na battaglia tra ottimismu e pissimismu, tra idialismu e matirialismu. Don Chisciotti rapprisenta l'aspettu idialisticu di la so pirsunalità. Sanciu nveci rapprisenta l'aspettu prammàticu e rialìsticu. Don Chisciotti, pur avennu[14] boni ntinzioni, a la fini era un omu "ca nun sapeva cunzari[15] na nzalata e puru pritinnìa[16] di cunzari lu munnu." Sanciu nveci era unu ca crideva sulu a chid-

Don Chisciotti di Giuseppe Vesco.

"L' Annunziata" di Antonello di Missina.

du ca puteva tuccari cu li so manu. Gnuranti e senza scola, Sanciu cumincia di zeru e diventa na specia di filòsofu naturali e a la fini lu videmu nta li Campi Elisi[17] a cunvirsari cu l'antichi filòsofi. Li so suffirenzi e la spirienza foru li so maestri. Ma Don Chisciotti, doppu ca mori, veni cunnannatu,[18] pi li so pazzìi, a cògghiri lu ventu cu na riti[19] pi sei misi e pi l'àutri sei misi a stari nta li Campi Elisi pi li so boni ntinzioni.

Meli si pò diri fu un rialista ca aveva pinzeri idialistici, un prammàticu ca quacchi vota sugnava cosi mpossìbili, un cunzirvaturi ca si ntusiasmava pi la possibilità di fari prugressu. L' eroi di la so òpira nun fu Don Chisciotti, ma Sanciu picchì assai megghiu di lu so patruni avìa caputu[20] ca la filicità supra sta terra si pò aviri sulu cu la moderazioni, nun jennu[21] chiù luntanu di unni ponnu arrivari li nostri forzi.

Sti òpiri di Giovanni Meli esistunu in virsioni bilingui in America: Giovanni Meli, *Moral Fables and Other Poems*, a cura di Gaetano Cipolla, Mineola:, NY: Legas 1995. Sta antologia cunteni puru *L' origini di lu munnu* e àutri puisii; Giovanni Meli, *Don Chisciotti and Sanciu Panza*, a cura di Gaetano Cipolla, Mineola, NY: Legas, 2002.

Notes: 1. The Abbot 2. "The Little Poet" 3. To frequent 4. The embodiment 5. Is not meant to be 6. Taking into account 7. Feeds his thinking 8. Was open 9. In some ways 10. Wisdom 11. A mock-epic poem 12. Re-imagined and reshaped 13. Projections 14. Although he had 15. Fix 16. And yet pretented 17. Elysian Fields 18. Is condemned 19. Net 20. Had understood 21. Going.

Dumanni:

1. Picchì chiamavanu a Meli lu puiticchiu? 2. Meli fu chiamatu lu pirfettu pueta sicilianu picchì si ntirissava sulu di cosi siciliani? 3. In quali òpira si manifesta la saggizza di Meli? 4. Quantu canti cunteni lu *Don Chisciotti e Sanciu Panza*? 5. Chi rapprisentanu li du' pirsunaggi pi Meli? 6. Comu veni difinutu Don Chisciotti? 7. Cu è lu veru eroi di sta òpira, Sanciu o Don Chisciotti? 8. Cu foru li maestri di Sanciu? 9. Chi cunnanna appi Don Chisciotti doppu la morti? 10. Quali è pi Meli la chiavi pi la filicità supra sta terra?

Pruverbiu sicilianu

Cu pecura si fa, lu lupu si la mancia

Niminagghi siciliani

Jo m' accostu e tu t' accosti, (m' avvicinu)
Jo m' arrassu e tu t' arrassi; (m' alluntanu)
Sugnu vinutu ccà ppi sapiri la virità.

Lu specchiu

Chapter 14

What's in This Chapter:

Grammatica	Matiriali didattici
A. *The Past Perfect Tense*	*Littura: Lu me amicu tartaruca*
B. *The Pronoun "Ci"*	*Littura: La nciuria in Sicilia*
C. *Formation of Adverbs*	*Miti di la Sicilia: Aristeu*
Ripassu	*Nota culturali: Agrigentu*
	Nota culturali: Luigi Pirandellu
	Sicilian Humor

Na mappa turìstica di la Sicilia supra na mattunella./ A Tourist map of Sicily on a ceramic tile.

Vocabulary Notes:

Na tartaruca	a turtle	A leggiu a leggiu	liggeramenti, slowly
Pappaleccu	stutterer	Tartagghia	stutters
Cu rallentaturi	in slow motion	Si trascina	drags himself.
A goccia a goccia	a drop at a time	Comu fussi	as though it were
A passu di furmìcula	walking like an ant	A suppurtarilu	to put up with him.
Accèllira lu passu	quickens his step.		

Aju un vecchiu amicu ca è na specia di tartaruca tantu è lentu. Iddu si chiama Umbertu, ma tutti lu canusciunu comu *Pappaleccu* picchì quannu parra tartagghia. Si sapi ca nta li paisi siciliani tutti hannu un nomu spiciali, na nciùria ca idintìfica la pirsuna megghiu di lu cugnomu. Ad ogni modu, la matina prima ca si susi, Umbertu si vota a leggiu a leggiu pi menz'ura. Poi adagiu adagiu metti un pedi nterra, poi scinni l'àutru. Si susi cû rallentaturi e si trascina nta la cucina pi farisi lu cafè. Lu bivi poi a goccia a goccia comu si fussi midicina. Poi va nta lu bagnu e dda dintra ci metti n' àutra menz'ura. Poi a passu di furmìcula si vesti e si pripara pi jiri a travagghiari. Si iddu è accussì lentu ntô travagghiu nun sacciu comu fa lu patruni a suppurtarilu. Ma forsi quannu nesci di casa, accèllira lu passu e si movi chiù vilocimenti.

Dumanni:

1. Quali animali è assai lentu? 2. Chi nciuria ci misiru a Umbertu? 3. Picchì lu chiamanu Pappaleccu? 4. Umbertu si gira nirvusamenti nta lu lettu o adagiu adagiu? 5. Comu bivi lu cafè? 6. Comu pigghi la midicina tu, lentamenti o nta na botta? 7. Lu patruni è cuntentu quannu un mpiegatu travagghia lentu?

A. The Past Perfect Tense (Trapassatu Prossimu)

The Past Perfect in Sicilian is used to express an action that occurred before another past action. The auxiliary verb *Aviri* in the Imperfect Tense is used together with the Past Participle of the verb to form the Past Perfect:

Consider the following: in each sentence the action that happened before the other is rendered with the Past Perfect:

Quannu arrivai, Maria avìa già nisciutu di casa.
When I arrived, Maria had already gone out.
Quannu Filippu m'invitau, jo avìa già manciatu.
When Philip invited me, I had already eaten.
Iddu mi dumannau si jo avìa fattu li còmpiti.

He asked me if I had done the homework.

The paradigm for the two conjugations follow:

Parrari	I had spoken	Finiri	I had finished
Jo	avìa, aveva parratu	Jo	avìa, aveva finutu
Tu	avevi parratu	Tu	avevi finutu
Iddu, Idda	avìa, aveva parratu	Iddu, Idda	avìa, aveva finutu
Vossia, Lei	avìa, aveva parratu	Vossia, Lei	avìa, aveva finutu
Nui	avìamu, avèvamu parratu	Nui	avìamu, avèvamu finutu
Vui	avìati, avèvati parratu	Vui	avìati, avèvati finutu
Iddi	avìanu, avèvanu parratu	Iddi	avìanu, avèvanu finutu

Eserciziu 1: Follow the example:

Apru lu frigurìferu. La torta scumparisci.
Quannu aprìi lu frigurìferu, la torta avìa scumparutu.

1. Ntrasu ntô cìnima. Lu film finisci. 2. Jo telèfunu. Ma iddi nesciunu. 3. Mi susu. Me soru mancia sula. 4. Vaju a lu nigozziu. Ma lu nigozziu chiudi. 5. Vogghiu còciri la bistecca. Ma lu focu s'astuta.

Eserciziu 2: It's hard to hear. Please, say it again! Follow the model:

Dici ca ha manciatu bonu. He says that he has eaten well.

Chi dissi? What did he say?

Dissi ca avìa manciatu bonu. He said he had eaten well.

1. Dici ca nun ha caputu nenti. 2. Dici ca nun ha mai vistu na cosa sìmili. 3. Dici ca nun ha pigghiatu nenti di ccà. 4. Dici ca nun ha guadagnatu un sordu. 5. Dici ca nun ha ancora rispunnutu. 6. Dici ca nun ha ancora finutu.

Eserciziu 3: Some people like to exaggerate. Using these hyperbolic statements, try to go one better than the person below and write five similar exploits!

Example: *Quannu jo aveva vint'anni, avìa già canusciutu vinti fimmini!*

1. Quannu aveva vint'anni, jo avìa già nchianatu supra a (climbed) l'Everest! 2. Quannu aveva sidici anni, jo m'aveva maritatu tri voti! 3. Quannu aveva cinc'anni, jo avìa già mparatu tri lingui! 4. Quannu aveva deci anni, jo aveva già fattu lu giru di lu munnu! 5. Quannu aveva trent'anni, jo nun aveva ancora canusciutu l'amuri!

The pronoun *ci*, as we have seen, can be an indirect object pronoun as in the sentence, *Chi ci facisti?* (What did you do to him, to her, or to them?)

The *ci* can also be used to replace a locality preceded by the preposition *a*, as well as a phrase preceded by *a* or *in* or *nta*. Consider the following. The *ci* replaces the italicized words:

Vai *a Roma*?	*Si, ci vaju dumani.*
Are you going to Rome?	Yes, I am going there tomorrow.
Vai *in Italia*?	*Si, ci vaju nta la stati.*
Are you going to Italy?	Yes, I am going there in the summer.
Penza *a zoccu ti dissi*!	*Va beni, ci penzu.*
Think about what I said!	All right, I will think about it.
Mittiti lu sali *nta l'acqua*?	*Si, ci lu mittemu.*
Do you put salt in the water?	Yes, we put it in.

The pronouns, as you can see, are placed before the verb. But if the verb is in the Infinitive or the Imperative, you must follow the models below:

Non vogghiu jiri *a Roma* avannu.
(I don't want to go to Rome this year.)
Nun *ci* vogghiu jiri avannu. or
nun vogghiu jiri*cci* avannu.
(I don't want to go there this year).

Va in Sicilia avannu!	*Vacci avannu!**	*Nun ci jiri avannu!*
Jiti in Sicilia!	*Jiticci!*	*Nun ci jiti!*
Jemu in Sicilia!	*Jemucci!*	*Nun ci jemu!*
Vossia va in Sicilia!	*Vossia cci va!*	*Vossia nun ci va!*

* Note how the *ci* adds an additional *c* when it follows the command.

Esercizu 4: Replace the underlined with the pronoun *ci*

Veni <u>a la scola</u> stasira? *No, nun ci vegnu.*

1. Voi jiri <u>a lu tiatru</u> stasira? 2. Vai <u>a lu supirmicatu</u> ora? 3. Penzi <u>a chiddu ca dissi to matri?</u> 4. Ntrasisti <u>nta la bibliuteca</u>? 5. Nun penzi veramenti <u>a sti cosi</u>?

The verbs *vuliri* and *mèttiri* are often used with the pronoun *ci* to form an idiomatic expression. The Infinitives *vuliricci* and *mittiricci* can be translated as to take, to need, to require. The idiom is best illustrated with the following examples:

Ci voli un'ura pi arrivari.	It takes an hour to arrive.
Chi ci voli? Ci voli curaggiu!	What does it take? It takes courage!
Chi (ci) metti nta la nzalata?	What do you put in the salad?
Ci mettu ogghiu e acitu.	I put in oil and vinegar.
Chi ci mittisti ccà dintra?	What did you put in here?
Nun ci misi nenti.	I didn't put anything in it.
Quantu tempu ci metti pi arrivari ccà?	How long will it take you to get here?

Eserciziu 5: Rewrite the following sentences using the clues to the right:

Quantu tempu ci voli pi jiri in Italia in aeriu? — *Setti uri e menza*

How long does it take to go to Italy by plane?
Ci vonnu setti uri e menza pi jiri in Italia in aeriu.
It takes seven and a half hours to go to Italy by plane.

1. Quantu tempu ci voli pi bùgghiri la pasta?	Ottu minuti
2. Quantu tempu ci voli pi pulizziari la machina?	Menz'ura
3. Quantu tempu ci voli pi lavarisi li manu?	Un minutu
4. Quantu tempu ci voli pi vistiriti?	Deci minuti
5. Quantu tempu ci voli pi vistirisi na fimmina?	Un'ura

Eserciziu 6: Answer the following questions as well as you can:

1. Ci metti milanzani nta la pasta a la Norma? 2. Ci metti pignoli nta la pasta cu li sardi? (pine nuts) 3. Ci metti orìganu nta la sarsa di pumadoru? 4. Ci metti basilicò nta la nzalata di pumadoru? 5. Ci metti ogghiu o burru nta la padedda pi frìiri du' ova? (eggs) 6. Ci metti acitu o lumiuni nta la nzalata di finocchi? (fennel) 7. Ci metti ogghiu o margarina pi frìiri li patati? (fry the potatoes) 8. Ci metti ricotta o crema nta li cannoli? 9. Ci metti zùccaru o sali nta lu cafè? 10. Ci metti risu o pasta nta l'arancini?

Eserciziu 7: There's something missing! The answers are not in the right order.

1. Lu cafè è amaru!	Ci mittisti abbastanza (enough)__?	latti
2. Lu cafè è liggeru!	Ci mittisti abbastanza__________?	sali
3. La pasta è dissapita! (bland)	Ci mittisti abbastanza__________?	cafè
4. L' acqua è caudda!	Ci mittisti abbastanza__________?	zuccaru
5. Lu cafè è troppu scuru!	Ci mittisti abbastanza__________?	ghiacciu

C. The Formation of Adverbs

In Sicilian adverbs are formed by changing adjectives that end in *u* to feminine and adding the Latin word *menti*. Adjectives that end in *li* or *ri* will drop the *i* and add *menti*, as follows:

sicuru	*sicuramenti*	(surely)	*facili*	*facilmenti*	(easily)
veru	*veramenti*	(truly)	*regulari*	*regularmenti*	(regularly)

While the adverbs in *menti* are easily formed, they are not used very frequently by Sicilians who prefer to use more idiomatic and thus more expressive adverbs, chosen from a very rich repertoire. There are several ways to qualify a verb:

1. Often the masculine adjective is used as an adverb:

a. *Iddu capìu giustu.*	He understood correctly.
b. *Carlu manciau bonu.*	Charles ate well.
c. *Certi voti tu raggiuni strammu.*	Sometimes you reason weirdly.
d. *Lu prufissuri camina lentu.*	The professor walks slowly.

2. Often the masculine adjective is repeated:

a. *Li carusi caminanu lentu lentu.*	The boys walk slowly.
b. *Iddu parrava viloci viloci.*	He was talking fast.
c. *Arrivau sùbbitu sùbbitu.*	He arrived quickly.

3. Sometimes the Gerund is used as an adverb:

a. *Travagghiava schirzannu.*	He worked playfully.
b. *Caminava cantannu.*	He walked singing.

Here's a list of a few adverbs that answer the question *where, when,* and *how:*

Location		**Time**		**Manner**	
avanti	before	aieri	yesterday	accussì	thus, like this
arreri	behind	allura	then	adaciu	slowly
ccà	here	antura	before	beni	well
dintra	inside	doppu	after	comu	how
ddocu	there	già	already	quasi	almost
fora	outside	ora ora	just now	assemi	together
susu	up	oggi	today	mai	never
sutta	down	presto	soon	mancu	not even
unni	where	stanotti	tonight	propriu	own, exactly

Eserciziu 8: Provide the correct form of the adverb in the rephrased sentence:

Giuanni è un carusu ca studìa *cu serietà.* Giuanni studìa *seriamenti.*

1. I picciriddi cuntanu li pallini *cu attinzioni.* 2. Lu prufissuri curreggi li compiti *cu tranquillità.* 3. Teresa è assai gentili e rispunni *cu gintilizza.* 4. Marcu fa tuttu cu granni *nteliggenza.* 5. La signura Conti si movi *cu lintizza.* (slowness)

Eserciziu 9: Replace the adverbial phrase with an adverb

Nui facemu tuttu sempri *in manera eleganti.* *Elegantimenti*

1. Me soru si comporta *in manera onesta.* 2. Li studenti hannu a capiri *in modu chiaru.* 3. Ddu cristianu parra *in modu stranu.* 4. Mastru Cicciu fa li cosi *in modu babbignu.** 5. Iddu parra sempri *in manera gintili.*

**Babbignu* from *babbu*, dumb.

Eserciziu 10: Associate the following colorful adverbial phrases with their more prosaic meaning on the right:. The answers are not in the right order.

1. Lu mafiusu cuminciau a dari corpa *a l'urbisca.*	viddanamenti
2. Ddi maladucati si cumpurtaru *a la viddanisca.*	cecamenti
3. *A picca a picca* si biveru tuttu lu vinu.	facennu finta
4. I carusi si virgugnaru *amparissi.*	nta stu mumentu
5. Piccatu! Parteru pi Milanu *ora ora.*	lentamenti

Littura: La nciùria in Sicilia

Tutti li pòpuli di lu munnu hannu fattu sforzi pi ricurdari li nomi di li pirsuni juncènnucci na caratterìstica ca li distingui l'unu di l'àutru. Però nuddu ha mai supiratu a li Siciliani pi li nomi ca iddi appìccicanu a li cristiani. Sti nomi ca in sicilianu si chiamanu nciùrii hannu funziunatu pi sèculi e spissu la genti ricanusci a na pirsuna nun cu lu nomu di famigghia ma cu la nciùria. Chista è na pratica univirsali nta la Sicilia. Nta li paisi raramenti truvamu cristiani ca hannu sulu lu nomu di famigghia e nun hannu puru la nciùria ca li distingui.

Li nciùrii sunnu esercizi d'immaginazioni attraversu li quali un linguista pò sapiri tanti cosi supra la pirsuna ca li porta. Lu linguista pò apprènniri, pi esempiu, li paisi d'orìgini di genti ca porta nciùrii comu *Paturnisi, Saucotu,* e *Liminota*[1]; chi travagghiu facevanu *Scappareddu, Zimmiraru* e *Saristanu*[2]; chi tipu di piculiarità fisica avevanu *Fruntazzu, Tricugghiuni* e *Facci 'i luna*[3]; chi difetti fisici avevanu *Ciunchittu, Occhiumortu,* e *Brazzuddu*[4]; chi problemi intestinali avevanu *Cacaredda, Cacalovu* e *Cacachiovu*[5]; chi tipu di pirsunalità avevanu *Marupiru, Mbrogghia,* e *Mmazzarupa,*[6] forsi chi ci piaceva manciari a *Manciacagnola, Fritturedda* e *Cucuzzedda.*[7] Spissu lu significatu di li nciùrii si pirdìu nta lu tempu ed è difficili capiri di unni vinniru. In àutri casi, lu significatu è òvviu puru ca è difficili capiri comu nascìu. Si unu si chiama *Senzaculu*, oppuru *Senzapilu, Mezzasamma o Mmazzamugghieri,*[8] nun ci voli assai pi capiri lu significatu, ma si a unu ci dicinu *Vainasu!*[9] o *Settipuccedda*[10] la cosa diventa chiù cumplicata. Na vota *Arba Sicula* pubblicau tutti li nciùrii di un paisi interu: chiddi di Francavilla di Sicilia, chiù di quattrucentu nciùrii cugghiuti di Leonardu Galati. Na strofa basta pi dari l'idea:

Ballanu, Baggiu e Giannazzu
Santaruppina, Cuscusu e Parrineddu
Parravecchia, Mommu e Carminazzu
Binculu, Sanzuni e Priureddu
Tozzinna, Spuriu e Jaddazzu
U Jattu, Giona, e Capitaneddu
Beffu, Paffettu e Stifanazzu
Pireri, Pagghiera e Scappareddu
Jagghiu, Giddiu, e Fruntazzu
Senzaculu, Nnacchiu e Buggiardeddu
Senzapilu, Nuzzu e Mastrazzu
Ciunchittu, Giuisanu e Munneddu.

Pruverbiu sicilianu

Nun mèttiri lu carru davanti
a li boi

Notes:

1. People hailing from Paternò, Savoca and Limina 2. LittleShoemaker, Saddlemaker and Sacristan 3. Big Forehead, ThreeTesticles and Moon Face 4. LittleLameFellow, DeadEye, Short Arm 5. Diarrhea, EggShitter, NailShitter 6. Obnoxious Guy, Swindler, Wolf Killer 7. Puppy Eater, Boiled Pig Skin, Little Squash 8. Without a Behind, Without Hair, HalfaPint, Wifekiller 9. OMyPoorNose! 10. SevenPigs

Miti di la Sicilia: Aristeu

Vocabulary Notes:

Omu saggiu	A wise man	C'aveva viaggiatu	Who had traveled
Li usi e costumi	The ways and customs	Rozza	Uncouth
Gnuranti	Ignorant	Purtau la civiltà	Brought civilization
Nzignau	Taught	Antinati	Ancestors
Un sacchittu	A little sack	Coccia di frummentu	Wheat seeds
Chiantari li simenzi	To plant the seeds	Farili crìsciri	To make them grow
Sfamari	To feed	Si nnestanu	To graft
Si spremunu	To press	Ca servi	That is used
Li vigni	Vineyards	Racina	Grapes
Meli	Honey	Lapa	Bee
Pasturizia	Dairy farming	Nasceru grazzii	Were born thanks to
Nni fici scupriri	Made us discover		

Aristeu era figghiu di Febu e di Cireni ed era un omu saggiu c'aveva viaggiatu pi lu munnu e canusceva li usi e li custumi di tanti genti. Quannu vinni in Sicilia la genti era ancora rozza e assai gnuranti. Aristeu fu comu a lu diu Saturnu ca purtau la civiltà a li Latini. Fu iddu ca ci nzignau a li nostri antinati comu fari fruttari la terra. Quannu arrivau in Sicilia aveva nta un sacchittu tanti coccia di frummentu e ci nzignau a li

Siciliani comu s'avìanu a chiantari ddi simenzi e comu fari pi farili crìsciri. Li Siciliani la lezzioni la mpararu bona vistu ca la Sicilia divintau lu postu ca sfamava a li surdati Rumani cu lu so frummentu.

Aristeu ci nzignau comu chiantari l'alivara, comu si nnestanu e comu si spremunu l'alivi pi fari l'ogghiu ca servi pi manciari; iddu ci nzignau comu si chiantanu li vigni e comu si fa lu vinu di la racina; iddu ci nzignau comu si fa lu meli, anzi la lapa fu lu so sìmbulu pirsunali. Pi dirla in du' palori, l'agricultura e la pasturizia nta Sicilia nasceru grazzii a Aristeu. La Sicilia produci tanti cosi: frummentu, frutti e furmaggi di tutti i tipi, ogghiu e vinu in abbunnanza, ma cu si lu ricorda a Aristeu ca nni fici scupriri la ricchizza di la nostra terra?

Dumanni:

1. Di cu era figghiu Aristeu? 2. Comu aveva mparatu li costumi di lu munnu? 3. La populazioni siciliana a ddi tempi comu era? 4. Chi ci nzignau a li nostri antinati? 5. Chi purtau in Sicilia? 6. Quali prodottu di la terra è assuciatu cu Roma? 7. Quali insettu (insect) è lu sìmbulu di Aristeu? 8. Chi produci la terra siciliana? 9. La genti si ricorda di Aristeu? 10. Quali è un prodottu di la pasturizia?

Nota culturali: Agrigentu

Agrigentu ha avutu diversi nomi ca riflettunu li vicissitùtini[1] di la so longa storia ca risali[2] a èbbica priistòrica: li Greci ca la funnaru ntô 582 aC la chiamaru Akragas, li Rumani ca la conquistaru doppu la Secunna Guerra Punica contru li Cartagginisi, la chiamaru *Agrigentum*, li Àrabi ca l'occuparu[3] nta lu 827 AD la chiamaru *Kerkent* e cu stu nomu trasfurmatu in sicilianu[4] comu Girgenti fu canusciuta finu a quannu ntô 1927 Mussolini riturnau a lu nomu ca ci avìanu datu[5] li Rumani. L' abbitanti di Agrigentu si chiamanu però Giurgintani.

Agrigentu, assemi a Siracusa e a Ateni, fu una di li chiù granni città di l'antichità[6] ntô Mari Miditirraniu. A un certu puntu di la so storia vivevanu 200 mila cristiani nta la città ca lu pueta Pìndaru discrissi comu la città chiù bedda di li murtali. Facennu lu pircorsu[7] di la Via Sacra nta la Valli di li Templi e ossirvannu lu splinnuri e la grannizza di sti monumenti, si pò immaginari la biddizza di cui[8] parrava Pindaru. Supra na specia di chiattaforma a scìnniri[9] si ponnu ammirari tri di li cincu tempii ca restanu. L' àutri dui sunnu di l'àutru latu di la strata ca attraversa la parcu archiulògicu. Si dici[10] ca l'antichi abbitanti di Akragas eranu nanticchia suffirenti[11] di megalomanìa picchì vulevanu costruìri nun cincu, ma novi tempii cu la ntinzioni di surpassari li monumenti di la matri patria greca. Riniscèru a farinni[12] sulu cincu, ma taliannu li macerii[13] di chiddu ca appi a èssiri[14] lu tempiu di Giovi è evidenti la vuluntà di strafari.[15] Stu tempiu era lu chiù granni di tutta la Sicilia e lu terzu di lu munnu ellènicu. Aveva statui gigantischi (auti 7.6 metri) ca sirvevanu comu sustegnu[16] pi la parti supiriuri. Nni ristau sulu unu di sti Telamuni, ora nta lu museu, ma si pò vidiri com' eranu taliannu la copia misa nterra nta lu tempiu. L' àutri tempii sunu chiù o menu distrutti, ma si pò immaginari comu era la città nta lu quintu sèculu aC. Lu Tempiu di la Concordia però parra chiaramenti, vistu ca è unu di li megghiu cunzirvati[17] tempii dòrici di lu munnu. La so furtuna fu ca nta li sèculi passati funziunau comu na chiesa cristiana: la Chiesa di San Grigoriu. Taliannulu illuminatu[18] di la luci di la luna si avi la sinzazioni ca lu tempu si firmau e ni sintemu[19] traspurtati arreri di dumila e cincucentu anni.

Li Giurgintani usanu la Valli di li Templi comu locu di celebrazioni: Lu festival di li mennuli in ciuri,[20] lu Premiu Telamuni, li fotugrafii matrimoniali si fannu spissu davanti a lu Tempiu di la Concordia. Infatti è quasi d'òbbligu[21] pi li novi maritati[22] di farisi la fotu ricordu davanti a lu tempiu. È un modu pi li Giurgintani di integrari[23] lu passatu cu lu prisenti.

Notes: 1. Vicissitudes 2. Goes back 3. Occupied it 4. Transformed into Sicilian 5. Had given it 6. Antiquity 7. Walking along 8. Of which 9. A sort of descending platform 10. People say 11. Suffered 12. To make 13. The ruins 14. Must have been 15. To overdo 16. Support 17. Best preserved 18. Looking at it lit up 19. We feel 20. Flowering almond trees 21. It's almost an obligation 22. Newly married 23. To integrate.

Comprehension Exercise: Complete the statements with a word from the reading.

1. Sutta li Rumani la città si chiamava ________. 2. Sutta li Àrabi la città si chiamava _________. 3. Lu pueta _________la chiamau la chiù bedda città di li murtali. 4. Nta la Valli di li Tempii ci sunnu ________tempii. 5. Lu tempiu di __________è lu megghiu prisirvatu. 5. Una di li manifistazioni mpurtanti a Agrigentu è lu Premiu _______. 6. Li nuvelli spusi si fannu fotugrafari davanti a lu tempiu di_________. 7. La città aveva ______abbitanti anticamenti. 8. Li abbitanti di Agrigentu si chiamanu _________________. 9. Lu Tempiu di Zeus era lu _________di grannizza nta lu munnu ellènicu. 10. Li abbitanti di Akragas suffrevanu di __________ secunnu certuni.

Lu Telamuni nta lu Tempiu di Giovi a Agrigentu. (copia)/ The Telamon in the Temple of Zeus. Agrigento. (copy)

Premiu Nobel pû 1934, Luigi Pirandellu esplurau[1] l'anima di l'omu e ci scuprìu[2] tutti li sicreti, tutti li illusioni[3] e tutti li scusi ca iddu si costrueva pi putiri campari. Lu duviri[4] di lu scritturi, diceva iddu, era di livaricci li màschiri[5] a li òmini, ddi màschiri ca tutti si mettunu pi pàririr[6] diversi. La visioni di Pirandellu nun ci offri cunfortu a l'omu. Iddu nun ci sappi illuminari[7] la strata di la vita. E comu puteva farlu, s'iddu stissu si crideva spirdutu[8] dintra d'un enormi labirintu unni li strati si pirdevanu, unni era mpossìbili truvari la via pi nèsciri.

Iddu diceva ca nui nun semu mai comu pinzamu di èssiri[9] e mancu comu nni penzanu l'àutri. Semu diversi di mumentu in mumentu, di jornu in jornu. Nui semu, nfatti *Uno, nessuno e centomila* (lu tìtulu di un so rumanzu famusu) e cioè unu picchì ni cridemu sempri li stissi,[10] nissunu picchì, canciannu continuamenti, nun putemu èssiri mai li stissi e, nun putennu èssiri li stissi, nun semu nuddu, e centu mila picchì li centu mila cristiani ca nni canusciunu hannu tutti n'idea diversa di nui.

La virità pi Pirandellu era na cosa relativa specialmenti pi quantu riguardava[11] la pirsunalità di l'omu. Chistu nasci dû fattu ca ognunu di nui vidi li cosi comu li senti dintra di iddu[12] e nun comu sunnu realmenti. Li palori sunu nterpritati di l'òmini secunnu li sintimenti interni ca iddi hannu. E picchissu l'omu nun pò comunicari cu l'àutri, comu dici lu pirsunaggiu dû patri nni lu chiù famusu dramma di Pirandellu, *Sei personaggi in cerca d'autore.*[13]

Pi Pirandellu lu munnu era un postu di làcrimi unni li fatti sunnu ditirminati di li casi[14] ca sunnu senza senzu e mprevedìbili. Lu munnu ci pareva un enormi labirintu unni iddu ci videva un'erma[15] cu du' facci ca cu na facci rideva e cu l'àutra cianceva, anzi la facci ca rideva, rideva di l'àutra ca cianceva. A so visioni era dominata di stu diu ca cci prisintava[16] tuttu sempri sutta aspetti cuntrari: un munnu ca si prisenta a prima vista comicamenti e poi tragicamenti: na bedda fìmmina china di vizii,[17] na cosa nòbili ca diventa mischina, na cosa bianca ca diventa nìura. L'arti di Pirandellu nasci di stu senzu di la vita ca iddu difinìu: "sintimentu dû contrariu".

Pirandellu si cunziddirava figghiu dû cavusu[18] picchì era vinutu nta lu munnu nta na cuntrada vicinu a Agrigentu ca si chiamava "cavusu". Iddu descrivìu u "cavusu" ca videva nta la terra. Li so pirsunaggi sunnu èssiri turmintati[19] ca girìanu sempri[20] in cerca di quacchi cosa ca nun ponnu truvari, sunnu ragiunaturi logici[21] ca nun si sannu spiegari li mutivi dâ vita. Sunnu appuntu pirsunaggi in cerca di na virità ca sempri ci passa pi li mani,[22] lassànnuli dispirati e vicini a la pazzia.[23] Pirandellu si salvau scrivennu:[24] lu scriviri cci desi na possibilità di esorcizzari[25] li so dimonii. Iddu diceva nfatti. "La vita si vivi o si scrivi." Lu missaggiu chiù umanu di Pirandellu però fu ca nta tutti li amarizzi[26] dâ vita l'omu divi aviri[27] sempri cumpassioni pi l'illusioni di l'àutri. Pirandellu scrissi tanti òpiri direttamenti in sicilianu: *Liolà, Pensaci, Giacuminu!, A birritta cu i ciancianeddi, A giarra* e àutri òpiri comu *La Patenti, Lumii di Sicilia*, scritti prima in italianu e poi traduciuti d'iddu stissu in sicilianu. Pirandellu traducìu puru *Lu ciclopu* di Èschilu in sicilianu.

Notes: 1. Explored 2. Discovered there 3. Illusions 4. The duty 5. To take off the masks 6. To seem 7. He did not know how to light 8. He believed he was lost 9. As we think we are 10. We think we are always 11. As regarded 12. As he feels them inside 13. *Six characters in Search of an Author* 14. By circumstances 15. A Janus figure 16. Showed him 17. Full of vices 18. Of chaos 19. Tormented beings 20. Ever roaming 21. Logical reasoners 22. Goes through their hands 23. Near to madness 24. He saved himself by writing 25. To exorcise 26. The bitterness 27. Must have.

Comprehension Exercise:

1. In quali annu vinciu la Premiu Nobel Pirandellu?
2. Quali era lu duviri di lu scritturi, secunnu Pirandellu?
3. Quali immàgini usa Pirandellu pi diri ca lu munnu era caòticu e senza sboccu?
4. Secunnu Pirandellu esisti la virità assoluta?
5. L' omu è sempri uguali o cancia continuamenti?
6. Quali è l' opira chiù famusa di Pirandellu?
7. Li pirsunaggi pirandelliani comu sunnu?
8. Nomina du' òpiri ca Pirandellu scrissi in sicilianu?
9. Unni nasciu Pirandellu?
10. Quali òpira greca traduciu in sicilianu?

Na fotugrafia di Luigi Pirandello, Premiu Nobel pi lu 1934. /
A photograph of Luigi Pirandello. Nobel Prize winner for 1934.

Sicilian Humor

Ancilu Muscu e la sosizza

Àncilu Muscu fu lu chiù granni atturi còmicu di la Sicilia di lu sèculu passatu. Fu atturi di tiatru di granni popularità a Catania e nterpritau assai òpiri tiatrali di Ninu Martogghiu e di Luigi Pirandellu. Oltri a èssiri bravu comu atturi era puru maestru a nvintari risposti giniusi.[1] Chista è una di li so battuti:

Era a pranzu c'un amicu atturi e tutti dui avevanu fami, ma nun avevanu assai sordi. E ordinaru un piattu di sosizza[2] nveci di dui e si misiru d'accordu[3] ca pi ogni caddozzu[4] di sosizza ca pigghiavanu di lu piattu avevanu a numinari[5] un santu. L' amicu cuminciau: "Sant'Eupliu" e si pigghiau[6] un caddozzu. Muscu rispunni, "San Petru e Paulu" e si nni pigghiau dui. L' amicu nun vosi ristari nnarreri[7] e dissi: "Sant' Alfiu, San Cirinu e San Filadelfu" e si ni pigghiau tri. A stu puntu, Muscu aumintau la puntata[8] e gridau: "Tutti i santi!" e si pigghiau tuttu chiddu ca ristava.

Note: 1. Clever. 2. Sausage. 3. They agreed . 4. Section. 5. Name. 6. Took. 7. To remain behind. 8. Raised the ante.

Ripassu 7

If you have any difficulty completing these exercises, review Chapters 13 and 14.

Eserciziu 1. Play Jeopardy. Complete the sentences and then provide the questions.

Example: *L' omu/fari lu pani* *È l''omu ca fa lu pani.* *Cu è lu furnaru?*

1. L' omu/scrìviri rumanzi. 2. L' omu /nterpritari parti nta un film. (plays a part in films) 3. L' omu/dirìgiri lu film. 4. La fimmina /curari li denti. 5. La signurina/jiri a l'università. 6. L' omu/difènniri li accusati in curti. 7. L' omu/cunnannari li culpèvuli nta la curti. (the guilty) 8. L' omu/travagghiari nta la banca. 9. L' omu/tagghiari li capiddi. 10. La fimmina/ scrìviri artìculi pi lu giurnali.

Eserciziu 2. Complete the sentences with the stem-changing words/verbs. Answers are in order.

Example: *Si la màchina nun avi li freni boni, nun pò frinari*

1. Lu *firraru* travagghia cu lu _____________.	vilenu
2. Li *littini* sunnu nichi ma lu ________è granni.	porci
3. Li *purcili* servunu pi li ______________.	sonu
4. Li *sunaturi* criaru tutti un _____miludiusu.	jurnati
5. Setti *jorna* di travagghiu, setti ______di fatica.	ferru

6. È *tistardu* cu avi la _______dura. — vintagghiu
7. Si c' è *ventu* nun avemu bisognu di un _________. — testa
8. Cu mori *avvilinatu*, bivìu __________. — lettu

Esercizìu 3. *Sugnu sempri in ritardu.* **I am always late. Complete the following sentences with verbs in Past Perfect Tense:**

Example: *Vuleva jiri a lu cìnima, ma quannu arrivai lu film avìa già cuminciatu.*
I wanted to go to the movie, but when I arrived the film had already begun.

1. Vuleva pigghiari lu trenu, ma quannu arrivai a la stazioni... ________
2. Vuleva vìdiri la partita di palluni, ma quannu addumai la TV... ________
3. Vuleva accattari na Firrari usata, ma quannu arrivai... ________
4. Vuleva dumannari a Maria di jiri a ballari, ma quannu la chiamai... ________
5. Vuleva bìviri na Coca Cola, ma quannu aprìi lu frigurìferu... ________

Esercizìu 4. *Cerca nta la to mimoria pi nomi siciliani ca ponnu èssiri nciùrii.* **Prepare a list of Sicilian names that can be classified as n***ciurii* **and explain their meanings. Hint:**

Canusci a quaccadunu ca si chiama Mangiaracina, Parrineddu, Cùscusu, Scappareddu, Senzaculu, Nuzzu, Jaddazzu, o Fruntazzu? Can you guess what the names mean?

Esercizìu 5. Complete the following by adding an adverb.

1. Lu prufissuri parra lu sicilianu _____________. 2. A li carusi ci piaci manciari la pizza ____________. 3. Me ziu nun rispunni ________a lu telèfunu. 4. Tu camini troppu ____________pi mia. 5. Lu cafè mi piaci bivirlu _____ càuddu.

Esercizìu 6. Follow the model:

Chi ci metti nta la padedda pi frìiri l'ova? — *Ci mettu ogghiu d'aliva.*

1. Chi ci metti nta la nzalata di finocchi? 2. Chi ci metti nta li cannoli, crema o ricotta? 3. Chi ci metti supra lu pani tustatu? 4. Chi ci metti nta la sarsa di pumadoru? 5. Chi ci metti nta lu cafè? 6. Chi ci metti nta l'arancini?

Un mumentu pi riflettiri:

1. Doppu aviri liggiutu lu profilu supra a Pirandellu, scegghi n' idea o un cuncettu di lu scritturi e spiega li to sintimenti.

2. Chi effettu ti fa vidiri lu Tempiu di la Concordia ca a statu fermu nta ddu postu pi dumila e cincucentu anni a tistimuniari la travagghiata storia di la Sicilia?

Pruverbiu sicilianu

Megghiu li sbirri chi li beccamorti.

Chapter 15

What's in This Chapter:

Grammatica

A. *Nouns with Plural in "a"*
B. *Nouns Forming Plural Irregularly*
C. *The Uses of the Infinitive*
D. *Verbs Requiring Prepositions Before Infinitives*
E. *The Mi Conjunction*

Matiriali didattici

L' artigiani in Sicilia
Miti di la Sicilia: Colapisci
Nota culturali: Missina
Nota culturali: Ignaziu Buttitta
Sicilian Humor

Na viduta di Taurmina (a destra), e Giardini Naxos (sutta) e l' Etna. / A view of Taormina (on the right) and Giardini Naxos (below) and Mt Etna.

Vocabulary Notes:

Misteri	A trade
Mastru	A master tradesman
Disignari la tomaia	Design the leather uppers
La peddi	The leather
Cuçeva e mudillava	Sewed and modeled
Ci la pruvava	Tried it on (Fitted it)
Fattu a manu	Handmade
Su misura	To order
Eranu sodisfatti	Were satisfied
Granni magazzini	Shopping centers
Portanu la scritta	Carry the tag

In Sicilia oramai quasi nuddu voli travagghiari chiù cu li manu. Sissanta, sittant'anni fa, ognunu mparava un misteri travagghiannu pi un mastru ca ci nzignava l'arti. Accussì li giuvini divintavanu sarti, scarpara, carpinteri, muratura, pupara, ciurara, sapunara, carvunara, e ognunu sapeva criari li cosi di lu so misteri cuminciannu di zeru. Nfatti, un scarparu sapeva disignari la tomaia, tagghiava la peddi, la cuçeva e la mudillava supra la furma, cuçeva la tomaia cu la sola e quannu era pronta ci la pruvava a lu clienti. Lu sartu puru sapeva disignari lu vistitu, tagghiava la robba secunnu la misura, e poi a pezzu a pezzu junceva li mànichi a lu pettu, ci cuçeva lu collettu, e a la fini, quannu era quasi prontu ci lu pruvava a lu clienti pi èssiri sicuru ca ci stava bonu. E quannu poi si lu mitteva, lu clienti sapeva ca lu so vistitu era veramenti fattu a manu e su misura. Tutti li bisogni di la genti ca viveva nta un paisi eranu sodisfatti di un artigianu ca travagghiava cu li manu e produceva cosi ùtili. Lu sapunaru faceva lu sapuni, lu furnaru faceva lu pani e li biscotti, lu mulinaru trasfurmava lu frummentu in farina, lu quadararu faceva li quadara, lu lattaru faceva li furmaggi e lu latti. E si nun si putevanu accattari certi prodotti di li artigiani specializzati, la genti jeva nni lu putiaru ca vinneva tanti cosi. Ma ora l'artigiani ca sannu fari tuttu sunnu picca. P' acccattari un vistitu s'avi a a jiri nta li granni magazzini, e non chiù nni lu sartu. Tuttu oramai veni fattu cu li màchini e spissu portanu la scritta "Made in China" oppuru "Made in India". Nna lu frattempu, l'omu resta a taliari senza travagghiu.

Dumanni:

1. Comu mparava lu misteri la genti prima? 2. Quali di li artigiani citati travagghiavanu cu lu lignu (wood)? 3. Quali artigiani travagghiavanu cu la peddi? 4. Cu travagghiava cu lu rami (copper)? 5. Comu si facevanu li vistiti prima, a manu o cu li màchini? 6. Chi produceva lu mulinaru nta lu mulinu? 7. Chi vinneva lu putiaru nta la so putìa? 8. Oggi ci sunnu assai sarti chi sannu fari un vistitu cuminciannu di zeru? 9. Unni avemu a jiri p' accattari un vistitu oggi? 10. L' usu di tutti ssi màchini ha un effettu supra a l'omu?

There are numerous nouns ending in *u* that change to *a* in the plural form. Many of them deal with parts of the body. Here is a list of the most common:

lu jitu or jìditu	li jita or jìdita	fingers
lu labbru	li labbra	lips
l' ossu	li ossa	bones
lu brazzu	li brazza	arms
lu ginocchiu or dinocchiu	li ginocchia	knees
lu gigghiu	li gigghia	eyelashes
lu masciddaru	li masciddara	jaws
lu jangularu	li jangulara	chins
lu vudeddu	li vudedda	intestines
lu libru	li libra	books
lu cocciu	li coccia	pieces
lu muru	li mura	walls
lu linzolu	li linzola	bed sheets
l' ovu	li ova	eggs
lu migghiu	li migghia	miles
lu paru	li para	pairs

The nouns that end in *aru* all change to *ara*. These are nouns that generally describe occupations or professions. Generally you can attach *aru* to the name of a product (drop the final vowel) to indicate the person who makes or sells that product. For example:

pupu	puppet	puparu	puppeteer
vacca	cow	vaccaru	cowherder
pècura	sheep	picuraru*	shepherd

Note: the shift in the stress caused the change from *pecura* to *picuraru*

Using the noun as reference, it should be fairly simple to arrive at the name of the person involved with it, either as a maker, seller or caretaker.

Eserciziu 1: Write the name of the occupation or profession derived from the following nouns:

Example: *Mulinu* (mill) *mulinaru/a* (miller)

1. libru	book	2. ferru*	iron
3. cavaddu	horse	4. palluni	balloon, ball
5. birritta	beret, cap	6. aceddu*	bird
7. quadara	pot	8. carvuni	coal
9. sapuni	soap	10. jurnata	day

11. furnu	oven	12. çiuri	flower
13. riloggiu*	watch	14. tabbaccu	tobacco

* Remember to change the stem of these nouns!

Eserciziu 2: Change the following sentences to the plural:

Lu libraru vinni libri. (libra) *Li librara vinninu libri. (libra)**

1. Lu vaccaru teni li vacchi. 2. Lu bujaru teni li boi. (bulls) 3. Lu riluggiaru aggiusta li riloggi. 4. Lu sapunaru fa lu sapuni. 5. L'aciddaru vinni aceddi. 6. Lu carvunaru vinni carvuni. 7. Lu furnaru nfurna lu pani. 8. Lu çiuraru vinni çiuri. 9. Lu firraru travagghia cu lu ferru. 10. Lu mulinaru travagghia nta lu mulinu.

**libru* can also have a plural in *libra,* and can be spelled *libbru, libbri* or *libbra.*

Eserciziu 3: Change the underlined word to the plural:

Aju <u>lu labbru spaccatu</u>. *Aju li labbra spaccati.* My lips are cracked.

1. Aju stu jìditu malatu. 2. Aju lu vudeddu unchiu. 3. Stu linzolu è lordu. 4. Aju lu brazzu ruttu. 5. Vulissi un ovu frittu. 6. Mi presti un paru di scarpi? 7. Mi sentu cu l'ossu ruttu. 8. Lu cornu porta furtuna. 9. Lu muru è sdirrupatu. (ruined) 10. Avìanu lu jangularu a punta. (A pointy chin)

B. Nouns Forming Plural Irregularly

Names of professions and titles often form the feminine in an irregular way. The same is true of animals where male and female are identified with different names. For names of professions sometimes the feminine ends in *issa* or *trici*. Here are the most common:

atturi	attrici	actor/tress
avvucatu	avvucatissa	lawyer
baruni	barunissa	baron/ess
conti	cuntissa	count/ess
diritturi	dirittrici	director
duca	duchissa	duke/duchess
dutturi	dutturissa	doctor
ispitturi	ispittrici	Inspector
litturi	littrici	reader
prìncipi	principissa	prince/ess
prufissuri	prufissurissa	professor
sinaturi	sinatrici	senator

studenti	studintissa	student

Other nouns:

beccu	pècura	ram/sheep
crastu	crapa	he-goat/goat
Diu	dea	God//goddess
eroi	eruina	hero/heroine
frati	soru	brother/sister
jaddu	jaddina	rooster/hen
jènniru	nora	son-in-law/daughter-in-law
liuni	liunissa	lion/lioness
maritu	mugghieri	husband/wife
omu	donna	man/woman
patri	matri	father/mother
re	riggina	king/queen
porcu	troia	pig/sow

The following are always feminine. To indicate the male of the species, say *lu masculu di...*

oca	duck	pantera	panther
scimia	monkey	tigri	tiger
vulpi	fox		

Eserciziu 4: Answer the following questions after you familiarize yourself with the above:

1. Comu si chiama la mugghieri di lu re? 2. Comu si chiama l'omu ca dirigi l'orchestra? 3. Comu si chiama la fimmina ca fa li ispezioni? 4. Comu si chiama lu maritu di la duchissa? 5. Comu si chiamanu li membri di lu sinatu? 6. Comu si chiamanu li figghi di lu re? 7. Comu si chiama lu màsculu di la pècura? 8. A cu cumanna lu jaddu? 9. Comu si chiama la fimmina di lu porcu? 10. Comu si chiamanu chiddi ca leggiunu?

Eserciziu 5: Can you answer the following questions?

1. Comu si chiama la riggina di l'Inghilterra? 2. Comu si chiama lu re di la Spagna? 3. Comu si chiama lu to sinaturi? 4. Cu è lu re di la furesta? 5. Quali animali è cunziddiratu assai scattru? 6. Quali animali è cunziddiratu assai forti? 7. Quali è l'animali chiù manzu? (tame) 8. Quali animali è sìmbulu di li curnuti? 9. Quali animali è cunziddiratu assai travagghiaturi? 10. Quali animali è sìmbulu di fidiltà?

In Sicilian, the Infinitive form of the verbs can be used as a subject or direct object. In English, in addition to the Infinitive, the same function can be expressed by the Gerund.

Manciari tri voti ô jornu è normali.	Eating three times a day is normal. (to eat)
Mi piaci travagghiari di notti.	I like working at night. (to work)

A number of Sicilian verbs require a preposition when followed by an Infinitive. The preposition, usually an *a* or a *di*, is redundant and is not translated:

Vogghiu jiri **a** *studiari a Palermu.*	I want to go to study in Palermu.
Iddu spera **di** *vìnciri la lotterìa.*	He hopes to win the lottery.

This is a short list of verbs that require the preposition *a* when followed by an Infinitive:

Aiutari a	*Lisa aiuta a Carlu a mparari li reguli.*	Mary helps Michael to learn the rules.
Jiri a	*Vaju a vìdiri un film.*	I am going to see a film.
Cuminciari a	*Cuminciau a capiri la situazioni.*	He began to understand the situation.
Cuntinuari a	*Cuntinuava a gridari comu un pazzu.*	He continued to scream like a madman.
Mparari a	*Finalmenti mparau a rilassarisi.*	Finally he learned to relax.
Nzignari a	*Ci nzignau a parrari sicilianu.*	He taught him how to speak Sicilian.
Rinesciri a	*Nun rinisciù a fari nenti.*	He failed to do anything.
Vèniri a	*Vinni a fariti li condoglianzi.*	I came to express my condolences to you.

The verbs that follow require the preposition *di* when followed by an infinitive:

Spirari di	*Speru di jiri in Sicilia.*	I hope to go to Sicily.
Aviri bisognu di	*Luisa aveva bisognu di parrari.*	Luisa needed to talk.
Aviri paura di	*Nui avevamu paura di taliari.*	We were afraid to look.
Aviri vogghia di	*Lu carusu aveva vogghia di bìviri latti.*	The boy felt like having milk.
Circari di	*Nun circari di cunvìnciri a iddu!*	Don't try to convince him!
Crìdiri di	*Tu cridi di èssiri nvulnirabili?*	Do you think you are invulnerable?
Dicìdiri di	*Decidìu di jirisinni a Milanu.*	He decided to go to Milan.
Scurdarisi di	*Nun ti scurdari di chiamari a Cicciu!*	Don't forget to call Cicciu!
Diri di	*Dicci a to soru di sbrigarisi!*	Tell your sister to hurry!
Pinzari di	*Penzu di armari na putìa.*	I am thinking to start a business.

Many verbs do not require any preposition when followed by an infinitive. The most common follow. Also all impersonal expressions (*è megghiu, è possìbili* etc.) followed by the Infinitive do not require prepositions:

Amari	*Amu ballari.*	I love dancing (to dance).
Piaciri	*Mi piaci studiari.*	I like studying (to study).
Preferiri	*Idda prifirisci caminari.*	She prefers to walk (walking).
Sapiri	*Nun sacciu fari la sarsa.*	I don't know how to make the sauce.
Putiri	*Nun pozzu capiri chi avi.*	I can't understand what's wrong with her.
Vuliri	*Vogghiu susirimi tardu dumani.*	I want to get up late tomorrow.
Disiddirari	*Disiddirava accattarisi na màchina.*	She wished to buy herself a car.
È megghiu	*È megghiu stari muti certi voti.*	It's better to keep quiet sometimes.
È mpossìbili	*È mpossìbili parrari cu tìa.*	It's impossible to talk with you.
È beddu	*Era beddu stari dda fora.*	It was beautiful to stay out there.
Bisogna	*Bisognava dicìdiri sùbbitu.*	It was necessary to decide quickly.

Learning which verbs need a preposition and which do not, requires practice.

Eserciziu 6: In the following sentences fill in the appropriate preposition in the blanks, if necessary:

1. Maria jìu ______accattari na vistina pi la festa. 2. Lu prufissuri dicidi ____passari li vacanzi a Taurmina. 3. A li carusi ci piaci _______stari nta l'acqua pi uri. 4. Nui avemu paura______fari brutta fiura. 5. La signura Tanina nni nvitau______pigghiari un cafè cu idda. 6. Era mpossibili ______cuntari li danni di la timpesta. 7. Cuminciai______capiri la genti ca parrava sicilianu. 8. Iddi circaru______mèttiri la paci ma fu difficili. 9. Mi piacissi_______fari na crucera nta lu Miditirraniu. 10. Li picciotti si scurdaru ______salutari a la nanna.

Eserciziu 7: What do you like to do? Choose between the options offered:

Prifirisci studiari o taliari la televisioni? *Prifirisciu taliari la televisioni.*

1. Ti piaci caminari nta lu parcu o caminari davanti a li nigozi? 2. Ti piaci jiri a pedi in città o pigghiari lu trenu? 3. Vulissi fari un viaggiu in Sicilia o ristari a Nova York? 4. È megghiu manciari a menzujornu o manciari la sira? 5. È megghiu nzignari o mparari? 6. È megghiu aviri bisognu di sordi o aviri bisognu di amuri? 7. Prifirisci susiriti prestu o susiriti tardu? 8. Cridi di èssiri gintili o di èssiri tintu/a? 9. Quannu ai tempu lìbbiru, voi jiri a fari li spisi o a lèggiri quacchi libru? 10. Prifirisci pigghiari lu cafè o pigghiari lu tè di matina?

Eserciziu 8: Note that the English verbs ending in "ing" are rendered with the infinitive in Sicilian. A quick translation exercise:

I like walking *Mi piaci caminari.*

1. I like studying 2. I like traveling 3. We like swimming 4. We like reading 5. I like eating 6. I like drinking tea in the morning 7. We like eating a pizza for lunch 8. We like reading the paper in the morning 9. I like cleaning my car 10. I like talking with my friends.

Eserciziu 9: Combine the elements of the three columns to form as many sentences as you can:

Me frati	*amari*	*taliari la tv ogni sira.*
A me matri	*nun piaciri*	*cucinari ogni sira.*
Jo	*prifiriri*	*pigghiari lu trenu.*
Me soru	*aviri bisognu di*	*studiari chiossai.*
Pi mia	*èssiri mpurtanti*	*travagghiari onestamenti.*
To ziu	*aviri paura di*	*mpristari sordi a la genti.*
Nui	*vuliri*	*mparari lu sicilianu.*
Lu prisidenti	*continuari a*	*diri sempri li stissi cosi.*
Mariu	*cuminciari a*	*capiri la situazioni.*
Maria	*spirari di*	*truvari un bonu travagghiu.*

D. The Mi Conjunction

There is one conjunction that requires special attention because it is used in an unusual construction peculiar to the speakers of the province of Messina and some areas in the eastern part of the island. I am referring to the conjunction *mi* which has nothing to do with the *mi* that can be a direct and indirect object pronoun, as well as a reflexive pronoun. This *mi* is basically a remnant of the Latin *ut* which in Italian became *affinché* or *perché* (so that). Given a sentence like "I send John to buy the wine," in Sicilian you could say *mannu a Giuanni p'accattari lu vinu.* The sentence, "tell Maria to come here right away" would be expressed in Sicilian *dicci a Maria di veniri ccà.* This is fairly straightforward. The same two sentences, however, in the towns of the Messinese would be expressed as follows: *Mannu a Giuanni m'accatta lu vinu* and *Dicci a Maria mi veni ccà!* The meanings have not changed at all. *M'accatta lu vinu* and *mi veni ccà* are equivalent to *p'accattari lu vinu* and *di veniri ccà.* Thus the infinitive form of the verbs is replaced by the *mi* plus the present tense of the verb.

This new structure can be easily mastered by studying the following this conversation between two people:

a. *Dicci a Luigi di vèniri ccà!* (Tell Luigi to come here!) b. *Chi dicisti?* (What did you say?)
a. *Dicci a Luigi mi veni ccà!* (Tell Luigi to come here!) b. *Luigi, veni ccà!* (Luigi, come here!)

Eserciziu 10: Follow the pattern of the dialogue above for these sentences:

1. Dicci a Maria di isari la manu! 2. Dicci a Maria di susirisi sùbbitu! 3. Dicci a Maria di lavarisi li capiddi! 4. Dicci a Maria di priparari a manciari! 5. Dicci a Turiddu di nun fari lu pazzu! 6. Dicci a Turiddu di nèsciri di l'acqua! 7. Dicci a Turiddu di nun mèttiri troppu sali ntâ pasta! 8. Dicci a Maria di nun pigghiari troppu suli!

This structure is used for polite commands as well. Consider the following:

Vossia veni a me casa!	becomes	*Mi veni a me casa!*
Vossia s'accomuda!		*Mi s'accomuda!*
Vossia si lava li manu!		*Mi si lava li manu!*

The sequences of tense when using this structure is as follows:

Mannu a lu giuvini mi ti dici la nutizia.	I send the boy to tell you the news.
Mannai a lu giuvini mi ti diceva la nutizia.	I sent the boy to tell you the news.

However, owing to the fact that *mi* means basically "so that", it triggers the subjunctive as *picchì* does. Thus the second sentence above is rendered also as

Mannai a lu giuvini mi ti dicissi la nutizia.
I sent the boy so that he would tell you the news.

Consider this other example:

Ti scrivìu sta littra mi ti facissi sapiri la nutizia.
I wrote you this letter to let you know the news.

Eserciziu 11: Now transform the following sentences using the *mi* plus subjunctive:

1. Ci dissi a lu patruni di aviri pietà. 2. Ci dissi a Giuanni di nun fari casinu. 3. Ci dissi a Luisa di nun diri nenti a nuddu. 4. Ci dissi a so frati di nun èssiri tirchiu. 5. Ci dissi a li òmini di nun bistimmiari. (to curse)

The *mi* construction is also equivalent to the English exhortative command:

"Let him cake!" *Mi mancia na torta!*

Eserciziu 12: Suggest in Sicilian that people do the following things, not directly, of course!

1. Let her go on a diet! 2. Let him open the window! 3. Let her prepare dinner! 4. Let her get up early! 5. Let her wash her hands! 6. Let her call the children! 7. Let him break a leg! 8. Let them walk on four feet! 9. Let them live on bread and water! 10. Let him not get angry!

Miti di la Sicilia: Colapisci

Vocabulary Notes:

Jurnati sani — Whole days

Natari	In swimming
Di na banna a l'àutra	From one side to the other
Li meravigghi	The marvels
Ddassutta	Down there
Colapisci	Nick the Fish
Aricchi	The ears
Omu di scienza	A man of science
Zoccu diceva la genti	What people said
Cu li so occhi	With his own eyes
Misi a prova	Tested him
Ittau na tazza	Threw in a cup
Si tuffau	Dived in
Cruna	Crown
Misi chiù tempu a	He required more time to
Scìnniri e nchianari	To descend and come up
Un aneddu	A ring
Nun turnau a galla	Did not resurface
Sparsi la vuci	Spread the rumor
Si riggeva	Was held up
Minazzava di rumpirisi	Threaten to break
Nun affunnassi	Would not sink

Pruverbiu sicilianu

Cu va n Palermu e
'un vidi Murriali,
si parti sceccu e
ritorna armali.

Na illustrazioni di lu mitu di Colapisci di Renatu Guttusu. Missina/An illustration of the Colapisci myth by Renato Guttuso. Messina.

Colapisci era un giùvini missinisi ca amava tantu lu mari ca passava jurnati sani dintra a l'acqua. Avìa divintatu accussì bravu a natari ca passava di na banna dû Strittu a l'àutra senza stancarisi e puteva stari sutta l'acqua senza rispirari pi uri di sèguitu. Scinneva nta li grutti marini dû Strittu e quannu nisceva cuntava a tutti li meravigghi ch'avìa vistu ddassutta. Era divintatu famusu comu lu chiù forti nataturi di lu regnu e la genti picchissu, vistu ca si chiamava Nicola, ci avìa misu lu nomu di Colapisci.

La so fama arrivau a l'aricchi di lu granni Mpiraturi Fidiricu II ca era omu di scienza assai curiusu. Iddu vosi sapiri comu era possìbili zoccu diceva la genti e vinni a Missina pi vìdiri cu li so occhi. Lu misi sùbbitu a la prova e ittau nta lu Strittu na tazza d'oru, dicennu a Colapisci, "Videmu si si' capaci di jiri a pigghiarla." Colapisci si tuffau e nta na pocu di minuti turnau a galla cu la tazza ntê manu. Fidiricu allura ittau la su cruna nta na parti chiù funna e ci dissi mi jeva a pigghiarla. Colapisci si tuffau di novu, ma ci misi chiù tempu pi scìnniri e nchianari picchì lu mari era chiù funnu. Fidiricu vosi fari l'ultima prova e ittau un aneddu d'oru nta la parti chiù funna dû Strittu e Colapisci si tuffau di novu pi pigghiari l'aneddu. Ma sta vota passaru li minuti e iddu nun nisceva; passau menz'ura, un'ura, e quannu Colapisci nun turnau chiù a galla, tutti pinzarunu ca s'avìa persu.

Poi la tra la genti si sparsi lu vuci ca Colapisci, scinnennu nta lu funnu dû mari, avìa vistu comu la Sicilia si riggeva supra tri culonni, una di li quali era quasi distrutta e minazzava di rumpirisi di un mumentu a l'àutru. E allura Colapisci si misi iddu comu culonna in modu ca la nostra isula nun affunnassi. Ed è ancora ddassùtta.

Dumanni: 

1. Comu sapemu ca Colapisci amava lu mari? 2. Comu sapemu ca era un forti nataturi? 3. Comu si chiamava lu Mpiraturi ca jìu a Missina pi canusciri a Colapisci? 4. Lu Mpiraturi si nteressava sulu di politica, veru? 5. Chi ittau nta lu mari pi prima cosa? 6. Quantu votu ittau oggetti priziusi nta lu mari lu Mpiraturi? 7. Colapisci potti pigghiari lu cruna di Fidiricu? 8. Quantu culonni ci sunnu ca reggiunu la Sicilia? 9. Cu teni la terza culonna pi nun fari affunnari la Sicilia?

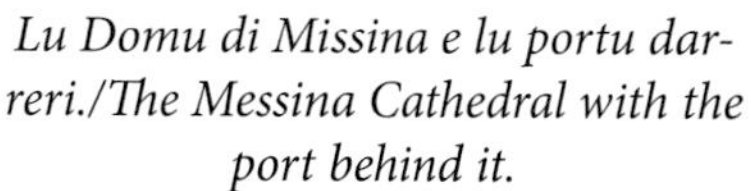

Lu Domu di Missina e lu portu darreri./The Messina Cathedral with the port behind it.

Missina, la Città di lu Strittu ca li antichi chiamaru Zancle picchì lu so portu assumigghia a na fauci,[1] avi na storia longa e cumplessa. Forsi chiù ancora di Catania, Missina ha suffertu assai a càusa di la so pusizioni giografica. Lu puntu di passaggiu di l'ìsula a lu cuntinenti europeu, Missina ha avutu nta la so storia assai disastri, sia naturali ca causati di l'omu,[2] ca l'hannu ridduciutu a zeru tanti voti. Ma ogni vota li Missinisi hannu ricostruitu la so città quasi di sana pianta.[3] Nta l'ùltimi triccentu anni, pi nun turnari chiossai luntanu nta la storia, Missina ha avutu a cummàttiri contru la pesti[4] ca ammazzau a quaranta mila cristiani ntô 1743; ntô 1783 ci fu un tirribili tirrimotu;[5] ntô 1848 lu re Ferdinandu di Burbuni fici bummardari[6] la città di na flotta[7] navali, miritannusi la nciùria[8] di "Re Bumma" ca sùbbitu li Missinisi ci desiru; ntô 1854 ci fu lu culera[9] e poi nàutru tirrimotu ntô 1894. L'ùltimu disastru, ca fu puru unu di lu chiù granni di la storia, fu lu tirrimotu dû 1908, ca distruggìu la città completamenti. Nta stu tirrimotu, accumpagnatu di un marimotu[10]. ca purtau na muntagna d' acqua supra li casi distruggiuti, chiù di ottanta mila cristiani mureru anniati[11]

Cu tutta sta malasorti[12] li Missinisi ricostrueru[13] sempri la so città, mustrannu curaggiu e ditirminazioni. Chista ha statu sempri la nota dominanti di l'abbitanti di sta città ca pi sèculi si cunziddirava la capitali dâ Sicilia. Fu sempri curaggiusa contru a li priputenti,[14] comu quannu cummattìu contru a li truppi di Carlu d'Angiò ntô 1282, o quannu ospitau la flotta di don Giuanni d'Austria pi la battaglia di Lèpantu contru a li Turchi ntô 1571. Pi sèculi Missina avìa statu na città ricca; aveva li so privileggi: la franchigia[15] di lu portu, la zecca,[16] lu monopòliu di la sita.[17] Era na città d'arti cu granni artisti comu a Antonellu di Missina, e appi li so granni splinnuri nta lu cincucentu e seicentu.[18] Poi cuminciau a diclinari quannu si ribbillau[19] a la Spagna ntô 1764.

Oggi doppu l'ùltimu tirrimotu, Missina è na città cu strati larghi e dritti, cu palazzi basci[20] di stili Liberty, pi evitari danni di àutri tirrimoti. Nun restanu assai tracci[21] di l'antica città, ma nta li monumenti ca restanu si ponnu vìdiri ancora aspetti di la so antica gloria.

Notes: 1. Resembles a scythe 2. Man-made 3. From scratch 4. The plague 5. Earthquake 6. Had the city bombed 7. Naval fleet 8. Earning for himself the nickname of 9. The cholera 10. A tsunami 11. Drowned 12. This misfortune 13. Rebuilt 14. The arrogant 15. Free port 16. The Mint 17. Silk 18. The 1500s, the 1600s 19. It rebelled 20. Low buildings. 21. Traces.

Comprehension Exercise: Are the following statements true or false?

1. Lu portu di Missina avi na forma a curva. Veru Falsu
2. Missina ha statu distruggiuta tanti voti a càusa di tirrimoti e guerri. Veru Falsu
3. L'ùltima vota ca Missina suffrìu a càusa di un tirrimotu fu nta lu 1907. Veru Falsu
4. L' èbbica chiù filici di la città fu di lu 1500 finu a lu 1600. Veru Falsu
5. Missina avi oggi grattaceli (skyscrapers) moderni e strati longhi e dritti. Veru Falsu

Comu a l'àutri scritturi e pueti inclusi[1] nta li noti culturali di sta grammàtica, Ignaziu Buttitta appi un rolu mpurtanti nta la difisa[2] di la lingua siciliana. La so puisìa "Lingua e dialettu" è in un certu modu comu l'innu naziunali[3] di tutti li Siciliani ca hannu a cori[4] la so lingua e si adòpiranu[5] pi studiarla, prisirvarla e farla canùsciri ntô munnu. Nfatti la puisìa "Lingua e dialettu" apparsi nta la primu nùmiru di la rivista *Arba Sicula* di New York ca è la chiù granni assuciazioni internaziunali funnata[6] pi la promozioni di la lingua e la cultura siciliani. Nta dda puisìa Buttitta esprimi lu so rammàricu[7] pi chiddu ca sta accadennu[8] a la lingua siciliana ca "perdi na corda ogni jornu". Buttitta esprimi lu nostru gran dispiaciri a vìdiri comu li Siciliani, cundiziunati di na contìnua campagna negativa contru l'usu di la nostra lingua, carattirizzanula[9] comu nfiriuri a lu talianu, o comu na curruzioni di lu talianu, tacciannu di gnuranza[10] a cu parra sicilianu, castigannu[11] a li carusi nta li scoli quannu ci scappa[12] na palora in sicilianu, si lassaru cunvìnciri[13] ca parrari sicilianu in pùbblicu nun è giustu. La conclusioni a cui arriva Buttitta nta la so puisìa è inevitàbili. A un pòpulu ci putiti livari[14] lu pani di supra la tàvula unni mancia, ci putiti livari li passaporti e puru li letti unni dormunu. Lu pòpulu resta sempri in quacchi modu lìbbiru e riccu. Ma si ci livati la so lingua, addutata[15] di patri, lu pòpulu è persu[16] pi sempri, diventa pòviru e servu. Buttitta capìu na cosa mpurtanti: la lingua di un pòpulu nun è sulu na cugghiuta[17] di palori vacanti. La lingua rapprisenta la so cultura, è la so cultura, è lu so modu di pinzari, è la so storia. Cancillannucci la lingua a un pòpulu, si cancella un pòpulu sanu. Quannu li Siciliani nun sannu chiù parrari sicilianu, a ddu puntu forsi si pò diri ca nun ci sunnu chiù Siciliani a lu munnu.

Ignaziu Buttitta fu un pueta ca nun si scantava[18] di nèsciri nta la chiazza a ricitari li so puisìi. Pubblicau numirusi volumi di puisìa comu *Lu pani si chiama pani* (1956) *Pi la morti di Turiddu Carnevali* (1956) *La peddi nova* (1963), e *Lu trenu di lu suli* (1963) pi citarinni[19] na pocu. Ma lu so gridu chiù forti[20] fu ddu lamentu pi la lingua siciliana ca minazza[21] di lassarini òrfani e pòviri. Spiramu ca li Siciliani, sintennu la so vuci, si pozzanu svigghiari.[22] E pari ca l'Assimblea Reggionali Siciliana sintìu l'appellu e passau[23] na liggi pi fari nsignari lu sicilianu nta li scoli pubblichi.

Ignaziu Buttitta (Photo G. Quatriglio)

Notes: 1. Included 2. Defense 3. The national anthem 4. Who care for 5. And strive 6. Founded 7. Expresses his regret 8. Is happening 9. That characterize it 10. Tagging as ignorant 11. Punishing 12. When a Sicilian word slips out 13. They allowed themselves to be convinced 14. You can take away 15. Inherited 16. They are lost 17. A collection 18. He was not afraid 19. To mention a few 20. His loudest scream 21. Threatens 22. Can wake up 23. Heard the appeal and passed.

Comprehension Exercise:

1. Comu è cunziddirata la puisìa "Lingua e dialettu"?

2. Chi cuncetti esprimi Buttitta nta la puisìa?
3. Chi perdi un pòpulu quannu ci ròbbanu la lingua?
4. Si li Siciliani nun parranu chiù sicilianu si ponnu cunziddirari siciliani?
5. Lu sicilianu si nzigna nta li scoli pùbblichi oggi?
6. La lingua si po' siparari di la cultura di un pòpulu?
7. Li Siciliani stannu cumenciannu a capiri la mpurtanza di la so lingua?

Sicilian Humor

Li pueti populari siciliani hannu spissu na vena umorìstica. Vincenzo Ancona di Casteddammari del Golfo, un pueta emigratu a Brucculinu, fu assai amatu di li so paisani risidenti in Amèrica. Li Casteddammarisi di Brucculinu (USA) ancora oggi sannu certi puisìi di Ancona a mimoria. Chista ca segui è una di li so, pubblicata in *Malidittu la lingua/Damned Language*, cu la traduzioni in ngrisi di Gaetano Cipolla, (Mineola: Legas 1992, 2010):

DESIDERIU DI NNUCCENTI

Un nuzzinteddu su cinc'anni appena
dici a papà, "Mi vogghiu maritari."
"Buh!" ci fa lu patri. "E chi gran lena!
Hai na zita? E a cu t'a pigghiari?"
"Ma quali zita? Nun vali la pena.
Vogghiu a la nonna chi mi sapi amari."

"Ma, no, Pitruzzu," fa lu ginituri.
"Chidda è me matri, 'un ti la poi spusari!
E' veru chi ti porta tantu amuri,
ma è me matri. 'Un ti la poi pigghiari!"
"Picchí, Papà, nun semu fra niatri?
E tu 'un ti maritasti cu me matri?"

AN INNOCENT WISH

An innocent young boy five years of age
said to his father: "I want to get married!"
"Go on!" the father joked. "You're in a hurry!
Have you a girl friend? Who's your wife to be?"
"What girlfriend? They're not worth the bother.
I want the one who loves me: my grandmother."

"Oh, no, Pitruzzu," said the father then.
"She is my mother. You can't marry her!
It's true she loves you with great tenderness,
but surely you can't marry my own mother!"
"Why not, Dad? Aren't we one family?
And what about yourself? You married mine!"

Chapter 16

What's in This Chapter:

Grammatica

A. *The Subjunctive*
B. *The Imperfect and Past Perfect*
C. *If Clauses*
D. *Conjunctions Requiring the Subjunctive*

Matiriali didattici

Dialogu tra du' cummari
Littura: S'i fussi focu
Miti di la Sicilia: Lu diu Adranu
Nota culturali: La cucina siciliana

"Lu triunfu di la morti" di pitturi scanusciutu. Museu Abbatellis, Palermu./ "The Triumph of Death" by an unknown painter in the Abbatellis Museum, Palermo.

Cummari Santa:	Bongiornu, cummari Pippina!
Cummari Pippina:	Bongiornu, cmmari, ntrasissi!
Cummari Santa:	Cummari, ci vulissi dumannari na cosa, ma si tratta di na cosa dilicata e nun vulissi ca lu quarteri vinissi a sapiri li fatti me.
Cummari Pippina:	Cummari, Vossia sapi ca jo nun sugnu sparrittera.[1] Mi cuntassi tuttu in pirfetta cunfidenza.
Cummari Santa:	Sugnu cunfusa, nun sacciu comu cuminciari. Mi pari ca me maritu avi n' amanti![2]
Cummari Pippina:	Ma chi dici, cummaredda? So maritu a mia mi pari un santu.
Cummari Santa:	Aju ccà li provi.[3] Taliassi stu fazzulettu lordu di russettu.[4] C'è puru l'iniziali G. Avi a èssiri quaccaduna ca si chiama Giusippina o Gelsumina o Giuanna. Vulissi quacchi cunzigghiu, cummaredda. Chi facissi[5] Vossia si fussi nta la me situazioni?
Cummari Pippina:	A leggiu, cummaredda! Prima di tuttu, ssu fazzulettu nun mi pari lordu di russettu. Lu taliassi bonu! Chissa è na macchia di sangu![6] E la G. sta pi Giusippina. Chissu è lu fazzulettu ca cci desi a vostru maritu l'àutru jornu quannu lu visti ca passava davanti la me casa tinènnusi lu nasu.[7] Ci avìa scattatu lu nasu[8] e nun avennu fazzuletti ci mpristai[9] lu miu. Vostru maritu nun vi lu cuntau?
Cummari Santa:	Nenti mi dissi. Ci truvai lu fazzulettu ntâ sacchetta.[10]
Cummari Pippina:	Forsi nun vuleva ca Vossia si scantassi. [11]
Cummari Santa:	Cummari, chi pisu mi livau di lu pettu! Menu mali! Crideva ca iddu mi facissi li corna. [12]

1. Gossip	5. What would you do	9. Lent
2. A mistress	6. Blood stain	10. In his pocket
3. The proofs	7. Holding his nose	11. To be frightened
4. Dirty with lipstick	8. Had a nose bleed	12. Was betraying me.

Dumanni:

1. Chi problema avi la cummari Santa? 2. Si tratta di na cosa di cui si pò parrari apertamenti? 3. A cummari Pippina ci piaci sparrari di la genti? 4. Quali prova purtau cummari Santa di lu tradimentu di so maritu? 5. Quali iniziali c' è scritta supra lu fazzulettu? 6. Lu fazzulettu è lordu di sangu o di russettu? 7. La littra G pi quali nomu sta? 8. Comu mai lu maritu di cummari Santa aveva lu fazzulettu di cummari Pippina? 9. Unni truvau lu fazzulettu cummari Santa? 10. Picchì lu maritu nun ci cuntau nenti a cummari Santa?

Unlike Italian, which still uses the Subjunctive quite extensively, though to a lesser extent in the spoken language than in the written, in Sicilian the Present and the Past Subjunctive are nearly extinct. The Present Subjunctive of *èssiri* can be heard occasionally, but only the first three persons of the verb *(sia)* and the verb *Putiri*, again in the first three persons singular and the third plural of the Present, that is, *pozza, pozza, pozza pozzanu* in the sense of "may I, may you, plus verb, etc." The reason for not using the first and second plural is evident when you consider that the form is exactly the same as the verb *puzzari* which means to "smell". Thus *puzzamu, puzzati* mean also "we smell, you smell". Consider the exhortative nature of *putiri* in the Present:

Pozza manciari terra!	May he eat dirt!
Ti pozzanu manciari li cani!	May the dogs devour you!

(Usually this is an epithet hurled against thieves.)

Only the Imperfect and the Past Perfect Subjunctive are used in Sicilian. They have several functions, often doing the job normally reserved to other moods such as the Conditional or the Imperative. Let's see how the Imperfect and Past Perfect are formed:

Verbs in Ari	Verbs in Iri	Verbs in Ari	Verbs in iri
Imperfect That I ate	Imperfect That I finished	Past Perfect That I had eaten	Past Perfect that I had finished
manciassi	finissi	avissi manciatu	avissi finutu
manciassi	finissi	avissi manciatu	avissi finutu
manciassi	finissi	avissi manciatu	avissi finutu
manciassimu	finissimu	avissimu manciatu	avissimu finutu
manciassivu	finissivu	avissivu manciatu	avissivu finutu
manciassiru	finissiru	avissiru manciatu	avissiru finutu

The same verbs that formed the Imperfect of the Indicative in an irregular way will use their Latin Infinitives to form the Imperfect Subjunctive. They are:

diri	dicissi	avissi dittu	that I said,	that I had said
fari	facissi	avissi fattu	that I did	that I had done
tradùciri	traducissi	avissi traduciutu	that I translated	that I had translated

The verb *èssiri* is also irregular: *fussi, fussi, fussi, fussimu, fussivu, fussiru*. The Past Perfect is *jo avissi statu*, etc.

1. The Imperfect Subjunctive is used in polite commands instead of the Present Subjunctive.

a. *Don Pippinu, ntrasissi!*
Don Pippinu, please come in!
b. *Signura Maria, bivissi na goccia di stu vinu!*
Donna Maria, please, drink a drop of the wine!

2. The Imperfect Subjunctive often replaces the Conditional Present to express a desire:

a. *Vulissi jiri in Sicilia avannu!* I would like to go to Sicily this year!
b. *Putissivu darimi na manu?* Could you give me a hand!
c. *Mi facissi un favuri?* Would you do me a favor?
d. *Macari Diu vinissi l'acqua!* If only rain would come!
e. *Ci vulissi un tirrimotu!* An earthquake is needed!

3. With impersonal sentences beginning with *è mpossibili, è giustu, è necessariu*, etc. the verb in the subordinate clause is usually rendered with the Present Tense of the Indicative. The Imperfect Subjunctive is triggered when there is a Past Tense in the main clause. It is also important to understand that if an agent for the action is not expressed, the Infinitive is used:

a. *È mpossìbili capiri sta règula.*
It's impossible to understand this rule.
b. *Era mpossìbili ca iddu nun capissi.*
It was impossible for him not to understand.
c. *È giustu ca Vossia veni.*
It is right for you to come.
but
d. *Era necessariu ca tu vidissi sti documenti.*
It was necessary for you to see these papers.
e. *Era inùtili ca tu facissi reclamu.*
It was useless for you to file a complaint.

4. In Sicilian, verbs denoting desire, want, hope, fear, opinion, regret etc. trigger the use of the Subjunctive, provided certain conditions are present:

a. If the subjects of the main verbs are the same, the Infinitive is used instead of the Subjunctive:

Aieri jo vuleva jiri a lu cìnima.
Yesterday I wanted to go to the movies.
Nui avemu paura di sbagghiari.
We are afraid of making a mistake.
A iddi ci dispiacìu vìdiri ddi cosi.
They regretted seeing those things.

b. If the verb of the main clause is in the Present Tense, the Present of the Indicative is used:

Vogghiu ca iddu mi chiama sùbbitu.
I want him to call me right away.

c. If the verb of the main clause is in the Imperfect or Past Tense, then the Subjunctive is triggered:

Vuleva ca iddu vinissi a la festa.
I wanted him to come to the party.
Crideva ca tu sapissi la nutizia.
He thought you knew the news.
Mi scantava ca Vossia si ncazzassi.
I was afraid you would get angry.

5. The Imperfect Subjunctive is used to express a contrary-to-fact idea in place of the Present Conditional. In Italian, students often confuse the Conditional with the Subjunctive. in Sicilian, such a problem does not exist because we use the Imperfect Subjunctive in the main and subordinate clauses.

a. *Si avissi fami, manciassi.*
If I were hungry, I would eat.
b. *Si Maria fussi scattra, nun si pigghiassi a Pinu pi maritu.*
If Maria were intelligent, she would not take Pinu as her husband.
c. *Si t'avissi pigghiatu l'aspirina prima, nun avissi avutu duluri di testa.*
If he had taken the aspirin before, he would not have had a headache.
d. *Si iddu avissi gnegnu* (brains)*, nun fussi nta li guai.*
If he had any brains, he would not be in trouble.

6. The Past Perfect of the Subjunctive can be used in the same way as the Imperfect:

a. *Macari l'avissi fattu ddu viaggiu!*
If only I had taken that trip!
b. *Si avissi studiatu, avissi passatu l'esami.*
If I had studied I would have passed the exam.

The Imperfect Subjunctive renders requests less abrupt and more acceptable to the person who hears them. If you say *Vogghiu jiri in campagna*, your statement is more assertive and categorical than if you say *Vulissi jiri in campagna.* The second is the preferred form of making requests in Sicilian.

Eserciziu 1: You are in a boutique that sells shoes and clothes. Change the following statements to a more congenial form by using the Imperfect Subjunctive:

Bongiornu, Signura, vogghiu vìdiri un paru di scarpi!
Good morning, Madam, I want to see a pair of shoes.
Bongiornu, Signura, vulissi vìdiri un paru di scarpi!
Good morning, Madam, I'd like to see a pair of shoes.

1. Signura, mi pò mustrari la giacca celesti? 2. Signura, pozzu faricci na dumanna? 3. Signura, pozzu vìdiri ddu cappottu biancu? 4. Signura, mi pò diri quantu costanu sti cravatti? 5. Signura, vogghiu sapiri a chi ura chiudi lu nigozziu.

Eserciziu 2: Change these statements into contrary-to-fact statements

Si Maria nun mancia tri voti a lu jornu, ci veni la fami.
If Maria does not eat three times a day, she gets hungry.
Si Maria nun manciassi tri voti a lu jornu, ci vinissi la fami.
If Maria did not eat three times a day, she would get hungry.

1. Si lu prufissuri nun curreggi li còmpiti, li studenti si ràggianu. (get angry) 2. Si tu nun arrivi a tempu giustu, mi siddìu. (it will bother me) 3. Si Vossia nun capisci, jo ci lu spiegu. 4. Si nui studiamu, mparamu tanti cosi. 5. Si iddi nun si susunu tardu ogni jornu, ponnu fari tanti travagghi. 6. Si sugnu riccu, vaju in Europa. 7. Si aju tempu, vegnu a truvàriti. 8. Si nun mi scantu, vaju in Italia cu l'apparecchiu. 9. Si aju furtuna, mi nni vaju a Las Vegas. 10. Si pozzu jiri in vacanza, vogghiu jiri in Sicilia.

Eserciziu 3: Express the following sentences as wishful thinking:

Jiri a lu mari *Ah, si putissi jiri a lu mari!* If only I could go to the sea!

1. Manciari na pizza! 2. Capiri sta regula! 3. Ntràsiri gratis! 4. Vìdiri a me matri! 5. Parrari cu la me zita! 6. Èssiri lìbbiru! 7. Stari nta la paci! 8. Nun aviri preoccupazioni! 9. Fari la dieta! 10. Abbitari a Hollywood!

Eserciziu 4: Transform the following sentences to the past. The use of the Imperfect in the main clause triggers the use of the Subjunctive:

È nicissariu ca iddu va a la scola. — *Era nicissariu ca iddu jissi a la scola.*
It's necessary for him to go to school. — It was necessary for him to go to school.

1. È nicissariu ca vui studiati. 2. È possìbili ca iddi nun venunu. 3. È naturali ca iddu voli beni a la so zita. 4. È possìbili ca tu nun capisci nenti. 5. È giustu ca lu prufissuri ti duna na F. 6. Nun è giustu ca tu suspetti di tutti. 7. Nun è bonu ca iddu parra cu tutti. 8. È mpossìbili ca iddu nun capisci. 9. È tempu ca tu ti svigghi. 10. È ura ca ti pigghi li to responzabilità.

Eserciziu 5: Sometimes people generalize too much. Introduce an agent into the impersonal sentences or a different subject for the main clauses. Notice how that triggers the use of the Subjunctive:

Example: *Era nicissariu pigghiari in manu la situazioni.* *ca iddu* (for him)
Era nicissariu ca iddu pigghiassi in manu la situazioni.

1. Lu prufissuri vuleva jiri in vacanza. — ca so mugghieri
2. Li studenti si scantavanu di sbagghiari nta l'esami. — ca Mariu
3. Don Chisciotti pritenneva cunzari lu munnu. — ca Sanciu
4. Era inùtili cuntinuari a lamintarisi. — ca vui
5. Dùbbitu di sapiri fari ssa opirazioni. — ca lu mèdicu
6. I carusi spiravanu di fari un viaggiu. — ca li so ginituri
7. Jo nun vuleva pagari lu cuntu. — ca me frati
8. Era assurdu parrari di dda manera. — ca iddu

Eserciziu 6: Follow the pattern:

A li carusi nun ci piaceva la pasta cu la sarsa. *Jo crideva.*
The boys did not like pasta with tomato sauce. I thought.
Jo crideva ca a li carusi nun ci piacissi la pasta cu la sarsa.
I thought that the boys did not like pasta with tomato sauce.

1. Maria era na carusa bona e prudenti. — Jo pinzava
2. Lu prufissuri aveva piaciri a nzignari la lezzioni. — Jo dubbitava
3. Li vicini di casa sparravanu sempri di mia. — Jo nun vuleva
4. Lu figghiu di Luisa caminava sempri cu cumpagni tinti. — Mi scantava
5. A lu me jattu nun ci piaceva lu pisci. — Era stranu

Eserciziu 7: Transform the following into contrary-to-fact using the Past Perfect of the Subjunctive:

Luigi nun studiau e picchissu nun passau.
Luigi did not study and that's why he did not pass.
Si avissi studiatu, avissi passatu.
If he had studied, he would have passed.

1. Luigi nun manciau e picchissu aveva fami. 2. Lu prufissuri nun pigghiau du' aspirini e picchissu aveva duluri di testa. 3. Li carusi nun si suseru e picchissu arrivaru tardu. 4. Me matri nun ci misi cipudda nta la sarsa e picchissu era amara. 5. Me cuçinu nun travagghiau assai e picchissu nun ricivìu la pinzioni. 6. Maria nun vinni a la lezzioni e picchissu nun sapeva lu còmpitu. 7. Tu nun capisti la dumanna e picchissu nun sapisti rispùnniri.

By Cecco Angiolieri

The following poem by the realistic poet Cecco Angiolieri (1260-1312) is one that every student in Italy learns by heart. The poet is one of those iconoclastic and rebellious spirits of the middle ages who enjoyed shocking people with his hyperbolic lines. In another poem he boasted that there were only three things he liked in life: women, taverns and gambling.
The last two lines of this poem are offered as a playful apology for the awful things he claims he would like to do to his parents who keep a tight grip on their money and are not as generous as Cecco would want. We have translated the sonnet into Sicilian because in the thirteenth century the language of poetry was Sicilian, as Dante said, and this poem sounds as if it could have been written in Sicilian:

Vocabulary Notes:

Focu	fire	Abbruçiari	to burn
Ventu	wind	Certu	surely
Timpistari	to create storms	Annigari, anniari	to drown
Li mbrugghiassi	I woud entangle them	Tagghiari	to cut
A tunnu	completely	Morti	death
Mannari ô funnu	to hurl to the depths	Jucunnu	happy, gay
Arrassarisi	to move away from	Pigghiari	to take
Lassari	to leave	Làrii	ugly

S'i' fussi focu, abbruçiassi lu munnu;
s'i' fussi ventu, po' lu timpistassi;
s'i' fussi acqua, certu l'annigassi;
s'i' fussi Diu, lu mannassi ô funnu;

s'i' fussi Papa, fussi po' jucunnu,
câ tutti li cristiani li mbrugghiassi.
S'i' fussi Mpiratur, sa' chi facissi?
A tutti ci tagghiassi a testa a tunnu.

S'i' fussi morti, jissi nni me patri,
s'i' fussi vita, d'iddu m'arrassassi;
lu stissu po' facissi cu me matri;

s'i' fussi Ceccu, comu sugnu e fui,
li fimmini chiù beddi mi pigghiassi;
li vecchi e làrii î lassassi a l'àutri.

Dumanni:

1. Chi vulissi fari Ceccu si fussi focu? 2. Chi facissi iddu si fussi ventu? 3. Chi facissi si fussi Papa? 4. Si fussi Mpiraturi chi vulissi fari a tutti? 5. Si fussi la morti a cu visitassi? 6. Si fussi Ceccu, comu è veramenti, chi facissi cu li fimmini giùvini e beddi? 7. E ccu li fimmini vecchi, chi facissi? 8. Tu penzi ca Ceccu sta schirzannu o parra seriamenti?

Eserciziu 8: Let your imagination go wild. Answer these whimsical propositions:

Chi cosa succidissi... si li culuri nun esistissiru?
Si li culuri nun esistissiru, lu mari nun fussi azzolu, li rosi fussiru grigi ...

Chi succidissi...
1. Si la Luna fussi chiù vicina? 2. Si li jatti parrassiru? 3. Si li puma avissiru lu sapuri di lu furmaggiu? 4. Si tutti l'òmini fussiru vegetariani? 5. Si tutti li cuntinenti fussiru attaccati? 6. Si la Sicilia fussi in America? 7. Si nui nun avissimu a travagghiari mai? 8. Si li roti di li màchini fussiru quatrati? 9. Si avissimu l'occhi darreri a la testa? 10. Si li scarpi putissiru parrari?

B. Conjunctions Requiring the Subjunctive

There are several subordinating conjunctions that trigger the use of the Subjunctive in Sicilian. Owing to the fact that the Present and Past of the Subjunctive are rarely used, these conjunctions will trigger the use of the Imperfect or Past Perfect of the Subjunctive. If the verb in the main clause is in the Present Tense, the Present Indicative is used:

> *Ti vogghiu salutari prima ca tu parti.*
> *Ti vuleva salutari prima ca tu partissi.*
> I want to say farewell before you leave.
> I wanted to say farewell before you left.

The main conjunctions are the following:

A menu chi or *ca* unless
Nun accattassi l'aneddu a menu ca nun mi dassi li sordi.
Jeva a la festa a pattu ca nun vinissi ddu stùpidu di Franciscu.
Binchì although
Binchì fussi riccu, appi sempri malasorti.
Sibbeni although
Sibbeni chiuvissi, nisciu di casa.
Cu tuttu chi although
Cu tuttu chi nivicassi, nun si misi lu cappottu.
Picchì so that

Ti lu cuntai picchì putissi capiri la facenna.
Prima chi or *ca* before
Ci telefunai prima ca iddu partissi.
Senza chi or *ca* without
Mi nni jìu senza ca iddu mi salutassi.

Note that *prima chi* and *senza chi* will require the Subjunctive only if the Subjects of the main and subordinate clauses are different and only if the verb of the main clause is in the Past Tense:

Maria pripara la cena prima di partiri pi la festa.
Maria prepares supper before leaving for the party.
Maria pripara la cena prima chi Luisa torna.
Maria prepares supper before Luisa returns.
Luigi pigghia la Vespa senza diri nenti a Mariu.
Luigi takes the scooter without saying anything to Mariu.
Luigi pigghia la Vespa senza ca Mariu lu sapi.
Luigi takes the scooter without Mariu's knowing it.
Maria priparau la cena prima chi Luisa turnassi.
Maria prepared supper before Luisa returned.
Luigi pigghiau la Vespa senza ca Mariu lu sapissi.
Luigi took the scooter without Mariu's knowing it.

Eserciziu 9: Choose the appropriate conjunction in the parenthesis:

1. La cumpagnia assumìu a Lorenzu (sibbeni/a pattu chi) nun avissi li qualifichi giusti. 2. L'impiegatu si dimittissi (a menu chi/sibbeni) lu patruni nun ci dassi l'aumentu. 3. Ti cuntai sta storia (picchì/ prima chi) tu putissi capiri comu stannu li cosi. 4. Vulissi jiri in Francia (a menu chi/senza chi) nun mi capitassi un viaggiu in Sicilia. 5. Circava travagghiu (sibbeni/ picchì) ci fussiru picca spiranzi.

Eserciziu 10: Answer the following questions by using the conjunction picchì (so that). Follow the example:

A quali scopu ci dasti li sordi a to frati? Accussì va a lu cìnima.
Why do you give the money to your brother? So that he goes to the movies.
Ci desi li sordi a me frati picchì jissi a lu cìnima.
I gave the money to my brother so that he could go to the movies.

1. Picchì ci cuntasti la storia a Maria?	Accussì sapi la virità.
2. Picchì dicisti ca eri lìbbiru sàbbatu?	Accussì idda mi invita a la festa.
3. Picchì nun ci pristasti la màchina?	Accussì nun mi la distruggi.
4. Picchì dicisti ca nun avevi sordi?	Accussì nun mi li dumannanu.
5. Picchì visitau la Sicilia?	Accussì iddu videva a li me parenti.

Eserciziu 11: Transform the following statements. Note how the Past Tense in the main clause triggers the Imperfect Subjunctive in the subordinate clause:

> *Ti vogghiu telefunari prima chi tu vai a dòrmiri.*
> I want to telephone you before you go to sleep.
> *Ti vosi telefunari prima chi tu jissi a dòrmiri.*
> I wanted to telephone you before you went to bed.

1. Ti vogghiu salutari prima chi tu parti.
2. Iddu si susi prima chi si susi so mugghieri.
3. Iddi si priparanu prima chi arrivanu li nvitati.
4. Tu fai li cunti prima chi lu cammareri ti porta lu cuntu.
5. Iddu paga la bulletta prima chi scadi la data.

Eserciziu 12: Rewrite the following sentences using the conjunctions *binchì* **or** *sibbeni* **(although):**

Jo studiava, ma nun mparava mai nenti. Binchì studiassi, nun mparava mai nenti.

1. Iddu manciava assai, ma nun ngrussava. 2. Nui pagavamu l'affittu, ma iddu vuleva sempri di chiù. 3. Jo ci telefunava, ma idda nun rispunneva mai. 4. Li prufissuri ci vulevanu beni, ma lu carusu era veru tintu. 5. Chiudìu li finestri, ma ntraseva sempri aria fridda.

Eserciziu 13: Using senza chi rewrite the following sentences:

> *Mi pripararu la festa e jo nun mi n'accurgìi.*
> They prepared the party for me, but I did not realize it.
> *Mi pripararu la festa senza ca mi ni accurgissi.*
> They prepared the party for me without my realizing it.

1. Mi taliavu, ma jo nun lu visti. 2. Mi scrivìu, ma jo nun ci rispunnìu. 3. Vi salutaru, ma vui nun li vidistivu. 4. Nni canuscemmu, ma jo nun mi lu ricurdava. 5. Mi arrivau la bulletta, ma jo nun la rigistrai. (register)

The Subjunctive is also used in the following circumstances:

1. When a subordinate clause is introduced by a relative superlative and the verb of the main clause is a Past Tense:

a. *Chidda era la storia chiù bedda c'avissi mai sintutu.*
   That was the most beautiful story that I had ever heard.
b. *Lucia era la carusa chiù simpàtica ca jo canuscissi.*
   Lucy was the most charming girl (that) I knew.
c. *Lu prufissuri era l'omu menu eleganti ca ci fussi nta dda scola.*
   The professor was the least elegant man there was in that school.

2. When the clause is introduced by a negative:

a. *Nun c'era nuddu ca mi putissi bàttiri a lu bigliardinu.*
There was no one who could beat me at table soccer.
b. *Nun canusceva a nuddu ca avissi tanta ginirusità.*
I did not know anyone who had such generosity.
c. *Nun c'era nenti ca mi dassi cunfortu.*
There was nothing that gave me comfort.

3. When the relative clause refers to something indefinite or unknowable. The reason we need to use the subjunctive is because we don't know if the quality we are looking for is available. But if you know someone who possesses those qualities, no Subjunctive is needed.

a. *Circava un prufissuri ca canuscissi cincu lingui.*
I was looking for a professor who knew five languages.
b. *Aveva bisognu di na secretaria chi sapissi usari lu computer.*
I needed a secretary who knew how to work on the computer.
But
c. *Canusceva a un omu ca manciava petri.*
I knew a man who ate stones.

Esercizium 14: Read the following sentences and decide which of the suggestions on the right belongs in the blanks. The answers are not in the right order:

1. Avemu bisognu di quaccadunu ca________a l'aeruportu.	ni purtassi
2. Avìamu bisognu di quaccadunu ca_______a l'aeruportu.	è
3. Circava un libru ca__________sti règuli.	mi pripara
4. Cercu un cocu ca ___________a manciari la sira.	fussi
5. Canusciu un albergu ca_________l'aria cundiziunata	mi spiegassi
6. Vuleva un albergu ca __________l'aria cundiziunata.	avi
7. Sai si c'è un risturanti ca_________pasta cu li sardi?	cucina
8. C'era nta ssu postu un risturanti ca________pasta cu li sardi?	avissi
9. Cercu n'amica ca __________sincera e senzìbili.	cucinassi
10. Circava n'amica ca__________ sincera e senzìbili.	ni porta

Esercizium 15: This poor fellow is feeling mighty low. Commiserate with him:

Nuddu mi chiamava mai!	*Mischineddu! Nun c'era nuddu ca lu chiamassi!*
Nobody ever called me!	Poor thing! There was no one who would call him!

1. Nuddu mi vuleva beni! 2. Nuddu mi priparava a manciari! 3. Nuddu mi accarizza la notti! 4. Nenti mi piaceva di lu munnu! 5. Nuddu si pigghiava cura di mia!

Esercizium 16: Follow the example using the relative superlative and the Imperfect or Past Perfect Subjunctive:

Nun canusceva na puisìa chiù bedda.	*Era la chiù bedda puisìa chi canuscissi!*
I did not know a more beautiful poem!	It was the most beautiful poem I knew.

1. Nun sapeva na storia chiù cummuventi (moving). 2. Nun visti mai un parcu chiù granni. 3. Nun manciai mai na torta chiù duci! 4. Nun friquintai (to take) mai un corsu chiù nteressanti! 5. Nun passai mai na sirata chiù filici!

C. Other Conjunctions in Sicilian

There are many other conjunctions in Sicilian that do not require the Subjunctive or special treatment. In fact, we have been using many of them all along. But you need to familiarize yourself with their meanings. They are very useful in that they will contribute to making your writing and speaking more fluid and colorful. Here is a short list of conjunctions:

Vocabulary Notes:

abbasta ca	suffice it	nfatti	in fact
anzi	indeed	nsumma	to sum up
certu ca	surely that	ntantu	meanwhile
chiuttostu	rather	ntô frattempu	Meanwhile
cioè	that is	nveci di	instead of
comu	like	oppuru	or
cunziddiratu ca	considering	però	but, however
datu ca	since	picchì	because, why
doppu	after	picchissu	for that reason
e	and	picchistu	for this reason
eppuru	yet	pirciò	therefore
finu ca	until	puru	also
in conclusioni	in conclusion	secunnu ca	according
ma	but	si	if
mancu	not even	tranni chi	except
mentri	while		
né…né	neither... nor		

Miti di la Sicilia: Lu diu Adranu e li Cirnechi di l'Etna

Cultu particulari	Special cult	Li antichi scritturi	The ancient writers
Li pinnini	The slopes	A sentiri li sperti	To listen to the experts
Pirsunificazioni	Personification	Stissa muntagna	The mountain itself
Gigantiscu	Gigantic	Esisti ancora	Still exists
Ntinzioni di rubbari	Intention of stealing	Si lu manciavunu vivu	They would eat him alive
Hannu nomina	Have the reputation	Vi pozzanu manciari	May you be eaten

Prima c'arrivassiru li Greci in Sicilia, la populazioni lucali aveva un cultu particulari pi lu diu Adranu. Secunnu li antichi scritturi c'era un tempiu didicatu a Adranu supra li pinnini di l'Etna. Adranu, a sèntiri li sperti di la materia, era na pirsunificazioni di la stissa muntagna e la genti lu videva comu lu prutitturi di l'ìsula. Era un omu gigantiscu cu la barba longa, ca purtava na lanza, sìmbulu di la so prutèzioni. Lu tempiu era prutettu di na razza speciali di cani nativi di l'Etna, ca si chiamanu appuntu Cirnechi di l'Etna. È na razza assai nteliggenti ca esisti ancora. Nfatti si vidunu ancora in Sicilia e ci sunnu cirnechi rapprisintati puru nta li musaici di la Villa dû Casali a Piazza Armerina, comu si vidi di la fotu. Si cunta ca sti cani ca eranu lìbbiri attornu a lu tempiu, nun facevanu mali a nuddu di chiddi ca vinevanu cu boni ntinzioni. Ma si quaccadunu vineva cu ntinzioni di rubbari, li cani si lu manciavanu vivu. Picchissu niàutri Siciliani dicemu a chiddi chi hannu nomina di èssiri latri, "vi pòzzanu manciari li cani!"

Un cirnecu nta un mosaicu di Piazza Armerina. /A Cirnecu dog as depicted in a mosaic of the Roman villa of Piazza Armerina.

Dumanni:

1. Adranu era un diu di li Greci? 2. Unni era lu so tempiu? 3. Chi rapprisintava Adranu? 4. Chi animali prutiggevanu lu tempiu? 5. Esistunu ancora oggi sti cani? 6. Chi donu speciali avevanu sti cani? 7. Chi dicinu li Siciliani a li latri?

Nota culturali: la cucina siciliana

La cucina tradiziunali siciliana è na cucina sèmplici e pòvira. E' fatta[1] di li prodotti di la terra e picchissu avi un caràttiri ca cancia secunnu[2] la staçiuni di l'annu. Na vota la frutta e li virduri nun eranu sempri disponìbili. Nun c'eranu li supirmircati ca offrunu tuttu chiddu ca la terra produci nta tutti li staçiuni. L' antichi siciliani manciavanu chiddu ca la terra produceva a ddu mumentu di l'annu. Pi ogni prodottu c'era lu so tempu: la racina[3] matura a la fini di sittembri, li ficudinnia[4] maturanu in austu, li ficu maturanu a giugnu eccètira. Dicchiui,[5] trattannusi[6] di genti povira, iddi nun avevanu la possibilità d'accattari prodotti custusi[7] comu la carni e lu pisci. E pirciò nta la cucina siciliana sti prodotti nun hannu avutu un postu mpurtanti. La genti manciava un pizzuddu[8] di carni si era malatu o pi li festi granni. In sicilianu c'è un verbu, "cammararisi," ca forsi nun esisti in àutri lingui. Significa "manciari carni nta la propria cella" e si usava pi quannu un mònacu[9] era malatu

e lu mèdicu ci urdinava carni[10] pi rinfurzarlu. L' assenza[11] di la carni di la dieta siciliana suggirìu[12] a lu Duca di Salaparuta di dichiarari ca "li Siciliani nvintaru la cucina vegetariana prima ca idda divintassi di moda."[13]
Nun si pò diri però ca la cucina siciliana, essennu[14] pòvira, nun è sapurita o è scarsa di nutrizioni. Anzi, lu fattu ca li Siciliani usanu ngridienti frischi e genuini garantisci sia[15] la bona qualità sia lu sapuri. Li piatti chiù caratterìstici di la Sicilia partunu[16] di ngridienti sèmplici e pòviri e diventanu na sinfunìa di culuri e sapuri. Pigghiamu pi e-sempiu la capunata ca è famusa in tuttu lu munnu. Pi prisirvari li capuna,[17] li cunigghia[18] e l'àutri animali custusi, li Monzù[19] di li famigghi nobbili avìanu criatu na sarsa fatta di acitu, alivi bianchi e chiàppari.[20] Sta sarsa poi divintau la capunata o capunatina juncennucci[21] li milinciani e àutri virduri. Li capuna nun c'eranu chiù, ma ristau un piattu ca in Sicilia si fa in ogni paisi cu rizzetti[22] ca vàrianu di postu in postu. La pasta cu li sardi, nàutra specialità canusciuta in tutta l'ìsula e priparata diversamenti in ogni postu, nascìu quannu lu cocu[23] àrabu di Eufemiu avìa a sfamari l'esèrcitu. Avennu na bona quantità di sardi ca stavanu cuminciannu a puzzari,[24] criau un piattu straordinariu usannu lu so ncegnu.[25] Ci juncìu[26] lu finucchieddu[27] assai odurusu pi livàricci la puzza[28] a li sardi, ci misi dintra li pignoli pi evitari possìbili avvilinamenti[29] e d'accussì criau un piattu cumpletu, cu pisci, virdura e pasta. Li piatti tipici siciliani cumminanu[30] ngridienti cu la fantasìa. Pinzati a la cassata siciliana ca pari veramenti na esplosioni di culuri, oppuru l'arancinu, e ancora la parmigiana ca nun avi nenti a chiffari[31] cu la città di Parma unni fannu lu furmaggiu parmiggianu. Parmaciana in sicilianu voli diri persiana[32] e si chiama d'accussì picchì avi feddi[33] di milinciani misi una supra a l'àutra comu nta li persiani.
Puru chi forsi si mancia chiù carni di prima, la cucina siciliana manteni ancora[34] lu so caràttiri originariu e resta comu mudellu di dda dieta miditirrania ca tantu successu ha

avutu nta sti ùltimi anni. In Sicilia nun si pò manciari mali.

Notes: 1. It's made 2. Changes according to 3. Grapes 4. Prickly pears 5. Furthermore 6. Since we're dealing with 7. Expensive products 8. Small piece 9. Monk 10. Prescribed meat for him 11. The absence 12. Suggested 13. Fashionable 14. Being 15. Both...and 16. Start with 17. Capons 18. Rabbits 19. Chefs 20. A sauce made with vinegar, white olives and capers 21. By adding to it 22. With recipes 23. Cook 24. That were starting to smell 25. Intelligence 26. He added to it 27. Wild fennel 28. To hide the smell 29. Poisoning 30. Combine 31. Has nothing to do 32. Window shutters 33. Slices 34. Still maintains.

Comprehemsion Exercise: Choose the answer:

1. La cucina siciliana tradiziunali è
   a) na cucina fatta di ngridienti lucali b) na cucina ca usa assai carni e pisci. c) na cucina criata di li monzù, li cochi di li famigghi nòbili.
2. Quannu diventanu maturi li ficudinnia?
   a) Nta li misi di austu/sittembri b) Nta lu misi di giugnu c) Nta lu misi di novembri.
3. Chi voli diri "cammararisi"?
   a) voli diri "manciari nta la propria stanza". b) voli diri nun manciari carni. c) voli diri fari la dieta.
4. La capunata o capunatina
   a) cunteni carni di capuni b) nun cunteni carni c) cunteni sulu alivi e chiàppari.
5. La specialità siciliana di la "pasta cu li sardi" fu nvintata
   a) di un cocu militari b) di un monzù c) di Eufemiu.
6. La parmigiana diriva la nomu di
   a) la città di Parma b) di lu modu comu sunnu misi li feddi di milinciani. c) di lu furmaggiu parmiggianu.

La famusa cassata siciliana./ The famous Sicilian Cassata.

È normali ca li Siciliani hannu un forti senzu[1] di l'umorismu. Doppu tuttu[2] un sicilianu nvintau la cummedia![3] Si chiamava Epicarmu di Siracusa e campau[4] tra lu 548 e 453 avanti Cristu. Platoni dissi ca fu iddu ca nvintau sta nova forma di tiatru. Epicarmu scrissi 36 cummedii. Sfortunatamenti nun resta assai di chiddu ca scrissi, sulu quacchi[5] scena scrivuta[6] di àutri. Na scena di una di li cummedii rapprisenta na illu-strazioni di un principiu filosòficu di Eràclitu secunnu lu quali[7] lu munnu è in cuntinuu flussu[8] e muvimentu e la rialtà[9] nun esisti picchì cancia ogni mumentu. È comu l'acqua di un çiumi[10] ca scinni ntô mari.
La scena rapprisenta un omu ca fu purtatu[11] in tribunali pir nun aviri pagatu un dèbbitu.[12] L' omu si difenni dicennu[13] ca iddu nun era chiù lu stissu omu ca s'avìa mpristatu[14] li sordi e picchissu nun aveva a pagari chiù lu dèbbitu. Lu giùdici truvau la so difisa giusta e lu lassau lìbbiru. Ma lu cridituri era finu[15] puru iddu e aspittau a l'omu fora di la Curti e cci desi na fracchiata di corpa.[16] Turnati in tribunali, lu cridituri si difenni usannu lu stissu ragiunamentu e dici a lu giùdici: "Vistu[17] ca la rialtà cancia ogni mumentu, jo nun sugnu chiù chiddu ca ci desi na fracchiata di corpa a stu omu." Lu giùdici fu custrittu[18] a ricanuscirlu nnuccenti e lu lassau lìbbiru.

Notes: 1. Keen 2. After all 3. Comedy 4. Lived 5. Some 6. Transcribed 7. According to which 8. Continuous flux. 9. Reality 10. River 11. Was brought 12. Debt 13. Saying 14. Had borrowed 15. Sharp 16. A solemn beating 17. Seeing 18. Was forced.

Ripassu 8

If you have any difficulty doing these exercises, review the material in Chapters 15 and 16.

Exercise 1. Complete the following by providing the irregular plural of the nouns:

1. L' omu avi cincu ______in ogni manu. 2. In Sicilia si cunta la distanza in chilometri. In Amèrica si cunta in _____. 3. Li città antichi avevanu li ________pi prutezioni attornu a li città. 4. Ogni jaddina fa assai _______nta na simana. 5. Me mugghieri avi centu________di scarpi.

Exercise 2. Provide the male or female counterpart.

1. Lu principi vuleva maritarisi cu na _______, nun cu na cuntadina. 2. Lu re dissi a la _________, "Mugghieri mia, semu futtuti!" 3. La jaddu dissi a la _______: "Ccà cumannu jo!" 4. Porcu e ______fannu na bedda coppia. 5. La liunissa e lu________sunnu riggina e re di la furesta.

Exercise 3. Place the appropriate preposition in the blank if needed:

1. Nun ti scurdari ______purtari la torta. 2. Penzi _____jiri in città dumani? 3. Idda prifirisci _____ristari intra a casa. 4. Vulissi _____ susirimi tardu dumani. 5. Dicidìu _____jirisinni a Roma.

Exercise 4. Create if clauses based on the information given.

La picciridda nun vosi manciari e aveva fami.
Si avissi manciatu, nun avissi avutu fami.

1. Luigi nun vosi studiari e nun sapeva la risposta. 2. Lu prufissuri nun vosi pigghiari du' aspirini e aveva duluri di testa. 3. Li carusi nun si vosiru sùsiri e arrivaru in ritardu. 4. Me matri nun ci vosi mèttiri cipudda nta la sarsa e era amara. 5. Me cuçinu nun travagghiau e nun riciveva la pinzioni.

Exercise 5. Follow the model:

Tu nun studìi e nun mpari nenti! Si studiassi, mparassi tanti cosi!

1.Tu ti susi tardu ogni jornu e nun poi fari tanti travagghi. 2. Idda nun è ricca e nun va in Europa. 3. Nun aju tempu e nun vegnu a truvariti. 4. Jo mi scantu e nun vaju in Italia cu l'apparecchiu. 9. Iddu nun avi furtuna e nun va a Las Vegas.

Exercise 6. Rewrite the following sentences using binchì, or picchì:

Example: *Iddu manciava assai, ma nun ngrussava.*
Binchì manciassi assai, nun ngrussava.

1. Tu pagavi l'affittu, ma iddu vuleva sempri di chiù. 3. Iddu mi telefunava, ma jo nun rispunneva mai. 4. Ci cuntau la storia a Maria accussì sapeva la virità. 5. Mi dissi ca era lìbbiru sàbbatu accussì jo lu nvitava a la festa. 6. Nun ti purtai la màchina accussì nun mi la distruggevi.

Exercise 7. Using the "mi" construction, rewrite these commands:

Example: *Dicci a Carlu di stari calmu.* *Dicci a Carlu mi sta calmu.*

1. Dicci a Maria di nun pigghiari cunfidenza! 2. Dicci a Maria di assittarisi sùbbitu! 3. Dicci a Maria di lavarisi li denti! 4. Dicci a Maria di vistirisi prestu! 5. Dicci a Turiddu di nun fari lu stùpidu!

Exercise 8. Write a composition describing the elements of the Sicilian cuisine. What are the key ingredients, how did it evolve through the centuries. How do Sicilians eat in America?

Exercise 9. Write a response to the widely believed stereotype that Sicilians do not have a sense of humor. Is it true? Where does the stereotype come from?

Chapter 17

What's in This Chapter:

Grammatica

A. *Indefinite Adjectives & Pronouns*
B. *The Passive Voice*

Matiriali didattici

Miti di la Sicilia: Polifemu e Galatea
Littura: Un sceccu chiamatu Ancilu.
Nota culturali: Caltanissetta
Nota culturali: Alessio Di Giovanni
Sicilian Humor

La Cappella Palatina nta lu Palazzu dî Nurmanni, Palermu./ The Palatine Chapel in the Norman Palace, Palermo.

Vocabulary Notes:

Nsopportàbili	unbearable
Spinci	drives, pushes
Cummèttiri pazzii	commit crazy acts
Voli beni	loves
Li malalingua	rumor mongers, gossips
Cu cirtizza	with certainty
Nnamuratu cottu	madly in love
Ucchiazzu	ugly eye
Fari lu mudellu	could have been a model
Furmaggi, ricutteddi, agnidduzzi	cheeses, small ricotta rounds, little lambs
Finiu a schifiu	ended badly
Filicimenti nturciuniati	happily intertwined
Nun ci vitti chiù di l'occhiu	was blinded by rage
Era na muntagnedda	it was a small mountain
Pi la bili	out of sorrow
Appiru pietà	felt pity
Canciaru a Iaci nta un çiumiceddu	changed Iaci to a little stream
A juncirisi cu idda	to join with her
Acqua russiccia, comu la rùggini	reddish water, like rust
Lu sangu di Iaci	the blood of Iaci

Amari e nun èssiri amatu è pi certu na cosa nsopportàbili ca spinci la genti a cummèttiri pazzii. La storia di Polifemu e Galatea cunferma quantu è duru accittari ca la fimmina di lu cori voli beni a nàutru omu.

Polifemu nun era sicuramenti un campiuni di biddizza. Aveva sulu un occhiu nta lu menzu di la frunti e li malalingua dicevanu ca era cannìbbali. Ma cu lu pò diri chissu cu cirtizza? Era un omu nnamuratu cottu di dda bedda ninfa di lu mari Galatea. E jo mi dumannu, "comu pò èssiri cannìbbali un omu nnamuratu?" Mah! Galatea, pi cuntu so, nun ni vuleva sèntiri di Polifemu, nun sulu pi ddu ucchiazzu c'aveva nta la frunti, ma picchì aveva già lu nnamuratu. Si chiamava Iaci ed era un pastureddu accussì beddu ca avissi pututu fari lu mudellu. Polifemu vineva a purtaricci riali ogni jornu—furmaggi, ricutteddi, agnidduzzi—ma chidda mancu li taliava picchì nta lu so cori c'era sulu Iaci. La storia finìu a schifiu. Un jornu ca Galatea e Iaci eranu filicimenti nturciuniati, Polifemu li scuprìu e nun ci vitti chiù di l'occhiu.

Pigghiau na petra, chi dicu? Era na muntagnedda! E ci la ittau ncoddu a Iaci, ammazzànnulu. Galatea pi la bili chiancìu pi jorna sani e nun si dava paci finu a quannu li dei, ca sunnu sempri ddà a taliari, appiru pietà di idda e canciaru a Iaci nta un çiumiceddu ca scinnennu di l'Etna jeva a juncirisi cu idda nta lu mari.

Sapemu ca nta li miti c' è sempri quacchi cosa di veru, macari ca parunu storii nvintati. Fattu sta ca c'è un çiumiceddu ca scinni a mari a Capu Molini ca avi acqua russiccia, comu fussi rùggini, e la genti la chiama "lu sangu di Iaci". E comu si spieganu tutti ddi paisi supra a l'Etna ca portanu nomi comu Iaciriali, Iacicasteddu, Iacitrizza, eccetira?

Dumanni:

1. Chi cunferma la storia di Polifemu e di Galatea? 2. Chi dicevanu di Polifemu li malalingua? 3. Ti pari possìbili sta dicirìa (rumor)? 4. Picchì Galatea rifiutava l'amuri di Polifemu? 5. Comu dimustrava la su amuri Polifemu? 6. Comu finìu la storia? 7. Polifemu chi ci lassau jiri ncoddu a Iaci? 8. Galatea quantu tempu suffrìu pi lu duluri? 9. Chi divintau Iaci pi vuluntà di li dei? 10. Chi rapprisenta l'acqua russa di lu çiumiceddu?

Na statua di Iaci e Galatea a Aciriali. / A statue of Iaci and Galatea in Aciriali.

A. The Passive Voice

The Passive Voice in Sicilian is not used as extensively as it is in Italian. Like English speakers, Sicilians prefer using the Active Voice. Nevertheless, it is important to recognize the Passive Voice and to be able to use it appropriately when needed.

The Passive Voice is formed in Sicilian with the auxiliary *èssiri* plus the Past Participle of the verb which must agree in gender and number with the subject. If an agent is expressed, it is introduced by *di*. The sentence "I am loved by my students" is rendered as *Jo sugnu amatu di li me studenti*. If the speaker is feminine then it would be *Jo sugnu amata di li me studenti*. Here are the paradigms for the Present Tense of *amari* and *puniri*:

Present Tense	
I am loved	I am punished
Jo sugnu amatu/a	Jo sugnu punitu/a
Tu si' amatu/a	tu si' punitu/a
Iddu è amatu	iddu è punitu
Idda è amata	idda è punita
Vossia, Lei è amatu/a	Vossia, Lei è punitu/a
Nui semu amati	nui semu puniti
Vui siti amati	Vui siti puniti
Iddi sunnu amati	iddi sunnu puniti.

The other tenses form the passive voice by using the verb *èssiri* in the tense that is desired with the Past Participles. The first person of each tense follows:

Imperfect:	I was loved	I was punished
	Jo era amatu/a	*jo era punitu/a*
Past Tense	I was loved	I was punished
	jo fui amatu/a	*jo fui punitu/a*
Future	I will be loved	I will be punished
	jo sarrò amatu/a	*jo sarrò punitu/a*
Pres. Cond.	I would be loved	I would be punished
	Jo sarrìa amatu/a	*Jo sarrìa punitu/a*
Imp. Subj.	that I would be loved	that I would be punished
	ca jo fussi amatu/a	*ca jo fussi punitu/a*

The compound tenses use the verb *aviri* as the auxiliary, but they are seldom used:

Present Perfect

Jo aju statu ammiratu nta la me vita. I have been admired in my life.

Past Perfect Indicative

Jo avìa statu ammiratu nta la me vita. I had been admired in my life.

Past Perfect Subjunctive

Iddu crideva ca jo avissi statu ammiratu. He thought that I had been admired in my life.

Esercizziu 1: What's your relationship with the world? Consider the following exchange and then answer the questions first using the Active Voice, then the Passive:

Cu ti ama?	*Tutti mi amanu!*	*Jo sugnu amatu di tutti!*
Who loves you?	Everyone loves me!	I am loved by everyone!

1. Cu ti odia? 2. Cu ti curteggia? (courts) 3. Cu ti saluta? 4. Cu ti ammonisci? (admonishes) 5. Cu ti punci? (needles) 6. Cu ti spinci? (pushes) 7. Cu ti maltratta? Mistreats) 8. Cu ti castiga? (punishes) 9. Cu ti cunnanna? (condemns) 10. Cu ti minazza? (threatens).

Eserciziu 2: Consider the model, then change the sentences into the Passive voice:

Li carusi pittanu lu muru.	*Lu muru è pittatu di li carusi.*
The boys paint the wall.	The wall is painted by the boys.

1. Li opirai fannu li travagghi. 2. Li studenti scrivunu li frasi. 3. Li figghi amanu a la matri. 4. Li lupi mancianu li pècuri. 5. Li scattri futtunu (screw) a li babbi.

Eserciziu 3: Construct a four part conversation following the model and using the clues :

S1 Stu picciottu fu punitu.	*S2 Cu fu ca lu punìu?*
S1 La polizia.	*S2 Fu punitu di la polizia?*

1. Sta giacca fu arripizzata. (mended)	Lu sartu.
2. Stu carciratu fu cunnannatu. (condemned)	Lu giudici.
3. Stu canazzu fu bastuniatu. (beaten)	Lu patruni.
4. Stu purtusu fu attuppatu. (plugged)	Lu carpinteri.
5. Sti priggiuneri foru ammazzati. (killed)	Li terroristi.

Eserciziu 4: A personality check: these are some of your pet peeves. Ask people to refrain from provoking them:

Jo nun vogghiu èssiri tuccatu/a! Pi favuri, nun mi tuccati!

1. Jo nun vogghiu èssiri maltrattatu/a (treated badly) 2. Jo nun vogghiu èssiri minazzatu/a (threatened) 3. Jo non vogghiu èssiri criticatu (criticized) 4. Jo non vogghiu èssiri rimpruviratu/a (reprimanded) 5. Jo nun vogghiu èssiri arrubbatu/a (robbed) 6. Jo nun vogghiu èssiri pigghiatu/a pi fissa (taken for a fool) 7. Jo nun vogghiu èssiri cumannatu/a (bossed) 8. Jo nun vogghiu èssiri battutu/a (beaten) 9. Jo nun vogghiu èssiri castigatu/a (punished) 10. Jo nun vogghiu èssiri nzurtatu/a (insulted).

B. Indefinite Adjectives and Pronouns

The Indefinite Adjectives and Pronouns do not refer to specific persons or things. They are called indefinite because of their vagueness. The adjectives are always used to qualify nouns; the pronouns stand for persons or things mentioned before. The most important adjectives and pronouns are:

Adjectives		**Pronouns**	
Quarchi, quacchi, cacchi*	some	quaccadunu,**	someone
Nuddu	no	nuddu	no one
Ogni	every	ognunu***	everyone
Tuttu	all	tutti	all, everyone
		nenti	nothing
Na pocu di	some	na pocu	some
Certi	some	certuni	some
Picca	little	picca	few
Assai	many	assai	many
cu…cu	some... others		

Alternative forms: *qualchi, **occhedunu, ***ognedunu.

To convey the meaning of some in Sicilian we use *qualchi, quacchi* or *cacchi* always followed by a singular noun:

Quacchi studenti isau la manu.	Some students raised their hands.
Jo capisciu quacchi palora di francisi.	I understand some words in French.

Ogni is invariable and is always used in the singular. If *ogni* is followed by a word beginning with a *c* or a *t*, the word is pronounced with additional *n* in front of it: Thus *ogni casa* will be pronounced *ogni ncasa, ogni tastu, ogni ttastu.*

Ogni omu avi li so modi.	Every man has his ways.
Ognedunu avi li so modi.	each has his ways.
Ogni buttigghia avi lu so tappu.	Every bottle has its cork.
Ogneduna avi lu tappu.	each has its cork.

Nuddu can be used as an adjective or a pronoun:

Nun c'era nuddu piriculu.	There was no danger.
Nun vinni nuddu a la festa.	Nobody came to the party.

Tuttu requires the article before the noun it qualifies and it agrees in gender and number with it.

Tuttu lu munnu è un paisi.	The whole world is one town.

Tutti used as a pronoun is invariable:

Tutti vinniru a la festa.	Everyone (all) came to the party.

Nenti is invariable and it's used as a pronoun:

Non vogghiu nenti di tia, mancu na buridda!
I want nothing from you, not even a particle of dust!
Tu sì nuddu mmiscatu cu nenti!
You are nobody rolled up into nothing.

Na pocu di can be used as an adjective with countable items in the sense of some, a few:

Accattau na pocu di libri.
He bought some books. (a few)
Na pocu di carusi parravanu ntra d'iddi.
A few boys were talking among themselves.
Na pocu vinniru, l'àutri nun vinniru.
Some came, the others did not.

Certi means also a few, some, and can be used as an adjective. *Certuni* is always used as a pronoun:

Certi cristiani nun sannu mai chi hannu a diri.
Some people never know what to say.
Certuni nun sannu mai chi hannu a fari.
Some never know what to do.

Picca means little, few and can be used as an adjective or pronoun. It's invariable:

C'eranu picca fimmini nta la chiesa.	There were few women in church.
Nta dda chiesa eranu picca assai.	There were very few in that church.

The word *molto* in Italian is replaced in Sicilian by the word *assai*. It can be used as an adjective or as a pronoun. It is invariable:

Tu voi sapiri assai cosi, mi pari.
You want to know many things, it seems to me.
Voi sapiri assai!
You want to know a lot!

Cu...cu is always used as a pronoun and it means some...others:

C' era cu prigava, cu malidiceva lu munnu.
Some were praying, others cursing the world.

An alternative for using *ogni* (each, every) is the word *tuttu*. Remember *tuttu* agrees in gender and number with the nouns and places the article before the noun:

Eserciziu 5: Follow the model:

Ogni cristianu avi lu so modu di fari.
Tutti li cristiani hannu lu so modu di fari.

1. Ogni pàgina avi na règula nova 2. Ogni fìmmina voli un maritu bonu. 3. Ogni nigozziu esisti pi guadagnari. 4. Ogni Prisidenti difenni la costituzioni. 5. Ogni riccu cridi di èssiri pizzenti. 6. Ogni casa avi lu so frigurìferu. 7. Ogni stanza avi l'aria cundiziunata. 8. Nta ogni frigurìferu c' è latti. 9. Nta ogni camera di lettu c' è un lettu. 10. Nta ogni bibliuteca ci sunnu assai libri.

The word *quacchi* is always singular and can be replaced by *na pocu di* which is followed by countable items.

Eserciziu 6: Follow the model:

Quacchi vota vitti a Pippinu nta lu cafè.
Na pocu di voti vitti a Pippinu nta lu cafè.

1. Accattau quacchi libru di scienza. 2. Nun potti capiri quacchi palora. 3. Mi mustrau quacchi cartulina. 4. Mi fici vìdiri quacchi disegnu. 5. Puteva guadagnari quacchi dollaru.

Exercice 7: In the following we have left out some indefinite adjectives or pronouns. Rewrite the passage inserting the appropriate adjective or pronoun in the blanks:

Era la notti di Natali. (Ogni/tutti li)__________ omu e (ogni/tutti li) ____________ fìmmina di lu paisi era nta la chiesa. (Tutti/Ognunu)_________ aspittavanu la nàscita di lu bammineddu. (Ogni/tutti li)_____________ seggia nta la chiesa era occupata. (Certi/quacchi) ____________cristiani stavanu addritta picchì nun c'era mancu na seggia lìbbira. (Ognunu/tutti) ___________aveva nta li manu lu libru pi cantari l'innu a lu signuri. Poi a menzanotti, quannu la bammineddu nascìu (tutti li/ogni)___________cristianu si susìu e (tutti/ognunu) _____________cuminciaru a cantari.

Eserciziu 8: Select the right indefinite adjective or pronoun from the choices on the right:

1. Quantu studenti passaru l'esami? _________ passaru. Picca/certi
2. Canusci a _________in Sicilia? Quaccadunu/Quacchi
3. Ha' vistu ________film nteressanti? Quacchi/quaccadunu
4. Ti piàciunu ________cosi miricani? Ogni/tutti li
5. Nun sentu _________piaciri a parrari cu tia. Nuddu/nenti

In Sicilian, the pronouns *nenti, nuddu, mai, né, né,* follow special rules. Consider the following in which the negative words precede the verb:

Nenti vogghiu! Mi basta chiddu ca aju.
I want nothing. What I have is enough for me.
Nuddu mi pò minazzari!
Nobody can threaten me!
Mai aju vistu na cosa simili!
I have never seen anything like it.
Né tu, né iddu mi putiti aiutari
Neither you nor he can help me.

If the negative words follow the verb, however, you must put *nun* before it, as well:

Nun vogghiu nenti! *Nun mi pò minazzari nuddu!*
Nun aju mai vistu na cosa simili! *Nun mi putiti aiutari né tu né iddu.*

Unlike English, where double negatives affirm, in Sicilian they are still negative.

Eserciziu 9: Micheli is a dramatic fellow who is feeling sorry for himself! He is complaining that nobody loves him. Change the following negative statements to the double negative, but be dramatic!

Nuddu mi voli beni! *Nun mi voli beni nuddu!*
Nobody loves me!

1. Nuddu mi telèfona ogni jornu! 2. Nuddu mi dici ti amu! 3. Nuddu mi accarizza li capiddi! 4. Nuddu mi cucina la pasta cu li sardi! 5. Nuddu mi duna cunfortu! 6. Nenti mi piaci nta stu munnu! 7. Nenti c'è nta la televisioni! 8. Nenti mi cunti di nteressanti! 9. Mai pozzu aviri nanticchia di paci! 10. Mai pozzu spirari di fari megghiu!

Nenti di nteressanti is an idiomatic expression that means "nothing interesting". The *di* is extra and is usually not translated. See how it is used with the following expressions. Micheli is profoundly dissatisfied with everything. He sees nothing of interest anywhere:

C' è quacchi cosa di nteressanti a la televisioni?
No, nun c' è nenti di nteressanti!
Is there anything interesting on television?
No, there's nothing interesting.

Eserciziu 10: Now follow the pattern and answer negatively:

1. C' è quacchi cosa di bonu nta lu giurnali? 2. C 'è quacchi cosa di ùtili nta ssu libru? 3. C' è quacchi cosa di veru nta ssu artìculu? (article) 4. C' è quacchi cosa di còmicu nta ssa rivista? (magazine) 5. C' è quacchi cosa di straurdinariu nta li nutizii? (news)

Vocabulary Notes:

Eranu fatti d'accussì	Were made like this
Lu piantirrenu	The ground floor
La stadda	The stable
Lu fenu	The hay
Zappari la terra	To till the soil
Manciata	A bundle
nchianava di supra	Climbed upstairs
Scala di fora	Staircase outside
Allurdarisi li manu	Dirty their hands
Scumpareru	Disappeared
Chiddi a du pedi	Except those on two feet. Donkeys are considered somewhat dumb but I am convinced that they have been given an undeserved reputation.
A bizzeffi	In large numbers
Vogghiu diri	I mean to say
Madunìi	A mountain chain in northern Sicily
Na trintina	About thirty
Lu riticulatu	The fence
Si firmaru	Stopped
Purgeva la testa	He leaned forward with its head
Pareva c'avissi truvatu	It seemed as if he had found
Lu macellu	The slaughterhouse
Na gebbia	A water reservoir
Na cutri di purviri	A cover of dust
Avissi avutu bisognu	He needed
Ragghiava	He-hawed
Mi fici mprissioni	Left a mark on me
Na mitàfura	A metaphor
Nun sannu èssiri tinti	Do not know how to be mean
Ni capemmu jo e iddu	We understood each other
Un pumu virdi	A green apple

In Sicilia li casi di li cuntadini na vota eranu fatti d'accussì: a lu piantirrenu c'era sempri la stadda unni iddi tinevanu lu cavaddu o lu sceccu e l'àutri animali ca iddi addivavanu. Era na stanza unni lu cuntadinu tineva lu fenu e l'àutri cosi di manciari pi l'animali e li ferri ca usava pi zappari la terra. Nta li stanzi di supra la stadda abbitava lu cuntadinu cu tutta la so famigghia. Quannu di sira turnava di la campagna iddu mitteva lu sceccu nta la stadda, ci dava quacchi manciata di fenu o di pagghia, ci dava l'acqua e si nni nchianava nta li stanzi di supra. Spissu, ogni casa aveva na scala di fora pi nchianari a lu primu pianu. Ora li cosi canciaru. Li contadini oramai sunnu picca. Nuddu chiù voli travagghiari la terra e tutti vonnu fari travagghi puliti senza allurdarisi li manu. Li scecchi oramai scumpareru puru, tranni di chiddi ca hannu du' pedi. Di chissi ci nn'è ancora a bizzeffi. Ma di scecchi veri nun si nni vidinu chiù nta la Sicilia, vogghiu diri di chiddi a quattru pedi, macari nta li campagni.

Nfatti mi parsi na cosa strana quannu visitannu Gratteri, un paiseddu àutu nta li Madunii, ni vitti unu ca era lìbbiru nta un pezzu di campagna ca aveva un riticulatu tuttu attornu. Passannu davanti a stu pezzu di terra, eramu na trintina di turisti, lu sceccu nni vitti di luntanu e si misi a curriri versu di nui, ragghiannu di cuntintizza. S'avvicinau a lu riticulatu e naturalmenti tutti li fìmmini di lu gruppu si firmaru. Quaccaduna d'iddi lu accarizzau dicennucci ca era gentili. E lu sceccu stava ddà e pareva cuntentu di tutta dda attinzioni. Purgeva la testa pi èssiri accarizzatu. Pareva ca avissi truvatu novi amici. Lu sceccu si chiamava Àncilu e nni dissi lu Vici Sìnnacu di lu paisi, Pino Castelli, ca l'avìanu sarvatu di lu macellu e l'avìanu misu nta dda terra pi campari la so vita in paci. Ci davanu a manciari, e c'era na gebbia d'acqua unni biveva. L'unica cosa ca forsi ci mancava era la cumpagnia di un so patruni. Lu sceccu, puvureddu, aveva na cutri di pùrviri supra li spaddi e avissi avutu bisognu di na bedda lavata pi livaricci ddi muschitti e ddi crusti c'aveva ncoddu. Ma pareva cuntentu di vìdiri a ddi straneri e ragghiava, ragghiava. Lu so cantu mi fici pinzari a dda canzuna "Sciccareddu di lu me cori" ca è famusa in tuttu lu munnu. Nta la canzuni lu patruni lamenta la morti di lu so sciccareddu e si ricorda comu ragghiava bonu: "Chi bedda vuci avìa, pariva un gran tinuri, Sciccareddu di lu me cori, senza tia comu aju a fari?"

A mia ddu sceccu sulitariu mi fici mprissioni. Mi parsi na mitàfura di la Sicilia ca sta scumparennu. Aveva nta l'occhi na nnuccenza ca nun si pò discrìviri. Era la nnuccenza ca hannu tutti l'animali ca sunnu boni e nun fannu mali a nuddu e nun sannu èssiri tinti comu a certuni. Mi l'avissi abbrazzatu a ddu sceccu ca si chiama Àncilu, si nun c'era lu riticulatu. Ci fici na fotu e nni taliammu nta l'occhi e forsi nni capemmu jo ed iddu. Poi quaccadunu ci uffrìu un pumu virdi e l'appimu a lassari ô so distinu.

Dumanni:

1. Pi cu era risirvatu lu piantirrenu nta li casi di cuntadini prima? 2. Quali stanzi usavanu li cuntadini pi dòrmiri? 3. Chi cci davanu a manciari a li scecchi? 4. Ci sunnu assai cuntadini ora in Sicilia? 5. Quali animali scumparìu in Sicilia? 6. In quali parti di la Sicilia si trova Gratteri? 7. Comu riagisci (react) lu sceccu quannu vidi a tutti ddi turisti miricani? 8. Comu avìa la vuci lu sciccareddu di la canzuni? 9. Picchì ci pari lu sceccu na mitàfora di la Sicilia a l'auturi? 10. Sunnu boni o sunnu tinti li scecchi, secunnu tia?

Nota culturali: Caltanissetta

Cu sulu 62,000 abbitanti, Caltanissetta è la chiù picciridda di li capitali di pruvincia di la Sicilia. Lu so nomu, comu chiddu di tanti àutri città e paisi siciliani, diriva di l'arabu *kal' at* ca voli diri casteddu.[1] La lista di paisi ca cuminicianu cu *kal' at* è longa, ma bastanu na pocu di esempi:[2] Caltagironi, Caltabellotta, Caltavuturu. Caltanissetta, *kal' at el nissaat*, secunnu li sperti[3] di l' àrabu voli diri "casteddu di giùvini fìmmini" ca è certamenti un nvitu pi visitari la città. Ci sunnu àutri mutivi pi canùsciri sta capitali ca è comu Enna a lu centru di l'ìsula. Di lu diciottèsimu[4] finu a lu vintèsimu sèculu occupau cu lu so tirritoriu un postu mpurtanti nta l'economìa di la Sicilia picchì la pruvincia era lu centru di li depòsiti di sùrfaru[5] e d'àutri minerali. Quasi mità di tutti li mineri[6] di sùrfaru pi cui la Sicilia aveva quasi lu monopòliu nta lu munnu si truvavanu nta sta pruvincia. Ma quannu li Miricani scupreru[7] lu sùrfaru nta lu Texas e truvaru un sistema chiù economicu pi estràirlu, l'industria siciliana crullau,[8] mittennu la palora fini[9] a un capìtulu assai pinusu[10] di la storia di lu travagghiu[11] in Sicilia. Bastassi[12] lèggiri sulu dda nuvella di Luigi Pirandellu "Ciàula scopre la luna"[13] pi capiri chi vita misiràbbili[14] facevanu ddi pòviri surfatari[15] e li "carusi" ca travagghiavanu pi iddi dintra li mineri ca comu tanti furmicara surgevanu[16] nta lu tirritoriu.

Caltanissetta, nun producennu chiù sùrfaru, oggi esporta frutta e prodotti di la terra e in modu particulari la racina pi la tàvula, la famusa "Uva Italia", ca si produci nta tutta la pruvincia e specialmenti a Canicattì cu un sistema ùnicu[17] a lu munnu. Li vigni sunnu cuperti di plàstica ca ritarda[18] la maturazioni di la racina. Quannu l'agriculturi voli accillirari la maturazioni, cci leva lu tiluni[19] di plàstica di supra e la racina ripigghia[20] la maturazioni. Stu sistema ha statu pruvatu[21] senza successu in àutri posti comu la Calabria, ca puru nun è tantu luntana. A quantu pari, funziona[22] sulu in Sicilia.

Notes: 1. Which means castle 2. A few examples suffice 3. Experts 4. Eighteenth 5. Sulfur deposits 6. Half of all mines 7. Discovered 8. Collapsed 9. Putting an end 10. Painful 11. Of labor 12. It would suffice 13. "Ciaula Discovers the Moon" 14. What miserable life 15. Poor sulfur miners 16. Like many anthills dotted 17. With a system that is unique 18. It slows down 19. He removes the cover 20. Begins again 21. Has been tried 22. Apparently, it works.

Dumanni:

1. Di quali palora àraba venunu li nomi di città comu Caltanissetta e Caltagironi? 2. Chi significa lu nomu di Caltanissetta? 3. Di quali minerali aveva lu monopòliu la pruvincia

di Caltanissetta? 4. Cu scrissi na granni nuvella supra li mineri di sùrfaru? 5. Oggi quali è lu prodottu chiù mpurtanti di la zona?

Nota culturali: Alessio di Giovanni (1872-1946)

Alessiu di Giovanni nascìu a Cianciana ntâ pruvincia di Agrigentu ntô 1872 e murìu a Palermu ntô 1946. Di Giovanni è cunziddiratu lu pueta sicilianu chiù mpurtanti di lu vintèsimu sèculu.[1] La so òpira è carattirizzata[2] di attinzioni a li problemi suciali e rifletti[3] prufunni sintimenti riligiusi. Nta la so puisìa iddu rapprisintau la vita di lu fèudu[4] unni nun cancia mai nenti e la rialtà di li mineri di sùrfaru di la so pruvincia, lassannu immàgini ndimenticàbbili ca fannu pinzari a la granni narrativa di Pirandellu e Verga supra lu stissu tema.[5]

Alessiu Di Giovanni è canusciutu comu lu "Felibre di la Sicilia" pi li so cuntatti[6] cu Federico Mistral e Aubanel ca cummatteru[7] na grossa battaglia in difisa di lu pruvinzali[8] contru la lingua francisi ca minazzava di assorbirlu. Di Giovanni crideva ca pi putiri rapprisintari la vita di li pòviri e ùmili abbitanti di lu fèudu e di li mineri di sùrfaru s'avìa a usari lu sicilianu. Iddu pinzava ca nun bastava fari comu fici Giovanni Verga, cioè aduttari na parrata[9] nfluinzata di lu dialettu, pi rapprisintari li pòviri siciliani. S'avìa a rapprisintari la vita di li ùmili cu la lingua ca iddi parravanu. Verga, pi Di Giovanni, avissi arrivatu[10] a la suprema pirfizioni si avissi scrittu[11] li so òpiri comu *I Malavoglia* e *Mastru Don Gesualdu* in sicilianu.

Di Giovanni, comu avìanu fattu l'àutri pueti ca avemu prisintatu nta stu libru fu un appassiunatu[12] prumuturi di l'usu di la lingua siciliana. Infatti, iddu fu lu primu a scrìviri un rumanzu in sicilianu, *Lu Saracinu*, ca vinni pubblicatu[13] trent'anni doppu la so morti, comu iddu lassau scrittu[14] nta lu so tistamentu. Scrissi puru àutri òpiri in prosa siciliana comu *La morti di lu patriarca* (1920), *La racina di Sant'Antoni* (1039). Pubblicau in versi siciliani *Lu fattu di Bbissana* (1900), *A lu passu di Giurgenti* (1910), *Nni la dispenza di la surfara* (1910) e *Voci del fèudo* (1938) e numirusi àutri cullezioni. Scrissi puru òpiri tiatrali in dialettu.

L' usu di lu sicilianu fu puru n' espressioni di li so sintimenti riligiusi e la so vita spirituali. Iddu fu un divotu franciscanu[15] e abbracciau[16] l'amuri di li pòviri e ùmili[17] di la terra. San Franciscu ca è lu pirsunaggiu di lu puema "Lu puvireddu amurusu", unu di li so capulavori[18] puètici, è la fiura cintrali di la vita spirituali di Di Giovanni.

Notes: 1. Twentieth century 2. Characterized 3. Reflects 4. Large estate 5. The same theme 6. His contacts 7. Fought in the defense 8. Provençal 9. Had to use 10. Would have reached 11. If he had written 12. Passionate 13. Was published 14. Left in writing 15. A devoted Franciscan 16. He embraced 17. Humble 18. Masterpieces.

Dumanni: Choose the sentence that best cumpletes the following statements:

1. L' òpira di Alessiu Di Giovanni è carattirizzata di a) nteressi pi li problemi sociali. b) nteressi pi la cultura accadèmica. c) nteressi pi la narrativa di Pirandello.
2. Alessiu Di Giovanni a) vuleva promòviri la lingua pruvinzali contru lu francisi. b) vuleva difènniri la lingua siciliana c) vuleva cummàttiri contru a Giovanni Verga.
3. Secunnu Alessiu Di Giovanni a) La vita di li ùmili avissi a èssiri scritta nta la so lingua. b) Nun c' è bisognu di scrìviri tuttu in sicilianu. c) Verga avissi fattu megghiu a scrìviri in talianu.
4. Alessiu di Giovanni fu lu primu a) a scrìviri un rumanzu in sicilianu. b) a scrìviri puisìi e cunti supra li mineri di sùrfaru. c) a promòviri l'usu di lu sicilianu nta la puisìa.
5. Alessiu Di Giovanni fu animatu di spìritu riligiusu a) ispiratu di Sant'Antoniu. b) ispiratu di San Franciscu. c) ispiratu di San Calògiru.
6. Quannu fu pubblicatu *Lu Saracinu*? a) prima di la morti di Di Giovanni b) doppu di la morti di Di Giovanni c) trent'anni prima di la so morti.

Sicilian Humor

L' umorismu sicilianu tocca[1] tutti li aspetti di la vita, puru chidda riligiusa. Li Siciliani scherzanu[2] puru supra li santi, ammiscànnucci[3] a lu stissu tempu na forti dosi di campanilismu,[4] comu pi diri[5] ca li nostri santi sunnu chiù miraculusi di li vostri. Chistu succedi puru si lu santu numinatu è sempri unu, comu è lu casu pi San Calògiru, un santu assai populari nta la pruvincia di Agrigentu e dintorni.

San Caloiru di Naru
Miraculi ni fa un migghiaru.[6]
San Caloiru di Canicattì
Miraculi ni fa tri.
San Caloiru di Girgenti
Miraculi nun ni fa nenti.

Ovviamenti, la risposta di li Giurgintani nun puteva mancari:[7]

San Caloiru di Naru
li miraculi li fa pi dinaru.[8]
San Caloiru di Girgenti
li miraculi li fa pi nenti.
San Caloiru di Canicattì
ni fici unu e si ni pintì.[9]

Notes: 1. Touches. 2. Joke. 3. Mixing with it. 4. Chauvinism. 5. As if to say. 6. A thousand. 7 Could not lag behind. 8. Regretted it.

Chapter 18

What's in This Chapter:

Grammatica

A. *The Conditional Tense*
B. *Suffixes*

Matiriali didattici

Dialogu tra Luigi e Mariu
"Li Surci," di Giovanni Meli
Li miti di la Sicilia: Prusèrpina
Nota culturali: Enna
Nota culturali: Antoniu Venezianu
Sicilian Humor

Lu Tiatru Massimu a Palermu./ The Opera House in Palermo.

Luigi	Senti, Mariu, vulissi jiri a la festa di Marisa sàbbatu sira?
Mariu	Jo ci vurrìa jiri ma idda nun mi nvitau. Vulissi sapiri picchì nun mi nvitau.
Luigi	Siccomu sapi ca semu amici mi dissi mi ti nvitava jo.
Mariu	Avissi graditu chiossai un nvitu pirsunali. Sai ca pi Marisa jo farrìa qualsiasi cosa. Chi festa è?
Luigi	È lu so cumpliannu.
Mariu	Allura ci vulissi accattari du' duzzini di rosi russi.
Luigi	Sarrìa megghiu nun strafari. Forsi na duzzina ci bastassi.
Mariu	Comu m'avissi a vèstiri, formalmenti?
Luigi	No, semu sulu na pocu d'amici e parenti. Jo dirrìa ca un paru di jeans e na bedda maglietta bastanu.

Dumanni:

1. Quannu è la festa di Marisa? 2. Mariu vurrìa jiri a la festa? 3. Picchì nun nvitau a Mariu pirsunalmenti Marisa? 4. Quantu rosi vurrìa accattari Mariu pi Marisa? 5. Ti parissi na cosa normali accattari du' duzzini di rosi pi un cumpliannu? 6. Mariu avi forsi quacchi sintimentu sicretu pi Marisa? 7. Comu s'avissi a vèstiri pi la festa Mariu? 8. Cu sunnu li nvitati pi sta festa?

A. The Conditional Tense

In Sicilian, the role of the Conditional Tenses (Present and Past) has been taken over by the Imperfect and Past Perfect Tenses of the Subjunctive. You may encounter some people in the province of Messina who still use the Conditional. You may also encounter it in written Sicilian as well, but as a general rule, it should be avoided because most Sicilians prefer to use the Subjunctive when in Italian and in other languages the Conditional would be used. Nevertheless, you ought to be familiar with the endings of the Present and Past Conditional. The two conjugations use the same endings in the Conditional:

Present		Past	
I would love	I would answer	I would have loved	I would have answered
Jo amirìa	Jo rispunnirìa	Avirrìa amatu	avirrìa rispunnutu
Tu amirissi	Tu rispunnirissi	avirrissi amatu	avirrissi rispunnutu
Iddu amirìa	Iddu rispunnirìa	avirrìa amatu	avirrìa rispunnutu
Nui amirìamu	Nui rispunnirìamu	avirrìamu amatu	avirìamu rispunnutu
Vui amirìati	Vui rispunnirìati	avirrìati amatu	avirrìati rispunnutu
Iddi amirìanu	Iddi rispunnirìanu	avirrìanu amatu	avirrìanu rispunnutu

The verbs that were irregular in the Future Tense are irregular in the Conditional as well. You simply need to add the Conditional endings to the stems of the verbs, as in the Future. Thus:

Jo farrìa	Jo dirrìa	Jo starrìa	Jo sarrìa	Jo avirrìa	Jo vurrìa
I would do	I would say	I would stay	I would be	I would have	I would want etc.

As we know, the Conditional is used to express willingness to do something provided certain conditions are present. In English, it corresponds to the use of *would* plus verb. Consider the following:

Jo farrìa sacrifici pi vidiriti sistimatu.
I would make sacrifices to see you settled down.
Maria dirrìa la virità a so matri, ma nun pò.
Maria would tell the truth to her mother, but she can't.
Darrìa la me vita pi tia!
I would give my life for you.
Avirrìa jutu a la fini di lu munnu pi tia!
I would have gone to the end of the world for you.

The Conditional, probably because of Italian influences, may be used in hypothetical sentences:

Jo rispunnirìa, si sapissi lu to indirizzu.
I would answer if I knew your address.
Iddu farrìa zoccu dici tu, si putissi.
He would do what you tell him, if he could.
Tu avirissi raggiuni, si fussi veru zoccu dici.
You would be right if what you say were true.
Ddu omu nun sarrìa mbriacu, si bivissi chiù picca.
That man would not be drunk if he drank less.
Avirrìanu fattu schifiu si avissiru vistu la scena.
They would have made a stink if they had seen the scene.

Eserciziu 1: Restate the five sentences above replacing the Conditional with the Subjunctive.

Eserciziu 2: Follow the model:

Jo mancirìa, ma nun sacciu chi manciari.
I would eat, but I don't know what to eat.
Jo manciassi, si sapissi chi manciari.
I would eat, if I knew what to eat.

1. Ti mannirìa lu rialu, ma nun sacciu unni mannarilu. 2. Iddu restirìa ccà, ma nun pò

pagari l'affittu. 3. Iddu farrìa lu sacrificiu, ma cci pari tempu persu. 4. Nui ci lu dirrìamu, ma nun è cosa nostra. 5. Ci starrìa nta st'albergu, ma nun avi l'aria cundiziunata.

The Conditional expresses willingness (I would), as we have seen. To express obligation (I ought to) in Sicilian we use the *aviri* plus the preposition *a*, plus the verb as in the following. Again, it is preferable to use the Imperfect Subjunctive rather than the Contidional Present.

Avissi a studiari la lezzioni.	I ought to study the lesson.
Tu avissi a fari la dieta!	You ought to go on a diet!

To express possibility (I could plus verb) in Sicilian we use the verb *putiri* plus the verb in the Imperfect Subjunctive, as in the following sentences:

Pippinu, putissi mpristarimi centu dollari?
Pippinu, could you lend me one hundred dollars?
Jo ci putissi jiri, ma nun vogghiu.
I could go there, but I don't want to.

To ask someone if he/she would like to do something, we use the verb *vuliri* or the verb *piaciri* in the Imperfect Subjunctive.

Vulissi fari na gita in muntagna?
Would you want to take a trip to the mountains.
Ti piacissi viaggiari cu la navi?
Would you like travel by boat?

Eserciziu 3: What do you think you could do to improve your mastery of Sicilian? Rewrite the sentences: (*putiri*+verb)

1. Studiari chiossai ogni sira. 2. Parrari sicilianu cu genti siciliana. 3. Lèggiri rumanzi scritti in sicilianu. 4. Telefunari a li me parenti in Sicilia. 5. Scrìviri littri a l'amici siciliani.

Eserciziu 4: What do you think you ought to do to improve your relationship with your girl friend or wife? Rewrite the sentences: (*Aviri*+verb)

1. Accattaricci un mazzu di ciuri. 2. Èssiri chiù gentili cu idda. 3. Parrari senza isari la vuci. 4. Purtarila a un novu risturanti. 5. Fari na vacanza assemi cu idda.

Eserciziu 5: Ask a friend of yours if he/she would like to do the following activities with you. Use the verb *piaciri*:

1. Piaciri jiri in Sicilia cu mia? 2. Piaciri fari na passiata nta lu parcu? 3. Piaciri visitari lu museu di lu Metropolitan? 4. Piaciri passari li vacanzi a Nova York? 5. Piaciri aviri na màchina nova?

Sicilian, like all the other romance languages, possesses a wealth of suffixes that when added to nouns or adjectives, alter their meanings in many ways. Suffixes add color and nuances that are often impossible to translate into English. Such suffixes can be classified as augmentative, diminutive, pejorative and endearing. They cannot be attached to words indiscriminately. Doing so can create unpleasant sounds or even offensive words. The rule of thumb for those learning the language is to use only those words heard from native speakers or seen in writing. Here is a list of the most common suffixes:

Uni - una conveys largeness, bigness
palla *palluni* *fimmina* *fimminuna*
Uzzu-uzza conveys cuteness, smallness
cori *curuzzu* *casa* *casuzza*
Azzu-azza conveys largeness, badness
Cani *canazzu* *vecchia* *vicchiazza*
Eddu-edda conveys smallness
sceccu *sciccareddu* *scecca* *sciccaredda*
Ettu/a-ittu/a conveys smallness
carusu *carusittu* *bedda* *biddittu*
Inu/ina* usually conveys smallness
tavulu tavulinu *pani* *paninu*
liddu- lidda conveys thinness, fineness
finu *finuliddu* *grossa* *grossulidda*
Icchiu-icchia smallness in size or talent
pueta *puiticchiu* *avvucata* *avvucaticchia*

Let us see how we can apply these suffixes to some common nouns such as *gattu* (cat):

gattuni	*gattuneddu*	*gattareddu*	*gattuzzu*	*gattittu*	*gattazzu*
big cat	kitten	kitten	cute cat	little cat	mean cat

* You need to exercise caution when using the diminutive suffix *inu/a* because in Sicilian a number of words ending in *inu* or *ina* do not convey the idea of smallness at all. In the sentence, *Ci fu n'ammazzatina nta lu quarteri aieri* there was nothing small about the killing that occurred last night in the neighboorhood. *Ammazzatina,* is altered because if we said *ci fu n'ammazzata* it would mean "there was a woman killed." Thus, to distinguish the past participle used as a noun, *ammazzata*, Sicilian adds *ina* to indicate the act of killing. It simply means "a killing". Differentiate between the past participles used as nouns and the derived nouns with *ina* or *inu*:

1. arrubbata stolen arrubbatina theft

2. zappata	hoed	zappatina	a hoeing
3. abbanniata	hawked	abbanniatina	hawking
4. fujuta	run away	fuitina	elopement
5. ammaccata	bruised	ammaccatina	bruise

In some cases the *inu* or *ina* conveys the idea of largeness as in the case of *festa* which when altered as *fistinu* means a larger feast.

Eserciziu 6: You are feeling especially affectionate and you want express that to your interlocutor(s). Do so by using the endearing term *uzzu-uzza* for the italicized words:

1. *Occhi* niuri. 2. *Bedda* mia 3. *Soru* mia 4. *Cori* miu 5. *Ciamma* di lu me cori. 6. La *Bonarma* di me matri. 7. Me *frati* murìu. 8. Me *nannu* avìa 90 anni. 9. Poviri *figghi* mei! 10. *Ciatu* di lu me cori.

Eserciziu 7: You are making observations about persons or objects in sight, but everything is very large or bad. Eliminate the adjective and add a suffix to the noun.

1. Chi carusu granni! 2. Chi fìmmina enormi! 3. Chi casa brutta! 4. Chi vecchia antipàtica! 5. Chi cani tintu!

Eserciziu 8: Contradict the speaker saying the opposite of what he is claiming:

S1 *Iddu aveva na casitta.* S2 *No, iddu aveva na casuna!*

1. Aveva na jattitta! 2. Aveva na manuzza! 3. Idda aveva un nasittu! 4. Niautri avìamu un canazzu! 5. Idda aveva na buccuzza!

Eserciziu 9: How do you classify the following as regards your own. Choose the word that best describes it:

1. Comu putemu classificari lu to nasu, un nasittu, un nasazzu o un nasuni?
2. Comu putemu classificari la to manu, na manuzza, na manazza, o na manuna?
3. Comu putemu classificari la to testa, na tistuna, na tistazza o na tistuzza?
4. Comu putemu classificari li to occhi, ucchiuzzi, ucchiazzi, o ucchiuni?
5. Comu putemu classificari la to bucca, na buccuzza, na buccazza, o na buccuna?

Eserciziu 10: Answer the questions about your own habits:

1. Quannu manci, pigghi un piattinu o un piattuni di pasta? 2. Bivi un bicchireddu di vinu o un bicchiruni? 3. Chi dici a la to zita, paruleddi o parulazzi? 4. Pi lu cafè chi usi na cucchiaredda o na cucchiaruna? 5. Pi manciari li spaghetti usi na furchetta o un furchittuni?

Names of people are also usually altered by suffixes that suggest some quality of the person involved. For example the name Pippineddu conveys the concept of smallness and likability of someone whose name was Joseph. The name went through several transformations: Giuseppe, Peppi, Pippinu, Pinu, and finally Pippineddu.

Eserciziu 11: What do you suppose the following names suggest?

1. Mariuzza 2. Giuannina 3. Minicuzzu 4. Cuncittina
5. Giuannazzu 6. Batassanu

Littura: Li surci

Di Giovanni Meli

Vocabulary Notes:

Di testa sbintata	foolhardy, brash
Avìa pigghiatu la via di l'acitu	had gone the way of wine to vinegar
Na vita scialacquata	the life of a dissolute
L' amiciuni di lu so partitu	buddies of his ilk
Tirarlu a bona strata	pull him in the right direction
Zappau a l'acqua	dug in water
Attrivitu	brazen
Saìmi	lard
Peritu	an expert
Mucidda	an alteration of *miciu* (the little cat)
Fici luca	caught up with him.
Dogghia	pain
Si suca	feels regret
Chiaccu chi t'affuca	"noose that chokes you," said to stubborn people
Scutta	pay

Un surciteddu di testa sbintata
avìa pigghiatu la via di l'acitu
e faceva na vita scialacquata
cu l'amiciuni di lu so partitu.

Lu ziu circau tirarlu a bona strata,
ma zappau a l'acqua, picch'era attrivitu,
e dicchiù la saìmi avìa liccata,
di taverni e di zàgati peritu.

Finalmenti mucidda fici luca;
Iddu grida: Ziu, ziu, cu dogghia interna;
So ziu pri lu rammàricu si suca;

poi dici: "Lu to casu mi custerna;
Ma ora mi cerchi? Chiaccu chi t'affuca!
Scutta pri quannu jisti a la taverna."

Dumanni:

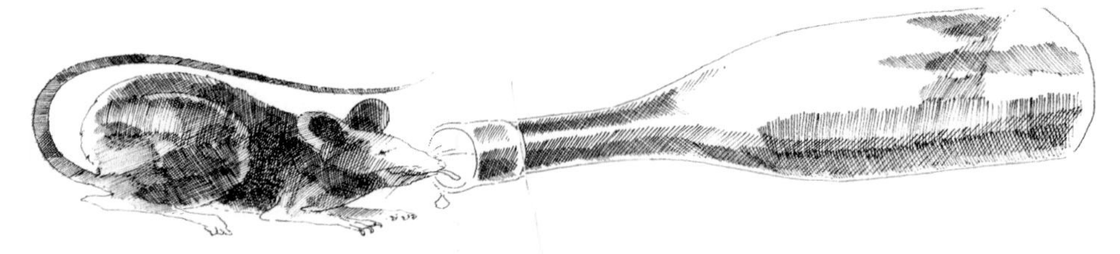

1. Comu aveva la testa stu surciteddu? 2. La via di l'acitu è la strata giusta o chidda sbagghiata? 3. L' amiciuni la pinzavanu diversamenti di lu surciteddu? 4. Chi vuleva fari lu ziu? 5. Chi voli diri *zappari a l'acqua*? 6. Lu surciteddu picchì era attrivitu? 7. Cu è mucidda? 8. Quannu la gattaredda lu pigghiau, a cu chiamau lu surciteddu? 9. Lu ziu potti aiutari a lu surciteddu? 10. Si lu surci avissi scutatu a lu ziu, si truvassi ora nta ddi guai?

Miti di la Sicilia: Lu mitu di Prusèrpina

Vocabulary Notes:

Cugghiennu ciuritti	Gathering flowers
Lacu	Lake
Di lu munnu suttirraniu	Of the underworld
Ni ristau ntrunatu	Was deeply stunned
Di quantu era bedda	By her beauty
Nta na botta	At once
La vosi pi mugghieri	Wanted her as his bride
Nisciu	He emerged
Ca ci nisceva focu di li naschi	Who breathed fire out of their nostrils
Si dispirau chiancennu	Was distraught and wept
Si biliavu tantu	She was so upset that
Cuminciau a 'ssiccari	Started to dry up
Urdinau di lassarila lìbbira	Ordered him to release her
Granatu	Pomegranate
Comu firmari	Like signing
Avìa assaggiatu	Had tasted
Lu sapuri di l'amuri	The flavor of love
S'accurdau	Agreed
Si svigghia pi prima	That awakens first
Di lu friddu dû nvernu	From the cold of winter

La dea Demetra,* la matri di la terra, aveva na figghia ca era la chiù bedda di tutti. Si chiamava Prusèrpina. Àutri nomi eranu Persèfuni e Kori. Un jornu, mentri idda caminava tranquilla cu li so amichi cugghiennu ciuritti vicinu a lu lacu di Pergusa, nta lu centru di l'ìsula, la vitti Plutoni, lu diu di lu munnu suttirraniu, e nni ristau quasi ntrunatu di quantu era bedda. Si nni nnamurau nta na botta e la vosi comu mugghieri. Fici àpriri la terra e niscìu cu lu so carru tiratu di quattru cavaddi ca ci nisceva focu di li naschi e pigghiannu a Prusèrpina nta li so brazza putenti, si la purtau cu iddu nta lu so regnu. La pòvira giùvini circau di risìstiri, ma Plutoni era troppu forti.

La matri Demetra, quannu nun truvau chiù a so figghia, si dispirau chiancennu. Poi notti e jornu la jìu circannu pi tantu tempu. Si biliau tantu ca la terra ca dipinneva d'idda cuminciau a ssiccari. Li ciuri murevanu, li pianti ssiccavanu, la terra nun produceva chiù nenti pi l' omu. Giovi, lu patri di li dei, si prioccupau e ordinau a Plutoni di libbirari a Prusèrpina e di riturnariccilla a so matri. Iddu nun potti diri di no a Giovi, ma la notti prima di lassarila lìbbira ci uffrìu a Prusèrpina un beddu granatu e idda si nni manciau nanticchia, nun sapennu ca l'effettu di stu fruttu era chiddu di fari nàsciri l'amuri. Manciari li coccia di lu granatu era comu firmari un cuntrattu di matrimoniu. D'accussì, doppu aviri manciatu lu granatu, l'idea di èssiri maritata cu Plutoni cuminciau a piacìricci a Prusèrpina. Iddu era forti e putenti e idda avìa assaggiatu lu sapuri di l' amuri. E fu d'accussì ca Plutoni s'accurdau cu Giovi e Demetra, accittannu ca Prusèrpina ristassi cu so matri pi li du terzi di l'annu, ma pi l'àutru terzu avìa a turnari nni iddu. In Sicilia, si sapi, ci sunnu sulu tri staçiuni: la primavera, la stati e lu nvernu. Quannu Prusèrpina nesci di lu munnu suttirraniu, cumincia la primavera e quannu torna nni so maritu, cumincia lu nvernu. Picchissu Prusèrpina è la dea di la primavera e la Sicilia è la prima terra d'Europa ca si svigghia di lu friddu dû nvernu.

A prupòsitu di Kori, lu prufissuri Santi Currenti cunta ca quannu li fimmini di Enna si scantanu pi quacchi cosa, inveci di diri "Matruzza!" o "Bedda Matri!", dicinu autumaticamenti "Kori!" Chistu fa pinzari a quantu era mpurtanti lu mitu di Kori in Sicilia e specialmenti a Enna.

* *Demetra è lu nomu grecu. I rumani la chiamavanu Ceres*

Dumanni:

1. Comu si chiama la matri di la terra? 2. Unni era Prusèrpina quannu Plutoni la vitti? 3. Era sula Prusèrpina? 4. Chi effettu appi supra a Plutoni la vista di Prusèrpina? 5. Quantu cavaddi tiravanu lu carru di Plutoni? 6. Comu ristau Demetra quannu nun potti truvari a so figghia? 7. Chi effettu appi la so bili supra la terra? 8. Chi manciau Prusèrpina? 9. Lu granatu avi qualità speciali. Quali? 10. Quannu cumincia la primavera in Sicilia?

Enna è cunziddirata lu "Belvidiri di la Sicilia" pi li straurdinari viduti[1] ca si ponnu ammirari di ddassupra.[2] Fu costruita supra na muntagna di quasi milli metri ed è nfatti la capitali di pruvincia chiù auta[3] d'Italia. Si lu celu è senza nèvuli si dòmina[4] quasi tutta la Sicilia. Si vidi na magnìfica viduta di Calascibetta dirimpettu[5] e di l'Etna chiù distanti. Pi la so posizioni cintrali fu canusciuta comu "Ombelicus Siciliae," lu viddicu dâ Sicilia.[6] Enna fu città sìcula[7] a li orìgini ntô VII sèculu a.C. e fu mpurtanti pi la so posizioni stratèggica. Era quasi mpossìbili cunquistari[8] la città, nun sulu pi la so autizza,[9] ma pi lu so formidàbili casteddu. L' Àrabi pottiru supraffari la città sulu ntô 859, chiù di trent'anni doppu ca sbarcaru a Mazara del Vallo ntô 827. L' Àrabi rinisceru[10] a ntràsiri nta la furtizza attraversu li tubi di la fugnatura.[11] E foru iddi a daricci lu nomu Castrugiuanni di l'àrabu *Kasr Janni* ca voli diri Casteddu di Enna. Chistu è lu nomu ca ristau pi l'abbitanti finu a quannu ntô 1927 Mussolini lu fici canciari[12] a Enna.

Sutta l' Àrabi la città si sviluppau[13] assai comu centru agrìculu producennu na granni quantità di frummentu e àutri cereali. Fidiricu II raffurzau li difisi di la città costruennuci la famusa "Turri di Fidiricu," un casteddu di forma ottagunali[14] ca si pò visitari ancora oggi. L' aspettu militarìsticu di Enna è evidenti puru nta la costruzioni di certi chiesi. L' architetti barocchi ci desiru n'aspettu a forma di turri[15] puru a li facciati[16] dû Domu e di la Chiesa di San Binidittu. La città cuminciau a pèrdiri la so mpurtanza ntô sèculu XVII quannu diclinau[17] la so funzioni militari. Novi iniziativi di cummerciu, di spittàculi,—a l'internu dû Casteddu di Lumbardìa si rapprisentanu òpiri e cuncerti a l'apertu—di turismu—vicinu c' è Morgantina, Piazza Armerina, e lu lacu di Pergusa assuciatu a la dea Demetra e a Prusèrpina—e na nova università, fannu di Enna[18] na città mpurtanti a lu centru dâ Sicilia.

Notes: 1. Views 2. From up there 3. Highest 4. Without clouds, it dominates 5. In front 6. The belly button 7. Of the Sicels 8. Conquer 9. Height 10. Succeeded 11. The Sewer drains 12. Ordered it changed 13. Developed 14. Octagonal shape 15. Incorporated towers in 16. The façades 17. Declined 18. Make of Enna.

Comprehension Exercise: Are the following statements true or false?

1. Enna è na capitali di pruvincia costruita nta la valli. veru falsu
2. Si chiama lu "Viddicu da Sicilia" picchì è a lu centru di l'ìsula. veru falsu
3. Fu conquistata di l' Àrabi nta l'annu 827. veru falsu
4. Lu mpiraturi Fidiricu II fici costruiri un casteddu putenti. veru falsu
5. Li chiesi di Enna hannu un aspettu baroccu. veru falsu
6. Enna pirdìu mpurtanza quannu finìu la so funzioni militari. veru falsu
7. Demetra e Prusèrpina foru divinità pagani assuciati cu la pruvincia di Enna. veru falsu

Antoniu Vinizianu fu lu pueta chiù granni di la Sicilia duranti lu Rinascimentu. Iddu scrissi quasi esclusivamenti in sicilianu dicennu[1] ca li granni pueti dû passatu tutti avìanu scrittu nta la so lingua e iddu nun vuleva fari la fiura di pappajaddu,[2] essennu iddu sicilianu, di scrìviri cu la lingua di l'àutri. Chistu vi dici ca Vinizianu nun era na pirsuna cunfurmista. Anzi era un tipu assai litigiusu[3] e passau[4] bona parti di la so vita nta lu càrciri[5] pi nun aviri pila supra la lingua.[6] Nfatti murìu nta lu casteddu di Casteddammari unni era mpriggiunatu[7] pi aviri nzurtatu[8] a lu Vicirè[9] quannu a causa di un ncèndiu,[10] la pulvirera scuppiau[11] e sippillìu[12] a tanti priggiuneri. Però lu so caràttiri nun avi nenti a chi fari cu li so ottavi ca sunnu di granni originalità e di na capacità nventiva ca tutti ci nvidiavanu.[13] Quannu li Siciliani di la so èpuca liggevanu na ottava assai piacèvuli,[14] si nun sapevanu cu l'avìa scrittu, pinzavanu[15] a Vinizianu, e assai puisìi foru attribbuiuti a iddu senza ca iddu li avissi scrittu. La so puisìa fu ammirata di Cervantes ca la cunziddirau degna[16] di lu paradisu. Li du' pueti foru priggiuneri[17] di li pirati ad Algeri e stettiru[18] nta la stissa cella pi chiù di un annu prima di èssiri libbirati.

L' òpira principali si intitula *Celia,* chi cunteni 289 ottavi. Pubblicau un *Libru secunnu di puisìi amurusi siciliani,* ca cunteni 313 canzuni, e un terzu libru ca cunteni 42 *Canzuni di sdegnu.* Novanta ottavi foru pubblicati in Amèrica in furmatu[19] bilingui (sicilianu/ngrisi) cu la tìtulu *Ninety Love Octaves,* curati e traduciuti di Gaetano Cipolla, Mineola: Legas. 1996.

Includemu ccassùtta una di li novanta ottavi:

Notes: 1. Saying 2. To look like a parrot 3. Litigious 4. Spent 5. Prison 6. He spoke too frankly 7. Locked up 8. Insulted 9. Viceroy 10. 11. Fire . 11. The gun powder deposit exploded 12. Buried 13. Envied him for 14. Pleasing 15. Thought 16. Worthy 17. Prisoners 18. Stayed 19. Format.

Oh, si spinta di còllera e di stizza

Oh, si spinta di còllera e di stizza
cu li manuzzi toi mi maltrattassi,
ed iu — chi non sia mai! — fussi sulfizza, (scorpion)
per puru istintu chi ti muzzicassi,
quantu si sazirìa la tua ferizza
supra di mia, s'a posta tua sburrassi,
e quanta sarrìa poi la mia allegrizza
chi cu la morti mia ti risanassi!

If overcome with wrath and disappointment

If overcome with wrath and disappointment
you should maltreat me with your own sweet hands,
and — God forbid!—I were a scorpion,
and acting on pure instinct I bit you,
as you went on to sate your cruelty,
venting your wrath on me to please yourself,
how truly wondrous would be my delight
if with my death I healed you from my bite.*

* In the Renaissance people believed that to be cured from a scorpion's sting, the scorpion had to die.

Comprehension Exercise: Choose the completion that fits best:

1. In quali èpuca vissi Venezianu?
a) Nta lu Setticentu b) Nta lu Rinascimentu c) Nta lu Mediuevu.

2. Picchì scrissi sempri in sicilianu?
a) Picchì era la lingua chiù mpurtanti a lu so tempu. b) Picchì era la so lingua matri. c) Picchì li granni pueti scrivevanu in sicilianu.

3. Comu murìu Venezianu?
a) Murìu di morti naturali. b) Murìu nta na esplosioni. c) Murìu nta la so casa.

4. La so puisìa
a) rifletti la so pirsunalità litigiusa. b) nun rifletti lu so caràttiri fucusu e arruganti. c) è assai criativa e originali.

5. Quannu la genti liggeva na beldda puisìa, nun canuscennu a l'auturi,
a) pinzava ca l'avissi scrittu Venezianu. b) nun l'attribueva a Venezianu.
c) l'attribueva a Cervantes.

6. Venezianu fu pigghiatu priggiuneru di li pirati
a) e stetti nta la stissa cella di Cervantes b) e fu libbiratu doppu tri anni di càrciri c) e murìu nta lu càrciri di Algeri.

7. Nta l'ottava chi immagina lu pueta di èssiri?
a) un scurpiuni b) un sirpenti c) un mortu.

Sicilian Humor

L' umorismu sicilianu usa li problemi linguistici di la genti pi fari ridiri.[1] Ninu Martogghiu joca spissu[2] supra li Catanisi ca cercanu di parrari[3] talianu, sturpiannulu.[4] Li jochi di palori, li duppii senzi, la pronunzia diversa di na palora in pruvinci diversi, (la palora *chiavi*, pi esempiu, a Ragusa si pronuncia *ciavi*) e la 'gnuranza creanu situazioni còmichi. Chista è na barzelletta catanisi:

Na signura era pronta pi pustiggiari la so màchina nta un postu lìbbiru e mentri si pripara pi fari la manovra,[5] arriva n'àutra màchina e si pigghia lu postu.[6] La signura scinni[7] di la màchina, raggiata,[8] e s'avvicina a l'omu dicennucci[9] in modu minacciusu,[10] "Chi fa û spettu?"[11] e l'omu, facennu finta[12] di capiri nàutra cosa, rispunni, "No, Signura, nun m'aspittassi picchì aju tanti cosi 'i fari oggi!"

Notes: 1. To make people laugh 2. Often 3. Try to speak 4. Distorting it 5. Prepares to park 6. Takes her spot 7. Gets out 8. Enraged 9. Telling him 10. In a threatening way 11. *Û spettu* can mean two things: "Shall I wait for you" or "Are you being a wiseguy?" The word can mean "the expert," *u spertu*, which in Catania looses the r and is pronounced *u spettu*, which is also the third person of the verb *spittari, (aspittari)* to wait. The *u* in this case, would be the direct object ponoun *lu* (*û*), meaning you. 12. Pretending.

Invitation to Write

1. Write a commentary on Giovanni Meli's fable *Li Surci*. What is the moral of the fable?
2. Write a summary of the myth of Persephone.
3. What do you think of Venezianu's insistence on writing in Sicilian instead of in Italian? Was his choice a good thing for his reputation and fame?

Ripassu 9

If you have difficulty with the exercises, review Chapters 17 nd 18.

Eserciziu 1. Your partner uses the Passive Voice to make statements. Restate the sentence using the Active Voice which is used more commonly.

Model: *La Divina Commedia* fu scritta di Dante Alighieri.
È veru, Dante Alighieri scrissi *La Divina Commedia.*

1. L' Amèrica fu scuperta di Cristoforu Colombu. 2. L' *Aida* fu cumposta di Giuseppe Verdi. 3. L' appartamentu fu vinnutu di me soru. 4. La Cappella Sistina fu pittata di Michelangelo. 5. L' assegnu fu firmatu di to ziu. 6. Li panini foru priparati di me matri. 7. L' artìculu fu scrittu di un giurnalista talianu. 8. Li culpèvuli foru cunnannati di lu

giudici.

Eserciziu 2. Lay down the law! Be categorical about how you want to be treated.

Example: *Tutti mi minazzanu.* *Signuri, jo non vogghiu èssiri minazzatu!*

1. Tutti mi maltrattanu. 2. Tutti mi crìticanu. 3. Tutti mi rimpròviranu. 4. Tutti mi arrobbanu. 5. Tutti mi babbìanu.

Eserciziu 3. Answer the question positively or negatively

Example: *Canusci a quaccadunu a Palermu?* *Sì, canusciu a du' pirsuni.*
No, nun canusciu a nuddu.

1. Canusci a quaccadunu a Catania? 2. Accattasti quacchi cosa aieri nta lu nigoziu? 3. Manciasti quacchi ficudinnia in Sicilia? 4. Capisti tutti li règuli di lu sicilianu? 5. Parrasti cu to matri e to patri?

Eserciziu 4. How can you improve your mastery of Sicilian? Rewrite the sentences: (I should+verb). Give three replies.

Example: *avissi a studiari di chiù.*

1. 2. 3.

Eserciziu 5. How can you improve your mastery of Sicilian? Rewrite the sentences: (I could+verb). Give three replies.

Example: *Putissi parrari di chiù cu li parenti in Sicilia.*

1. 2. 3.

Eserciziu 6: Express five wishes using the verb *piaciri* in the Imperfect Subjunctive.
I would like to... *Mi piacissi fari un viaggiu in Sicilia.*

Eserciziu 7. Decide whether the following statements are compliments or insults:

1. Oh chi nasuzzu ca ai! 2. Oh chi manitta ca ai! 3. Oh chi tistazza ca ai! 4. Oh chi buccazza ca ai! 5. Oh chi facciuzza ca ai!

Eserciziu 8. You are making observations about persons or objects in sight, but everything is very large or bad. Restate using suffixes.

1. Chi palazzu granni! 2. Chi manu enormi! 3. Chi cani bruttu! 4. Chi vecchia simpàtica! 5. Chi jattu sarvaggiu!

Eserciziu 1: You will now hear ten words. Listen carefully and identify the words you hear spoken by underlining them in your text. The words will not be spoken in the same order as listed:

1. Matina 2. Signuruzzu 3. Grossu 4. Agneddu 5. Scannatu 6. Dumìnica 7. Spinziratu 8. Vacabunnu 9. Munnizzaru 10. Cuteddu.

Eserciziu 2: Listen and repeat the following words:

1. Scimunitu 2. Scacciata 3. Mennuli 4. Buttigghia 5. Cacòcciula 6. Vermi 7. Occhiu 8. Apparecchiu 9. Vriogna 10. Cazzottu.

Eserciziu 3: The following words present special problems discussed in the preceding pages. They represent contrastive pairs which highlight the difference between double and single consonants. Your task is to identify which word contains double consonants, the first or the second one. Check your answers on page 310.

	first	second		first	second
1.	___	___	6.	___	___
2.	___	___	7.	___	___
3.	___	___	8.	___	___
4.	___	___	9.	___	___
5.	___	___	10.	___	___

Eserciziu 4: You will hear ten words. Mark the syllable that is stressed by putting an accent on it. Check your answers on p. 310.

1. Amichèvuli 2. Annivirsariu 3. Picciutteddu 4. Pècura 5. Picuruni 6. Pèrsicu 7. Manciavanu 8. Avìanu 9. Ficazzana 10. Voluntati.

Eserciziu 5: This is a more difficult exercise. Try to identify where doubling occurred by writing the additional consonant where you heard it. Check your answers on page 310.

1. Pri mia, va beni. 2. Picchì vinisti ora? 3. Fa pena a vidirlu. 4. Chi dissi? 5. E poi chi fici? 6. E tu non veni? 7. Chi razza di cristianu è? 8. Comu fu fu! 9. Si' veru tintu! 10. Accussì caru è?

Eserciziu 6: You will hear ten words containing the difficult sound we have been writing with "ciu". Listen and repeat the words:

1. çiumara 2. çiuri 3. çiurera 4. çiusciari 5. çiatu 6. çiauni 7. çiocca 8. çiauru çiariari 10. çiamma.

Eserciziu 7: You will hear words some of which contain a double "d" or the retroflex "dd" sound. Identify the words with retroflex sounds by underlining them. Check your answers on page 310.

1. S' addurmisciu 2. s'addunau 3. s' addinucchiau 4. madduni 5. Biddazzu 6. addumanna 7. cuteddu 8. fuddittu 9. addiventa 10. muddica.

Eserciziu 8: You will hear a little dialogue between a store owner and a client. From *Arba Sicula* XXV, 2004. The parrata is from the Aeolian Islands. Follow the dialogue and repeat it until you have the intonation right.

Scena tra putiaru e clienti
di Amedeo Re
Clienti: Rosa; Putiaru : Don Cicciu

Rosa:	Bon giornu, Don Cicciu! Quantu costa un paru di mutanni?
Don Cicciu:	Milli e tricientu liri, Rosuzza!
Rosa:	E sta cammisa riccamata, quant'è?
Don Cicciu:	Ottucientu liri, sciatuzzu miu!
Rosa:	Va, finimula cu stu scherzu! I priezzi sunu auti e vussia m'avi a fari nu scuntu.
Don Cicciu:	Siccomu mi fai geniu, Rosa mia, facimu accussì: i mutanni milli e cientu liri e a cammisa milli liri, picchì sì tu!
Rosa:	Va, va, Don Cicciu! Chi modu esti chissu di trattari i cristiani? Vossia mi isa a camisa e mi cala i mutanni.

Scene in a Clothing Store
by Amedeo Re
Customer: Rosa; Owner: Don Cicciu

Rosa:	Good morning, Don Cicciu! How much is this pair of panties?
Don Cicciu:	A thousand three hundred lire, my dear Rosy.
Rosa:	And this embroidered blouse, how much?
Don Cicciu:	Eight hundred lire, my sweet Rosy.
Rosa:	Go on, let's stop this game. The prices are too high. You have to give me a discount.
Don Cicciu:	Because I like you so much, Rosy, let's make a deal: the panties a thousand one hundred and the blouse a thousand, but just for you!
Rosa:	Go on, Don Cicciu! What way of treating customers is this? You're raising my blouse and lowering my panties!

Eserciziu 9: The following is a famous poem by Ignazio Buttitta that expresses the chagrin of a people who are losing the language inherited from their ancestors. It is a poem written in defense of the Sicilian language: Listen to it twice. The second time, fill in the words that have been left out of the text below. Check your work with the answers on page 310.

LINGUA E DIALETTU

Un populu
mittìtilu a catina
1 __________
attuppàticci a vucca,
è ancora lìbiru
livàticci u passaportu
a tavula unni 2 ________
u lettu unni dormi
è ancora riccu.
Un populu,
diventa pòviru e servu
quannu ci arrobbanu a lingua
addutata di patri:
è persu 3 ________.
Diventa pòviru e servu,
quannu i paroli
nun 4 ______ paroli
e si mancianu tra d'iddi
Mi nn'addugnu ora,
mentri accordu a 5 _______
dû dialettu
ca perdi na corda lu jornu.
Mentri arripezzu
6 ______ camuluta
chi tissèru i nostri avi
cu lana di pècuri siciliani.
E sugnu 7 _______:
haiu i dinari
e non li pozzu spènniri
i giuelli
e non li pozzu rigalari;
u cantu,
nta gaggia
cu l'ali 8 _________.
Un poviru,
c'addatta nte minni strippi
da matri putativa,
chi u chiama figghiu
9 ___________.
Nuàtri l'avèvamu a matri,
nni l'arrubbaru;
aveva i minni a funtani di latti
e ci vìppiru tutti,

LANGUAGE AND DIALECT

Put a people
in chains,
strip them naked,
plug up their mouths,
they are still free
Take away their passports
the place where they eat
the bed where they sleep,
they are still rich.
A people become
poor and enslaved
when you rob them of their tongue
handed down by their forefathers:
they are lost forever.
They become poor and enslaved
when their words
don't father other words
and they devour one another.
I realize it now,
as I tune my dialect guitar
that is losing
a string every day.
As I patch up
the worm-eaten tapestry
our ancestors wove
with wool of Sicilian sheep.
And I am poor,
I have money
but I cannot spend it;
I have jewels
and I can't give them away;
the song
inside a cage,
with its wings chopped off.
Like a poor man sucking
at the withered teat
of a putative mother
who calls him son
as a way of mocking him.
We had a mother once.
She was stolen from us;
her breasts were fountains of milk
and all once drank from them,

ora ci 10 ___________.	now they spit on them.
Nni ristò a vuci d'idda,	Her voice has remained,
a cadenza, a nota vascia	her cadence, that deep low note
du sonu e du lamentu	of the sound and lament:
chissi non nni ponnu rubbari.	no one can steal these from us.
Nni ristò a sumigghianza,	We bear her resemblance,
l'annatura, i gesti,	the way she walked, her gestures,
i lampi nta l'occhi:	the lightning flashes in our eyes
chissi non nni ponnu rubbari	no one can steal these from us.
Non nni ponnu rubbari,	No one can steal them,
ma ristamu pòviri,	but we remain poor,
e òrfani u stissu.	and orphans, just the same.

English translation by Gaetano Cipolla. From: *Io faccio il poeta*, 1982.

Eserciziu 10. You will hear an excerpt from a story from *Arba Sicula* **XXV, 2004.**

"Li Cosi di Diu"
di Berto Giambalvo
(Storii ni la parrata trapanisi, edituri).

Avìa quasi trentacinc'anni, la facci comu un squarateddu, rriccu assa di saluti ma scarsu, p'un-diri orvu, di sapiri. Un-gnornu pinza: "Ora mi maritu e-mmi cuetu". Sciu tutti li carti chi cci vosiru e li purtà a lu parrinu p'appizzari li bbanni a lu paraventu. Lu paracu cci detti na taliata, fici finta chi si pirsuarìu, poi cci dissi:

— Tu avissi a-bbeniri na quinnicina di iorna ccà, a la duttrina, pi nzignariti li cosi di Ddiu e-ppi-ssapiri comu si fa nta la vita maritata.

Lu Bbatassanu lu talìa e-ddopu um-pezzu rrispunnìu:

— Patri paracu, ie chi-ppozzu perdiri ssu tempu: aiu un-zaccu di chiffari! Cci pari chi sugnu sfacinnatu? Eppoi, a-ttrentacinc'anni, ch'aiu bbisognu di sapillu di Vossia chi si fa nta la vita maritata?

Lu paracu — unn affinnennu l'abbitu — avìa na crozza chi si nni futtìa di Bbatassanu. Era vecchiu ottantinu — si chiamava patri Sarvaggiu — cu na tonaca ngrasciata, nzunzata di fetu di cira e ddi ncenzu chi lassava na maniata chi un cristianu cu lu cimurru la sintìa, e aisannu la vuci ci dissi chi lu matrimoniu è un-zacramentu e unn è cchiddu chi ppenzi tu, e si nun zai li cosi di Ddiu, un ti maritu. Bbatassanu nni vulìa fari una di li so, ma era nta la chiesa e si trattinni. Si nni va senza mancu salutallu, ma pinzava chi s'avìa a maritari e un-zapìa a ccu diri di metticci la bbona palora. Penza ammia e mi veni a trova.

— Salutamu.

— Salutamu.

— Frati, tu cci nn'a amicizzia cu lu paracu di san Giuvanni?

— Picchì, chi ti successi?

— Stu disgrazziatu un mi voli maritari picchì dici ch'a sapiri pi forza li cosi di Diu. Cu cci ha cummattutu mai? Mi nn'av'a fari fuiri? Chi aiu quinnici anni? Viri si cci pò parlari: tra vuiatri vi capiti.

— Ti pari ch'è ffacili pirsuàriri ssa crozza? Dumani a la lintata manu ni viremu davanti a la chiesa.

"The Things of God"

by Berto Giambalvo,

Translated into English by Gaetano Cipolla.

He was almost thirty-five years old with a face like burned round bread, very rich in health but rather poor, if not totally devoid, of knowledge. One day he thought: "Now I will get married and this way I'll settle down." He asked for all the documents he needed and brought them to the priest so he could post the wedding bands. The parish priest looked them over, made believe he was convinced, then he said to him: "You ought to spend at least two weeks here, in order to become acquainted with Catechism and to learn how to behave when you are married."

Baldassarre looked at him and, after a while, he replied: "Father, how can I spend two weeks with you. I have a load of things to do. You think I am unemployed? And besides, at thirty-five years of age, do you think I need to learn from you what one does when one is married?"

The priest, without offense to his vestments, had a head that could not care less for Baldassarre's words. He was old, in his eighties—his name was Father Sarvaggiu—and wore a tunic so dirty with the stench of wax and incense that if you had a double cold you still could smell it. Father Sarvaggiu raised his voice and told him that matrimony is a sacrament and "it's not what you are thinking of... and if you don't learn catechism I will not marry you!" Baldassarre felt like replying in tone but since he was in church he held back and went away without saying goodbye. But he was determined to get married and pondered who might be able to put in a good word for him. He thought of me and came to see me.

— Greetings.

— Greetings.

— Brother, are you in good terms with the priest of St. Giovanni Church?

— Why, what happened to you?

— That uncouth priest does not want to marry me because he says I need to learn catechism. Who's ever heard of that? Does he want me to run away with her? What am I, fifteen years old? See if you can speak to him: the two of you understand each other.

— You think it's easy to persuade a head like his? Let's meet tomorrow after work in front of the church.

Eserciziu 11. Listen to the following poem by Nino Martoglio in the parrata of Catania. From ***The Poetry of Nino Martoglio*****, NY: Legas, 1993.**

Nica	Nica
Nica, tu fusti babba: mi lassasti	Nica, what foolish thing you've done! You left me

cridennu ca ju tuttu t'avìa datu,
e tuttu chiddu chi tegnu sarvatu
ancora non è to, e ci l' appizzasti...

thinking I'd given you all I possessed.
But everything I kept inside my heart
was not yet yours and now you've lost that part!

Quantu carizzi chi non hai pruvatu!
Quantu piaciri chini di cuntrasti!
Babba chi si', picchì m'abbannunasti,
si lu me saccu 'n' era sbacantatu?

So many sweet caresses you've not had!
So many varied and constrasting pleasures.
A foolish girl! What did you leave for
when in my sack there was still so much more?

Ju sacciu dari certi vasuneddi
supra lu coddu, accostu a li capiddi
chi fannu li carnuzzi stiddi stiddi...

I know how to give kisses, oh so light,
around the neck, a bit below the hairline,
that make girls' flesh all tingly with delight...

Sacciu 'ncantari sulu ca m'affacciu
dintra l'ucchiuzzi di li beddi...Sacciu...
Ma, Nica, a cu talìi, cu ss' occhi friddi?

I know how to enchant with one brief gaze
into the eyes of fair young maids...I know...
But, Nica, why such coldness in your eyes?

Answers to the Exercises

Eserciziu 3: Contrastive pairs of single and double consonants:

1. Caru carru 2. Vini vinni 3. Nanna nana 4. Spisa spissu 5. Jattu Jatu 6. Cottu cotu 7. Ccani cani 8. Assai usai 9. Potti poti 10. Viti vitti

Eserciziu 4: The stress is indicated by the Italics.

1. Amich*e*vuli 2. Annivirs*a*riu 3. Picciutt*e*ddu 4. Pècura 5. Picur*u*ni 6. Pèrsicu 7. Manci*a*vanu 8. Avìanu 9. Ficazzana 10. Voluntati

Eserciziu 5: The italicized consonant resulted from the doubling.

1. Pri mmia, va *b*beni.
2. Picchì *v*vinisti ora?
3. Fa ppena a *v*vidirlu.
4. Chi *d*dissi?
5. È ppoi chi *f*fici?
6. E *t*tu non veni?
7. Chi *r*razza di cristianu è?
8. Comu fu *f*fu!
9. Si' *v*veru tintu!
10. Accussì *c*caru è?

Eserciziu 7: The retroflex sounds are indicated by the Italics.

1. s'addurmisciu 2. s'addunau 3. s'addinucchiau 4. ma*dd*uni 5. bi*dd*azzu 6. addumanna 7. cute*dd*u 8. fu*dd*ittu 9. addiventa 10. mu*dd*ica

Eserciziu 9. These words were left out of the poem "Lingua e dialettu."

1. spugghiàtilu 2. mancia 3. pi sempri 4. figghianu 5. chitarra 6. a tila 7. pòviru 8. tagghiati 9. pi nciuria 10. sputanu.

Sicilian- English Vocabulary

This vocabulary contains most of the words used in this book. We have opted not to duplicate some of the vocabulary given in the reading passages. Nouns are listed with the definite articles that indicate the gender. Nouns ending in **i** will also identify the gender with **f.** for feminine and **m.** for masculine. Adjectives ending in **u** will also show the feminine in a. Those ending in **i** will remain as unchanged. Verbs will be given in the infinitive form in Sicilian and in English. Past Participles are identified with **p.p.** after them. Verbs ending with **si** are reflexive. Verbs ending in **iri** that add **isc** to the stem in the present tense are identified with (isc). In Sicilian words are pronounced with stress on the penultimate syllable, unless otherwise indicated. The italic vowel in words indicates that the stress goes on that vowel. Reflexive verbs are stressed on the third from the last syllable i.e., marit***a***risi. Stress is also indicated with accents.

A

a, at, to
abbaiari, to bark
l'abbanniatina, hawking
abbannunarisi, to let go
abbasta ca, as long as
l'abbitanti, inhabitant
abbitari, to reside, to live
l'abbit*ù*tini, habit
abbruçiari, to burn
abbunnanti, abundant
l'abbunnanza, abundance
l'abit*u*dini, habit
a bizzeffi, in large number
accarizzari, to caress
accattari, to buy
accellirari, to accelerate
accittari, to accept
accomodarisi. make oneself at home
l'accompagnamentu, accompaniment
accurdarisi, to agree
accurgirisi, to realize, to notice
accusatu/a, accused
accussì...comu, so...as
accussì, so, this way
accustari, to approach
l'aceddu, bird
l'acqua, water
addumari, to turn on
addunarisi, to realize
addurmiscirisi, to fall asleep
l'aeriu, plane
affamatu/a, famished
affascinanti, fascinating
l'affirmazioni, statement
affr*i*ggiri, to afflict
affrittu/a, afflicted
affunnari, to sink
aggressivu/a, aggressive
a goccia a goccia, a drop at a time
l'agricultura, agriculture
aieri, yesterday
aiutari, to help
l'aiutu, help
albanisi, Albanian
l'albergu, hotel
l'*a*rburu, l'*a*rvulu, tree
a leggiu a leggiu, slowly
l'aliva, olive
l'alivara, olive tree
l'allerg*i*a, allergy
all*e*rgicu/a, allergic
alliggiriri, to lighten
allungari, to lengthen
all'urbisca, blindly
allurdarisi, to soil oneself
almenu, at least
l'amanti, mistress, lover
a manu, by hand
amari, to love
amaru/a, bitter
a menu chi/ca, unless
l'amicu/a, friend
a mimoria, by heart
l'ammaccatina, bruise
amm*a*tula, in vain
ammazzari, to kill
amm*e*ttiri, to admit
ammirari, to admire
ammoniri, to admonish
ammuccari, to eat, put in mouth
ammucciari, to hide
ammucciuni, unseen, secretly
amparissi, pretending
l'amuri, love
l'*a*ncilu, angel
ancora, still, yet
l'aneddu, ring
l'angoscia, anguish
l'animali, also **l'armali,** animal
anniari, to drown
annunciari, to announce
l'annunciu, announcement
anticu/a, ancient
l'antinatu/a, ancestor
l'antipastu, antipasto
antip*a*ticu/a, unpleasant
antura, before
anzianu/a, aged
a pattu chi/ca, provided that
apertu/a, open
l'apparecchiu, plane
appart*e*niri, to belong
appiccicari, to stick
appisantiri, to make heavy
appropriatu/a, appropriate
aprili, April
***a*priri**, to open
a prup*o*situ, by the way
l'araùsta, also **l'alaustra**, lobster
l'arancinu, rice ball
aranciuni, orange
l'aranciu, orange
l'argentu, silver
l'aria, air
l'aria condiziunata, air conditioning
l'armali, animal

l'armaluzzu/a, little animal
l'arma, soul, weapon
arrassarisi, to distance oneself
arricchiri, to enrich
arripizzari, to mend
arrubbari, **rubbari,** to steal, rob
l'arrubbatina, theft
arruganti, arrogant
l'arti, art
l'art*i*culu, article
l'artigianu. artisan
asciuttu/a, dry
ascutari, to listen
l'aspirina, aspirin
aspittari, spittari, to wait
assaggiari, to taste
assai, very
assemi, together
assira, last night
l'assissuri, alderman
assittarisi, to sit down
assuciatu/a, associated
ass*u*miri, to hire
astutarisi, to turn off, to die out
astutarisi, to die out
attaccari, to attach, attack
attornu, around
attrattu/a, attracted
attraversu, through
attrivitu/a, brazen
attuali, current
attuppari, to plug
l'atturi, actor
l'aumentu, increase
austu, August
l'autizza, height
l'autubus, bus
l'autum*o*bbili, automobile
l'automobbilismu, car racing
l'autunnu, autumn
l'auturi, author
avannu, this year
avanti, ahead
aviri, to have
aviri bisognu di, to need
aviri cauddu, to feel hot
aviri fami, to be hungry
aviri friddu, to feel cold
aviri paura, to be afraid
aviri primura, prescia, to be in a hurry
aviri raggiuni, to be right
aviri siti, to be thirsty
aviri sonnu, to be sleepy
aviri tortu, to be wrong
aviri vogghia di, to feel like
a volu, in flight, quickly
avvilinatu/a, poisoned
l'avvirsariu, opponent
avvizzari, to get used to
l'avvucatu, lawyer
l'azioni, action
azzolu/a, blue

B

babbiari, to joke
lu babbu, stupid
baçiari to kiss
lu/la badanti, caretaker
lu bagnu, bathroom
ballari, to dance
lu ballettu, ballet
lu Bammineddu, Little baby, Jesus
la banca, bank
lu banchettu, banquet
lu bancu, desk, bench
la bannera, flag
la barba, beard
lu **barbarottu**, chin
lu barberi, barber
baroccu/a, baroque
lu baruni, baron
la barunissa, baroness
la barzelletta, joke
basciu/a, low
la basciura, afternoon
lu basilicò, basel
basta, it's enough
bastari, to be sufficient
bastuniatu/a, beaten
lu bastuni, bat
la battarìa, drums
la battuta, quip, clever remark
lu beccamortu, cemetery worker
lu beccu, beak, ram
beddu/a, beautiful
Belga, Belgian
beni, well
la bestia, beast
biancu/a, white
la bibliuteca, library
lu biccheri, glass
la bicicletta, bicycle
bidduzzu/a, pretty
lu bigliardinu, table soccer
lu bigliettu, ticket
biliarisi, to be upset
la bili, bile, sorrow
bilingui, bilingual
binchì, although
binidittu/a, blessed
la binzina, gasoline
la birra, beer
la birritta, beret
lu bisbigghiu, whisper
la bistecca, steak
bistimmiari, to curse
biunnu/a, blond
b*i*viri, to drink
lu boi, bull
la bonarma, blessed soul
bonu/a, good
la botta, hit, blow
bravu/a, good
lu brazzu, arm **li brazza** pl.
la briogna, vriogna, virgogna, shame
brunu/a, brunette
bruttu/a, ugly
la bucca, mouth
b*u*gghiri, to boil
lu bujaru, cowboy
la bulletta, bill (gas, light)
la buridda, speck of dust
lu burru, butter
la burza, bag
la buttigghia, bottle

C

lu cafè, coffee, coffee house
la caffittera, coffee maker
lu calannariu, calendar
calmu/a, calm
lu calurifiru, the heater
lu cammareri, waiter
la camara di lettu, bedroom
la cammiçia, cammisa shirt
caminari, to walk
la campagna, countryside
lu campiunatu, championship
lu campiuni, champion
lu campu, field
lu campusantu, cimiteriu, cemetery
canciari, to change
lu/la candidatu/a, candidate
lu cani, dog
caninu/a, canine
cann*i*bali, cannibal
la cannila, candle
lu cannolu, cream-filled pastry
lu/la cantanti, singer
cantari, to sing
la canuscenza, acquaintance

can*ù*sciri, to know
canusciutu/a, known
la canzuna, song
li capiddi, hair
càpiri, to fit
capiri, to understand (isc)
lu cappeddu, hat
lu cappottu, overcoat
lu capu, chief, head
lu Capud'annu, New Year's day
lu capuni, capon
la caratteristica, trait
lu/la carciratu/a, convict
lu c*a*rciri, prison
lu Carnaluari, Mardi Gras
la carni, meat
lu carrettu, cart
la carta, paper
la cartulina, postcard
caru/a, dear, expensive
lu/la carusu/a, boy/girl
lu carvunaru, coal maker/merchant
la casa, house, home
castanu, hazel
castigari, **castiari**, to punish
lu c*a*uciu, kick
cauddu/a, warm
li c*a*usi, pants, trousers
la cavigghia, ankle
ca, who, whom, that, which
ccà, here
cecamenti, blindly
celebrari, to celebrate
celesti, blue
cellulari, cellular
la cena, supper
centu, one hundred
c*e*rniri, to sift
certi, some
certu/a, certainly
certuni, some
chiacchirari, chat
lu chiaccu, noose
chiamarisi, to be named
chiamari, to call
la chianta, palm, plant
chiantari, to plant
lu chiantu, crying
li chi*a*ppari, capers
chiaramenti, clearly
chiariri, to clarify (isc)
chiaru/a, clear, clearly
la chiavi, key
chiddi, those
la chiesa, cresia, church
lu chilu, kilogram, kilo
chiossai, more
chi*o*viri, to rain
chissu, that
chistu, chisti, this, these
la chitarra, guitar
chi*u*diri, to close
chiù, plus, more
chiusu/a, closed
chiù tardu, later
chi, what
chi, who, whom, that, which
çiariari, to smell
lu çiatu, breath
cicari, to blind
lu c*i*ciru, chickpea
lu ciclismu, bicycle racing
lu ciclu, cycle
lu c*i*nima, movie
cinisi, Chinese
la c*i*nniri, ashes
lu ciocculattu, chocolate
la cipudda, onion
la cira, wax
circari, to seek, look for
circunnari, to surround
la cirimonia, ceremony
la cirtizza, certainty
cissari, to cease, to stop
ci sunnu, there are
ci, to him, to her, to them, there
la città, city
lu çiumi, river
la çiurara, florist
lu çiuri, flower
la civiltà, civilization
la classi, class
lu/la clienti, client
lu/la cocu/a, cook, chef
coddiari, to heat
lu coddu, neck
cògghiri, to pick
lu collettu, also **cullettu,** collar
colonizzari, to colonize
la colonoscopia, colonoscopy
com' è, how she, he, it is
c*o*micu/a, comic, funny
lu c*o*micu, comedian
lu c*o*mpitu, homework
comu mai, how come
la conca, the brazier
conquistari, conquer
conquistatu/a, conquered
lu conti, count
contribuiri, contribute
lu cori, heart
lu cornu, horn
lu corpu, body
lu corsu, course
la cosa, thing
la cosetta, sock
li cosi duci, sweets
lu costumi, customs
lu costumi di bagnu, bathing suit
cottu/a, cooked
cotu/a, harvested, gathered
la crapa, goat
la cravatta, tie
cr*i*diri, to believe
cr*i*sciri, to grow
la crisi, crisis
lu cristianu, man, person
criticari, to criticize
la cruci, cross
crudeli, cruel
la cruna, crown
la cucchiara, spoon
la cucchiaredda, little spoon
cucciutu/a, hardheaded
lu/la cuçinu/a, cousin
la cucina, kitchen
cucinari, to cook
c*u*çiri, to sew
lu cufuni, fucuni, hearth
lu/la cuçinu/a, cousin
la cugnata, sister-in-law
lu cugnatu, brother-in-law
lu cugnomu, last name
cui, whom, which
culari, to drip
la culazioni, breakfast
la culonna, column
culp*e*vuli, guilty
lu cultu, cult
lu culu, ass, behind
culuratu/a, colored
lu/la cumannanti, commander
cumannari, to command, boss
lu cumannu, command, order
la cummedia, comedy
cuminciari, to start
la cummari, neighbor
lu cummessu, salesman
cumm*e*ttiri, to commit
cummugghiatu/a, covered
cummuventi, moving
lu cumpari, neighbor
lu cumpenzu, compensation

lu cumpliannu, birthday
cumplicatu/a, complicated
cumpostu/a, composed
cumuni, common
lu cumuni, town, commune
la cunfidenza, confidence
la cunfirenza, conference
lu cunfortu, consolation
cunfunnirisi, to get confused
cunfusu/a, confused
lu cunigghiu, rabbit
la cunnanna, condemnation, sentence
lu/la cuntadinu/a, farmer
cuntari, to count
cuntenti, glad, pleased
lu cuntinziusu, contentious
la cuntissa, countess
cuntrariu/a, contrary
lu cuntrattu, contract
lu cuntu, tale, bill
cunv*i*nciri, to convnce
la cunvirsazioni, conversation
cunziddirari, consider
cunzigghiari, to advise
lu cunzigghiu, advice
cunzumari, to consume, satisfy
cupertu/a, covered
lu curaggiu, courage
curari, to cure
curcarisi, go to bed
curiusu/a, curious
lu curnutu, cuckold
curr*e*ggiri, to correct
currenti, current
c*u*rriri, to run, to race
lu currituri, racer
la corruzioni, corruption
la curti, court
curtiggiari, to court
curtisi, courteous
curtu/a, short
cusà, who knows
custari, to cost
custrinciri, to force
custusu/a, expensive
la cutri, cover
cu tuttu chi, although
cu who
cu, with

D

d'accussì, thus
dappressu, behind, following
dari, dunari, to give
datu ca, since
ddocu, there
lu d*e*bbitu, debt
d*e*bbuli, weak
d*e*cimu/a, tenth
lu denti, tooth
lu dep*o*situ, deposit
la depressioni, depression
depressu/a, depressed
derivari, to derive
destra, right
dicembri, December
la dicirìa, rumor
la dieta, diet
lu difettu, flaw, defect
la differenza, difference
diff*i*cili, difficult
di f*i*sicu, physically
diggiriri, to digest
dilicatu/a, delicate
lu diluviu, deluge
dimittirisi, to resign
lu/la dintista, dentist
dintra, inside
di, of, by
diri, to say, tell
lu disastru, disaster
discretu/a, decent
d*i*sculu/a, rascal
lu discu, recording
lu discursu, speech, talk
lu disegnu, drawing
di s*e*guitu, continuously
disiddirari, to wish
la disoccupazioni, unemployment
dispirarisi, to despair
dispiratu/a, desperate
dissapitu/a, tasteless, unsalted
la distanza, distance
dist*i*nguiri, to distinguish
lu distinu, destiny
distrattu/a, distracted
distruttu/a, destroyed
dittu, said p.p.
Diu, god
diversu/a, different
div*i*diri, to divide
divintari, to become
divirtenti, amusing
divirtirisi, to enjoy oneself
divisu/a, divided
la doccia, shower
lu documentu, document
la dogghia, pain
d*o*liri, to hurt
la dom*e*stica, maid
la donna, woman
lu domu, the cathedral
doppu, after
doppudumani, the day after tomorrow
dormiri, to sleep
lu dormitoriu, dormitory
lu dubbiu, doubt
duci, sweet
lu duluri di testa, headache
lu duluri, pain
dumani, tomorrow
la dumanna, question
dum*e*sticu/a, domestic
la dum*i*nica, Sunday
duranti, during
duru/a, hard
la duzzina, dozen

E

l'ebbica, era, epoch
ebr*a*icu, Hebrew
eccezziunali, exceptional
eccu, here is, here are
econ*o*micu/a, economic
l'ed*i*cula, stand
educatu/a, well mannered
l'effettu, effect
elegantimenti, elegantly
elementari, elementary
l'*e*nfasi, emphasis
l'erba, grass
l'eroi, hero
l'erruri. error
esaggiratu/a, exaggerated
l'esami, exam
l'eserciziu, exercise
es*i*stiri, to exist
espostu/a, displayed
espressivu/a, expressive
***e*ssiri**, to be
estrairi, to extract
l'eternità, eternity

F

lu facchinu, porter
la facci, face
la facciola, two-faced woman
lu facciolu, two-faced man
f*a*cili, easy
facilmenti, easily
lu falignami, carpenter
la fama, fame, reputation

la famigghia, family
la fami, hunger
fant*a*sticu/a, fantastic
lu faragghiuni, rocks
fari, to do, to make
fari attinzioni, to pay attention
fari bedda fiura, to make a good showing
fari beddu tempu, to be good weather
fari bruttu tempu, to be bad weather
fari casinu, to make noise
fari c*a*uddu, to be warm
fari fiascu, to fail, flop
fari l'anni, to have a birthday
fari la spisa, to go shopping
fari lu bagnu, to take a bath
fari mali, to hurt
fari na dumanna, to ask a question
fari na fotografia, to take a picture
fari na passiata, to take a walk
la farina, flour
la farmac*i*a, pharmacy
lu/la farmacista, pharmacist
lu fattu, deed
fattu, done p.p.
la fava, Fava bean
la favula, fable
lu favuri, **lu fauri**, favor
favuritu/a, favorite
lu fazzulettu, handkerchief
la fedda, slice
lu fenu, hay
fermu/a, stopped
lu ferru, iron
f*e*rtili, fertile
la festa, party
la ficu, fig
la ficudinnia, prickly pear
la fidiltà, fidelity
lu f*i*catu, liver
lu/la figghiu/a, son/daughter
filici, happy
la filicità, happiness
lu filu, strand
la f*i*mmina, woman
fimminili, feminine
finu/a, fine
finanziariu/a, financial
la finestra, window
la fini, end
lu finimunnu, end of the world
finiri a schif*i*u, to end badly
finiri, to finish
lu finocchiu, fennel
finu ca, until
firmari, to sign
la firmata, stop
la firmatura, lock
lu firraru, blacksmith
f*i*sicu/a, physical
lu fissa, dumb person
fitusu/a, stinky
la flemma, calmness
la fogghia, leaf
fora, outside
la forgia, forge
formalmenti, formally
forsi, perhaps
forti, strong
la fotografia, photograph
lu fracassu, loud noise
fr*a*cidu/a, rotten
lu francubullu, stamp
la frasi, phrase
lu frati, brother
frattempu, meantime
la frazioni, fraction
lu frenu, break
la frevi, fever
lu frigur*i*feru, refrigirator
fr*i*iri, to fry
frinari, to break
friquentari, to attend
frittu/a, fried
frivaru, February
frizzanti, bubbly
lu frummentu, wheat
la frunti, forehead
la frutta, fruit
fucusu/a, fiery
la fuitina, elopement
fumari, to smoke
lu fumettu, cartoon
funnu, deep
la funtana, fountain
funziunari, to function
la furchetta, fork
la furma, form
lu furmaggiu, cheese
la furm*i*cula, ant
lu furnaru, baker
lu furnu, oven

G

la gebbia, water reservoir
lu gelatu, ice cream
gentilmenti, kindly
la genti, people
lu gessu, chalk
lu ghiacciu, ice
già, already
la giacca, jacket
giallu/a, giarnu/a yellow
giappunisi, Japanese
lu giardinu, garden
lu giardinu zool*o*gicu, zoo
giganti, giant
gigantischi, gigantic
lu gigghiu, eyelashes
ginirusu/a, generous
li ginituri, parents
lu ginocchiu, knee
la gintagghia, riffraff, plebeians
gintili, kind, pleasant
la gintilizza, kindness
lu gioveddì, Thursday
Giovi, Jove, Zeus
girari, to turn
lu giru, tour
lu giuc*a*ttulu, toy
lu gi*u*dici, judge
giugnu, June
lu giuiellu, jewel
la giungla, jungle
lu giurnali, newspaper
lu/la giurnalista, journalist
giustu/a, right
gi*u*vini, young
lu gnegnu, intelligence
la gnizioni, injection
gnuranti, ignorant
g*o*diri, to enjoy
lu g*o*mitu, elbow
la gomma, gum
gradiri, to appreciate
gramm*a*tica, grammar
lu granatu, pomegranate
granni, big, old
granni magazzini, shopping centers
grassu/a, fat
lu grattacelu, skyscraper
gravi, grave, serious
gridari, to yell
grigiu/a, gray
grossu/a, fat, big
lu gruppu, group
guadagnari, to earn
lu guaiu, trouble
la guardia, guard
guariri, to heal

la guerra, war
la gula, throat
la gumitata, strike with the elbow
lu gustu, taste

H

I

idda, she
iddi, they
iddu, he
l'idea, idea
ignorari, to ignore
l'impiegatu/a, employee
imprevedibili, unforeseeable
in, in
l'incidenti, accident
indicari, indicate
indimenticabbili, unforgettable
l'iniziali, initial
in orariu, on time
l'insettu, insect
insopportabili, unbearable
integrari, to integrate
internu/a, internal
interu/a, whole
interveniri, to intervene
intestinali, intestinal
intirrumpiri, to interrupt
inutili, useless
isari, to raise, to lift
isarisi, to get up
l'ispitturi, inspector
l'istintu, instinct
l'isula, island
ittari, to throw

J

la jaddina, chicken, hen
la jamma, gamma, leg
la janga, molar
lu jangularu, chin
lu jattu, gattu, cat
lu jenniru, son-in-law
lu jiditu, finger
jinnaru, January
jiri d'accordu, to agree
jiri, to go
lu jocu, play, game
jo, I
lu jornu, day, **li jorna**, days
jucari a scacchi, play chess
jucari, to play a game
lu jucaturi, player
junciri, to join, reach
juntu/a, joined
la jurnata, whole day
jusu, below, downstairs

L

lu labbru, lip, **li labbra** lips
lu labirintu, labyrinth
lu lacu, lake
l'aeruportu, airport
la, her
lu lamentu, lament
lamintarisi, to complain
la lanza, lance
la lapa, bee
largu/a, wide
lassari, to leave
lu/la latru/a, thief
lu lattaru, dairyman
lu latti, milk
la lauria, degree
la lavagna, blackboard
la lava, lava
lavarisi, to get washed, to wash
lèggiri, to read
Lei, you (polite)
lentu/a, slow
lu lettu, bed
lu liafanti, lu liotru, elephant
libbiru/a, free
la libirtà, liberty
la libraria, bookstore
lu libraru, bookseller
lu librettu, bankbook
lu libru, book
liccu/a, gluttonous
liggeru/a, light
la lignami, wood
lu lignu, wood
la lingua, language, tongue
lu/la **linguista**, linguist
la lintizza, slowness
lu linzolu, bed sheet
lisciu/a, straight, smooth
la lista, list
li, them
lu litru, liter
la littra, letter
lu litturi, reader
livari, to remove
livarisi, to take off
longu/a, tall, long
lordu/a, dirty
lucenti, shiny
la luci, light
lugliu, July
lu, him
lu lumi, lamp
lu lumiuni, lemon
la Luna, Moon
lu luneddì, Monday
lu lupu, wolf
sicilianu/a, Sicilian

M

macari, too, also
lu maccarruni, homemade pasta, simpleton
macchiari, to stain
la macchia, stain
la macelleria, butcher shop
lu macellu, slaughterhouse
la machina, car
lu maestru/a, teacher
la maglia, sweater
la maglietta, T-shirt
magnificu/a, magnificent
mai, never, ever
la maistra, teacher
maju, May
lu/la malalingua, rumormonger
la malaparti, misdeed
la malatìa, disease
lu/la malatu/a, ill person
malatu/a, sick
maleducatu/a, uncouth
malgradu, in spite of
lu mali, evil
maltrattari, to mistreat
lu malviventi, scoundrel
la manata, slap, blow with palm of the hand
la mancanza, lack
mancari, to lack
manciari to eat, to itch
la manera, way
la manica, sleeve
lu manicu, the handle
manifestari, to manifest, show
mannari, to send
la manu, hand
la manu manca, left hand
la margarina, margarine
lu marinaru, sailor
maritarisi, to get married
lu maritu, husband
marrò, brown
lu marteddì, Tuesday
Marti, Mars, also Tuesday
marzu, March

maschili, masculine
lu masciddaru, jaw
lu m*a*sculu, male
masticari, to chew
lu mastru, artisan, tradesman
la matim*a*tica, math
la matina, morning
lu matiriali, material
lu matrimoniu, wedding
la matri, mother
lu mazzu, bunch
m**briacari**, to get drunk
lu mbriacu, drunk
mbrugghiari, to confuse, cheat
lu m*e*dicu, doctor
megghiu, better
lu meli, honey
me, my
la m*e*nnula, almond
menu mali, thank God
menù, menu
menu, minus
menzanotti, midnight
menzu, half
menzujornu, noon
la meravigghia, **(miravigghia)**, marvel
lu merculeddì, Wednesday
lu metru, meter
m*è*ttiri, to put, place
m*e*ttiri a prova, to test
m*è*ttiri di latu, to put aside
mia, me
lu micc*a*nicu, mechanic
la midicina, medicine
mi dispiaci, I am sorry
lu migghiu, mile
la milinciana, eggplant
lu miliardu, billion
lu miliuni, million
millinnaria, millenary
milli, one thousand
mi, me
minacciusu/a, menacing
minazzari, to threaten
minirali, mineral
lu ministru, Minister
la minnitta, vengeance
la minzogna, lie
Mircuriu, Mercury
miricanu, American
miser*a*bbili, miserable
lu misi, month
lu missaggiu, message
lu misteri, trade
misu/a, placed, put p.p. of mettiri
la misura, measure, size
la mit*a*fura, metaphor
lu mitallu, metal
mittirisi li manu ntê capiddi, to be confused, dismayed.
mittirisi, to put on, to wear
lu mitu, myth
miu, my, mine
mmiscari, to mix, combine
m**miscatu**, mixed p.p.
la moda, fashion
modernu/a, modern
lu modu, way
mòriri, to die
lu mortu, dead person
m*o*viri, to move
m**parari**, to learn
lu/la mpiegatu/a, employee, clerk
m**p*i*nciri**, to bind
m**pintu**, bound p.p.
m**poviriri**, to impoverish
m**priggiunari**, to emprison
la mprissioni, impression
m**pristari**, to lend
m**purtanti**, important
la muddica, crumb
lu mudellu model
la mugghieri, wife
lu mulinaru, miller
lu mulinu, mill
lu mumentu, moment
lu municipiu, town hall
lu munnu, world
la muntagna, mountain
la murali, moral
lu muraturi, mason
lu muru, wall
lu mus*a*icu, mosaic
la musca, fly
la muschìa, mosque
la muschitta, gnat
musciu/a, depressed, feeling low
lu museu, museum
musicali, musical
mustrari, to show
lu mustu, must
li mutanni, underwear, panties
lu mutivu, motive
lu muttu, saying
mutu/a, silent, mute
muvimintatu/a, hectic
muzzicari, to bite

N

la nanna, grandmother
lu nannu grandfather
nanticchia, a little
n*a*sciri, to be born
lu nasu, nose
Natali, Christmas
natari, to swim
lu nataturi, swimmer
nativu/a, native
naturalmenti, naturally
n*a*utru, another
la navi, boat
naziunali, national
ncazzarisi, to get angry
ncèndiu, fire
ncignusu, clever
nciuria, nickname
ncuddari, to glue
ncuddatu/a, glued
ncuntrari, to encounter, meet
ncuraggiari, to encourage
ncuscenti, irresponsible
la ndipinnenza, independence
lu ndrizzu, address
negativamenti, negatively
lu negozziu, nigozziu, store
né...né, neither...nor
nenti, nothing, anything
n*e*sciri, to go out
la n*e*vula, cloud
nfatti, in fact
lu nfirmeri, male nurse
lu ngridienti, ingredient
ngrisi, English
ngrussari, to get fat
nicu/a, small
nigari, to deny
nimicu/a, enemy
la nimimagghia, riddle
la ninfa, nymph
lu/la niputi, nephew, grandchild
nirvusu/a, nervous
niuru/a, black
ni, us, to us, ourselves
nivicari, to snow
la nivi, snow
lu nnamuratu, suitor, in love
nni/nna/nta, in, to
nnistari, to graft
nnuccenti, innocent
nonu, ninth
la nora, daughter-in-law
normali, normal

normalmenti, normally
nostru, our, ours
la notti, night
lu notu, swimming
novembri, November
novu/a, new
nta, in
nta na botta, at once
ntantu, meanwhile
nteliggenti, intelligent
nteliggenza, intelligence
ntenzu/a, intense
nteressanti, interesting
la ntisa, understanding
ntra, among
ntr*a*siri, to enter
ntuppari, to block
nturciuniari, to twist, intertwine
nuddu, nobody
nui, we
lu n*u*miru, number
numirusu/a, *numerous*
la nutizia, news
lu nutt*a*mmulu, night owl
la nuvella, short story
li nuvelli spusi, newly married
la nuvità, news
la nvasioni, invasion
nveci, instead
lu nvernu, winter
nvitari, to invite
lu/a nvitatu/a, guest
lu nvitu, invitation
la nzalata, salad
nz*e*mmula, together
nzignari, to teach
nzumma, to sum up
nzurtari, to insult

O

l'oca, duck
l'occasioni, opportunities
l'ucchiali, eyeglasses
l'occhi, eyes
occupatu/a, busy, occupied
odiari, to hate
off*e*nniri, to offend
offisu/a, offended
*o***ffriri,** to offer
l'ogghiu, oil
oggi today
ogni every, each
l'omu, man, **l'òmini,** men
onestamenti, honestly
onestu/a, honest
l'onuri, honor
o, or
l'operazioni, operation
l'*o*pira, work, opera
oppostu/a, opposite
oramai, by now
ora, now
ora ora, right now
organizzari, to organize
l'*o*rganu, organ
l'or*i*ganu, oregano
l'oru, gold
ospitari, to host, hold
l'ossu, bone, **l'ossa,** bones
ossirvari, to observe
ottavu, eighth
ottobri, October
l'ovu, egg, **li ova,** eggs

P

paccariatu/a, short of money
lu paccu, package
la padedda, pan
pagari, to pay
la pagghia, straw
lu paisi, country, town
lu palazzu, palace
la palestra, gym
la palla, ball
la pallacanestru, basketball
la pallina, little ball
lu palluni, soccer ball, balloon
la palora, word, also **parola**
lu palu, pole
lu pani, bread
lu paninu, sandwich
la pantera, panther
la panza, belly, stomach
lu papà, dad
lu Papa, Pope
pappaleccu/a, stutterer
lu parcheggiu, parking
lu parcu, park
lu parenti, relative
p*a*riri, to seem
parrari, to speak
particulari, special, particular
la partita, game
lu paru, pair
la Pasqua, Easter
passari, to pass
la passiata, walk
passu passu, slowly
lu passu, step
la pasta, pasta
li pasti, pastries, cookies
lu pasturi, shepherd
la pasturizia, dairy farming
la patata, potato
lu patruni, owner, boss
pazzamenti, madly
pazzu, crazy
la p*e*cura, sheep
la peddi, leather, skin
lu pedi, foot
la pena, sorrow
perciò, for this reason
p*e*rdiri, to lose
lu peritu, expert
però, but
persu/a, lost
la petra, stone
lu pettu, chest
lu pezzu, piece
piac*e*vuli, pleasant
lu piaciri, pleasure
piaciri, glad to meet you
piaciri, to please, to like
lu piantirrenu, ground floor
lu pianu, floor
lu pianu, piano
lu piattu, dish
picca, little
picchì, so that
picchì, why, because
picchissu, for that reason
picchistu, for this reason
lu picciottu, young man
lu/la picciriddu/a boy/girl
la piculiarità, peculiarity
lu picuraru, shepherd
la p*i*data, kick
la pietà, pity, compassion
pi favuri, please
pi, pir, for
pigghiari, to take
lu pignolu, pedantic
li pignoli, pine nuts
la pinna, feather, pen
lu pinninu, slope
la pinzata, thought, opinion
la pinzioni, pension
pinziunatu/a, pensioned, retired
pinzari, to think
lu pipi, pepper
lu pirata, pirate
pirciari, to pierce
pirciò, therefore
lu pir*i*culu, danger
lu pirsunaggiu, character

pirsunalmenti, personally
la pirsuna, person
la pirsunificazioni, personification
pisanti, heavy
la piscarìa, fish market
lu pisci, fish
lu pitrusinu, parsley
pittari, to paint
la pizza, pizza
pizzenti, penniless
la plastica, plastic
platonicu/a, platonic
plausibili, plausible
pocu, little
poi, then
lu ponti, bridge
populari, popular
lu populu, people
lu porcu, pig
la porta, door
la porzioni, serving, portion
possibili, possible
la possibilità, possibility, means
la posta, mail
lu postu, place
poviru/a, povuru/a, poor
lu pranzu, lunch
la pratica, practice
praticari, to practice, engage in
precedenti, preceding
lu premiu, prize
preoccuparisi, to worry
preoccupatu/a, worried
prestu, soon
pricisu/a, precise
prifiriri, to prefer, (isc)
prifirutu/a, favored
lu priggiuneri, prisoner
prilibbatu/a, delicious
prima, before
prima chi/ca, before
la primavera, spring
primu/a, first
lu principiu, beginning
prinutarisi, to reserve
priparari, to prepare
prisintarisi, to introduce oneself
prisintari, to introduce
prisintusu/a, overbearing
pritenniri, to pretend, expect
privatu/a, private
priziusu/a, precious
lu problema, prublema, problem
prontu/a, ready
pronunziari, to pronounce
propriu/a, own
propriu, really
prossimu/a, next
la prova, proof
prudenti, prudent
lu prufissuri, professor
lu prugramma, program
prugressu, progress
prumettiri, to promise
lu prumuntoriu, promontory
pruteggiri, to protect
pruvirbiali, proverbial
lu pubblicu, the audience, spectators
pubblicu/a, public
lu pueta, poet
la puisia, poem
pulitu/a, clean
pulizziari, to clean
lu purmuni, lung
la purmuniti, pneumonia
lu pumadoru, tomato
lu pumperi, fireman
pumpusu/a, pompous
lu pumu, apple
punciri, to needle
puniri, to punish
lu puntu, point
lu puparu, puppeteer
lu pupu, puppet
lu purcili, pigsty
la purga, laxative
purtari, to bring
lu purteri, goal tender
lu purtusu, hole
puru, also, too
la purviri, dust, powder
pusari, to place, put
pussediri, to own
pustiggiari, to park
lu pusu, wrist
putenti, powerful
la putenza, power
lu putiaru, shopkeeper
la putìa, store
putiri, can, to be able to
puzzari, to stink

Q

quacchi, some
la quadara, pot
lu quadararu, pot maker
la qualifica, qualification
la qualità, quality
quali What
quali, which, who, whom
qualsiasi cosa, anything
quannu, when
quantu, how much, many
la quartara, jug
quartu/a, fourth
quartu, quarter
lu quaternu, notebook
lu quatratu, square
quattru, four
quintu/a, fifth
la quistiuni, question

R

raccumannari, to recommend
raccumannazioni, recommendation
la racina, grape
lu raffridduri, cold
raffurzari, to reinforce
ragghiari, to hee-haw, bray
raggiatu/a, angry
raggiunari, to reason
la raggiuni, reason
lu rallentaturi, slow motion
lu rami, copper
lu rammaricu, regret
rapprisintari, to represent
raramenti, rarely
lu reclamu, complaint
reggiri, to hold up
regulari, regular
regularmenti, regularly
la regula, rule
lu re, king
la responzabilità, responsibility
rialari, to give as gift
lu rialu, gift
la ricchizza, wealth
ricciu, curly
riccu, rich
la ricerca, research
ricitari, to recite
riciviri, to receive
la ricivuta, receipt
lu ricordu, memory
ricurdarisi, to remember
ridduciri, to reduce
riddutt u/a, reduced
ridiri, to laugh
lu riferimentu, reference
lu riflessu, reflection
la riggina, queen

rigistrari, to register, to note
rignari, to reign
rilassatu, relaxed
lu riloggiu, watch
lu rimitu, hermit
rimpruvirari, to reprimand
rin*e*sciri, to succeed
ringraziari, to thank
riparari, to repair
lu riposu, rest
ripusari, to rest
lu riscaldamentu, heat
ris*o*rviri, to resolve
lu risparmiaturi, thrifty
rispirari, to breathe
risp*u*nniri, to answer
lu risultatu, result
lu risu, rice
lu riticulatu, fence
la riti, net
la riunioni, reunion
riuniri, to reunite
lu rivali, rival
la rivista magazine
la rizzetta, recipe, prescription
la robba, cloth
la robba, property, land
li robbi, clothes
rom*a*nticu/a, romantic
la rosa, rose
rozzu/a, rough
rudirisi lu ficatu, to seethe
la r*u*ggini, rust
lu rumanzu, novel
r*u*mpiri, to break
lu rumuri, noise
lu russettu, lipstick
russicciu/a, reddish
russu, red
russu, Russian
ruttu, broken *p.p.* of **rumpiri**

S

lu s*a*bbatu Saturday
la sacchetta, pocket
lu saccu, sack
lu sacrificiu, sacrifice
saggiu/a, wise
la saggizza, wisdom
la saìmi, lard
la sala di pranzu, dining room
lu salariu, salary
salatu/a, salted
lu sali, salt
lu salottu, living room
salutari, to greet
lu sangu, blood
lu santu patronu, patron saint
lu santu, saint
sapiri, to know
lu sapunaru, soap maker
lu sapuni, soap
lu sapuri, flavor
sapuritu/a, tasty
la sarda, sardine
la sarsa, sauce
la sarturìa, tailor shop
lu sartu, tailor
la s*a*tira, satire
Lu s*a*tiru, satyr
sautari, to jump
lu sbagghiu, mistake
sbarcari, to land
sb*a*ttiri, to slam, to turn
sbilanciari, unbalance
sbintatu/a, foolish, brash
lu sbirru, policeman, cop
scalari, to climb
scantarisi, to be afraid
scappari, to escape
lu scarparu, shoemaker
la scarpa, shoe
scattari lu nasu, to have a nose-bleed
scattru/a, sharp, intelligent
lu sceccu, donkey
sc*e*gghiri, to choose
schifu, disgust
schirzannu, joking
schirzari, to joke
sciarriarisi, to quarrel
la scienza, science
lu scienziatu, scientist
la scimia, monkey
scimunitu/a, idiot
sc*i*nniri, to come down, descend
sci*o*gghiri, to untie, loosen
scipitu/a, tasteless
scisu, descended *p.p.*
la scola media, Junior HS
scump*o*niri, get upset
la scritta, label
lu scritturi, writer
scrittu, written *p.p.*
scr*i*viri, to write
lu scrusciu, sound
scumpariri, to disappear (isc)
la scupa, broom
scurdari, to forget
scuru/a, dark
la scusa, excuse
scusari, to excuse
scuttari, to pay for
lu scutu, shield
sdirrupatu/a, ruined
la secretaria, secretary
lu s*e*culu, century
secunnu, according to
secunnu, second
la seggia, chair
sempri, (sempi) always
senz*i*bili, sensitive
s*e*ntiri, to hear
senza chi/ca, without
seriamenti, seriously
la serietà, seriousness
serii A, First Division (soccer)
seriu/a, serious
s*e*rviri, to serve, need
sestu/a, sixth
s*e*ttimu/a, seventh
la sfacciat*a*ggini, brazenness
lu sforzu, effort
sfriggiari, to disfigure
sfugari, to vent
sgaggiari, to scratch
lu sgangu, piece of
sgarbatu/a, ill mannered
sibbeni, although
la sicaretta, cigarette
lu sic*a*rru, cigar
siccomu, since, as
siccu/a, magru/a, thin
lu sicretu, secret
sicuru, sure
siddiarisi, to get angry
siddiatu/a, angry, annoyed
lu signali, sign
lu significatu, meaning
la signura, lady
lu Signuri, Lord
la signurina, miss, young lady
si, if
lu silenziu, silence
la simana, week
lu s*i*mbulu, symbol
la simenza, seed
lu siminariu, seminary
simp*a*ticu/a, charming, pleasant
lu sinaturi, senator
lu sinatu, senate
sinceru/a, sincere
la sinfunìa, synphony
sinistru/a, left
lu s*i*nnacu, mayor

sintimentu, sentiment
sintimintali, sentimental
sintimintusu, thoughtful
sipararisi, to get separated
la sira, evening
la sirata, evening
lu sirgenti, sergeant
lu sirviziu, service
sistimatu/a, settled
sittembri, September
la situazioni, situation
la slitta, ski
smuntari, to take apart, undo
snellu/a, slim
s*o*ffriri, to suffer
la s*o*ggira, mother-in-law
lu s*o*ggiru, father-in-law
so, his, her, your, their, theirs
la sola, sole (shoe)
lu sonu, sound
li sordi, money
lu sordu, penny
la soru, sister
la sosizza, sausage
la spadda, shoulder
la spaddata, shoulder check
spagnolu, Spanish
la sparatoria, shooting
sp*a*rgiri la vuci, to spread the news
sparrari, to gossip
la sparrittera, gossip, loose-lip
spasciari, to break
spaziusu/a, spacious
speciali, also **spiciali,** special
lu/la specialista, specialist
specialmenti, especially
sp*e*nniri, to spend
spertu/a, expert
lu spertu/a, expert man/woman
spiari, to ask
spiari, to spy
spiccicarisi, to unglue oneself
spidiri, to send
spiegari, to explain
li spinaci, spinach
sp*i*nciri, to push, to lift
la spirali, spiral
la spiranza, hope
spirari, to hope
la spirienza, experience
spissu, often
lu spitali, hospital
spr*e*miri, to squeeze
spugghiarisi, to get undressed
spuntari, to rise, to appear
squagghiari, to melt
lu squalu, shark
la squatra, team
siccari, to dry up
sta, this
stabiliri, to establish
la staçiuni, season
la stadda, stable
lu st*a*diu, stadium
stamatina, this morning
stancarisi, to get tired
stancu/a, tired
stancu/a mortu/a, dead tired
la stanchizza, tiredness, fatigue
stanotti, tonight
la stanza, room
stari a galla, to keep afloat
stari, to stay, to be
stasira, tonight
la stati, summer
statu, been, *p.p.*
lu statu, state
la stazioni di rifornimentu, gas station
la stazioni, station
st*e*nniri, to hang (clothes)
lu stipenniu, stipend, salary
stissu/a, same
stisu, hung *p.p.*
lu st*o*macu, stomach
la storia, history
strafari, to overdo
strammu/a, weird
stranamenti, strangely
lu/la straneru/a, stranger
stranu/a, strange
stranutari, to sneeze
la strata, street, road
straurdinariu/a, extraordinary
lu str*e*pitu, noise
strincirisi li manu, to shake hands
str*i*nciri, to hold, tighten
strittu/a, narrow
lu strumentu, instrument
lu studenti, student
studiari, to study
la studintissa, student
stunatu/a, odd
st*u*pidu/a, stupid
la stupit*a*ggini, stupidity
s*ù*bbitu, right away
succ*e*diri, to happen
sodisfari, to satisfy
sodisfattu, satisfied *p.p.*
lu suggettu, subject
lu suli, sun
sulu, only, alone
su misura, to order
sunari, to play
lu sunaturi, player
la superfici, surface
supirari, to better
lu supirmircatu, supermarket
la suppa, soup
suppurtari, to put up with
lu supragigghiu, eyebrows
supra, on, above
supraffari, to overcome, conquer
lu surci, mouse
lu surciteddu, little mouse
surdu/a, deaf
lu s*ù*rfaru, sulfur
surridenti, smiling
surr*i*diri, to smile
lu surrisu, smile
susirisi, to get up
suspittari, to suspect
lu sustinituri, supporter
susu, up, upstairs
sutta, under, below
lu suttirraniu, underground
svigghiarisi, to awaken
svigghiari, to awaken

T

lu tabbaccaru, tobacconist
lu tabbaccu, tobacco
lu taccu, heel
tagghiari, to cut
talè, look
talianu/a, Italian
taliari, to look
tantu, much, a lot
tanti, many
tantu...quantu, as much...as
lu tappu, cork
tardu, late
tartagghiari, to stutter
la tartaruca, turtle
la tassa, tax
lu tassì, taxi
la taverna, tavern
lu t*a*vulu, table
la tazza, cup
tedescu/a, German
telefunari, to telephone
lu telegramma, telegram
lu temperamentu, temperament

lu tempiu, temple
tèniri, to hold
la termi, spa
la terra, earth
la terra, land, soil
lu/la terrorista, terrorist
terzu/a, third
la testa, head
lu tè, tea
tia, you, disjunctive pron.
tifari, to root
la tigri, tiger
timiri, to fear
lu timpurali, storm
tintari, to tempt
tintu/a, bad
tirari, to pull
tirragnu/a, earth-bound
tiratu/a, stingy, cheap
lu tirrimotu, earthquake
tisu/a, taut, erect *p.p.*
tistardu/a, stubborn
ti, you, to you, yourself
la tomaia, leather upper
la torta, cake
to, your, yours
tra, between
lu tradimentu, betrayal
tradiri, to betray (isc)
tradottu, traduciutu, translated *p.p.*
trad*u*ciri, to translate
lu tr*a*ficu, traffic
la traggedia, tragedy
lu trampulinu, trampoline
tranni, except
tranquillamenti, calmly
la tranquillità, tranquility
tra pocu, in a little while
trascinarisi, to drag oneself
traspurtari, to transport, carry
la tratturìa, restaurant
lu tratturi, tractor
travagghiari, to work
lu travagghiaturi, worker
lu travagghiu, work
lu trenu, train
lu tribunali, tribunal, court
tristi, sad
la troia, sow
lu tronu, throne
troppu, too much
lu truccu, trick
truvari, to find
tuffarisi, to dive
tuppuliari, to knock
turcu/a, Turkish
turnari a galla, to surface
la tussi, cough
tustatu, toasted
tuttu, everything, all
tu, you (familiar)

U

l'ucchiali di suli, sunglasses
l'ufficiu, office
l'ulmu, elm tree
***u*ltimu/a, (*u*rtimu/a)** last
umanu/a, human
l'umbra, shade, shadow
unchiu/a, swollen, full
unni, where
l'unversità, university
l'ura, hour
l'uscita, exit
***u*tili,** useful

V

vacanti, empty
la vacanza, vacation
la vacca, cow
lu vaccaru, cowherder
lu vaglia pustali, money order
valurusu/a, valiant
vecchiu/a, old
vegetarianu/a, vegetarian
vèniri, to come
V*e*niri, Venus
lu vennerdì, Friday
lu ventu, wind
veramenti, truly
viaggiari, to travel
lu viaggiu, journey
lu viali, avenue
vicinu, nearby, near
viddanamenti, uncouthly
lu/la viddanu/a, farmer, peasant
lu viddicu, the belly button
v*i*diri, to see
la v*i*dua, widow
la vigna, vineyard
lu vilenu, poison
viloci, fast
vilocimenti, quickly
la vilocità, speed
v*i*nciri, to win
lu vinciturі, winner
la vinnigna, the grape harvest
vinnignari, to harvest the grapes
v*i*nniri, to sell
lu vintagghiu, fan
lu vinu, wine
virdi, green
la virdura, vegetables
virgugnarisi, to feel shame
la virità, truth
la virtù, virtue
la visioni, vision
visitari, to visit
la vista, sight, view
vistirisi, to get dressed
lu vistitu, suit
vistu ca, seeing that
la vita, life
la vitrina, display window
v*i*viri, to live
vivu/a, alive
vi, you, to you, yourselves
Vossia, you (Polite)
vostru, your, yours
la vota, time
lu votu, vote
la vuci, voice
vui, vuiautri, you (plural)
vulari, to fly
lu vulcanu, volcano
vuliri, to want
vuliri beni, to love
la vulpi, fox
vurricari, to bury
vurricatu/a, buried p.p.
vutari, to vote

Z

zappari, to till
la zappatina, hoeing
lu zappuni, hoe
la zia, aunt
la zita, fiancée
lu ziu, uncle
lu z*o*cculu, clog
zoccu, what, that which
lu z*u*ccaru, sugar

English-Sicilian Vocabulary

This vocabulary contains most of the words used in this book. We have opted not to duplicate some of the vocabulary given in the reading passages. Nouns are listed with the definite articles that indicate the gender. Nouns ending in **i** will also identify the gender with **f.** for feminine and **m.** for masculine. Adjectives ending in **u** will also show the feminine in **a**. Those ending in **i** will remain unchanged. Verbs will be given in the infinitive form in Sicilian and in English. Past Participles are identified with **p.p.** after them. Verbs ending with **si** are reflexive. Verbs ending in **iri** that add **isc** to the stem in the present tense are identified with (isc). In Sicilian words are pronounced with stress on the penultimate syllable, unless otherwise indicated. The italic vowel in words indicates that the stress goes on that vowel. Reflexive verbs are stressed on the third from the last syllable i.e., marit***a***risi. Stress is also indicated with accents.

A

abundance, **l'abbunnanza**
abundant, **abbunnanti**
to accelerate, **accellirari**
to accept, **accittari**
accident, **l'incidenti** *m.*
accompaniment, **l'accompagnamentu**
according to, **secunnu**
accused, **l'accusatu**
acquaintance, **la canuscenza**
action, **l'azioni** *f.*
actor, **l'atturi/l'attrici**
address, **l'indirizzu**
to admire, **ammirari**
to admit, **amm*e*ttiri**
to admonish, **ammoniri**
a drop at a time, **a goccia a goccia**
advice, **lu cunzigghiu**
to advise, **cunzigghiari**
to afflict, **affr*i*ggiri**
afflicted, **affrittu/a** *p.p.*
after, **doppu**
afternoon, **la basciura**
aged, **anzianu/a**
aggressive, **aggressivu/a**
to agree, **accurdarisi**
to agree, **jiri d'accordu**
agriculture, **l'agricultura**
ahead, **avanti**
air, **l'aria**
air conditioning, **l'aria condiziunata**
airport, **l'aeruportu**
Albanian, **albanisi**
alderman, **l'assissuri,** *m.*
alive, **vivu/a**
allergic, **all*e*rgicu/a**
allergy, **l'allergìa**
all, **tuttu**
almond, **la m*e*nnula**
already, **già**
also, **puru, macari**
although, **binchì, cu tuttu chi, sibbeni**
always, **sempri**
American, **miricanu/a**
among, **ntra**
amusing, **divirtenti**
ancestor, **l'antinatu**
ancient, **anticu/a**
angel, ***a*ncilu**
angry, **raggiatu/a**
anguish, **l'angoscia**
animal, **l'animali**, also **armali** *m.*
ankle, **la cavigghia**
to announce, **annunciari**
announcement, **l'annunciu**
annoyed, **siddiatu/a,** *p.p.*
another, **nàutru/a**
to answer, **risp*ù*nniri**
answer, **la risposta**
ant, **la furm*ì*cula**
antipasto, **l'antipastu**
anything, **qualsiasi cosa**
apple, **lu pumu**
to appreciate, **gradiri, apprizzari**
to approach, **accustari**
appropriate, **appropriatu/a**
April, **aprili**
arm, **lu brazzu/li brazza**
around, **attornu**
arrogant, **arruganti**
art, **l'arti** *f.*
article, **l'artìculu**
artisan, **l'artigianu**
ash, **la c*i*nniri**
to ask a question, **fari na dumanna**
to ask, **spiari, dumannari**
as long as, **abbasta ca**
as much...as, **tantu...quantu**
aspirin, **l'aspirina**
ass, **lu culu**
associated, **assuciatu/a**
at least, **almenu**
at once, **nta na botta, sùbbitu**
to attach, **attaccari**
to attend, **friquintari**
to attract, **attràiri**
attracted, **attrattu/a** *p.p.*
August, **austu**
aunt, **la zia**
author, **l'auturi/l'autrici**
autumn, **l'autunnu**
avenue, **lu viali**
to awaken, **svigghiari**
to awaken, **svigghiarisi**

B

bad, **tintu/a**
bag, **la burza**
baker, **lu furnaru**
ballet, **lu ballettu**
ball (little), **la pallina**
balloon, **lu palluni**
ball, **la palla, lu palluni**
banana, **la banana**
bank, **la banca, lu bancu**
bank book, **lu librettu di banca**
banquet, **lu banchettu**
barber, **lu barberi, lu varberi**

to bark, **abbaiari**
baron, **lu baruni**
baroness, **la barunissa**
baroque, **baroccu/a**
basel, **lu basilicò**
basketball, **la pallacanestru**
bat, **lu bastuni di lignu**
bathroom, **lu bagnu**
beak, **lu beccu**
beard, **la barba**
beast, **la bestia**
to beat, **bastuniari, b*a*ttiri**
beaten, **bastuniatu/a** *p.p.*
beautiful, **beddu/a**
because, **picchì**
to become, **divintari**
bed, **lu lettu**
bedroom, **la camara di lettu**
bed sheet, **lu linzolu**
bee, **la lapa**
been, **statu,** *p.p.* of *e***ssiri** and **stari**
beer, **la birra**
to be, *e***ssiri**
before, **antura, prima**, **prima chi/ca**
to be frightened, **scantarisi**
beginning, **lu principiu**
behind, **dappressu, darreri**
Belgian, **Belga**
to believe, **crìdiri**
belly, **la panza**
belly button, **lu viddicu**
to belong, **appart*è*niri**
bench, **lu bancu**
beret, **la birritta**
to be, stay, **stari**
betrayal, **lu tradimentu**
to betray, **tradiri**
to better, exceed, **supirari**
better, **megghiu**
between, **tra**
to be upset, **biliarisi**
bicycle, **la bicicletta**
bicycle racing, **lu ciclismu**
big, **granni**
big, **grossu/a**
bile, **la bili**
bilingual, **bilingui**
bill, **la bulletta** (light, phone)
bill, **lu cuntu** (restaurant)
billion, **lu miliardu**
to bind, **mp*i*nciri**
bird, **l'aceddu**
birthday, **lu cumpliannu**
to bite, **muzzicari**
bitter, **amaru/a**
blackboard, **la lavagna**
black, **nìuru/a**
blacksmith, **lu firraru**
blessed, **biniditt u/a**
blessed soul, **la bonarma**
to blind, **cicari**
blindly, **a l'urbisca**
blindly, **cecamenti**
to block, **ntuppari**
blond, **biunnu/a**
blood, **lu sangu**
blue, **azzolu/a**
blue, **celesti**
boat, **la navi**
body, **lu corpu**
to boil, **b*u*gghiri**
bone, **l'ossu,** *(pl. f.)* **l'ossa**
book, lu **libru**
bookseller, **lu libraru**
bookstore, **la librarìa**
bottle, **la buttigghia**
bound, **mpintu** *p.p.*
boy, **lu carusu**
brains, **lu gnegnu**
brazen, **attrivitu/a**
brazenness, **la sfacciat*à*ggini**
brazier, **la conca**
bread, **lu pani**
breakfast, **la culazioni**
break, **lu frenu**
to break, **frinari** (car)
to break, **r*ù*mpiri**
to break, **spasciari**
breath, **lu çiatu**
to breathe, **rispirari**
bridge, **lu ponti**
to bring, **purtari**
broken, **ruttu/a** *p.p.*
broom, **la scupa**
brother, **lu frati**
brother-in-law, **lu cugnatu**
brown, **marrò**
bruise, **l'ammaccatina**
brunette, **brunu/a**
bubbly, **frizzanti**
bull, ox, **boi**
bunch, **lu mazzu**
buried, **vurricatu/a**
to burn, **abbruçiari**
to bury, **vurricari, sippilliri**
bus, **l'autubus**
butcher shop, **la macellerìa**
but, **però**
butter, **lu burru**
to buy, **accattari**

by heart, **a mimoria**
by now, **oramai**

C

cafeteria, **la menza**
cake, **la torta**
calendar, **lu calannariu**
to call, **chiamari**
calm, **calmu/a**
calmly, **tranquillamenti**
calmness, **la flemma, la calma**
candidate, **lu candidatu**
candle, **la cannila**
canine, **caninu/a**
cannibal, **lu cann*i*bali**
cannoli, **lu cannolu** (cream-filled pastry)
can, to be able, **putiri**
capers, **li chi*a*ppari**
capon, l**u capuni**
to caress, **accarizzari**
caretaker, **la/lu badanti**
car, **la m*a*china, l'autum*o*bbili**
carpenter, **lu falignami**
car racing, **l'automobbilismu**
cart, **lu carrettu**
cartoons, **li fumetti**
cat, **lu jattu, gattu**
cathedral, **lu domu**
to cease, **finiri**
to celebrate, **celebrari**
cellular, **cellulari**
cemetery, l**u campusantu**
cemetery worker, **lu beccamortu, lu bicchinu**
century, **lu s*e*culu**
ceremony, **la cirimonia**
certainty, **la cirtizza**
chair, **la seggia**
chalk, **lu gessu**
championship, **lu campiunatu**
to change, **canciari**
chapter, **lu cap*i*tulu**
character, **lu pirsunaggiu**
charming, **simp*a*ticu/a**
to chat, **chiacchirari**
cheap, **tiratu/a**
to cheat, **mbrugghiari**
cheese, **lu furmaggiu**
chest, **lu pettu**
to chew, **masticari**
chicken, **la jaddina**

chickpea, **lu c*i*ciru**
chief, **lu capu**
child, **picciriddu/a**
chin, **lu barbarottu**
Chinese, **cinisi**
chin, **lu jangularu**
chocolate, **lu ciocculattu**
to choose, **sc*e*gghiri**
Christmas, **lu Natali**
church, **la chiesa, la cresia**
cigarette, **la sicaretta**
cigar, **lu sic*a*rru**
civilization, **la civiltà**
to clarify, **chiariri** (isc)
class, **la classi**
classmate, **lu cumpagnu di scola**
clean, **pulitu/a**
to clean, **pulizziari**
clear, **chiaru/a**
clearly, **chiaramenti**
clever, n**cignusu/a**
client, **lu/la clienti**
to climb, **scalari, nchianari**
clog, **lu z*o*cculu**
to close, **chi*u*diri**
closed, **chiusu**
clothes, **li robbi**
cloth, **la robba**
cloud, **la n*e*vula**
coal merchant/maker, **lu carvunaru**
coffee, **lu cafè**
coffee maker, **la caffittera**
cold, **lu raffridduri**
collar, **lu collettu, lu cullettu**
to colonize, **colonizzari**
colonoscopy, **la colonoscop*i*a**
colored, **culuratu/a**
column, **la culonna**
comedy, **la cummedia**
to come, **veniri**
comic, **còmicu/a**
to command, **cumannari**
command, **lu cumannu**
to commit, **cumm*e*ttiri**
common, **cumuni**
to complain, **lamintarisi**
complaint, **lu reclamu**
complicated, **cumplicatu/a**
composed, **cumpostu/a** *p.p.*
condemnation, **la cunnanna**
conference, **la cunfirenza**
confidence, **la fiducia**
to confuse, **cunf*u*nniri**
confused, **cunfusu/a** *p.p.*
to conquer, **conquistari, supraffari**
conquered, **conquistatu/a**
to consider, **cunziddirari**
consolation, **lu cunfortu**
to consume, **cunzumari**
contentious, **cuntinziusu/a**
continuously, **continuamenti, di s*e*guitu**
contract, **lu cuntrattu**
contrary, **cuntrariu/a**
to contribute, **contribuiri** (isc)
conversation, **la cunvirsazioni**
convict, **lu carciratu**
to convince, **cunv*i*nciri**
cook, **lu cocu, la coca**
to cook, **cucinari, c*o*ciri**
cooked, **cottu/a** *p.p.*
copper, **lu rami**
cork, **lu tappu**
to correct, **curr*e*ggiri**
corruption, **la corruzioni**
to cost, **custari**
cough, **la tussi**
count, **lu conti**
to count, **cuntari**
countess, **la cuntissa**
countryside, **la campagna**
courage, **lu curaggiu**
course, **lu corsu**
court, **la Curti**
to court, **curtiggiari, fari la curti**
courteous, **curtisi**
cousin, **lu cuçinu, la cuçina**
cover, **la cutri**
covered, **cummugghiatu/a** *p.p.*
cowboy, **lu bujaru**
cowherder, **lu vaccaru**
cow, **la vacca**
crazy, **lu pazzu**
crisis, **la crisi**
to criticize, **criticari**
cross, **la cruci**
crown, **la cruna**
cruel, **crudeli**
crumb, **la muddica**
crying, **lu chiantu**
cuckold, **lu curnutu**
cult, **lu cultu**
cup, **la tazza**
to cure, **curari**
curious, **curiusu/a**
curly, **ricciu/a**
current, **attuali**
to curse, **bistimmiari**
custom, **lu costumi**
to cut, **tagghiari**
cycle, **lu ciclu**

D

dad, **lu papà**
dairy farming, **la pasturizia**
dairyman, **lu lattaru**
to dance, **ballari**
dark, **scuru/a**
daughter-in-law, **la nora**
day after tomorrow, **doppudumani**
day, **jornu**
dead, **mortu**
dead tired, **stancu/a mortu/a**
deaf, **surdu/a**
dear, **caru/a**
debt, **lu d*e*bbitu**
December, **dicembri**
decent, **discretu/a**
deed, **lu fattu**
deep, **funnu/a**
defect, **lu difettu**
degree, **la l*a*uria**
delicate, **dilicatu/a**
delicious, **prilibbatu/a, diliziusu**
deluge, **lu diluviu**
dentist, **lu/la dintista**
to deny, **nigari**
deposit, **lu dep*o*situ**
depressed, **depressu/a**
depressed, **musciu/a**
depression, **la depressioni**
to derive, **derivari**
descended, **scisu/a p.p.**
to descend, **sc*i*nniri**
desk, **lu bancu**
to despair, **dispirarisi**
desperate, **dispiratu**
destiny, **lu distinu**
destroyed, **distruttu/a** *p.p.*
didactical, **did*a*tticu/a**
to die, **m*o*riri**
to die out, **astutarisi**
diet, **la dieta**
difference, **la differenza**
different, **diversi**
difficult, **diff*i*cili**
to digest, **diggiriri** (isc)
dining room, **la sala di pranzu**
dirty, **lordu/a, sporcu/a**
to disappear, **scumpariri** (isc)
disaster, **lu disastru**

disease, **la malat*i*a**
to disfigure, **sfriggiari**
disgust, **lu schifu, disgustu**
dish, **lu piattu**
displayed, **espostu/a** *p.p.*
distance, **la distanza**
to distance oneself, **arrassarisi, alluntanarisi**
to distinguish, **dist*i*nguiri**
distracted, **distrattu/a** *p,p.*
to dive, **tuffarisi**
divided, **divisu/a** *p,p.*
to divide, **div*i*diri**
doctor, **lu m*e*dicu, lu dutturi**
document, **lu documentu**
to do, to make, **fari**
dog, **lu cani**
domestic, **dum*e*sticu/a**
done, **fattu/a** *p,p.*
donkey, **lu sceccu, l'asinu**
door, **la porta**
dormitory, **lu dormitoriu**
doubt, **lu dubbiu**
dozen, **la duzzina**
to drag oneself, **trascinarisi**
drawing, **lu disegnu**
to drink, **b*i*viri**
to drip, **culari**
to drive, **maniari, guidari**
to drown, **anniari**
drum, **lu tammuru, la battar*i*a**
drunk, **lu mbriacu**
dry, **asciuttu/a**
to dry up, **assiccari, 'ssiccari**
duck, **l'oca**
dumb, **fissa, st*u*pidu**
during, **duranti**
dust, **la p*u*rviri**

E

to earn, **guadagnari**
earth-bound, **tirragnu**
earthquake, **lu tirrimotu**
earth, **la terra**
easily, **facilmenti**
Easter, **la Pasqua**
easy, **f*a*cili**
to eat, **manciari**
economic, **economicu/a**
effect, **l'effettu**
effort, **lu sforzu**
egg, **l'ovu, li ova**
eggplant, **la milinciana**
eighth, **l'ottavu**
elbow, **lu g*o*mitu**
elegantly, **elegantimenti**
elementary, **elementari**
elephant, **lu liafanti, liotru**
elm tree, **l'ulmu**
elopement, **la fuitina**
emphatically, **cu *e*nfasi**
employee, **lu/la mpiegatu/a**
to emprison, **mpriggiunari**
empty, **vacanti**
to encounter, **ncuntrari**
to encourage, **ncuraggiari**
to end badly, **finiri a schif*i*u**
end, **la fini**
end of the world, **lu finimunnu**
enemy, **lu nimicu**
English, **ngrisi, nglisi**
to enjoy, **g*o*diri**
to enjoy oneself, **divirtirisi**
to enrich oneself, **arricchirisi farisi riccu** (isc)
enter, **ntràsiri, trasiri**
era, **l'èbbica, l'epuca**
error, **l'erruri, lu sbagghiu**
to escape, flee, **scappari**
especially, **specialmenti**
to establish, **stabiliri** (isc)
eternity, **l'eternità**
evening, **la sirata**
every, each, **ogni**
evil, **lu mali**
exaggerated, **esaggiratu/a**
exam, **l'esami**
except, **tranni**
exceptional, **eccezziunali**
excuse, **la scusa**
to excuse, **scusari**
exercise, **l'eserciziu**
to exist, **es*i*stiri**
exit, **l'uscita, la nisciuta**
expensive, **custusu/a, caru/a**
experience, **la spirienza**
expert, **lu peritu, lu spertu**
to explain, **spiegari**
expressive, **espressivu/a**
to extract, **estrairi**
extraordinary, **straurdinariu/a**
eyebrow, **lu supragigghiu**
eyeglasses, **l'ucchiali**
eyelash, **lu gigghiu**
eye, **l'occhiu**

F

fable, **la f*a*vula**
face, **la facci**
to fail, **fari fiascu, falliri**
to fall asleep, **addurmrisi** (isc), **ntrummintarisi**
fame, **la fama**
family, **la famigghia**
famished, **affamatu/a**
fantastic, **fant*a*sticu/a**
fan, **lu vintagghiu**
farmer, **lu/la cuntadinu/a**
farmer, **lu/la viddanu/a**
fascinating, **affascinanti**
fashion, **la moda**
fast, **viloci**
fat, **grassu/a**
father-in law, **lu s*o*ggiru**
fatigue, **la stanchizza**
fava bean, **la fava**
favored, **favuritu/a**
favor, **lu favuri**
favorite, **favuritu/a**
to fear, **scantarisi, aviri paura**
fear, **lu scantu, la paura**
to fear, **timiri**
feather, **la pinna**
February, **frivaru**
to feel shame, **virgugnarisi**
feminine, **fimminili**
fence, **lu riticulatu**
fennel, **lu finocchiu**
fertile, **f*e*rtili**
fever, **la frevi**
fiancée, **la zita**
fidelity, **la fidiltà**
field, **lu campu**
fiery, **fucusu/a**
fifth, **quintu**
fig, **lu ficu, li fica**
financial, **finanziariu/a**
to find, **truvari**
fine, **finu/a**
finger, **lu j*i*ditu, li j*i*dita**
to finish, **finiri**
fire, **ncèndiu**
fireman, **lu pumperi**
first division, **la Serii A** (soccer)
first, **primu/a**
fish market, **la piscar*i*a**
fish, **lu pisci**
to fit, **càpiri,**
flag, **la bannera**
flavor, **lu sapuri**
floor, **lu pianu**
florist, **lu/la çiuraru/a**
flour, **la farina**
flower, **lu çiuri**

fly, **la musca**
to fly, **vulari**
foolish, **sbintatu/a, stunatu/a**
foot, **lu pedi**
to force, **custr*i*nciri**
forehead, **la frunti**
forge, **la forgia**
to forget, **scurdari**si
fork, **la furchetta**
formally, **formalmenti**
form, **la furma**
for, **pi**
for that reason, **picchissu**
for this reason, **perciò**
for this reason, **picchistu**
fountain, **la funtana**
fourth, **quartu/a**
fox, **la vulpi**
fraction, **la frazioni**
free, **l*i*bbiru/a**
French, **francisi**
Friday, **vennerdì**
fried, **frittu/a**
friend, **l'amicu/a**
from, **di**
fruit, **la frutta**
to fry, **fr*i*iri**
full, swollen, **unchiu/a, chinu/a**
to function, **funziunari**

G

game, **la partita**
garden, **lu giardinu**
gasoline, **la binzina**
gas station, **la stazioni di riforni-mentu**
gathered, **cotu/a** *p.p.*
generous, **ginirusu/a**
German, **tedescu/a**
to get angry, **ncazzarisi**, (vulgar) **arraggiarisi**
to get angry, **siddiarisi**
to get confused, **cunfunnirisi**
to get dressed, **vistirisi**
to get fat, **ngrussarisi**
to get married, **maritarisi, spusarisi**
to get separated, **sipararisi**
to get tired, **stancarisi**
to get undressed, **spugghiarisi**
to get up, **isarisi, susirisi**
to get upset, **scumpunirisi**
to get used to, **avvizzarisi, ab-bituarisi**

giant, **lu giganti**
gift, **lu rialu**
gigantic, **gigantischi**
girl, **la carusa, gi*u*vini**
to give as gift, **rialari**
to give, **dari, dunari**
glad, **cuntentu/a**
glass, **lu biccheri**
glue, **la codda**
glued, **ncuddatu/a** *p.p.*
to glue, n**cuddari**
gluttonous, **liccu/a, manciuni**
gnat, **la muschitta**
goal tender, doorman, lu **purteri**
goat, **la crapa**
god, **lu diu,** (pl.) **li dei**
to go, **jiri**
gold, **l'oru**
good, **bonu/a**
good, **bravu/a**
to go shopping, **fari la spisa**
to gossip, **sparrari**
gossip, **la sparrittera**
to go to bed, **curcarisi**
to graft, **nnistari**
grammar, **la gramm*a*tica**
grandfather, **lu nannu**
grandmother, **la nanna**
grape, **la racina**
grass, **l'erba**
grave, **gravi**
grave, **la fossa, la tomba**
gray, **grigiu/a**
Greek, **grecu/a**
green, **virdi**
to greet, **salutari**
ground floor, **lu piantirrenu**
group, **lu gruppu**
to grow, **crisciri**
guard, **la guardia**, **vardia**
guest, **l'invitatu/a, lu nvitatu**
guilty, **culp*e*vuli**
guitar, **la chitarra**
gum, **la gomma**
gym, **la palestra**

H

habit, **l'abbit*u*tini** *f.*
hair, **li capiddi**
half, **menzu/a**
handkerchief, **lu fazzulettu**
hand, **la manu, li manu**
hand-made, **fattu a manu**
to hang, **st*e*nniri**

to happen, **succ*e*diri, acc*a*diri**
happiness, **la felicità**
happy, **filici, cuntenti**
hard, **duru/a**
harvest, **la vinnigna**
to harvest, **vinnignari**
hardheaded, **cucciutu/a, tistardu/a**
hat, **lu cappeddu**
to hate, **odiari**
to have a birthday, **fari l'anni**
to have a nosebleed, **scattari lu nasu**
to have, **aviri**
hawking, **l'abbanniatina**
hay, **lu fenu**
hazel, **castanu**
headache, **lu duluri di testa**
head, **testa**
to heal, **guariri** (isc)
to hear, **s*e*ntiri**
heart, **lu cori**
hearth, **lu cufuni, fucuni**
to heat, **coddiari**
heat, **lu riscaldamentu**
heater**, lu calur*i*firu**
heavy, **pisanti**
Hebrew, **ebr*a*icu/a**
hectic, **muvimintatu/a**
to hee-haw, **ragghiari**
heel, **lu taccu**
he, **iddu**
height, **l'autizza**
to help, **aiutari, succurriri**
help, **l'aiutu, lu succursu**
here, **ccà**
here is, **eccu**
her, **la** (dir. obj.) **so,** (poss. adj.)
hermit, **lu rimitu**
hero, **l'eroi**
to hide, **ammucciari**
to hire, **ass*u*miri**
his, **so** (poss adj.)
history, **la storia**
hit, **la botta**
hoeing, **la zappatina**
hoe, **lu zappuni**
to hold, to grip, **str*i*nciri, t*e*niri**
to hold, to keep, **t*e*niri**
to hold up, **r*e*ggiri**
hole, **lu purtusu**
homemade pasta, **li maccarruni**
homework, **lu c*o*mpitu**
honestly, **onestamenti**
honest, **onestu/a**

honey, **lu meli**
honor, **l'onuri**
hope, **la spiranza**
to hope, **spirari**
horn, **lu cornu**
hospital, **lu spitali**
to host, **ospitari**
hot, **cauddu/a, brucienti**
hotel, **l'albergu**
hour, **l'ura**
house, **la casa, l'abbitazioni**
how come, **comu mai**
how ...is, **com' è**
how much, how many, **quantu**
human, **umanu/a**
hunger, **la fami**
hung, **stisu** *p.p.*
to hurt, **doliri**
to hurt, **fari mali, doliri**
husband, **lu maritu, lu spusu**

I

I am sorry, **mi dispiaci**
ice cream, **lu gelatu**
ice, **lu ghiacciu**
idea, **l'idea**
idiot, **scimunitu/a, idiota**
ignorant, **'gnuranti**
to ignore, **ignorari, fari finta di non vidiri**
I, **jo, ju, iu, eu**
ill, **malatu/a, infirmu/a**
ill mannered, **sgarbatu/a, maleducatu/a**
important, **mpurtanti**
to impoverish, **mpoviriri** (isc)
impression, **la mprissioni**
in a little while, **tra pocu**
in compensation, **in cumpenzu**
increase, **l'aumentu**
independence, **l'indipinnenza**
to indicate, **indicari, mustrari**
in fact, **nfatti**
infinitive, **l'infinitu**
ingredient, **lu ngridienti,** *m.*
inhabitant, **l'abbitanti**
injection, **la gnizioni**
initial, **l' iniziali**
in large number, **a bizzeffi**
in, **nni, nna, nta**
innocent, **nnuccenti**
insect, **l'insettu**
inside, **dintra**
in slow motion, **cu rallentaturi**
inspector, **l'ispitturi**
in spite, **malgradu**
instead, **inveci**
instinct, **l'istintu**
instrument, **lu strumentu**
to insult, **nzurtari, offenniri**
to integrate, **integrari**
intelligence, **la nteliggenza**
intelligent, **nteliggenti**
intelligent, **scattru/a, scaltru/a**
intense, **ntenzu/a**
interesting, **nteressanti**
internal, **internu**
to interrupt, **ntirrumpiri**
to intertwine, **nturciuniari**
to intervene, **interveniri**
intestinal, **intestinali**
to introduce oneself, **prisintarisi**
to introduce, **prisintari**
in vain, **ammàtula**
invasion, **la nvasioni**
invitation, **lu nvitu**
to invite, **nvitari**
iron, **lu ferru**
island, **l'isula**
Italian, **talianu/a**
to itch, **manciari, sentiri pruritu**
it's enough, **basta**

J

jacket, **la giacca**
January, **jinnaru**
Japanese, **giappunisi**
jaw, **lu masciddaru**
jewel, **lu giuiellu**
joined, **juntu/a**
to joke, **babbiari, schirzari**
joke, **la barzelletta, lu scherzu**
to joke, **schirzari**
joking, **schirzannu, babbiannu**
journalist, **lu giurnalista**
journey, **lu viaggiu**
Jove, **Giovi**
judge, **lu giudici**
jug, **la quartara**
July, **lugliu**
to jump, **sautari**
June, **giugnu**
jungle, **la giungla, la furesta**
Junior High School, **la scola media**

K

to keep afloat, **stari a galla**
key, **la chiavi**
kick, **lu cauciu**
kick, **la pidata**
to kill, **ammazzari, assassinari**
kilogram, **lu chilu**
kind, **gintili, benevulu/a**
kindly, **gentilmenti**
kindness, **la gintilizza**
king, **lu re**
to kiss, **baçiari**
kitchen, **la cucina**
knee, **lu ginocchiu**
to knock, **tuppuliari, battiri**
to know, **canùsciri**
known, **canusciutu** *p.p.*
to know, **sapiri**

L

label, **la scritta, l'etichetta**
labyrinth, **lu labirintu**
lack, **la mancanza**
to lack, **mancari, difittari**
lady, **la signura**
lake, **lu lacu**
lament, **lu lamentu**
lamp, **lu lumi**
lance, **la lanza**
to land, **sbarcari, attirrari**
land, **la terra**
lard, **la saìmi**
last name, **lu cugnomu**
last night, **assira**
last, **ultimu/a, urtimu/a**
later, **chiù tardu**
late, **tardu**
to laugh, **ridiri**
lava, **la lava**
lawyer, **l'avvucatu**
laxative, **la purga, la lavanna**
leaf, **la fogghia**
to learn, **mparari, apprenniri**
leather, **la peddi**
leather upper, **la tomaia**
to leave, **lassari**
left hand, **la manu manca**
left, **sinistra**
leg, **la jamma, la gamma**
lemon, **lu lumiuni, la lumia**
to lend, **mpristari**
to lend, **nzignari**
to lengthen, **allungari**
to let go, **abbannunarisi**
letter, **la littra**
liberty, **la libirtà**

library, **la bibliuteca**
lie, **la minzogna, la buggìa**
life, **la vita**
to lift, **isari**
lighten, **alliggiriri (isc)**
light, **liggeru/a**
light, **la luci**
linguist, **lu/la linguista**
lip, **lu labbru,** pl. **li labbra**
lipstick, **lu russettu**
to listen, **ascutari, scutari**
list, **la lista**
liter, **lu litru**
little baby, **lu bammineddu**
little mouse, **lu surciteddu**
little, **nanticchia, un pocu**
little, **picca**
little, **pocu**
liver, **lu ficatu**
to live, **v*i*viri, campari**
living room, **lu salottu**
lobster, **l'araùsta, l'alaustra**
lock, **la firmatura, la sirratura**
look, **talè**
to look, **taliari, vardari**
to loosen, untie, **sci*o*gghiri**
Lord, **lu Signuri**
to lose, **p*e*rdiri**
lost, **persu** *p.p.*
love, **l'amuri**
lover, **l'amanti**
to love, **vuliri beni, amari**
low, **basciu**
lunch, **lu pranzu**
lung, **lu purmuni**

M

madly, **pazzamenti**
magazine, **la rivista**
magnificent, **magn*i*ficu/a**
maid, **la dom*e*stica**
mail, **la posta**
to make a good showing, **fari bedda fiura**
to make drunk, **mbriacari**
to make, to do, **fari**
to make heavy, **appisantiri** (isc)
to make noise, **fari rumuri, casinu**
to make oneself at home, **accomodarisi**
male, **lu m*a*sculu**
to manifest, **manifestari, mustrari**
man, **l'omu**
many, **tanti**
March, **marzu**
Mardi Gras, **Carnaluari**
margarine, **la margarina**
Mars, **Marti**
marvel, **la miravigghia, meravigghia**
masculine, **maschili**
mason, **lu muraturi**
master, **lu mastru**
material, **lu matiriali**
math, **la matim*a*tica**
May, **maju**
mayor, **lu s*i*nnacu**
meaning, **lu significatu**
meantime, **frattempu**
meanwhile, **ntantu**
meat, **la carni**
mechanic, **lu micc*a*nicu**
medicine, **la midicina**
to melt, **squagghiari**
me, **mi**
memory, **lu ricordu**
menacing, **minacciusu/a**
to mend, **arripizzari**
Mercury, **Mercuriu**
message, **lu missaggiu**
metal, **lu mitallu**
metaphor, **la mit*a*fura**
meter, **lu metru**
midnight, **menzanotti**
mile, **lu migghiu**
milk, **lu latti**
millenary, **millinariu/a**
miller, **lu mulinaru**
million, **lu miliuni**
mill, **lu mulinu**
mineral, **lu minirali**
minister, **lu ministru**
minus, **menu**
misdeed, **la malaparti**
miserable, **miser*a*bbili**
mistake, **lu sbagghiu**
to mistreat, **maltrattari**
mistress, **l'amanti**
mixed, **mmiscatu,** *p.p.*
model, **lu mudellu**
modern, **modernu/a**
molar, **la janga**
moment, **lu mumentu**
Monday, **luneddì**
money order, **lu vaglia pustali**
money, **li sordi, li dinari**
monkey, **la scimia**
month, **lu misi**
Moon, **la Luna**
moral, **la murali**
more, **chiossai**
morning, **la matina**
mosaic, **lu mus*a*icu**
mosque, **la muschìa,**
mother-in law, **la s*o*ggira**
mother, **la matri**
motive, **lu mutivu**
mountain, **la muntagna**
mouse, **lu surci**
mouth, **la bucca**
to move, **m*o*viri, muvirisi**
movie, **lu c*i*nima**
moving, **cummuventi**
museum, **lu museu**
musical, **musicali**
must, **lu mustu**
mute, **mutu/a,**
my, **me**
my, mine, **miu**
myth, **lu mitu**

N

narrow, **strittu/a**
national, **naziunali**
native, nativu/a
naturally, **naturalmenti**
near, **vicinu**
neck, **lu coddu**
to need, **aviri bisognu di**
to needle, **p*u*nciri**
to need, **serviri, aviri bisognu di**
negatively, **negativamenti**
negative, **negativu**
neighbor, **la cummari**
neighbor, **lu cumpari**
neither...nor, **né..né**
nephew, **lu/la niputi**
nervous, **nirvusu/a**
net, **la riti**
never, **mai**
newly married, **li nuvelli spusi**
new, **novu**
news, **la nutizia, la nuvità**
newspaper, **lu giurnali**
New Year's day, **lu Capud'annu**
next, **prossimu**
nickname, **la nciuria**
night, **la notti**
night owl, **nutt*a*mmulu/a**
ninth, **nonu**
nobody, **nuddu**
noise, **lu rumuri**

noise, **lu rumuri, fracassu**
noise, **lu str*e*pitu, lu rumuri**
noon, **menzujornu**
noose, **lu chiaccu**
normal, **normali**
nose, **lu nasu,** pl. **li naschi**
notebook, **lu quaternu**
nothing, **nenti**
novel, **lu rumanzu**
November, **novembri**
now, l'**ora**
number, **lu n*u*miru**
numerous, **numirusi**
nurse, **la nfirmera, lu nfirmeri**
nymph, **la ninfa**

O

to observe, **ossirvari**
occupied, **occupatu/a**
October, **ottobri**
odd, **stunatu/a, stranu/a**
of course, **certu**
of, **di**
offended, **offisu/a** *p.p.*
to offend, **off*e*nniri, nzurtari**
to offer, *o***ffriri**
office, **l'ufficiu**
often, **spissu**
oil, **l'ogghiu**
old, **vecchiu/a**
olive, **l'aliva**
olive tree, **l'alivara**
one hundred, c**entu**
one thousand, **milli**
onion, **la cipudda**
only, **sulu**
on, **supra**
on the subject, **a prup*o*situ**
on time, **in orariu**
open, **apertu/a**
to open, *a***priri**
operation, **l'operazioni**
opinion, **la pinzata, l'opinioni**
opponent, **l'avvirsariu**
opportunities, **l'occasioni**
opposite, **oppostu/a**
orange, **l'aranciu**
orange, **aranciuni**
order, **la cumanna, l'ordini**
to order, **cumannari, ordinari**
oregano, **l'or*i*ganu**
to organize, **organizzari**
organ, **l'*o*rganu**
or, **o, oppuru**

other, *a***utru**
our, **nostru**
outside, **fora**
oven, **lu furnu**
overbearing, **arruganti**
overcoat, **lu cappottu**
to overdo, **strafari**
owner, **lu patruni, proprietariu**
own, **propriu/a**

P

package, **lu paccu**
pain, **la dogghia, lu duluri**
to paint, **pittari, dipinciri**
pair, **lu paru**
palace, **lu palazzu**
palm, **la chianta, la palma**
pan, **la padedda**
panther, **la pantera**
paper, **la carta**
parents, **li ginituri**
to park, **pustiggiari**
park, **lu parcu**
parking, **lu parcheggiu**
parsley, **lu pitrusinu**
particular, **particulari**
party, **la festa**
to pass, **passari, *e*ssiri prumossu**
pasta, **la pasta**
pastries, **li pasti**
patron saint, **lu santu patronu**
to pay attention, **fari attinzioni**
to pay, **pagari**
to pay, **scuttari**
peculiarity, **la piculiarità**
penny, **sordu**
pen, **la pinna**
pension, **la pinzioni**
people, **li cristiani**
people, **la genti**
people, **lu p*o*pulu**
pepper, **lu pipi**
perhaps, **forsi**
personally, **pirsunalmenti**
personification, **la pirsunifica-zioni**
person, **la pirsuna**
pharmacist, **lu/la farmacista**
pharmacy, **la farmacìa**
photograph, **la fotugrafia**
phrase, **la frasi**
physical, **lu f*i*sicu**
physically, **di f*i*sicu**
piano, **lu pianu**

to pick, **c*ò*gghiri**
piece, **lu pezzu**
to pierce, **pirciari**
pig, **lu porcu**
pigsty, **lu purcili**
pine nut, **lu pignolu**
pirate, **lu pirata**
pity, **la pietà**
placed, **misu** *p.p.*
place, **lu postu**
to place, **pusari**
plane, **l'aeriu**
plane, **l'apparecchiu**
plant, **la chianta**
to plant, **chiantari**
plastic, **la pl*a*stica**
platonic, **plat*o*nicu/a**
plausible, **plaus*i*bili**
to play a game, **jucari**
to play chess, **jucari a scacchi**
player, **lu jucaturi**
player, **lu sunaturi**
play, (game) **lu jocu**
to play, (instrument) **sunari**
pleasant, **piac*e*vuli**
please, pi **piaciri**
please, **pi favuri**
plebeians, **la gintagghia**
to plug, **attuppari**
plus, **chiù**
pneumonia, **la purmuniti**
pocket, **la sacchetta**
poem, **la puis*i*a**
poet, **lu pueta**
point, **lu puntu**
poisoned, **avvilinatu/a**
poison, **lu vilenu**
pole, **lu palu**
policeman, **lu sbirru**
pomegranate, **lu granatu**
pompous, **pumpusu/a**
poor, **pizzenti**
poor, **p*o*viru/a**
Pope, **lu Papa**
popular, **populari**
porter, **lu facchinu**
positive, **positivu/a**
to possess, **puss*e*diri**
possibility, **la possibilità**
possible, **poss*i*bili**
postcard, **la cartulina**
potato, **la patata**
pot maker, **lu quadararu**
pot, **la quadara**
powerful, **putenti**

power, **la putenza**
practice, **la pr*a*tica**
to practice, **praticari**
preceding, **precedenti**
precious, **priziusu/a**
precise, **pricisu/a**
to prefer, **prifiriri** (isc)
to prepare, **priparari**
present, **lu prisenti**
pretending, **amparissi**
to pretend, **prit*e*nniri**
prett, **bidduzza, bidditta**
prickly pear, **la ficudinnia**
prison, **lu c*a*rciri**
prisoner, **lu priggiuneri**
private, **privatu/a**
prize, **lu premiu**
problem, **lu problema**
professor, **lu prufissuri**
program, **lu prugramma**
progress, **lu prugressu**
promise, **la prumissa**
to promise, **prum*e*ttiri**
promontory, **lu prumuntoriu**
to pronounce, **pronunziari**
proof, **la prova**
property, **la robba, la proprietà**
to protect, **prut*e*ggiri**
proverbial, **pruvirbiali**
provided that, **a pattu chi/ca**
prudent, **prudenti**
public, **lu p*u*bblicu**
to pull out one's hair, **tirarisi,** or **scipparisi li capiddi,**
to pull, **tirari**
to punish, **castigari, castiari**
to punish, **puniri**
puppet maker, **lu puparu**
puppet, **lu pupu**
to push, **sp*i*nciri, ammuttari**
to put on, **mitt*i*risi**
to put up with, **suppurtari**

Q

qualification, **la qual*i*fica**
quality, **la qualità**
to quarrel, **sciarriarisi**
quarter, **quartu**
queen, **la riggina**
question, **la dumanna**
question, **la quistiuni**
quickly, **vilocimenti**

R

rabbit, **lu cunigghiu**
racer, **lu currituri**
to rain, **chi*o*viri**
to raise, **alzari**
to raise, **isari**
rarely, **raramenti**
rascal, **d*i*sculu/a**
rather, **chiuttostu**
reader, **lu litturi**
to read, **l*e*ggiri**
ready, **prontu/a**
to realize, **addun*a*risi**
really, **propriu**
reason, **la raggiuni, lu motivu**
to reason, **raggiunari**
receipt, **la ricivuta**
ro receive, **ric*i*viri**
recipe, **la rizzetta**
to recite, **ricitari**
recommendation, **la raccumannazioni**
to recommend, **raccumannari**
recording, **la registrazioni**
red, **russu/a**
reduced, **ridduttu/a, ridduciutu**
to reduce, **Ridd*u*ciri**
reference, **lu riferimentu**
reflection, **lu riflessu**
refrigerator, **lu frigur*i*feru**
to register, **rigistrari**
regret, **lu ramm*a*ricu, lu dispiaciri**
regularly, **regularmenti**
regular, **regulari**
to reign, **rignari**
to reinforce, **raffurzari, rinfurzari**
relative, **lu parenti**
relaxed, **rilassatu/a**
to relax, **rilassarisi**
to remember, **ricurdarisi**
to repair, **riparari, aggiustari**
to represent, **rapprisintari**
to reprimand, **rimpruvirari**
research, **la ricerca**
to reserve, **prinutarisi, risirvari**
reservoir, **la gebbia**
to reside, **abbitari**
to resign, **dimittirisi**
to resolve, **ris*o*rviri**
responsibility, **la responzabilità**
restaurant, **la trattur*i*a**
rest, **lu riposu**
to rest, **ripusari**
result, **lu risultatu**
retired, **pinziunatu/a**
reunion, la **riunioni**
to reunite, **riuniri** (isc)
rice ball, **l'arancini**
rice, **lu risu**
rich, **riccu/a**
riddle, **la nimimagghia**
right away, **sùbbitu**
right, **destra**
right, **giustu/a**
right now, **ora ora**
ring, **l'aneddu**
to rise, **spuntari**
rival, **lu rivali**
river, **lu çiumi**
to rob, **rubbari, arrubbari**
rock, **lu faragghiuni**
Roman, **rumanu**
romantic, **rom*a*nticu/a**
room, **la stanza**
to root, **tifari**
rose, **rosa**
rotten, **fr*a*cidu/a**
rough, **rozzu/a**
rude, **sgarbatu/a**
ruined, **sdirrupatu/a**
rule, **la r*e*gula**
rumor, **la dicir*i*a**
rumor monger, **lu/la malalingua**
to run, **c*u*rriri**
Russian, **russu/a**
rust, **la r*u*ggini**

S

sack, **lu saccu**
sacrifice, **lu sacrificiu**
sad, **tristi**
said, **dittu** *p.p.*
sailor, **lu marinaru**
saint, **lu santu**
salad, **l'inzalata, la nzalata**
salary, **lu salariu**
salary, **lu stipenniu**
salesman, **lu cummessu**
salted, **salatu/a**
salt, **lu sali**
same, **stissu/a**
sandwich, **lu paninu**
sardine, **la sarda**
satisfied, **sodisfattu/a**
to satisfy, **sodisfari,**
Saturday, **sàbbatu**
satire, **la sàtira**
satyr, **lu satiru**
sauce, **la sarsa**

sausage, **la sosizza**
to say, tell, **diri**
saying, **lu muttu**
science, **la scienza**
scientist, **lu scienziatu**
scoundrel, **lu malviventi**
to scratch, **sgaggiari**
season, **la staçiuni**
second, **secunnu**
secretary, **la secretaria**
secret**, lu sicretu,**
secretly, **ammucciuni**
seed, **la simenza**
seeing that, **vistu ca**
to seek, look for **circari**
to seem, **pariri**
to seethe, **rudirisi lu ficatu**
to see, **vidiri, vidiri**
to sell, **vinniri**
senate, **lu sinatu**
senator, **lu sinaturi**
to send, **mannari**
to send, **spidiri**
sensitive, **senzibili**
sentimental, **sintimintali**
sentiment, **lu sintimentu**
September, s**ittembri**
sergeant, **lu sirgenti**
seriously, **seriamenti**
seriousness, **la serietà**
serious, **seriu/a**
service, **lu sirviziu**
serving, **la porzioni**
settled, **sistimatu/a**
seventh, s**ettimu/a**
to sew, **cuçiri**
shade, **l'umbra**
shadow, **l'umbra**
to shake hands, **strincirisi li manu**
shame, **la briogna, vriogna**
to feel shame, **virgugnarisi**
shark, **lu squalu, lu piscicani**
sheep, **la pecura**
she, **idda**
shepherd, **lu picuraru, pasturi**
shield, **lu scutu**
shiny, **lucenti**
shirt, **la cammiçia, cammisa**
shoemaker, **lu scarparu**
shoe, **la scarpa**
shooting, **la sparatoria**
shopkeeper, **lu putiaru**
shopping centers, **li granni magazzini**

short, **curtu/a**
short of money, **paccariatu/a**
short story, **la nuvella**
shoulder check, **la spaddata**
shoulder, **la spadda**
shower, **la doccia**
to show, **mustrari**
Sicilian, **sicilianu/a**
sick, **malatu/a**
to sift, **cerniri**
sight, **la vista**
to sign, **firmari**
sign, **lu signali**
silence, **lu silenziu**
silent, **mutu/a, zittu/a**
silver, **l'argentu**
since, **datu ca**
sincere, **sinceru/a**
since, **siccomu**
to sing, **cantari**
singer, **lu/la cantanti**
to sink, **affunnari**
sister-law, **la cugnata**
sister, **la soru**
sit down, **assittarisi**
situation, **la situazioni**
sixth, **sesta**
size, **la misura**
skin, **la peddi**
ski, **lu sci**
ski, **la slitta**
skyscraper, **lu grattacelu**
slap, **la manata, la timpulata**
slaughterhouse, **lu macellu**
to sleep, **dormiri**
sleeve, **la manica**
slim, **snellu/a**
slope, **lu pinninu**
slow, **lentu/a**
slowly, **a leggiu a leggiu**
slowly, **passu passu**
slowness, **lintizza**
small, **nicu/a**
to smell, **çiariari**
to smile, **surridiri**
smile, **lu surrisu**
smiling, **surridenti**
to smoke, **fumari**
smooth, **lisciu/a**
to sneeze, **stranutari**
snow, **la nivi**
to snow, **nivicari**
so, **allura**
so, **allura, accussì**
soap maker, **lu sapunaru**

soap, **lu sapuni**
so...as, **accussì...comu**
soccer, **lu jocu di palluni**
sock, **la cosetta**
to soil oneself, **allurdarisi**
sole, **la sola**
some, **certi**
some, **certuni**
some, **quacchi**
song, **la canzuna**
son-in-law, **lu jenniru**
soon, **prestu**
sorrow, **la pena**
so that, **pirchì**
soul, **l'arma**
sound, **lu scrusciu**
sound, **lu sonu**
soup, **la suppa**
sow, **la troia**
spacious, **spaziusu/a**
Spanish, **spagnolu/a**
spa, **la termi**
to speak, **parrari**
special, **speciali, spiciali**
specialist, **lu/la specialista**
speck of dust, **la buridda**
speech, **lu discursu**
speed, **la vilocità**
to spend, **spenniri**
spinach, **li spinaci**
spiral, **la spirali**
spoon, **la cucchiara**
spread the news, **spargiri la vuci**
spring, **la primavera**
to spy, **spiari, fari la spia**
square, **lu quatratu**
to squeeze, **spremiri**
stable, **la stadda**
stadium, **lu stadiu**
stain, **la macchia**
to stain, **macchiari**
stamp, **lu francubullu**
stand, **l'edicula**
to start, **cuminciari**
state, **lu statu**
station, **la stazioni**
steak, **la bistecca**
to steal, **arrubbari, rubbari**
step, **lu passu**
to stick, **appiccicari**
still, **ancora**
stingy, **tirchiu/a**
to stink, **puzzari**
stinky, **fitusu/a**
stomach, **lu stomacu**

stone, **la petra, ciaca**
to stop, **cissari**
stop, **la firmata**
stopped, **fermu**
store, **lu nigozziu, (negozziu)**
store, **la put*ì*a**
storm, **lu timpurali**
straight, **lisciu/a**
strand, **lu filu**
strangely, **stranamenti**
stranger, **lu straneru**
strange, **stranu/a**
straw, **la pagghia**
street, **la strata**
strike with the elbow, **la gumitata**
strong, **forti**
stubborn, **tistardu/a**
student, **lu studenti**
to study, **studiari**
stupid, **lu babbu**
stupid, **lu st*ù*pidu, lu cretinu**
stutterer, **lu pappaleccu**
to stutter, **tartagghiari**
subject, **lu suggettu**
to succeed, **rin*e*sciri**
to suffer, **s*o*ffriri**
sugar, **lu z*u*ccaru**
suit, **lu vistitu**
sulfur, **lu s*u*rfaru**
summer, **la stati**
Sunday, **la dum*i*nica**
sunglasses, **l'ucchiali di suli**
sun, **lu suli**
supermarket, **lu supirmircatu**
supper, **la cena**
supporter, **lu sustinituri**
sure, **sicuru/a**
surface, **la superfici**
to surface, **turnari a galla**
to surround, **circunnari**
to suspect, **suspittari**
to swallow, **ammuccari**
sweater, **la maglia**
sweet, **duci**
sweets, **li cosi duci**
swimmer, **lu nataturi**
swimming, **natari, notu**
swimming, **lu notu**
to swim, **natari**
swollen, **unchiu/a**
symbol, **lu s*i*mbulu**
synphony, **la sinfun*ì*a**

T

table soccer, **lu bigliardinu**
table, **lu t*a*vulu**
tailor, **lu sartu**
tailor shop, **la sartur*ì*a**
to take a bath, **fari lu bagnu**
to take a picture, **fari na fotograf*ì*a**
to take a walk, **fari na passiata**
to take off, **livarisi**
to take, **pigghiari**
tall, **longu/a**
to taste, **assaggiari**
taste, **lu gustu**
tasteless, **scipitu/a, dissapitu/a**
tasty, **sapuritu/a**
taut, **tisu**/a *p.p.*
tavern, **la taverna**
taxi, **lu tassi**
to teach, **nzignari**
teacher, **lu maestru, la maistra**
team, **la squatra**
tea, **lu tè**
telegram, **lu telegramma**
telephone, **telefunari**
television, **la televisioni**
to tell, **diri**
temperament, **lu temperamentu**
temple, **lu tempiu**
to tempt, **tintari**
tense, **lu tempu**
terrorist, **lu/la terrorista**
thank God, **menu mali**
to thank, **ringraziari**
that, **chissu/a, chiddu/a**
theatre, **lu tiatru**
the day after tomorrow, **doppudumani**
theft, **l'arrubbatina**
their, **so**
the, **lu, la, li**
them, **li**
then, **poi**
there are, **ci sunnu**
there, **ddocu, ddà**
therefore, **pirciò**
these, **chisti**
they, **iddi**
thief, **lu latru**
thing, **la cosa**
to think, **pinzari**
thin, **siccu/a, magru/a**
third, **terzu/a**
T-hirt, **la maglietta**
this, **chistu, chista**
this morning, **stamatina**
this year, **avannu**
those, **chiddi**
thoughtful, **sintimintusu/a**
thoughtless people, **ncuscenti**
to threaten, **minazzari**
thrifty, **lu risparmiaturi**
throat, **la gula**
throne, **lu tronu**
through, **attraversu, tr*a*miti**
to throw, **ittari,** also **iccari**
Thursday, **lu gioveddì**
thus, **d'accussì**
ticket, **lu bigliettu**
tie, **la cravatta**
tiger, **la tigri**
to till, **zappari**
time, **la vota**
tired, **stancu/a**
toasted, **tustatu/a**
tobacconist, **lu tabbaccaru**
tobacco, **lu tabbaccu**
to be afraid, **la paura**
to be born, **n*a*sciri**
to be hungry, **aviri fami**
to be in a hurry, **aviri primura**
to be right, **aviri raggiuni**
to be sleepy, **aviri sonnu**
to be, **stari, *e*ssiri**
to be sufficient, **bastari**
to be thirsty, **aviri siti**
to be warm, **fari c*a*uddu**
to be wrong, **aviri tortu**
today, **oggi**
to feel cold, **aviri friddu**
to feel hot, **sèntiri c*a*uddu**
to feel like, **aviri vogghia di**
together, **assemi, nzemmula**
to get up, **susirisi**
tomato, **lu pumadoru**
tomorrow, **dumani**
tongue, **la lingua**
tonight, **stanotti**
tonight, **stasira**
too, **macari**
too much, **troppu**
to order, **su misura**
tooth, **lu denti**
to sum up, n**zumma**
to test, **m*e*ttiri a prova**
tour, **lu giru**
town hall, **lu municipiu**
town, **lu paisi**
toy, **lu giuc*a*ttulu**
tractor, **lu tratturi**
trade, **lu misteri**

traffic, **lu tr*a*ficu**
tragedy, **la traggedia**
train, **lu trenu**
trait, **la caratter*i*stica**
trampoline, **lu trampulinu**
tranquility, **la tranquillità**
translated, **traduciutu**
to translate, **trad*u*ciri**
to transport, **traspurtari**
to travel, **viaggiari**
tree, **l'*a*rburu, l'*a*rvulu**
trick, **lu truccu**
trouble, **lu guaiu**
trousers, **li c*a*usi**
true, **veru/a**
truly, **veramenti**
truth, **la virità**
Tuesday, **marteddì**
turkey, **lu tacchinu**
Turkish, **turcu/a**
to turn, **girari, vutarisi**
to turn off, **astutari**
to turn on, **addumari**
to turn, to strike, **sb*a*ttiri**
turtle, **la tartaruca**
two-faced, **facciolu/a**

U

ugly, **bruttu/a**
to unbalance, **sbilanciari**
unbearable, **insopport*a*bili**
uncle, **ziu**
uncouthly, **viddanamenti**
uncouth, **maladucatu/a**
underground, **suttirr*a*niu**
understand, **capiri**, (isc)
understanding, **l'intisa**
under, **sutta**
underwear, **li mutanni**
to undo, **smuntari**
unemployment, **la disoccu-pazioni**
unforeseeable, **impreved*i*bili**
unforgettable, **indimentic*a*bbili**
to unglue himself, **spiccicarisi**
university, **l'unversità**
unless, **a menu chi/ca**
unpleasant, **antip*a*ticu/a**
until, **finu ca**
up, **susu**
useful, ***u*tili**
useless, **in*u*tili**
us, **ni**

V

vacation, **la vacanza**
valiant, **valurusu/a**
vegetables, **la virdura**
vegetarian, **vegetarianu/a**
vengeance, **la minnitta**
to vent, **sfugari**
Venus, **V*e*niri**
verb, **lu verbu**
very, **assai**
view, **la viduta**
vineyard, **la vigna**
virtue, **la virtù**
vision, **la visioni**
to visit, **visitari**
voice, **la vuci**
volcano, **lu vulcanu**
to vote, **vutari**

W

to wait, **aspittari**
waiter, **lu cammareri**
to walk, **caminari**
walk, **la passiata**
wall, **lu muru**
to want, **vuliri**
war, **la guerra**
warm, **c*a*uddu/a**
to wash, **lavarisi**
watch, **lu riloggiu**
water, **l'acqua**
wax, **la cira**
way, **la manera**
way, **lu modu**
weak, **d*e*bbuli**
wealth, **la ricchizza**
wedding, **lu matrimoniu, lu spusaliziu**
Wednesday, **lu merculeddì**
week, **la simana**
weird, **strammu/a, stranu/a**
well, **beni**
well mannered, **educatu/a**
we, **nui**
what, **chi**
what, **quali**
what, **zoccu**
wheat, **lu frummentu**
where, **unni**
which, **quali**
whisper, **lu bisbigghiu**
white, **biancu/a**
who, **ca**
who, **chi**
who knows, **cusà**
whole day, **la jurnata**
whole, **interu/a**
whom, **cui**
who, **quali**
why, **picchì**
wide, **largu/a**
widow, **la v*i*dua**
wife, **la mugghieri**
window, **la finestra**
display window, **la vitrina**
wind, **lu ventu**
wine, **lu vinu**
winner, **lu vincituri**
winter, **lu nvernu**
to win, **v*i*nciri**
wisdom, **la saggizza**
to wish, **disiddirari**
with, **cu**
without, **senza chi/ca**
with pleasure, **cu piaciri**
wolf, **lu lupu, la lupa**
woman, **la donna**
woman, **la f*i*mmina**
wood, **la lignami**
wood, **lu lignu**
word, **la palora, parola**
worker, **lu travagghiaturi**
work, **l'*o*pira**
to work, **travagghiari**
work, **lu travagghiu**
world, **lu munnu**
worried, **preoccupatu/a**
to worry, **preoccuparisi**
wrist, **lu pusu**
writer, **lu scritturi**
to write, **scr*i*viri**
written, **scrittu** *p.p.*

Y

to yell, **gridari**
yellow, **giallu/a, giarnu/a**
yes, **sì**
you, **tu,** (famil sing.) **Lei** (formal sing.) **Vossia** (formal sing.) **Vui** (fam. pl.)
young, **lu/la gi*u*vini**
young lady, **la signurina**
young man, **lu picciottu**
your, **to, so, vostru**
you, **ti, vi**

Z

zoo, **lu giardinu zool*o*gicu**

Index of the Audio Recordings on the DVD

The Sounds of Sicilian:
Tracks 1 to 34.

Chapter 1: **Note** *C1ex1* stands for Chapter 1, Exercise 1.
C1 Cunvirsazioni 1, C1Chi voi fari?, C1Chi fai? C1ex1, 2, 3, 4, 5, 7, 8, 9, 11, 12, 14, 15, 16, 17, 18, 19, 20.

Chapter 2:
C2 Cunvirsazioni, C2ex1, 2, 4, 5, 6, 7, 8, 9, 10, 12, 13, 14, 15, 16, C2 Fari la spisa.

Chapter 3:
C3 Cunvirsazioni tra Maria e Mariu, C3 Lu Sport, C3 Answers to Lu sport, C3 Dialogu, C3 Robertu, C3 Answers to Robertu, C3 Maria, C3 Mariu, C3ex 3, 4, 5, 6, 7, 9, 10, 11, 12, 13, 14, 15, 20.

Chapter 4:
C4 Lucia, C4 Answers to Lucia, C4 Gianni e Francu, C4 Li casi siciliani, C4 Li Staçiuni, C4ex 2, 3, 4, 5, 7, 12, 13, 14, 16, 17, 19.

Chapter 5:
C5 Cunvirsazioni tra Mariu, Maria e Robertu, C5 Cunvirsazioni tra matri e figghiu, C5 Jornu di scola, C5 Answers to jornu di scola, C5ex1, 4, 5, 6, 7, 12, 13, 14, 16, 19, 21, 23, 24, 25, 26.

Chapter 6;
C6 Petru Fudduni, C6 omprehension Exercise, C6 Me ziu Micheli, C6 Answers to Me Ziu Micheli, C6 Dialogu tra cummari, C6Answers to dialogu tra du' cummari, C6 La me famigghia, C6 Answers to La me famigghia, C6 Nta un nigoziu di scarpi, C6 Answers to Nigozziu di scarpi, C6 Tonguetwisters, C6ex 1, 2, 3, 5, 6, 7, 8, 11, 14, 15, 16, 17, 18, 19.

Chapter 7:
C7 Na canzuna di Aznavour, C7 Answers to question for Aznavour's song, C7 *De Gustibus*, C7 Fu na jurnata nìura, C7 Answers to Fu na jurnata niura, C7 Isuli di Sicilia, C7 Sicilia giografica, C7 Answers to Sicilia giografica, C7ex1, 2, 3, 4, 5, 6, 8, 10, 12, 14, 17, 18, 19, 20, 21, 22.

Chapter 8:
C8 Mariella e Pippu, C8 Answers to Mariella e Pippu, C8 Gianni è nuttàmmulu, C8 Answers to Gianni è nuttàmmulu, C8 L'àncilu di Diu, C8 Answers to L'ancilu di Diu, C8 Sarvari crapa e cavuli, C8Answers to sarvari crapa e cavuli, C8 Mircati a l'apertu, C8answers to mircati a l'apertu, C8 Scilla e Cariddi, C8Answers to Scilla e Cariddi, C8 Sicilia politica, C8 Comprehension Ex, C8ex1, 2, 4, 5, 7, 9, 10, 11, 12, 13.

Chapter 9:
C9 La scola siciliana, C9 Alfeu e Aretusa, C9 Domenico Tempio, C9 Lu Gattu e lu firrau, C9 Na Littra politica, C9 Siracusa, C9 Answers to Na littra politica, C9 Answers to Lu gattu e lu firraru, C9 Answers to Alfeu e Aretusa, C9 Answers to Siracusa, C9ex1, 2, 3, 4, 5, 6, 7, 9, 10, 11,12, 13.

Chapter 10:
C10 Catania, C10 Dèdalu in Sicilia, C10 Nino Martoglio, C10 Chiù chi si campa, C10 Anwers to Chiù chi si campa, C10 Answers to Dèdalu in Sicilia, C10 Answers to Catania, C10 Answers to Martoglio, C10 Un viaggiu in Sicilia, C10ex1, 2, 3, 4, 5, 6, 7, 8, 9, 12.

Chapter 11:
C11 La Longa, C11 La Trinacria, C11 Lu jocu dû palluni, C11 Pasta alla Norma, C11 Trapani, C11 Sicilian Humor, C11Answers to La Longa, C11Answers to Trapani, C11ex1, 2, 3, 4, 5, 6, 10.

Chapter 12:
C12 Dari istruzioni, C12 Dafni, C12 Li tiatri a l'apertu, C12Answers to Tiatri a l'apertu, C12 Ragusa, C12 I Siciliani a l'èstiru, C12 Answers to Siciliani a l'èstiru, C12 Ulissi in Sicilia, C12Answers to Ulissi in Sicilia, C12 Sicilian Humor "Urbi et orbi," C12ex1, 2, 3, 4, 5, 6, 7, 8, 9, 10, 11, 12, 13, 14, 15, 16, 17.

Chapter 13:
C13 Lu tràficu di Palermu, C13Answers to Lu tràficu a Palermu, C13 Giovanni Meli, C13Answers to Giovanni Meli, C13 Palermu, C13Answers to Palermu, C13 Vulcanu, C13Answers to Vulcanu, C13ex1, 2, 3, 4, 5, 6, 7, 8.

Chapter 14:
C14 Aristeu, C14 Answers to Aristeu, C14 Luigi Pirandello, C14 Agrigentu, C14 Li nciurìi, C14 Lu me amicu tartaruca, C14Answers to Lu me amicu tartaruca, C14 Sicilian Humor, C14ex 1, 2, 4, 5, 6, 7, 8, 9, 10.

Chapter 15:
C15 Ignazio Buttitta, C15Answers to Ignaziu Buttitta, C15 Li artigiani in Sicilia, C15Answers to Artigiani in Sicilia, C15 Colapisci, C15Answers to Colapisci, C15 Sicilian Humor, C15 Missina, C15ex1, 2, 3, 4, 5, 6, 7, 8, 10, 11, 12.

Chapter 16:
C16 S'i' fussi focu, C16Answers to S'i' fussi focu, C16 Dialogu tra du' cummari, C16 La cucina siciliana, C16 Lu diu Adranu, C16 Answers to Adranu, C16 Sicilian Humor, C16ex1, 2, 3, 4, 5, 6, 7, 9, 10, 11, 12, 13, 14, 15, 16.

Chapter 17:
C17 Caltanissetta, C17Answers to Caltanissetta, C17 Polifemu e Galatea, C17 Answers to Polifemu and Galatea, C17 Alessio di Giovanni, C17 Un sceccu chiamatu Àncilu, C17Answers to Lu sceccu chiamatu Àncilu, C17 Sicilian Humor, C17ex1, 2, 3, 4, 5, 6, 7, 8, 9, 10.

Chapter 18:
C18 Antonio Veneziano, C18 Enna, C18 Li surci, C18Answers to Li surci, C18 Dialogu tra Luigi e Mariu, C18Answers to Dialogu tra Luigi e Mariu, C18 Prusèrpina, C18Answers to Prusèrpina, C18ex1, 2, 3, 4, 5, 6, 7, 8, 10.